D1472193

COMPTABILITÉ GÉNÉRALE

MODÈLE COMPTABLE ET FORMES ÉCONOMIQUES D'ENTREPRISES

COLLECTION
MERCURE
SCIENCES COMPTABLES

Directeur: Omer Crôteau
L. Sc. Comm., L. Sc. Compt. (H.É.C.), M.B.A. (Columbia),
D.Sc. Écon. Appl. (Louvain), F.C.A.

Ouvrages parus dans cette collection:

- *André Pérès, Michel Morin, Maurice Lemay*

  Informatique et mission d'attestation: une étude de cas

  Premier volet: *Contrôles généraux*

  Deuxième volet: *Système de cartes de crédit*

  Troisième volet: *Progiciel de vérification*

- *Jacques Douville, Jacques Fortin, Michel Guindon*

  Comptabilité générale

  Modèle comptable et formes économiques d'entreprises

  Formes juridiques d'entreprises et analyse des états financiers

COMPTABILITÉ GÉNÉRALE

MODÈLE COMPTABLE ET FORMES ÉCONOMIQUES D'ENTREPRISES

Jacques Douville

Conseiller en administration chez
Raymond, Chabot, Martin, Paré et Cie

Jacques Fortin

professeur à l'École
des Hautes Études Commerciales
de Montréal

Michel Guindon

professeur à l'École des
Hautes Études Commerciales
de Montréal

avec la collaboration de
Maurice Lemay

professeur à l'École
des Hautes Études Commerciales
de Montréal

ÉDITIONS DU RENOUVEAU PÉDAGOGIQUE INC.

5757, RUE CYPIHOT, SAINT-LAURENT (QUÉBEC) H4S 1X4
TÉLÉPHONE : (514) 334-2690 • TÉLÉCOPIEUR : (514) 334-4720

Jacques Douville: B.A.A., M.B.A., C.A., C.M.C. Conseiller en administration chez Raymond, Chabot, Martin, Paré et Cie.

Jacques Fortin : B.A.A., M.B.A., C.A. Professeur agrégé, École des Hautes Études Commerciales de Montréal.

Michel Guindon : B.A.A., M.B.A., C.A., R.I.A., C.G.A. Professeur agrégé, École des Hautes Études Commerciales de Montréal.

Maurice Lemay : L.Sc. Comm., L.Sc. Compt. (H.É.C.), C.A. Professeur agrégé, École des Hautes Études Commerciales de Montréal.

Comptabilité générale: modèle comptable et formes économiques d'entreprises est la deuxième édition, revue et mise à jour, de *Comptabilité financière 1: modèle comptable et formes économiques d'entreprises*.

Révision: Lucie Duchesne
Photocomposition: Typo Litho composition inc.
Conception graphique et couverture: Studio Bonsaï inc.

Dépôt légal: 3ᵉ trimestre 1988
Bibliothèque nationale du Québec
Bibliothèque nationale du Canada
Imprimé au Canada
ISBN 2-7613-0532-9

90 II 98
2494 ABCD

Cet ouvrage doit son existence au travail patient et acharné de plusieurs personnes auxquelles nous désirons rendre hommage. On compte parmi celles-ci plusieurs de nos collègues, professeurs et attachés de recherche du Service de l'enseignement des Sciences comptables de l'École des Hautes Études Commerciales, l'équipe de secrétaires qui se sont chargées de la dactylographie des manuscrits, ainsi que le personnel des Éditions du Renouveau Pédagogique.

L'École des Hautes Études Commerciales mérite également notre reconnaissance pour le support technique et financier qu'elle nous a accordé pour mener à bien cette entreprise.

Jacques Douville
Jacques Fortin
Michel Guindon

Préface

Après avoir pratiqué et enseigné la comptabilité pendant quelques années, on se rend compte que la maîtrise des concepts de comptabilité de base est essentielle à l'apprentissage de la très grande majorité des techniques de gestion. En effet, la comptabilité de base produit les informations qui alimentent les modèles de prise de décision de la plupart des gestionnaires. On n'a qu'à songer au responsable de l'élaboration des politiques générales d'administration, au financier, au responsable de la fonction marketing, au contrôleur, au fiscaliste, au banquier, etc. Tous prennent une proportion considérable de leurs décisions à partir d'informations fournies par le système d'information comptable.

Ultimement, l'art de la comptabilité conduit à résumer en quelques mots, sur des documents qu'on appelle états financiers, l'ensemble des activités qu'une entreprise a menées au cours d'une période. On présente ainsi fréquemment en quelques mots les conséquences de milliers, voire même de millions d'opérations commerciales.

Les états financiers deviennent donc des documents extrêmement synthétiques et, pour en saisir toute la signification, il devient primordial de comprendre les mécanismes de sélection, d'accumulation, de regroupement et de présentation des données qui en sont à l'origine. De plus, le fonctionnement de ces mécanismes repose sur des fondements théoriques élaborés en vue de satisfaire l'objectif ultime de la comptabilité de base, soit la préparation des états financiers. Une compréhension raisonnable des mécanismes de comptabilité de base trouvera donc sa source dans la maîtrise de ses assises théoriques.

Le présent ouvrage se propose de conduire le lecteur de l'origine de la donnée financière à la préparation des états financiers, en passant par l'apprentissage des techniques de traitement de ces données et des fondements théoriques qui en guident le fonctionnement et le développement. Le tout est ponctué de nombreux exemples dont l'ordre d'apparition tient compte du degré de difficulté intrinsèque de chacun.

L'organisation matérielle de cet ouvrage est marquée par un souci particulier d'utilité sur le plan pédagogique. C'est ainsi que la structure de chacun des chapitres et l'ordre de présentation de ceux-ci respectent les contraintes qu'impose le processus de raisonnement déductif. En ce sens, dans cet ouvrage, on s'efforce de procéder à chacune des démonstrations en ne faisant référence qu'à des connaissances préalablement communiquées. Chaque chapitre procède logiquement du précédent, et chaque information contenue dans chacun procède logiquement de l'information précédente.

Ainsi, au chapitre 1, les auteurs précisent les objectifs de la comptabilité de base en faisant référence au milieu où on l'exerce, aux activités qu'elle décrit, de même qu'aux personnes qui l'utilisent.

Au chapitre 2, en décrivant de la façon la plus dépouillée possible les principales conventions qui régissent l'activité du comptable, on pose les principaux fondements théoriques qui guideront le raisonnement à l'origine des pratiques qui seront étudiées au cours des chapitres ultérieurs.

L'une de ces conventions, l'identité fondamentale, sert de base aux mécanismes d'enregistrement des données. Au chapitre 3, on poursuit l'analyse de cette convention et on présente l'embryon d'un système d'enregistrement des données. Il s'agit du système des comptes en T, représentation théorique du grand livre général. Au chapitre 4, on raffine davantage les techniques d'enregistrement, en introduisant le journal général, qu'on relie au grand livre général et à la balance de vérification.

Le chapitre 5 établit le lien entre la balance de vérification et les états financiers. On y étudie les règles de présentation d'états financiers applicables à l'entreprise de la forme économique et juridique la plus simple, soit l'entreprise individuelle de services. On examine également la composition des principaux postes de ces états financiers.

Au chapitre 6, on voit comment le système comptable élaboré dans les chapitres précédents est modifié lorsqu'il faut rendre compte des activités d'une entreprise commerciale. Le lecteur y trouvera, entre autres, les principales modalités d'évaluation des stocks de marchandises, ainsi que les considérations relatives à l'évaluation du coût des marchandises vendues.

Au chapitre 7, on apprend à développer le système d'information comptable pour lui permettre d'absorber un très grand nombre d'opérations. C'est ainsi qu'on se familiarise avec les journaux et registres auxiliaires, registres qui sont spécialisés dans l'enregistrement d'opérations répétitives. Au chapitre 8, on étudie les transformations qui devraient être apportées aux systèmes manuels d'enregistrement présentés aux chapitres 3 à 7, lorsqu'on fonctionne en contexte informatique.

Les chapitres 9 et 10 sont consacrés au travail de fin d'exercice et de correction d'erreurs. On y voit entre autres comment, à l'aide des écritures de régularisation et de correction d'erreurs, on parvient à ajuster les soldes des comptes affichés par les registres aux réalités qu'on peut observer physiquement. Les régularisations qui aboutissent à la balance de vérification régularisée permettent d'introduire la technique de préparation des états financiers à l'aide du chiffrier. Le travail de fin d'exercice se termine par l'apprentissage des écritures de clôture et de contrepassation.

Le chapitre 11 adapte les modèles d'enregistrement et de présentation d'informations financières à l'entreprise industrielle. On y voit d'abord en quoi consiste la forme économique de l'entreprise industrielle, puis comment on doit modifier les registres pour faire place aux informations de fabrication, à quel travail de fin d'exercice cela conduit et, finalement, quels sont les états financiers produits par ce travail, notamment l'état de fabrication.

Enfin, au chapitre 12, par l'étude de la comptabilité de caisse, on tente de simplifier les modèles comptables précédemment élaborés en vue de les rendre plus compatibles avec les besoins de la petite entreprise.

Les auteurs

Table des matières

1 | La comptabilité en tant que système d'information

1.1 INTRODUCTION

Un banquier demande à un emprunteur de lui remettre ses derniers états financiers pour en faire une analyse, dans le but de décider s'il doit ou non accorder le prêt demandé. Un syndicat s'étonne de constater qu'une entreprise prétende ne pas avoir les ressources suffisantes pour accorder une augmentation de salaire, alors que les bénéfices de la dernière année ont été exceptionnels. Un agent immobilier offre à un client la possibilité d'acheter un immeuble en faisant miroiter un rendement du capital fort appréciable. De ces trois situations distinctes, deux considérations émergent. D'une part, les décisions qui seront prises se baseront, au moins en partie, sur des données chiffrées et, d'autre part, on sent dans ces exemples la présence d'un vocabulaire particulier au monde des affaires. Qu'est-ce qu'un état financier? Comment calcule-t-on le bénéfice d'une entreprise? Quelle en est la signification? Que veut dire le terme « capital »? Voilà autant de notions qu'on doit acquérir afin de comprendre la problématique que ces situations posent. Pourtant, ce ne sont que trois exemples fort simples. On pourrait en imaginer beaucoup d'autres où l'emploi de données quantitatives et de termes relevant d'un jargon technique est non seulement utile mais nécessaire. En somme, un grand nombre de prises de décisions supposent une capacité de

1

comprendre et d'utiliser l'information financière et quantitative relative à une organisation. Nous verrons dans ce chapitre en quoi consiste le principal système d'information quantitatif d'une organisation, le *système d'information comptable*. Plus précisément, nous présenterons:

1) le rôle et la définition de la comptabilité;
2) le champ d'application de la comptabilité;
3) les éléments qui influencent la nature du système d'information comptable d'une organisation;
4) les limites du système d'information comptable.

1.2   RÔLE ET DÉFINITION DE LA COMPTABILITÉ

Rôle de la comptabilité

Une organisation, qu'il s'agisse d'une entreprise à but lucratif, d'un gouvernement ou d'une institution de charité, est une entité qui reçoit des stimuli de son environnement et qui, en retour, agit sur celui-ci. Prenons par exemple le cas d'une entreprise à but lucratif. Son environnement est constitué d'un ensemble de personnes et d'institutions parmi lesquelles nous retrouvons les principaux groupes suivants:

les employés;	la direction;
les fournisseurs;	les créanciers;
les clients;	les autorités gouvernementales;
les concurrents;	les investisseurs.

Les *employés*, par les services rendus, assurent le fonctionnement de l'entreprise et en conditionnent la productivité. En retour, ils sont influencés par des informations qui émanent de celle-ci. Si l'entreprise réalise un bénéfice accru, ils songent à demander une amélioration de salaire ou l'équivalent. Subit-elle des pertes qu'ils se demandent si leur emploi est en jeu.

Les *fournisseurs* s'attendent à ce que l'entreprise mette à leur disposition des informations relatives à sa stabilité financière et à ses intentions d'achat dans l'avenir. En contrepartie, ils l'informent sur des sujets comme les nouveaux produits qu'ils mettent sur le marché, leur politique de prix ainsi que leurs conditions de crédit.

Quant aux *clients*, l'entreprise subit leurs goûts et leurs exigences. Elle doit, à l'aide d'un système d'information approprié, déceler leurs besoins et y répondre. En retour, les clients s'attendent à obtenir de l'entreprise des renseignements sur la nature des produits qu'elle vend, sur ses politiques de prix, sur ses conditions de crédit, etc. De même, ils désirent connaître sa situation financière afin de pouvoir déterminer si elle dispose des ressources suffisantes pour respecter ses contrats et assurer le service après-vente.

Les entreprises cherchent à obtenir un maximum d'informations sur leurs *concurrents*, tout en s'efforçant de leur en dévoiler le moins possible. Comme toute information divulguée à un autre utilisateur est susceptible d'être connue des concurrents, qui peuvent l'utiliser pour mettre à jour leur stratégie commerciale, cette situation limite la divulgation de l'information. L'entreprise doit bien comprendre ce fait et évaluer les avantages et les inconvénients de transmettre à un utilisateur tout renseignement additionnel.

C'est la *direction* qui influence le plus une entreprise. Par exemple, elle décide de l'allocation de ses ressources et de sa stratégie commerciale. En retour, elle reçoit une grande quantité d'informations: rapports portant sur la productivité, prévisions budgétaires, états financiers, etc. Elle contrôle le système d'information et peut exiger d'obtenir toute information qu'elle juge pertinente.

Afin de connaître la situation financière d'une entreprise, les *créanciers* doivent en recevoir une foule d'informations à la fois pour s'assurer que l'entreprise a le potentiel nécessaire pour produire des ressources aptes au remboursement des créances et pour vérifier si, en cas d'incapacité de paiement, elle aura suffisamment de biens pour garantir la sécurité de ses dettes. Il ne fait aucun doute que la nature et la qualité des renseignements ainsi fournis aux créanciers influencent leurs décisions. Les créanciers influencent également l'entreprise lorsqu'ils demandent, directement ou indirectement, qu'elle n'ait pas trop de dettes comparativement aux biens qu'elle possède, qu'elle exerce une certaine prudence dans ses prises de décisions, etc. Encore ici, on dénote une influence réciproque.

Les exigences des autorités fiscales, les contraintes relatives à la protection des consommateurs et les directives en matière de protection de l'environnement sont autant d'exemples d'influence des *autorités gouvernementales*. Depuis la fin de la Seconde Guerre mondiale, tous les pays occidentaux ont connu une augmentation soutenue de cette présence gouvernementale. Il suffit d'observer la réalité économique et politique de ces pays pour remarquer la place prépondérante qu'occupent aujourd'hui les gouvernements. Il ne fait également pas de doute que les entreprises influencent les gouvernements, à la fois par leurs activités commerciales habituelles mais aussi par leurs demandes et par leurs pressions.

Les *investisseurs*, actuels ou potentiels, demandent des renseignements sur le rendement des sommes investies, le bénéfice annuel et la possibilité de gain en capital. Selon leur perception du potentiel de croissance de l'entreprise et de sa stabilité financière, ils en augmentent ou en diminuent la valeur. Par exemple, si les investisseurs croient qu'une entreprise dont les actions sont cotées en bourse améliorera sa situation financière dans l'avenir, ils lui accorderont une plus grande valeur, ce qui se traduira par une augmentation du prix de vente des actions. Ils subissent en retour l'influence de l'entreprise qui tente de faire en sorte d'être perçue favorablement. Ainsi, la publication des états financiers, les messages de la direction de même que les activités de prestige de l'entreprise ont souvent pour effet d'améliorer son image aux yeux des investisseurs.

Nous pourrions continuer encore longtemps cette énumération des interrelations de l'entreprise et des principaux groupes qui constituent son environnement. L'important est de retenir le fait que ces interrelations existent et qu'elles sont à la fois la base et la conséquence des transactions économiques. Face à cette réalité, l'entreprise doit donc:

1) établir un système qui lui permettra de connaître les désirs et aspirations des différents groupes et personnes qui constituent son environnement;

2) élaborer les mécanismes qui lui assureront la communication avec ces personnes et ces groupes.

En d'autres termes, une entreprise doit développer des moyens de communication avec son environnement. La comptabilité est l'un de ces moyens.

Définition de la comptabilité

La comptabilité est un système d'information qui transforme l'ensemble des données financières en informations utiles aux divers groupes et personnes qui forment l'environnement d'une entité économique. Plus précisément, la comptabilité se définit comme un système qui:

— procède à la *collecte des données financières*;
— les *classifie* et les *codifie*;
— les *résume* et les *synthétise*;
— *présente* des informations pertinentes.

Collecte des données financières

Une **donnée financière** est *une donnée qui se rapporte à la situation financière d'une entité économique*. Prenons par exemple la facture numéro 10750, émise par l'entreprise de distribution de matériel électrique Au Bon Courant Enr., que nous avons reproduite à la figure 1-1. On y retrouve des renseignements concernant le moment où les produits ont été vendus, leur nature, le montant de la vente, les conditions de paiement et le nom du client. Ces données sont toutes des données financières puisqu'elles servent à définir l'échange qu'il y a eu le 10 juin 19__1 entre Au Bon Courant Enr. et Électricité J.J. Certaines de ces données peuvent ne pas être recueillies. Ainsi, si Électricité J.J. avait payé son achat au comptant, l'inscription de son nom dans un registre aurait été facultative. D'autres données sont absolument nécessaires. C'est le cas notamment de la date et du montant de la transaction.

Le processus de collecte des données financières pertinentes suppose que l'organisation a élaboré un système qui lui permet de toutes les noter, sans en omettre aucune, et de ne les noter qu'une seule fois. Les caisses enregistreuses dans les entreprises de vente au détail, les systèmes de facturation et l'enregistrement des salaires versés dans un registre des salaires sont autant de composantes d'un tel système.

FIGURE 1-1

Au Bon Courant Enr.

Facture n° 10750

Vendu à:

Électricité J.J.
110, rue des Ampères
Ville de l'Énergie
Québec

Date: 10 juin 19__1   *Conditions:* payable le 30 juin 19__1

150 mètres de câble à 1,50 $/m	225,00 $
Total	225,00 $
Taxe provinciale	—
Total à payer	225,00 $

Classification et codification

Une fois les données recueillies, on se trouve en présence de produits à l'état brut qu'il faut classifier. On distinguera, par exemple, les paiements relatifs aux salaires des paiements aux fournisseurs. De même, on considérera séparément les entrées d'encaisse provenant des clients et celles qui proviennent des créanciers. Ainsi, dans le cas de l'entreprise Au Bon Courant Enr., toutes les ventes seront classifiées de la même façon et regroupées par exemple sous la rubrique « Ventes », ce qui les distinguera des autres activités de l'entreprise. La nature et l'étendue de cette classification dépendent à la fois de la nature des activités et de la dimension des entreprises. Aux chapitres 3 et 4, nous pourrons constater comment cette classification s'opère en pratique. La codification consiste en l'attribution d'un code, numérique, alphabétique ou alphanumérique, à chaque classe définie au moment de la classification. Nous présentons un exemple de codification au chapitre 4.

Synthèse

Cette opération découle de la classification et de la notion d'information pertinente. Elle consiste à regrouper, à l'aide d'additions et de soustractions, des données de même nature. Calculer le total des ventes mensuelles, établir le solde de l'encaisse et déterminer le solde dû par chaque client sont autant d'exemples de cette opération de synthèse. Supposons, pour illustrer ce processus, que les ventes de Au Bon Courant Enr. pour la dernière semaine du mois de février 19__1 aient été notées comme au tableau 1-1.

TABLEAU 1-1

Date	Nom du client	Montant
23-02-19__1	Électricité J.J.	225,00 $
24-02-19__1	A. Marteau	1 450,00 $
24-02-19__1	Alfred Aubé	345,00 $
25-02-19__1	Rénovation Plus Enr.	445,00 $
26-02-19__1	Rénovation Plus Enr.	550,00 $
26-02-19__1	Sylvio Lamarre	1 200,00 $
27-02-19__1	Lavoie et Laberge Enr.	1 350,00 $

Pour synthétiser, on pourrait par exemple additionner les ventes de la semaine, ce qui donnerait un total de 5 565 $. Ce montant résume donc l'activité « Ventes » pour une semaine. Même s'il contient moins de renseignements que la liste fournie ci-dessus, il est probablement plus significatif pour le preneur de décisions.

Présentation

La **présentation** est l'aboutissement du système d'information comptable. Il s'agit de la *communication d'informations pertinentes à chacun des utilisateurs*. Cette étape suppose une connaissance des besoins de chacun d'eux et un système permettant de présenter l'information désirée. Par exemple, pour les ventes de Au Bon Courant Enr., va-t-on présenter un tableau montrant les ventes hebdomadaires ou ne présenter que le montant annuel des ventes? Est-il même nécessaire de présenter l'information relative aux ventes? Ou, au contraire, doit-on présenter une information détaillée, comme les ventes par clients? La réponse à ces questions doit être obtenue auprès de ceux qui utilisent les renseignements comptables. Ce sont eux qui doivent décider de la nature des informations qui leur sont destinées.

Nous soulignons à cet effet que les besoins des utilisateurs sont variés et changeants, ce qui signifie que le système d'information comptable doit être suffisamment souple pour s'adapter aux besoins de chacun. Toutefois, quel que soit l'utilisateur, les informations présentées doivent posséder les qualités suivantes.

1) Elles doivent être *fiables*, c'est-à-dire que l'utilisateur doit pouvoir avec raison s'y fier. Ainsi, si le comptable de l'entreprise Au Bon Courant Enr. présente une analyse où les ventes ont été réparties par mois, tout utilisateur de ces informations doit être convaincu qu'elles sont véridiques. En l'occurrence, il faut qu'il fasse suf-

fisamment confiance au système d'information comptable pour être sûr que toutes les ventes y ont été consignées et que leur répartition par mois est conforme à la réalité.

2) Elles doivent être *pertinentes*. Cela signifie que le comptable doit s'interroger constamment sur la valeur des informations qu'il présente, valeur exprimée par la pertinence en rapport avec les décisions que les utilisateurs sont appelés à prendre. Par exemple, la présentation du montant des ventes quotidiennes est probablement moins pertinente pour un bailleur de fonds que la présentation des ventes mensuelles, car il est plus intéressé à connaître la situation globale que les problèmes de gestion quotidienne de l'entreprise.

3) Les informations doivent être produites *au coût le plus faible possible*. Cela signifie que le système d'information comptable doit utiliser tous les moyens techniques propres à la production de l'information requise et ce, en respectant un coût minimum. C'est pourquoi, dans les grandes entreprises, les tâches routinières sont effectuées à l'aide de moyens mécaniques et électroniques. En particulier, depuis quelques décennies, l'ordinateur a modifié considérablement le travail du comptable, en le déchargeant des tâches routinières et en réduisant les coûts de collecte de l'information.

4) Enfin, les informations doivent être produites *à temps*, c'est-à-dire dans des délais qui permettent de les utiliser pour les prises de décision. Prenons le cas de l'entreprise Au Bon Courant Enr. et supposons que le directeur des ventes veuille contrôler le rendement des vendeurs en examinant, entre autres, les ventes hebdomadaires. Le système d'information comptable doit alors produire, comme informations, les ventes hebdomadaires par vendeur. Toutefois, si on doit attendre deux mois pour obtenir ces informations, on ne peut dire qu'il s'agit d'informations pleinement utiles, car le délai entre le moment où un vendeur réalise une vente et celui où les informations sont connues est trop long. Par contre, s'il est possible de fournir le lundi midi les données relatives aux ventes de la semaine précédente, le directeur des ventes pourra alors utiliser ces informations pour contrôler efficacement le rendement des vendeurs.

Si on respecte les quatre qualités que nous venons de décrire, on peut juger de l'utilité d'une information. L'objectif final du système d'information comptable sera donc de fournir des informations financières qui respectent ces qualités.

1.3 CHAMPS D'APPLICATION DE LA COMPTABILITÉ

Les champs d'application de la comptabilité se définissent selon l'utilisateur de l'information financière et selon la nature du travail du comptable.

L'utilisateur de l'information financière

Quel que soit l'utilisateur de l'information comptable, un trait commun se dégage de cette information: elle sert à l'allocation des ressources. Par exemple, un banquier qui se demande s'il doit ou non accorder un prêt à un client ou encore un administrateur qui hésite entre construire une nouvelle usine ou rénover l'ancienne sont tous deux aux prises avec un problème d'allocation des ressources. Dans cette perspective, l'utilité de l'information comptable est de contribuer à réduire l'incertitude inhérente à ces décisions en augmentant les connaissances de ceux qui les prennent. Les utilisateurs n'ont toutefois pas tous les mêmes besoins en matière d'information financière. On distingue à cet effet deux groupes bien identifiés: les utilisateurs externes et les utilisateurs internes à l'entreprise. Cette distinction a mené à l'élaboration de deux genres de comptabilité: la comptabilité générale et la comptabilité de gestion.

La comptabilité générale

La **comptabilité générale**, aussi connue sous le nom de *comptabilité financière*, a pour objet de *fournir une information financière aux utilisateurs externes à l'entreprise*. Les créanciers, les autorités gouvernementales et les propriétaires qui ne participent pas à la gestion de l'entreprise sont des utilisateurs externes. Ceux-ci n'ont pas tous la même capacité d'analyse de l'information comptable et n'ont pas tous les mêmes besoins. De même, ils ne peuvent habituellement pas exiger des informations qui leur soient parfaitement adaptées mais doivent utiliser seulement les informations que l'entreprise accepte de divulguer publiquement, c'est-à-dire les mêmes pour tous. En effet, les renseignements fournis aux utilisateurs externes visent l'utilisateur moyen. Comme chaque utilisateur a souvent des besoins différents de ceux de l'utilisateur moyen, il s'ensuit que les informations ainsi fournies ne peuvent être en tous points conformes à leurs attentes. Par exemple, le fournisseur de matériaux, l'analyste financier et l'investisseur éventuel disposent tous des mêmes informations même si leurs besoins sont souvent différents. C'est pourquoi la comptabilité générale a comme caractéristique de présenter des données financières de nature générale selon des normes assez strictes, normes visant à satisfaire les besoins des utilisateurs moyens des renseignements comptables.

La comptabilité de gestion

La **comptabilité de gestion** a pour objet de *fournir l'information financière dont ont besoin les utilisateurs internes*, c'est-à-dire *l'ensemble des personnes chargées de l'administration de l'entreprise*. Il ne s'agit pas seulement des membres de la direction, mais de toutes les personnes appelées à prendre des décisions à l'intérieur de l'entreprise. Un contremaître d'atelier, un chef de service et un directeur de la production sont tous considérés comme des utilisateurs internes. Contrairement aux utilisateurs externes, ces derniers peuvent demander les informations qu'ils désirent et exiger la quantité de détails nécessaires à leur prise de décision. C'est pourquoi les informations apportées par la comptabilité de gestion sont plus spécifiques que celles qui sont fournies par la comptabilité générale. Ces informations n'ont pas besoin non plus d'être autant normalisées, puisque l'utilisateur peut demander le complément d'information qu'il désire soit sous forme d'explications, soit sous forme d'informations supplémentaires.

Nature du travail du comptable

Le **comptable** est *la personne qui a acquis une compétence en matière de systèmes d'information financière*. Généralement, il est membre d'une ou de plusieurs des associations professionnelles suivantes: l'Ordre des comptables agréés du Québec (CA), la Corporation professionnelle des comptables généraux licenciés du Québec (CGA) et la Corporation professionnelle des comptables en management accrédité du Québec (CMA). Selon son appartenance à l'une ou l'autre de ces associations professionnelles et selon son choix personnel, il se dirigera vers l'une ou l'autre des fonctions suivantes:

— le contrôle d'une entreprise;
— la vérification;
— l'expertise en fiscalité;
— la consultation en gestion;
— la comptabilité d'organismes à but non lucratif.

Le contrôle d'une entreprise

Le **contrôleur** d'une entreprise est *la personne qui dirige et supervise le travail d'enregistrement comptable d'une entreprise*. À ce titre, le contrôleur fait partie de l'équipe de direction et participe à toutes les prises de décisions importantes. Sa responsabilité en tant qu'expert en systèmes d'information comptable consiste à fournir toutes les informations requises par les utilisateurs internes et externes à l'entreprise. C'est un travail de direction, car le contrôleur dirige une équipe de commis dont le rôle est de procéder à la collecte des données pertinentes à la production de l'information demandée par les utilisateurs. C'est également un travail d'expertise, car le contrôleur est appelé à analyser et à interpréter l'information financière pour la direction. Voilà pourquoi le poste de contrôleur est considéré comme un poste de haute administration qui laisse peu de place à la routine.

La vérification

Un **vérificateur** est *un expert en comptabilité qui a pour rôle d'exprimer un avis sur la fidélité de la présentation des rapports financiers d'une entreprise*. Il effectue des sondages, examine la nature du système d'information de l'entreprise qu'il vérifie et formule un rapport dans lequel il émet son opinion sur la qualité de l'information présentée par celle-ci. D'après la loi, il est indépendant de l'entreprise. Il n'est donc pas employé par celle-ci, mais il travaille plutôt de façon indépendante et a plusieurs clients. De même, il exécute son travail de vérification au meilleur de ses connaissances et de sa compétence et n'a à suivre aucune directive de l'entreprise. On constate qu'en fait, tant par son rôle que par la fonction qu'il remplit, le vérificateur valide les informations contenues dans les rapports financiers. Il les rend plus fiables, ce qui permet aux utilisateurs de les utiliser dans leur processus d'allocation des ressources. C'est une fonction reconnue comme essentielle dans l'économie actuelle.

L'expertise en fiscalité

L'expertise en fiscalité est l'un des domaines d'activité des plus intéressants et pour lequel la demande est croissante. En effet, bien que l'impôt sur le revenu relève d'une loi et soit donc un domaine privilégié pour les experts en droit, l'application de cette loi nécessite qu'on connaisse en profondeur les techniques et les principes comptables. C'est pourquoi les spécialistes de la comptabilité forment le plus important groupe de fiscalistes. On a recours à leurs services non seulement pour préparer les déclarations de revenus à des fins fiscales, mais aussi et surtout pour effectuer une planification fiscale, c'est-à-dire faire en sorte de minimiser dans l'avenir les débours reliés à l'impôt. Les experts en fiscalité se retrouvent surtout dans les bureaux de vérification et, dans une moindre mesure, dans les grandes entreprises. Il s'agit sans nul doute d'un champ d'action de première importance pour les comptables.

La consultation en gestion

En tant qu'experts en systèmes d'information, les comptables jouent souvent le rôle de conseillers en gestion. Ils ont su, dans ce domaine, se donner une compétence non seulement dans leur champ de spécialisation immédiat, mais aussi dans la direction d'équipes multidisciplinaires (informaticiens, experts en relations humaines, ingénieurs, etc.). Ainsi, la plupart des grands bureaux d'experts-comptables comptent une division ou des équipes spécialisées dans cette activité. Leur réputation de compétence et d'indépendance, de même que l'importance des ressources dont ils disposent, est telle que de nombreux organismes privés et publics leur reconnaissent une compétence de premier ordre. C'est pourquoi l'activité de consultation en gestion est devenue l'un des domaines d'expansion les plus prometteurs pour le comptable praticien.

La comptabilité des organismes à but non lucratif

Tout comme les entreprises privées, les organismes à but non lucratif ont besoin d'informations comptables. On n'a qu'à penser aux municipalités, aux commissions scolaires, aux hôpitaux et aux différents ministères (revenu, douanes, éducation, etc.). Ils doivent préparer des budgets, contrôler leurs dépenses, évaluer des projets d'investissement, émettre des chèques, et ainsi de suite. Même si un bon nombre des problèmes ainsi rencontrés sont analogues à ceux de l'entreprise privée, d'autres sont fort différents, à cause de la mission sociale de ces organismes. Ainsi, leur objectif n'est pas de réaliser un bénéfice, ce qui est l'objectif premier de l'entreprise à but lucratif, mais de rendre un service. De même, parce que dans bien des cas ces organismes ne sont pas en concurrence avec d'autres, leur survie ne dépend pas de leur capacité concurrentielle mais de la volonté politique des dirigeants. L'évaluation de leurs activités et de leurs projets doit donc tenir compte de ces caractéristiques. Par conséquent, ces organismes ont besoin d'informations comptables différentes, par rapport à l'entreprise privée.

La comptabilité générale: objectif de cet ouvrage

Il n'est pas possible, dans un seul volume, d'étudier en détail tous les aspects du travail du comptable. C'est pourquoi nous avons choisi de limiter cet ouvrage au seul aspect de la comptabilité générale des entreprises privées à but lucratif. Ce choix s'explique par la place prépondérante qu'occupent actuellement ces entreprises et par le fait que ce sont elles qui ont fait l'objet des premières applications de la comptabilité, applications qui ont graduellement conduit à la comptabilité moderne. Donc, dans ce chapitre et tout au long de cet ouvrage, le terme *entreprise* désignera l'entreprise privée à but lucratif. En outre, nous ne retiendrons que l'aspect de la comptabilité générale.

1.4 LES ÉLÉMENTS QUI INFLUENT SUR LE SYSTÈME D'INFORMATION COMPTABLE

Bien que nous nous préoccupions surtout des entreprises privées à but lucratif, il ne faut pas croire que les problèmes rencontrés sont toujours les mêmes, d'une entreprise à une autre. En fait, il existe entre elles d'énormes différences, qui s'expliquent par le fait que les entreprises ne sont pas toutes de la même dimension et qu'elles sont de formes économiques et juridiques différentes. C'est pourquoi le système d'information comptable diffère d'une catégorie d'entreprise à une autre. De même, l'impact potentiel des exigences légales et professionnelles en matière de présentation des états financiers et les pressions sociales influent également sur le système.

La dimension des entreprises

Théoriquement, les besoins d'informations comptables sont les mêmes quelle que soit la dimension de l'entreprise. Par exemple, les problèmes qu'affrontent les propriétaires d'épiceries sont les mêmes, qu'il s'agisse d'une petite entreprise familiale ou d'un grand magasin d'alimentation. Ainsi, ces entreprises doivent s'assurer de la disponibilité des marchandises, de l'établissement d'un mécanisme de contrôle sur les entrées d'encaisse, de payer à temps les fournisseurs, etc. Elles rencontrent donc toutes des problèmes analogues. Dès lors, il serait très normal qu'elles aient le même type de système d'information. Cependant, s'il est vrai que les problèmes rencontrés et les besoins d'information sont potentiellement les mêmes, deux facteurs jouent en faveur d'une sophistication beaucoup plus grande des systèmes d'information (dont le système d'information comptable) des grandes entreprises: le nombre de niveaux hiérarchiques et les moyens financiers de l'entreprise.

Généralement, plus une entreprise est grande, plus il existe de niveaux hiérarchiques entre les employés chargés de l'exécution des opérations et les dirigeants de cette entreprise. Il faut donc que les dirigeants établissent un système qui prévoit un cheminement de l'information de telle sorte qu'ils soient informés des opérations et qu'ils puissent les contrôler. À l'inverse, les petites entreprises ont des besoins d'informations limités étant donné que leurs dirigeants participent en général directement aux opérations et, de ce fait, les connaissent et les contrôlent. D'autre part, les moyens financiers des grandes entreprises leur permettent d'élaborer des systèmes d'information fort complexes, ce qui est loin d'être le cas des petites entreprises. Cette situation est due au fait que les grandes entreprises répartissent le coût des systèmes d'information sur un volume d'activité tel que les systèmes sont relativement économiques. Par exemple, un système informatisé de préparation de la paie n'est pas coûteux, par chèque de paie émis, si l'entreprise compte 10 000 employés, mais il le sera si elle n'en compte que dix. En somme, plus une entreprise est considérable, plus ses besoins d'information le sont, et plus elle dispose des ressources nécessaires pour bénéficier d'un système d'information comptable complexe.

Les formes économiques

C'est la nature des opérations menées par une entreprise qui caractérise sa forme économique. Par exemple, un cabinet d'avocat et une entreprise manufacturière sont deux entreprises de forme économique différente parce que la nature fondamentale de leurs opérations est différente. D'après ce critère, on peut classifier les entreprises en *entreprises de services*, en *entreprises commerciales* ou en *entreprises industrielles*.

L'entreprise de services

Une **entreprise de services** est *une entreprise qui offre un produit non physiquement identifiable*. Il peut s'agir d'un service qui relève d'une compétence professionnelle. L'avocat qui renseigne un client sur ses droits, le mécanicien qui vérifie l'état d'une automobile et le comptable qui aide un client à remplir sa déclaration de revenus offrent un tel service. Il peut également s'agir d'un service qui se base sur un équipement spécialisé. C'est le cas, par exemple, des entreprises de transport et des buanderies qui offrent un service parce qu'elles possèdent un équipement spécialisé dans l'exécution de certaines tâches.

Toute entreprise de services se caractérise par le fait que, dans ses opérations courantes, elle n'achète ni ne vend aucun stock de marchandises, ce qui lui évite beaucoup de problèmes de gestion. En effet, les stocks de marchandises ne sont pas seulement des investissements, mais aussi des biens qui doivent être contrôlés. Par exemple, on doit les protéger des vols et du vandalisme, et on doit s'assurer qu'ils sont vendus avant d'être désuets. Une entreprise de services n'a aucun de ces problèmes puisqu'elle n'a pas de stock de marchandises.

Les problèmes de mesure comptable de ces entreprises se limitent à un enregistrement fidèle des biens qu'elles possèdent ainsi qu'à une mesure appropriée des opérations qu'elles effectuent avec leurs clients et fournisseurs. Comme ces problèmes de mesure comptable sont communs à toutes les entreprises, puisque chacune posède des biens et que chacune effectue des opérations avec des tierces personnes, il s'ensuit que les systèmes d'information comptable de ces entreprises sont généralement les plus simples.

L'entreprise commerciale

Une **entreprise commerciale** est *une entreprise qui achète des marchandises et les revend sans les avoir transformées physiquement*, comme les magasins d'alimentation, les quincailleries et les boutiques d'artisanat. Elles se caractérisent par deux facteurs. Premièrement, l'importance des investissements est souvent assez élevée. Outre les marchandises qu'il faut garder en stock, il faut louer ou acheter un espace de magasin et en agencer l'installation. En plus, il faudra probablement acquérir un camion de livraison et un lieu d'entreposage. Deuxièmement, la gestion des stocks de marchandises pose des problèmes stratégiques d'importance. Quelle quantité de marchandises doit-on garder en stock? Comment doit-on présenter ces marchandises au consommateur? Quelle politique de prix faut-il adopter? Que faire des marchandises démodées? Voilà autant de problèmes de gestion qui doivent être résolus. Le système d'information des entreprises commerciales doit donc être relativement complexe, et souvent plus complexe, on le constate, que celui des entreprises de services. En effet, les problèmes de gestion des entreprises de services sont potentiellement tous présents dans l'entreprise commerciale en plus de ceux qui lui sont propres, c'est-à-dire de ceux qui sont liés à la gestion des stocks de marchandises. Soulignons ici qu'un des grands problèmes rencontrés en comptabilité est, pour ces entreprises, l'enregistrement et l'évaluation des stocks de marchandises. Ce problème, comme nous le verrons au chapitre 6, pose des difficultés techniques souvent complexes.

L'entreprise industrielle

Les opérations d'une **entreprise industrielle** consistent à *acquérir un produit à l'état brut* et à *le transformer physiquement pour le vendre sous la forme d'un produit fini*. Les fabricants de motoneiges, les ateliers de menuiserie et les raffineries de pétrole sont des exemples d'entreprises industrielles. Leur caractéristique principale est qu'en plus de l'aspect de la mise en marché qui caractérise l'entreprise commerciale, on retrouve les problèmes liés à la fabrication d'un produit. Il peut s'agir simplement de fabrication en usine, dans le cas d'une entreprise industrielle manufacturière, ou encore de l'extraction et de la transformation de minerais, dans le cas des entreprises industrielles minières.

La gestion d'une entreprise industrielle est souvent plus complexe et plus délicate que celle d'une entreprise de services ou d'une entreprise commerciale. Premièrement, elle nécessite généralement un investissement assez élevé. La formation d'une entreprise industrielle suppose, en effet, l'acquisition d'une usine, l'achat d'équipement de production et la contrainte de devoir garder assez longtemps les stocks de marchandises étant donné qu'il faut les transformer avant de les vendre. Tous ces facteurs font des entreprises industrielles celles qui nécessitent généralement les plus gros investissements. Pour s'en convaincre, on n'a qu'à songer à l'importance des grands complexes industriels comme les industries d'automobiles, les aciéries, les avionneries, etc. Deuxièmement, le contrôle de la fabrication d'un produit représente un défi administratif. L'utilisation efficace de la main-d'œuvre, le contrôle des matières premières pour en éviter le gaspillage et une disposition optimale des équipements de production dans l'usine sont des problèmes de contrôle particuliers à l'entreprise industrielle. Enfin, les entreprises industrielles n'ont pas qu'une sorte de stock de marchandises mais plusieurs, soit un *stock de matières premières* constitué de produits à l'état brut, un stock de produits disponibles à la vente appelé *stock de produits finis* et un stock de produits partiellement transformés appelé *stock de produits en cours*. Comme ces différentes catégories de stock doivent être entreposées dans des endroits différents et qu'il faut les contrôler et les protéger, cela suppose un travail de gestion assez important. On voit donc qu'à cause des problèmes de gestion rencontrés, les systèmes d'information des entreprises industrielles, afin de pouvoir fournir l'information exigée, doivent en général être plus complexes que ceux des entreprises commerciales et ceux des entreprises de services. En ce qui a trait au cas particulier du système d'information comptable, il doit, en plus des informations liées à la mesure des biens possédés par l'entreprise, à la mesure des opérations avec les tiers et à l'évaluation des stocks, fournir les renseignements relatifs à la détermination du coût de fabrication des produits.

Cette dernière fonction, connue sous le nom de *comptabilité industrielle*, est décrite au chapitre 11. Le tableau 1-2 présente une synthèse des caractéristiques des principales formes économiques d'entreprises.

TABLEAU 1-2

**Caractéristiques des principales
formes économiques d'entreprise**

	Entreprise de services	Entreprise commerciale	Entreprise industrielle
Problèmes de gestion	Mise en marché	Mise en marché	Mise en marché
	Gestion du personnel	Gestion du personnel	Gestion du personnel
		Gestion des stocks	Gestion des stocks
			Gestion de la production
Nature des stocks de marchandises	Aucun stock	Une seule catégorie de stock	Trois catégories de stock: a) stock de matières premières b) stock de produits en cours c) stock de produits finis

Les formes juridiques

La **forme juridique** d'une entreprise est sa *nature légale*, c'est-à-dire *la façon dont le législateur définit l'entreprise et comment il en précise les droits et les obligations ainsi que ceux de ses propriétaires.* Comme la forme juridique n'influe pas l'activité économique d'une entreprise, elle a beaucoup moins d'influence que la forme économique sur la nature du système d'information requis. Cet impact se manifeste toutefois de deux façons: sur la comptabilisation du financement et sur certains détails de présentation des états financiers. Voilà pourquoi il est quand même important de connaître les principales caractéristiques des formes juridiques d'entreprise. Aussi, nous allons examiner ce qui caractérise les quatre formes juridiques qu'on retrouve au Québec: l'entreprise individuelle, la société en nom collectif, la société par actions et la coopérative.

L'entreprise individuelle

L'**entreprise individuelle** est une entreprise dont les deux principales caractéristiques sont d'*être la propriété d'une seule personne* et de *ne pas constituer en tant* *que telle une entité juridique indépendante de son propriétaire.* Il est extrêmement simple de former une entreprise à propriétaire unique. Il suffit de l'enregistrer au bureau du protonotaire de la Cour supérieure de son district. Il n'y aucun contrat à remplir, aucune assemblée statutaire à tenir et aucun papier officiel à posséder. Sous cet aspect, c'est la forme juridique d'entreprise la plus intéressante. Par contre, sa durée de vie est limitée à celle de son propriétaire. En effet, comme elle n'en est pas juridiquement indépendante, elle ne peut lui survivre. Un autre inconvénient est que la responsabilité de ce dernier est illimitée. Par conséquent, les créanciers d'une entreprise à propriétaire unique ont un droit de recours contre les valeurs personnelles du propriétaire si son entreprise n'a pas assez de fonds pour les payer. Ces limites font qu'en pratique les entreprises individuelles ne peuvent réunir beaucoup de capitaux et, de ce fait, elles ne représentent pas une part importante de l'économie. Certaines petites entreprises commerciales et industrielles ainsi que les professionnels sont les seuls à utiliser cette forme d'entreprise.

La société en nom collectif

Une **société en nom collectif** est *une organisation formée par deux ou plusieurs personnes qui veulent exploiter une entreprise à but lucratif.* La caractéristique principale est que cette association de personnes n'est pas reconnue comme une entité juridique autonome. Cela signifie que l'existence de la société est limitée à la vie de chacun des associés. De même, chacun d'eux a une responsabilité solidaire et illimitée envers les créanciers de la société, c'est-à-dire que la responsabilité de chacun n'est pas limitée à sa mise de fonds et qu'en plus, chacun peut être tenu de payer toutes les dettes de la société quelle que soit l'importance relative de sa participation. Une autre caractéristique de base de cette forme d'entreprise réside dans l'obligation d'avoir un but lucratif. Ainsi, chacun des associés doit avoir droit à une partie des bénéfices. Il n'est pas nécessaire que les bénéfices soient distribués à parts égales, l'important étant que chaque associé en ait une partie, quelle qu'elle soit. Toutefois, même si cela ne change en rien leurs responsabilités envers les tiers, un ou plusieurs d'entre eux peuvent être exclus du partage des pertes. Enfin, la formation d'une société en nom collectif n'est pas plus compliquée que celle d'une entreprise individuelle, sauf qu'il faut établir un contrat qui stipule les droits et obligations de chaque associé. La rédaction de ce contrat est délicate et importante car, sauf quelques prescriptions légales, les associés peuvent convenir entre eux de ce qu'ils désirent.

La société en nom collectif bénéficie donc de ressources humaines et techniques plus importantes que l'entreprise individuelle et peut donc plus facilement réunir des capitaux nécessaires à son expansion. Par contre, on a vu que la vie de cette entreprise est aussi limitée que celle d'une entreprise individuelle et que les associés supportent un risque financier au moins aussi grand que s'ils étaient seuls. Par conséquent, ce n'est pas la forme juridique privilégiée par les grandes organisations. Seules la plupart des personnes exerçant une profession libérale et quelques entreprises commerciales l'utilisent. Notons que le législateur ne laisse pas le choix aux personnes qui exercent une profession libérale. Elles doivent, de par la loi, s'établir soit comme une entreprise individuelle, soit comme une société en nom collectif.

La société par actions

Une **société par actions** est *une entité juridique autonome dont la propriété est divisée en actions* et qu'on convient d'appeler *personne morale*. Sa vie n'est pas limitée à celle de ses propriétaires. De même, elle a le droit de contracter, de poursuivre en justice ou d'être poursuivie par d'autres personnes physiques ou morales. Un *actionnaire* (nom donné à un propriétaire d'une société par actions) ne possède pas directement l'entreprise mais possède plutôt un certain nombre d'actions ou de titres de propriété dans l'entreprise. Par exemple, un actionnaire qui détient 100 actions d'une société par actions qui en a émis 1 000 possède 10% des actions de l'entreprise. Ce placement ne lui confère pas un droit de regard sur 10% des biens possédés par l'entreprise, mais seulement le droit de bénéficier de 10% des bénéfices et de voir diminuer la valeur de son placement au rythme de 10% des pertes. Il ne peut contrôler l'entreprise que s'il détient, seul ou associé avec d'autres, plus de 50% des actions. Il peut cependant vendre en tout temps les actions qu'il possède, à qui il veut et à un prix qu'il est libre de convenir avec l'acheteur. D'autre part, il ne peut être tenu de payer les dettes de la société au-delà de sa mise de fonds. Sa responsabilité financière se limite uniquement aux sommes engagées au moment de l'acquisition du placement en actions.

Il s'agit donc d'une forme d'entreprise dont les titres de propriété sont facilement transférables et qui est moins risquée pour l'investisseur que les deux formes juridiques étudiées précédemment (entreprise individuelle et société en nom collectif). En outre, sa durée de vie n'est pas limitée à celle de ses propriétaires, puisque cette entreprise est une personne juridique indépendante. Pour ces raisons, c'est la forme juridique d'entreprise qui permet la plus grande concentration de capitaux. Voilà pourquoi la plupart des grandes entreprises industrielles et commerciales, ainsi que les grandes entreprises de services (sauf les entreprises de services professionnels) sont constituées sous cette forme. En revanche, la formation d'une société par actions est beaucoup plus complexe que celle d'une entreprise individuelle ou d'une société en nom collectif. Il faut en effet préciser et faire approuver, par les autorités gouvernementales compétentes, les droits et obligations de la société de même que ses modalités de fonctionnement. C'est une tâche beaucoup plus délicate que la rédaction d'un contrat de société, car un contrat de société est une entente entre des personnes bien définies, alors que la formation d'une société par actions oblige à aller au-delà des actionnaires fondateurs puisqu'il s'agit de créer une personne morale.

La coopérative

Une coopérative est une association de personnes qui se regroupent en vue de satisfaire un besoin économique commun au coût le plus bas possible. La principale caractéristique de la coopérative est que son objectif principal ne consiste pas à réaliser un bénéfice mais à rendre des services bien précis à ses membres. Par exemple, un magasin d'alimentation coopératif ne visera pas à maximiser son bénéfice net mais à fournir à ses membres, qui sont également les clients du magasin, des aliments de la meilleure qualité possible au coût le moins élevé possible. Même s'il s'agit économiquement d'une association de personnes, une coopérative est une entité juridique indépendante de ses propriétaires. Par conséquent, sa durée de vie n'est pas limitée à celle de ces derniers. De même, ceux-ci ne peuvent être tenus responsables des dettes de la coopérative. En ce sens, une coopérative et une société par actions se ressemblent beaucoup. Par contre, un membre ne peut revendre les parts sociales qu'il détient à qui il veut, car celles-ci ne sont habituellement pas transférables. Il ne peut que les remettre à la coopérative en échange d'un remboursement de sa mise de fonds initiale seulement. Du point de vue des difficultés de constitution, une coopérative est aussi complexe à constituer qu'une société par actions puisqu'il s'agit, dans les deux cas, de la création d'une personne morale. Au Québec, la coopérative est une forme juridique d'entreprise importante, surtout en ce qui concerne les institutions financières et la transformation et la mise en marché des produits de la terre et des pêcheries. On note également, depuis quelques années, une expansion vers de nouveaux secteurs, en particulier la vente au détail et l'habitation. Le tableau 1-3 présente une synthèse des formes juridiques d'entreprises.

Les exigences légales et professionnelles en matière de présentation des états financiers

Une entreprise n'est pas libre de présenter au public, comme bon lui semble, des états financiers. Selon sa forme juridique, sa taille et les circonstances dans lesquelles elle présente ses états financiers, elle est soumise à diverses exigences légales et professionnelles qui en dictent le mode et la forme de présentation. Ainsi, une société par actions devra suivre les exigences de présentation de la Loi sur les compagnies du Québec, s'il s'agit d'une compagnie à charte provinciale, ou celles de la Loi sur les sociétés commerciales canadiennes, si elle relève de l'autorité fédérale. Une coopérative, quant à elle, devra respecter les exigences de la Loi des caisses d'épargne et de crédit, pour celles qui œuvrent dans ce domaine, ou celles de la Loi sur les coopératives, pour les autres. De même, une entreprise qui désire obtenir un financement en émettant de nouvelles actions, par exemple, doit se plier aux exigences de la Commission des valeurs mobilières du Québec, c'est-à-dire l'organisme gouvernemental chargé de surveiller les transactions financières. Enfin, tout état financier vérifié par un expert-comptable doit respecter les exigences de présentation du manuel de l'Institut canadien des comptables agréés. Il peut donc exister, pour une entreprise, plusieurs niveaux d'exigences de présentation. Par exemple, une société par actions qui désire émettre de nouvelles actions doit, dans la présentation de ses états financiers, respecter les exigences de la Loi sur les compagnies de qui elle relève, respecter les exigences de la Commission des valeurs mobilières du Québec et respecter les exigences du manuel de l'Institut canadien des comptables agréés, si elle désire que ses états financiers soient vérifiés par un expert-comptable. Toutes ces exigences constituent le minimum d'informations obligatoire que le modèle comptable doit fournir. Plus ces exigences sont élevées, plus le modèle comptable devra être sophistiqué afin d'être en mesure de les satisfaire.

Les pressions sociales

Si les exigences légales et professionnelles en matière de présentation des états financiers exercent une influence directe sur la nature du système d'information comptable d'une entreprise, de nombreuses pressions d'origine sociale ont également une

TABLEAU 1-3

Formes juridiques d'entreprise
Tableau récapitulatif

Entreprise individuelle	Société en nom collectif	Société par actions	Coopérative
Grande facilité de formation	Relativement facile à former	Complexe à constituer	Complexe à constituer
Durée de vie limitée à celle de son propriétaire	Durée de vie limitée à celle de ses propriétaires	Durée de vie illimitée	Durée de vie illimitée
N'est pas une entité juridique autonome	N'est pas une entité juridique autonome	Est une entité juridique autonome	Est une entité juridique autonome
Le propriétaire est responsable des dettes de l'entreprise	Chaque associé est solidairement responsable des dettes de la société	La responsabilité financière est limitée à la mise de fonds	La responsabilité financière est limitée à la mise de fonds
Entreprise à but lucratif	Entreprise à but lucratif	Entreprise à but lucratif	Objectif de service aux membres
Difficile à vendre	Difficile à vendre	Les actions sont facilement transférables	Une part sociale n'est habituellement pas transférable
Financement difficile à trouver	Financement relativement difficile à trouver	Financement relativement facile à trouver	Financement relativement facile à trouver

influence non négligeable. En effet, de plus en plus de personnes et de groupes demandent aux entreprises une foule d'informations qu'elles ne sont pas tenues légalement de fournir. Pour reconnaître l'importance de ces groupes de pression, on n'a qu'à songer aux associations de consommateurs qui désirent connaître le détail du chiffre d'affaires des entreprises, aux syndicats intéressés à connaître le rendement de chaque usine et aux investisseurs qui demandent plus de précisions sur les renseignements prévisionnels. Bien qu'une entreprise soit libre de présenter ou non ces informations, un refus systématique ne serait pas toujours à son avantage, car son image pourrait en souffrir. Il est évident que les entreprises sont ainsi amenées à modifier la teneur et la forme des informations qu'elles présentent, d'où l'impact sur le système d'information comptable qui a pour rôle de produire cette information.

1.5 LES LIMITES DU SYSTÈME D'INFORMATION COMPTABLE

Dans ses modalités de fonctionnement, le système d'information comptable doit se plier à certaines contingences qui affecteront la qualité des informations qu'il produira. Parmi ces contingences, les plus importantes sont la nécessité d'avoir recours à des estimations, les problèmes de mesure et l'influence de l'impôt sur le revenu.

La nécessité d'avoir recours à des estimations

La présentation de l'information comptable n'est pas qu'une simple transmission de données déjà enregistrées. Au contraire, elle soulève de nombreux problèmes d'estimation. Prenons par exemple le cas de la comptabilisation du coût d'acquisition d'un véhicule automobile. Doit-on considérer ce coût comme une charge au moment de l'acquisition ou le répartir sur la durée de vie économique du véhicule? Dans le premier cas, il n'y a pas de problème. Il ne s'agit que d'une transcription. Dans le deuxième cas, pour présenter les états financiers, il faut estimer la durée de vie du véhicule. Sera-t-elle exprimée en années, en distance parcourue ou en heures d'utilisation et, quelle que soit la façon d'exprimer sa durée de vie, quelle sera cette durée? Toutefois, quelles que soient les estimations retenues, la réalité sera probablement différente et l'ampleur de l'erreur d'estimation ne sera connue qu'au moment où le véhicule n'aura plus de valeur économique. Cette erreur d'estimation aura alors affecté les renseignements financiers présentés depuis la date d'acquisition jusqu'au moment où le véhicule n'aura aucune valeur. Et pourtant ce n'est qu'un exemple. En fait, les états financiers reposent en bonne partie sur des estimations de ce genre, qui sont nécessaires mais affectent quand même la fiabilité de ces derniers.

Les problèmes de mesure

Les problèmes de mesures rencontrés en comptabilité proviennent de ce que la mesure de l'activité économique de l'entreprise suppose l'utilisation d'un étalon de mesure commun à toutes les activités de l'entreprise et à toutes les entreprises, quelles que soient leur dimension, leur forme juridique et leur forme économique. De plus, il faut que cet étalon de mesure soit toujours le même quelle que soit la période envisagée. En pratique, il est très difficile de trouver un tel étalon de mesure. Par exemple, comment mesurer, avec la même mesure, des activités aussi différentes que la vente au détail de téléviseurs et l'activité de recherche fondamentale d'une entreprise spécialisée dans l'électronique? De même, comment comparer les résultats de cette entreprise à ceux d'une entreprise qui fabrique des motocyclettes et à ceux d'une institution bancaire? Quelle mesure commune de l'activité peut-on retenir? Est-ce possible qu'il en existe une? Il ne s'agit pas ici de répondre à ces questions (nous le ferons au chapitre 2), mais de comprendre que ces problèmes existent et qu'ils affectent la qualité de l'information comptable fournie.

L'influence de l'impôt sur le revenu

L'impôt sur le revenu est une loi qui non seulement fixe un taux d'imposition du revenu, mais en fixe également les règles de calcul. Elle définit ce qu'est un produit, ce qu'est une charge et comment calculer chacun. Ces règles fiscales mènent habituellement aux mêmes résultats que si on appliquait la mesure comptable. Cependant, à l'occasion, il existe des différences fondamentales entre ces deux façons de mesurer les produits et les charges. Dans ce cas, une entreprise peut et doit calculer les produits et charges à partir d'une base différente de celle qui sert au calcul de l'impôt. Comme ce double calcul occasionne un travail additionnel, les entreprises ne le font pas toujours, par souci d'économie. Dès lors, ce sont les exigences de l'impôt sur le revenu qui priment, même si elles sont souvent davantage des stimulants économiques et des mesures sociales que des modalités précises de mesure de l'activité économique. Il s'ensuit une distorsion potentielle des renseignements financiers présentés par les entreprises qui agissent ainsi.

RÉSUMÉ

La comptabilité est un système qui fournit des informations financières à des utilisateurs internes et externes à l'entreprise. Ce système doit être adapté à la dimension de l'entreprise, de même qu'à sa forme économique et juridique. Il doit également fournir des informations qui permettent de respecter les exigences légales en matière de présentation de rapports financiers. Enfin, des pressions sociales ainsi que certaines contraintes, principalement liées à la mesure des faits économiques, influencent également la nature du système d'information comptable de même que la qualité de l'information qu'il produit.

QUESTIONS

Q1-1 Quels sont les principaux utilisateurs de l'information financière et quel type particulier d'information recherchent-ils?

Q1-2 Est-il possible de satisfaire aux besoins des différents types d'utilisateurs externes d'informations financières à l'aide d'un seul document comptable?

Q1-3 Qu'est-ce que la comptabilité?

Q1-4 Face à une réalité où les besoins sont multiples et les ressources limitées, comment la comptabilité permet-elle une meilleure allocation des ressources?

Q1-5 Qu'entend-on par « comptabilité générale », et en quoi se différencie-t-elle de la comptabilité de gestion?

Q1-6 Quelle est la nature du travail du comptable?

Q1-7 En quoi le travail du comptable se différencie-t-il de celui d'un teneur de livre?

Q1-8 Pourquoi le système d'information financière d'une grande entreprise est-il souvent différent de celui d'une petite entreprise?

Q1-9 Quelles sont les diverses formes économiques que peut prendre une entreprise?

Q1-10 Pourquoi l'entreprise de services rencontre-t-elle moins de problèmes de gestion que d'autres entreprises de formes économiques différentes?

Q1-11 Quelles sont les caractéristiques économiques de l'entreprise commerciale et de l'entreprise industrielle?

Q1-12 Qu'entend-on par « forme juridique » d'une entreprise?

Q1-13 Quelles sont les différentes formes juridiques d'entreprise qu'on retrouve au Québec?

Q1-14 En quoi les pressions sociales touchent-elles le travail du comptable?

Q1-15 Le Manuel de l'I.C.C.A. recommande aux grandes entreprises de publier des informations sectorielles par zones géographiques et par secteurs d'activité afin de fournir des informations financières plus détaillées. Par contre, certaines grandes entreprises se sont élevées contre cette recommandation, alléguant que la publication de ces renseignements profiterait beaucoup plus à leurs concurrents qu'aux investisseurs. Commenter.

Q1-16 Qu'entend-on par l'expression « responsabilité illimitée » ?

Q1-17 Quels sont les avantages et les inconvénients de la société par actions ?

Q1-18 Quelles sont les limites inhérentes au système d'information comptable ?

Q1-19 Peut-on comparer l'efficacité d'une coopérative et d'une société par actions en ne retenant comme critère de comparaison que l'importance relative de leur bénéfice net annuel ?

Q1-20 Une entreprise peut-elle présenter ses états financiers comme bon lui semble ou, au contraire, doit-elle respecter des normes de présentation très strictes ?

Q1-21 « Le but premier de la comptabilité est de minimiser le bénéfice net de l'entreprise afin de réduire au minimum l'impôt à payer. » Commenter cette affirmation.

2 | Les conventions comptables

2.1 LE BESOIN D'UN CADRE DE RÉFÉRENCE DEVANT GUIDER LE DÉVELOPPEMENT DES RÈGLES D'APPLICATION COMPTABLES

Comme nous l'avons défini au chapitre précédent, la comptabilité devient un système d'information dont la vocation première consiste à communiquer aux diverses parties intéressées aux activités de l'entreprise des informations de nature financière, propres à améliorer la qualité de leurs décisions. Ainsi, la comptabilité s'apparente aux divers autres modes de communication utilisés dans notre société et, à l'instar de ceux-ci, son fonctionnement nécessite l'utilisation d'un langage fait de symboles.

Or, quel que soit le langage auquel nous ferons référence, celui-ci ne peut servir les fins qu'il poursuit que dans la mesure où les utilisateurs accordent tous la même signification au même symbole et dans la mesure où tous utilisent ces symboles en respectant les mêmes règles d'application. Une entente de base sur ces symboles et ces règles assurera aux utilisateurs l'uniformité de l'interprétation du message véhiculé et garantira à ce message une même signification, quel que soit le moment où il sera reçu.

Les mots reconnus par la langue française illustrent bien ce que nous entendons par symboles. Les règles de grammaire constituent, pour la langue française, les modalités d'utilisation des symboles. Ces mots et ces règles ont été façonnés par l'histoire de la francophonie et ont dû évoluer constamment pour demeurer utiles à une société qui cherche à traduire, par ce langage, des réalités économiques, politiques, sociales et techniques en perpétuel changement.

Tout comme la langue française, la comptabilité s'est elle aussi dotée d'un certain nombre de symboles faits de mots et de chiffres, qui tentent tous d'exprimer un événement économique auquel l'entreprise a participé. L'utilisation et le développement harmonieux de ces symboles comptables connaissent, eux aussi, leurs règles. Issues du consensus de praticiens et d'utilisateurs de la comptabilité, ces règles forment un ensemble que nous identifierons par l'expression « conventions comptables ».

L'étudiant trouvera donc profit à se familiariser dès le début avec ces règles qui, pour la plupart, sont à l'origine des pratiques que nous étudierons au cours des chapitres suivants.

2.2 LA RESPONSABILITÉ DU DÉVELOPPEMENT DES CONVENTIONS

Dès le moment où il devient nécessaire de formuler des règlements, il devient également nécessaire de confier à certains individus qui, l'espère-t-on, sont représentatifs de l'ensemble des intéressés, le mandat de formuler ces règles. Ils doivent également veiller à appliquer ces règles et à en assurer le dynamisme afin qu'elles demeurent en constante relation avec leur environnement changeant. C'est un peu ce rôle que tient l'Académie française lorsqu'elle se prononce sur la pertinence des mots nouveaux qui serviront à exprimer les nouvelles réalités sociales, politiques, économiques et scientifiques issues de la recherche et de l'évolution de notre société.

En comptabilité, au Canada, seules les associations professionnelles sont habilitées à exercer ces fonctions, et l'Institut canadien des comptables agréés (I.C.C.A.) est certes l'organisme le plus influent dans ce domaine. C'est cet organisme qui, en collaboration avec certaines instances gouvernementales comme les Commissions de valeurs mobilières, veillera au respect des conventions comptables. Au Canada, l'I.C.C.A. assurera également la majorité des recherches qui conduiront à des modifications de conventions et de terminologie propres à adapter le langage comptable aux besoins sans cesse en évolution de ses utilisateurs.

2.3 THÉORIE COMPTABLE, PRINCIPES COMPTABLES GÉNÉRALEMENT RECONNUS ET CONVENTIONS COMPTABLES

Au moment de la rédaction de cet ouvrage, il existe un certain consensus entre praticiens et utilisateurs de la comptabilité quant aux hypothèses de base qui devraient être à l'origine du développement des pratiques comptables. Cet ensemble d'hypothèses, que d'aucuns qualifieront à tort de « théorie comptable », est plutôt constitué d'un certain nombre de règles issues du pragmatisme et de l'empirisme. Celles-ci se sont développées tout au long de l'histoire de la comptabilité en réponse à certains problèmes d'application bien précis. Il ne s'agit nullement d'un tout cohérent auquel nous pouvons en toutes circonstances nous référer pour guider notre action. Aussi est-il préférable de qualifier ces règles de « principes comptables généralement reconnus », expression largement diffusée dans le public, ou encore de « conventions comptables », expression que nous retiendrons pour notre exposé.

Ces conventions sont nombreuses; aussi limiterons-nous notre étude à celles qui sont les plus universellement acceptées et les plus nécessaires à la compréhension de la comptabilité générale. Toutes poursuivent le même objectif: accroître l'utilité de la comptabilité pour celui à qui elle bénéficie. Ces conventions appartiennent à trois catégories distinctes:

1) les conventions relatives à l'entreprise;

2) les conventions relatives à l'exercice;

3) les conventions relatives à la mesure.

Les conventions relatives à l'entreprise

Nous utiliserons les *conventions relatives à l'entreprise* pour caractériser davantage le milieu où la comptabilité trouvera son application. Elles aussi sont au nombre de trois:

1) la personnalité de l'entreprise;

2) la continuité de l'exploitation;

3) l'identité fondamentale.

La personnalité de l'entreprise

Pour bien saisir toute la portée de cette convention, il est important de la situer dans sa perspective historique. Il fut une époque, très lointaine d'ailleurs, ou les entreprises étaient menées par un seul individu qui y effectuait tous les investissements pour en retirer tous les bénéfices. À ce moment, on ne reconnaissait pas l'utilité de mesurer les résultats de l'activité de l'entreprise, indépendamment des résultats des autres activités de son propriétaire. En fait, la personne en question voulait surtout assister à l'accroissement de l'ensemble de son patrimoine. Aussi, périodiquement, on se contentait de dresser une liste des avoirs et dettes de cette personne, liste qui, comparée à la précédente, permettait de déterminer si les opérations menées par le propriétaire au cours de cette période se soldaient par un résultat positif, donc par un enrichissement.

L'apparition du crédit et l'augmentation du volume des affaires, partiellement entraînées par l'exportation, ont engendré des besoins de capitaux beaucoup plus importants. Bien souvent, un seul individu ne pouvait plus y satisfaire. C'est ainsi que l'on commença à assister à des regroupements d'entrepreneurs qui allaient unir leurs moyens pour faire face à ces besoins nouveaux et pour partager le risque inhérent à toute opération commerciale d'envergure.

Dès le moment où capitaux et risques d'une même opération commerciale devenaient partagés par plusieurs individus, on devait réfléchir au développement de mécanismes permettant d'isoler le résultat de l'opération menée afin de le mesurer indépendamment des individus qui avaient conduit cette opération. L'objectif était bien sûr de pouvoir partager ce résultat entre les différents partenaires. On créa donc des registres qui allaient permettre d'isoler les biens consacrés à l'exploitation des biens utilisés en propre par les responsables de l'opération. De plus, on en vint également à accumuler distinctement dans ces registres les produits créés par ces opérations ainsi que les charges qu'elles entraînaient. La différence établie entre ces produits et ces charges permet l'identification du bénéfice à partager.

Cette pratique, grâce à laquelle on peut porter plus facilement un jugement sur la qualité d'une entreprise, devint convention. Dorénavant, le comptable établira une distinction entre les avoirs et dettes utilisés pour exploiter une entreprise donnée et les avoirs et dettes des propriétaires de cette entreprise. On accordera le même traitement aux produits et charges que généreront les activités de cette entreprise.

Cette convention, que l'on nomme *personnalité de l'entreprise*, sera appliquée par le comptable quelle que soit la forme juridique de l'entreprise. Ce fait mérite d'être signalé puisque, comme nous l'avons constaté au chapitre premier lors de la présentation des différentes formes juridiques d'entreprise, seules deux formes (soit la société par actions et la coopérative) permettent l'exercice légal de cette distinction.

La continuité de l'exploitation

La notion de *continuité de l'exploitation*, qui nous conduira à appliquer nos techniques de mesure en posant l'hypothèse que la durée de vie de l'entreprise étudiée est illimitée, découle d'une série d'observations sur la nature des relations que connaît l'entreprise avec son environnement.

Ces observations ont amené à la conclusion que la majorité des partenaires commerciaux de l'entreprise traitaient avec elle tout comme si son existence était illimitée. Tel est le cas des clients, par exemple, qui n'achèteront que dans la mesure où on leur a fourni l'assurance que l'entreprise vivra suffisamment longtemps pou ʾonorer sa garantie et plus longtemps encore. En effet, le client espère également qu'au-delà du terme de la garantie, l'entreprise en question demeurera en mesure de poursuivre la fabrication des pièces nécessaires à l'entretien de l'appareil acquis. Règle générale, plus l'objet de consommation est important, plus cette notion de permanence sera déterminante dans la décision de consommer. En effet, on imagine assez mal acheter au prix régulier une voiture d'un fabricant qui est sur le point de fermer ses portes. Cependant, il est possible que le marché soit accepté moyennant une réduction sensible du prix du véhicule. Dès lors, on comprend que la valeur du produit pour l'entreprise pourra différer selon que cette dernière est perçue comme permanente ou non. De là provient l'importance de s'entendre sur une position uniforme au sujet de la durée potentielle de vie d'une entreprise.

Le créancier de l'entreprise doit lui aussi accepter implicitement cette hypothèse de la permanence. Il ne saurait prêter s'il ne supposait que l'entreprise restera en affaires assez longtemps pour permettre le remboursement de sa créance. Certains créanciers, comme les créanciers obligataires ou encore hypothécaires, vont jusqu'à consentir à des termes de remboursement pouvant atteindre 30 ans. On verra même des locateurs consentir des baux emphythéotiques de périodes aussi importantes que 99 ans.

Comme on peut le constater, la majorité des parties qui ont un intérêt financier dans l'entreprise s'accordent à lui reconnaître une permanence. Puisque le comptable doit informer ces gens, il semble logique que les hypothèses qu'il retient coïncident avec les hypothèses retenues par la majorité de ces utilisateurs. Il sera donc entendu qu'à moins de détenir des preuves qui permettraient de douter des chances de survie de l'entreprise, on lui reconnaîtra la qualité de permanence.

L'application de la convention de continuité de l'exploitation entraînera de nombreuses conséquences, dont les plus matérielles apparaîtront au moment de procéder à l'évaluation de certains biens du patrimoine de l'entreprise. Nous en avons donné un exemple lorsque nous parlions de l'attribution d'une valeur à une automobile faisant partie du stock d'un constructeur d'automobiles. Le problème de l'attribution d'une valeur aux produits qui, au moment où l'on procède à l'évaluation des biens de l'entreprise, n'ont pas encore franchi toutes les étapes du processus de fabrication et ne sont que partiellement terminés, en est un autre exemple. Pour mieux comprendre, tentons d'attribuer une valeur à une motoneige qui ne serait qu'à demi terminée, en rejetant l'hypothèse de la continuité de l'exploitation. Dans ce contexte, la logique veut que nous procédions à l'évaluation de la demi-motoneige en supposant qu'elle ne sera jamais terminée. Que vaut alors une demi-motoneige? Pour le consommateur moyen elle ne vaut rien, puisqu'elle ne peut être d'aucune utilité. Pour le bricoleur ou encore le détaillant de motoneiges, elle pourrait avoir la valeur des pièces qui s'y trouvent, déduction faite toutefois des coûts à encourir pour désassembler ces pièces. Bien que cette évaluation permette d'attribuer à la demi-motoneige une valeur supérieure à celle que l'on aurait tirée de l'évaluation du consommateur moyen, la valeur demeure sensiblement en deçà de la valeur des efforts consacrés par l'entreprise à la réalisation de la demi-motoneige. L'entreprise a en effet utilisé non seulement les pièces, mais aussi de la main-d'oeuvre et de l'équipement pour aboutir au résultat qui doit être mesuré.

Dans la mesure où rien ne laisse croire que l'entreprise ne pourra pas terminer cette motoneige, la seule façon de rendre justice à l'entreprise est de faire correspondre l'évaluation de la motoneige à demi terminée à la somme des efforts que l'entreprise y a investi. Ainsi, on obtiendrait à peu de chose près la moitié du coût d'une motoneige complète. On aura ainsi satisfait aux exigences de la convention de continuité de l'exploitation.

L'identité fondamentale

Cette convention, à laquelle nous consacrerons le chapitre suivant, résume sous forme d'équation la dynamique de l'entreprise. Elle constitue l'expression de la parité qui doit exister entre les ressources acquises par une entreprise et l'origine de ces ressources. On peut représenter schématiquement l'*identité fondamentale* par l'équation suivante :

$$\text{Ressources} = \text{Provenances de ressources}$$

$$ou$$

$$\mathbf{A} = \mathbf{P} + \mathbf{C}$$

où **A** signifie *actif* et correspond à l'ensemble des ressources acquises par l'entreprise ; **P** signifie *passif* et renseigne sur la participation des créanciers au financement cet actif ; **C** signifie *capital* et représente l'investissement effectué par les propriétaires dans leur entreprise.

En vertu de cette dernière covention, le propriétaire de l'entreprise est considéré, au même titre que le créancier, comme un fournisseur de ressources. Par conséquent, l'investissement du propriétaire sera reconnu comme une dette contractée par l'entreprise à l'égard de ce dernier. Cette convention n'a donc de sens que dans la mesure où elle est associée à la convention de personnalité de l'entreprise qui nous a permis d'établir une distinction claire entre le propriétaire et son entreprise.

La convention de l'identité fondamentale servira de base au développement des techniques d'enregistrement comptable que nous verrons dans les chapitres suivants.

Les conventions relatives à l'exercice

Chaque fois que nous rendons compte d'une activité à laquelle nous avons participé, nous la situons instinctivement dans le temps et nous précisons l'étendue de la période pendant laquelle cette activité s'est déroulée. Ces deux facteurs (la situation dans le temps et l'étendue de la période) auront certainement une influence sur l'intérêt que l'interlocuteur accordera à notre récit.

Comme nous l'avons vu, on utilise la comptabilité pour rendre compte des activités menées par une entreprise dont la durée de vie a été posée par hypothèse comme illimitée. Il est donc clair qu'on ne peut attendre que la vie de l'entreprise soit terminée pour rendre compte de ses activités.

De plus, pour pouvoir fonctionner convenablement, le processus de prise de décision exige d'être alimenté en informations de façon régulière. Par conséquent, nous devrons nous attarder au choix d'une période pendant laquelle nous observerons les activités dont nous rendrons compte par la suite. Il existe trois conventions relatives à l'exercice. La première donne des précisions sur cette période d'observation. Il s'agit de la convention d'*indépendance des exercices*. Les deux autres conventions relatives à l'exercice, soit la convention de *réalisation* et la convention de *rapprochement des produits et des charges*, préciseront les conséquences de la première.

L'indépendance des exercices

C'est en vertu de cette convention que nous serons autorisés à découper la vie utile de l'entreprise afin de pouvoir rendre compte périodiquement de sa situation financière et de ses résultats d'exploitation. Idéalement, la durée des tranches de vie desquelles nous rendrons compte devrait être fonction de certains événements marquants de l'existence de l'entreprise. Malheureusement, lorsqu'on étudie le comportement de plusieurs entreprises tout au long de leur existence, on ne retrouve pas cette succession d'événements marquants susceptibles de caractériser les périodes. Bien au contraire, pour la majorité des entreprises, la vie n'est constituée que d'un flot continu d'opérations semblables et répétitives qui, selon l'hypothèse de la continuité de l'exploitation, devraient se reproduire à l'infini. Aussi, dans la plupart des cas, tout découpage de la vie de l'entreprise en périodes ne peut être qu'artificiel. Par conséquent, le choix de la durée de cette période ne peut qu'être arbitraire.

En l'absence de critères objectifs de choix, le comptable s'est référé au critère de l'utilité et son choix s'est porté sur des périodes de durée identique. Il est évident que l'égalité facilite la comparaison des résultats atteints pendant chacune de ces périodes et qu'elle permet de dégager des tendances. En effet, il est assez difficile de comparer le salaire gagné au cours des trois derniers mois au salaire gagné au cours des douze mois qui les ont précédés, et ce, uniquement en comparant les totaux des salaires de ces deux périodes. Pour rendre cette comparaison possible et pour rendre les résultats interprétables, nous devrons soit exprimer par mois les salaires de ces deux périodes, en établissant des moyennes, soit extrapoler sur ce que le salaire des trois derniers mois donnerait pour douze mois. Cette démarche de normalisation, qui visait à rendre les salaires comparables, a conduit dans ce cas-ci à des périodes de durées identiques.

Le comptable souhaite éviter cette démarche à l'utilisateur des rapports que produit la comptabilité en lui présentant des données observées au cours de périodes d'égale durée. De plus, il semblera souhaitable, pour plusieurs catégories d'utilisateurs, que ces périodes soient non seulement identiques entre elles, à l'intérieur d'une même entreprise, mais encore qu'elles soient de durée identique à la durée des périodes qu'on utilise pour la mesure des résultats des autres entreprises. On comprendra que ce procédé facilite la comparaison entre eux des résultats atteints par ces diverses entreprises et aide au choix d'investissements. Somme toute, en vertu de l'application de la convention d'indépendance des exercices, on devra découper la vie utile de l'entreprise en périodes d'égale longueur, et ces périodes devront être de longueur identique d'une entreprise à l'autre.

La base la plus objective et la plus universellement acceptée est l'année, soit une période de douze mois. Aussi, les comptables ont-ils décidé de découper la vie de l'entreprise en périodes égales de douze mois. Ce choix est d'autant plus facile à justifier que plusieurs organismes détenant le pouvoir de légiférer exigent qu'on leur fasse rapport tous les ans. C'est le cas, par exemple, du ministère du Revenu, qui établit sa facture d'impôt à partir des gains réalisés au cours d'une période d'une année.

On doit remarquer que, même si le choix s'est arrêté sur une période de durée analogue à l'année civile, il ne sera pas nécessaire que celle-ci coïncide avec l'année du calendrier. Dans les faits, à partir du moment où l'on respecte cette contrainte des douze mois, la période peut commencer à n'importe quel moment de l'année. Lorsqu'on a identifié ce moment, on ne pourra le changer que dans des circonstances exceptionnelles.

Cette période qui, en langage comptable, s'appelle *exercice financier* sera caractérisée par la date à laquelle elle se termine. Ainsi, on parlera de l'exercice financier

19__3 pour identifier la période écoulée entre le premier juin 19__2 et le 31 mai 19__3. Les entreprises effectueront un choix logique pour la date de fin d'exercice en faisant correspondre celle-ci au moment où leurs activités sont habituellement à leur niveau le plus bas. D'une part, il s'agira là du moment où le service de la comptabilité sera le plus disponible pour entreprendre le travail nécessaire à l'évaluation de la situation financière de l'entreprise. D'autre part, les ressources à évaluer seront à ce moment, selon toute vraisemblance, à leur niveau le plus bas, ce qui réduit d'autant les problèmes inhérents à la mesure.

À ce stade-ci de notre exposé sur le concept d'indépendance des exercices, nous avons bien défini le sens du mot *exercice*. Nous avons toutefois quelque peu négligé l'aspect de l'indépendance de cet exercice.

Tout comme la personnalité de l'entreprise évoquait le besoin d'isoler les ressources et les résultats d'une entreprise pour les distinguer de ceux de ses propriétaires, le concept d'*indépendance des exercices* évoque la nécessité d'isoler les résultats d'un exercice des résultats d'autres exercices. On doit cependant se rappeler que la dynamique de l'entreprise est la conséquence d'un flux continu d'opérations qui ne tient pas compte des questions de périodicité. Aussi, nous constaterons un peu plus loin que l'attribution à une période donnée d'un événement particulier deviendra souvent difficile et abstraite. On a donc conçu des critères d'admissibilité à une période afin de réduire la part d'arbitraire de la décision qui doit mener au choix de l'événement à inscrire dans la période observée. Ces critères d'admissibilité sont donc les conventions suivantes:

1) la réalisation;

2) le rapprochement des produits et des charges.

La réalisation

La contrainte de la périodicité entraîne donc la nécessité d'établir à intervalles réguliers le résultat atteint par l'entreprise. Or le résultat est le fruit de la comparaison ou du rapprochement des produits avec les charges encourues pour atteindre ce produit. Il est donc important pour le comptable de formuler des critères permettant d'identifier à une période donnée le produit qui lui appartient et la charge qui lui est imputable.

Le produit, objectif premier de l'entreprise, présente un intérêt considérable, du point de vue de la formulation des critères de réalisation. Nous étudierons donc cet aspect en premier lieu.

En pratique, chaque activité de l'entreprise, chaque effort auquel elle a consenti, vise à gagner un produit. Donc, idéalement, dès qu'un effort sera fourni, le comptable devrait tenter d'identifier le produit qu'il générera et l'inscrire dans la période pendant laquelle l'effort a été consenti. Selon cette hypothèse, que l'on reconnaîtra comme l'idéal à poursuivre, le produit sera reconnu au fur et à mesure que se déroulera son processus de création.

Dans certains cas, ce processus de création du produit est très visible et l'accumulation progressive du produit est facile à appliquer (c'est le cas notamment des services professionnels, dont la rémunération se base sur un taux horaire, et du produit tiré de la location d'un bien et du prêt d'argent qui s'accumule avec le temps). Malheureusement, dans plusieurs situations, il ne sera pas possible d'appliquer ainsi la convention de réalisation. On devra appliquer des règles particulières à ces circonstances. Ces règles s'adapteront à la nature des activités menées par l'entreprise qui nous intéresse.

Pour commencer l'étude des situations qui justifient l'application de ces règles d'exception, nous tenterons de visualiser le processus de création du produit d'une entreprise dite commerciale, soit d'une entreprise vouée à l'achat de biens de consommation pour la revente. Le premier effort auquel doit consentir l'entreprise commerciale est l'effort d'achat. À cette occasion, les responsables de cette fonction mèneront des négociations avec les représentants d'éventuels fournisseurs. On arrêtera par la suite une décision d'achat. On livrera la marchandise achetée à l'entreprise, qui confiera à certains employés le soin d'en vérifier la qualité avant d'en accepter la livraison. Ensuite, on entreposera la marchandise pendant un certain temps. Il faudra, au cours de cette période, assurer de bonnes conditions d'entreposage, c'est-à-dire qu'on devra payer des loyers d'entrepôt, des coûts d'éclairage, de chauffage, de manutention, etc. On devra également publiciser les qualités de cette marchandise et verser une commission au vendeur qui aura su convaincre un client de l'acheter. On établira une facture pour ce client, et les détails de cette opération seront consignés aux registres comptables de l'entreprise. Le produit correspondra au prix qu'on aura demandé au client, et la facture deviendra le document qui témoignera du transfert du droit de propriété sur les biens de l'entreprise vers le client.

Chacune des étapes décrites plus haut marque un pas vers la réalisation de l'objectif qu'est le produit, et l'ensemble de ces étapes constitue le processus de création de cet objectif. On comprendra que si, lors de chacune des étapes du processus de création du produit de l'entreprise commerciale, il nous fallait identifier la portion du produit qui est la conséquence de cette étape, on ferait face à d'importants problèmes de mesure. Ces problèmes seront d'autant plus aigus qu'avant le moment de la facturation du client, nous n'avons ni la certitude qu'une somme donnée d'efforts sera suffisante pour conduire à la vente, ni de certitude quant au prix de vente, ni la certitude que la vente elle-même aura lieu.

Voilà pourquoi, lorsque l'activité commerciale de l'entreprise est reliée à la vente de marchandises, les comptables se sont entendus pour reconnaître le produit comme réalisé au moment qu'ils jugent être le plus important du processus de création de ce produit, c'est-à-dire au moment où s'effectue le transfert du droit de propriété sur ce bien; il s'agira donc du moment de la facturation qui scelle ce transfert du droit de propriété.

Il faut néanmoins se rappeler que le comptable tentera d'appliquer, chaque fois qu'il sera possible de le faire, la forme idéale de l'enregistrement progressif du produit. La règle précédemment énoncée demeurera une règle qui devra être appliquée conformément aux caractéristiques économiques de l'entreprise au sujet desquelles les comptables feront rapport. Par conséquent, elle connaîtra elle aussi des exceptions.

Le cas du constructeur de navires ou de l'entrepreneur en construction qui pourraient consacrer jusqu'à deux ou trois exercices à la réalisation d'un unique projet dont la facture ne pourrait être établie qu'à la livraison du projet sont des exemples classiques des problèmes soulevés par l'application rigoureuse du moment de la facturation pour la reconnaissance du produit. Si on appliquait cette règle à ces situations, on obtiendrait des exercices sans produit aucun et des exercices dont les produits seraient démesurément élevés. C'est pourquoi, en se basant sur les contrats passés entre l'entrepreneur et son client, le comptable évaluera à la fin de chaque période la proportion du produit total qui correspond à cette période, compte tenu de ce que représentent par rapport à l'ensemble les travaux accomplis au cours de cette période. Dans ce cas, le contrat permet d'éliminer l'incertitude quant à la vente et quant au prix de cette vente et permet ainsi de choisir un moment de réalisation antérieur au moment du transfert du droit de propriété. En effet, on sait que dans la mesure où les termes du contrat sont respectés, il y aura vente, et ce au prix convenu.

Certaines entreprises qui jouissent d'un marché assuré pourront aussi contourner la règle. Parmi ces entreprises, on retrouve au Canada les producteurs de denrées agricoles comme le lait et les œufs qu'achèteront automatiquement à un prix préétabli, dès que ces denrées sont produites, des organismes gouvernementaux de mise en marché ou encore des coopératives locales. Dans ces entreprises, l'absence d'incertitude quant à la vente, quant au prix de cette vente, ainsi que le coût minime des frais à encourir entre la fin du processus de fabrication et la livraison permettent la reconnaissance du produit dès la fin du processus de fabrication.

En revanche, après le transfert du droit de propriété sur le bien, s'il subsiste une incertitude importante quant au montant qui sera ultimement encaissé et quant aux frais à encourir pour recouvrer ce montant, on s'éloignera de nouveau du moment de la facturation pour la reconnaissance du produit, et on le situera cette fois au moment où l'encaissement de ce produit sera terminé. L'utilisation de cette dernière formule sera particulièrement appropriée à la vente à tempérament, dont l'encaissement progressif peut s'étaler sur plusieurs mois, voire même plusieurs années.

Nous résumerons ces considérations sur la reconnaissance du produit en rappelant qu'idéalement, on devrait considérer le produit comme réalisé progressivement tout au long du processus qui conduit à sa création. Cependant, les difficultés de mesure reliées à l'incertitude ont entraîné la formulation de règles d'exception qui s'adaptent au niveau d'incertitude produit par l'activité à mesurer. Le tableau 2-1 résume la situation.

TABLEAU 2-1

Niveau d'incertitude	Moment de la réalisation du produit
Incertitude quant au coût, quant aux frais à encourir pour vendre, quant à la vente, quant au prix de vente et quant à l'encaissement de cette vente.	À l'encaissement
Incertitude quant au coût, quant aux frais à encourir pour vendre, quant à la vente et quant au prix de vente	À la facturation
Incertitude quant au coût seulement	À la fin du processus de production

Le rapprochement des produits et des charges

Comme nous l'avons dit plus haut, la mesure du résultat atteint par une entreprise au cours d'un exercice oblige à rapprocher les produits et les efforts investis pour les réaliser. Puisque le produit est l'objectif de l'entreprise, seul l'effort qui a permis de réaliser un produit sera considéré comme perdu au cours de cet exercice et pourra être considéré comme une charge pour cet exercice. Ainsi se posera la règle générale. Les modalités d'application de cette règle dépendront à leur tour de la nature de l'effort et de la façon dont on utilise cet effort en vue de gagner ce produit.

C'est ainsi que, parmi ces efforts, certains seront automatiquement perdus en entier, dès le moment où le produit sera gagné. Par exemple, si notre objectif commercial est fonction de la vente d'appareils ménagers, le coût de l'appareil ménager cédé au consommateur (ce coût étant la mesure de l'effort) devient une charge dès que cet appareil n'appartient plus à l'entreprise. Dès lors, il suffit de connaître à quel exercice le produit tiré de la vente de cet appareil doit être attribué pour établir à quel exercice la charge sera imputée. Dans l'attente du moment où ce coût deviendra une charge, l'entreprise le considérera comme un actif susceptible de générer un produit. Il ne sera rapproché de ce produit qu'au moment où il l'aura provoqué.

Dans ce dernier paragraphe, nous avons évoqué trois notions, toutes trois reliées à la convention de la périodicité et nécessaires à la compréhension du rapprochement des produits et des charges:

1) la notion de coût, qui permet de mesurer l'effort accepté;
2) la notion d'actif, qui correspond au coût de ce bien acquis dans le but de gagner un produit mais non encore utilisé pour gagner ce produit;
3) la notion de charge, qui devient le coût de l'actif sacrifié pour gagner le produit.

Dans l'exemple précédent, la relation entre le produit et la charge était immédiate et facile à établir; il n'en sera pas de même pour tous les efforts menés en vue de gagner le produit. En fait, il arrivera souvent qu'on doive fournir au cours d'un exercice donné un effort qui ne portera fruit que bien plus tard ou encore progressivement au cours des exercices ultérieurs. Dans le commerce d'appareils ménagers auquel nous faisions précédemment allusion, le coût des tablettes et des étalages qui permettent la présentation de la marchandise, le coût du bâtiment qui abrite ce commerce, le coût de la caisse enregistreuse, des équipements de livraison, etc. pourraient être de tels efforts. À ce moment, l'absence de relation directe entre le coût et le produit nous conduira à la recherche d'une autre base d'attribution du coût à la période. On imagine en effet assez mal qu'après chaque opération, on doive évaluer la perte de valeur du bâtiment ou la perte de valeur de la caisse enregistreuse spécifiquement reliées à l'opération qui vient de se conclure. Outre les problèmes de mesure importants avec lesquels on serait aux prises, il est plus que probable que les résultats soient illusoires. Par contre, la perte de valeur du bâtiment, la perte de valeur de la caisse enregistreuse ou la perte de valeur du camion de livraison reliées à la poursuite du produit à l'échelle d'un exercice complet seront probablement observables et, par conséquent, beaucoup plus faciles à mesurer. Puisque la convention de rapprochement des produits et des charges est une conséquence directe de la convention de périodicité, nous demeurons logiques si nous relions certains coûts aux produits en nous basant sur la période pendant laquelle le produit a été gagné. En l'absence de relation directe entre le coût et le produit, nous rechercherons une relation entre le coût et la période au cours de laquelle le produit a été gagné. En établissant la portion de ce coût utilisée au cours de la période, nous mesurerons la charge qui devra lui être attribuée. Autrement, nous serions amenés à reconnaître comme perdu le coût de cet actif dès le moment de son acquisition. Ce procédé peu réaliste, étant donné la perte de valeur véritable de l'actif à ce moment de son existence, entraînerait une charge démesurée pour l'exercice en question. Cette charge est d'autant plus injustifiée que l'actif contribuera à la réalisation de produits pendant plusieurs exercices à venir. On pourrait également songer à attendre le moment où le bien devient inutilisable pour reconnaître son coût comme expiré. Mais encore une fois, on sous-évaluerait démesurément les résultats de l'exercice où le bien devient inutilisable et on réduirait considérablement la possibilité de comparer entre eux les résultats des différents exercices. Par le fait même, on enlève toute utilité au respect de la convention de périodicité.

D'autres coûts sont clairement reliés au passage du temps. Il s'agit plus particulièrement ici de coûts comme les loyers, les assurances, les taxes foncières, les intérêts, etc., qui sont tous utiles à la période au cours de laquelle le produit a été gagné, mais qu'il est impossible de rapprocher directement à ce produit. Le traitement de ces coûts s'inspirera du traitement accordé aux autres coûts. Si nous avons déjà accepté qu'une relation puisse s'établir entre charges et produits tout au long de la période, rien ne nous empêche d'appliquer à ces autres types de coûts la relation dont la rigueur a déjà été démontrée. Par conséquent, le coût des services qui sont consommés progressivement, au fur et à mesure du passage du temps, sera imputé à l'exercice au cours duquel ce coût aura été encouru.

Pour terminer cet exposé sur le rapprochement des produits et des charges, nous verrons comment on doit traiter l'effort qui n'est jamais à l'origine, directement ou indirectement d'ailleurs, d'un quelconque produit. Reprenons notre exemple de commerce d'appareils ménagers et supposons que pendant une livraison, le livreur de cette entreprise ait laissé échapper une machine à laver, en tentant de la sortir de son camion pour la porter au client. On supposera également que l'appareil est tellement endommagé qu'il est impossible de le réparer. Dès le moment où le livreur a laissé échapper l'appareil, le coût de celui-ci devient irrémédiablement perdu pour l'entreprise. Cependant, ce coût expiré ne peut être relié de façon directe à un produit non plus qu'au passage du temps. Il nous faudra donc, pour traiter ce coût, formuler une troisième règle de rapprochement des produits et des charges. Cette règle nous amènera à imputer ce dernier type de perte à la période pendant laquelle l'actif est devenu inutilisable. On considérera ce type de perte comme la conséquence du risque assumé par tout entrepreneur. En somme, le coût devient charge au cours de la période pendant laquelle il a perdu totalement ou partiellement sa capacité de générer un produit. Cette charge, qui devrait correspondre à la mesure de cette perte de capacité, sera la conséquence de l'utilisation de ce coût en vue de gagner le produit inscrit au cours de la période. Elle sera rapprochée à ce produit soit parce qu'elle en est la conséquence directe, soit parce qu'elle est la conséquence des activités menées en vue de gagner une partie de ces produits, soit encore parce qu'elle est la conséquence du passage du temps pendant la période au cours de laquelle ces produits furent enregistrés.

Les conventions relatives à la mesure

Comme on a pu le constater au cours des démonstrations précédentes, une part importante de l'activité du comptable est reliée à la mesure des événements économiques qui sont à la base des activités de l'entreprise. Le comptable mesurera l'événement économique et mettra au point le langage nécessaire à la communication du résultat de sa mesure.

Afin d'établir correctement l'étendue des responsabilités qui sont ainsi dévolues au comptable et afin d'en saisir les implications, réfléchissons un instant aux étapes que nous franchissons tout naturellement dans notre vie quotidienne, lorsque nous mesurons.

En premier lieu, nous choisissons l'objet à mesurer: un arbre, par exemple. Puis, nous choisissons la caractéristique à mesurer. Ce pourrait être la hauteur de cet arbre, son envergure, sa résistance au vent, son âge, etc. Nous devons être conscients que si nous voulons comparer cet arbre aux autres, nous devons choisir la même caractéristique pour chacun des arbres mesurés. Enfin, en fonction de la caractéristique à mesurer, nous choisissons un étalon de mesure, qui doit autant que possible être accepté de tous si nous voulons pouvoir communiquer notre mesure. Si nous désirons mesurer la hauteur de l'arbre, nous choisirons le pied ou le mètre, selon la convention adoptée par le milieu que nous désirons informer. Enfin, nous communiquerons notre mesure aux intéressés en la consignant sur un rapport qui leur sera transmis.

Les étapes que nous avons dû franchir pour arriver à l'objectif ultime de communiquer les résultats de la mesure nous ont amenés à faire des choix (choix de la caractéristique à mesurer) et à respecter des conventions (étalon de mesure). Ces choix et ces conventions sont le propre de toute mesure, et la mesure comptable n'échappe pas à la règle. Aussi, en comptabilité, on a formulé des conventions pour:

1) guider le choix de l'objet et de la caractéristique à mesurer;

2) préciser l'étalon de mesure, ses caractéristiques, et la façon de l'appliquer;

3) aider au développement d'un mode utile de communication de la mesure.

Guider le choix de l'objet et de la caractéristique à mesurer

Possibilité de quantifier

La convention de *possibilité de quantifier* nous guidera dans le choix de l'objet à mesurer. En effet, parmi tous les événements qui constituent l'histoire de l'entreprise, le comptable observera les événements économiques. De tous les événements potentiellement observables, seuls les événements dont une dimension peut être mesurée par des chiffres seront retenus en vue d'être communiqués. Les chiffres deviendront non seulement le principal symbole du langage comptable, mais encore ils constitueront une contrainte qui tendra à restreindre la quantité des événements que nous communiquerons. Par exemple, même si les qualifications personnelles du président d'une entreprise peuvent constituer une information très utile pour celui qui veut y investir, le comptable, incapable de la quantifier, ne la divulguera pas.

Préciser l'étalon de mesure, ses caractéristiques et la façon de l'appliquer

Trois conventions serviront ces fins:
1) la stabilité de l'unité monétaire;
2) la valeur d'acquisition;
3) la fiabilité et l'objectivité.

La stabilité de l'unité monétaire

Les chiffres seront l'expression de la mesure que l'on aura prise à l'aide de l'étalon choisi. En comptabilité, l'étalon choisi correspondra à l'unité monétaire utilisée par le pays où le comptable exercera son activité (au Canada, c'est le dollar canadien). Dans notre société, cet étalon qui a l'avantage d'être compris et accepté de tous est à la base de toute opération commerciale. Puisque nous voulons raconter l'histoire de ces opérations, il est juste que nous utilisions le langage employé pour les conclure.

Comme chacun sait, le langage et l'étalon de mesure sont des représentations abstraites qui servent à exprimer une réalité concrète. Ils ne peuvent être utiles qu'à partir du moment où tous accordent à cette abstraction la même signification. Par exemple, le mètre est universellement utilisé pour exprimer la longueur, parce que dans tous les pays qui l'ont choisi comme étalon de mesure, il représente exactement la même longueur. L'utilité d'un étalon de mesure repose donc sur l'universalité de son acceptation et sur l'immuabilité de sa signification. Puisque le dollar a été retenu comme unité de mesure, on devra présumer que sa valeur est constante. Bien qu'au Canada, l'universalité de l'étalon dollar comme unité de mesure des transactions économiques ne puisse être mise en doute, il en est tout autrement de l'immuabilité de sa signification. En effet, l'inflation que l'on connaît depuis plusieurs années déstabilise constamment la valeur de cet étalon. Si 1 000 $ suffisaient à évaluer un bien il y a dix ans, il est plus que probable qu'aujourd'hui, cette somme soit en deçà de la valeur de ce même bien. On ne veut pas dire que la valeur relative du bien par rapport aux autres biens disponibles a changé entre ces deux dates, mais plutôt que l'étalon servant à mesurer la valeur du bien a changé de valeur pendant cet intervalle et qu'il a donc changé de signification. L'effet conjugué de la présentation d'informations financières (en présumant que l'unité dollar est stable) et de l'inflation rend actuellement difficile l'interprétation de cette information.

Voici un exemple des problèmes d'interprétation que peut engendrer l'application de la convention de la stabilité de l'unité monétaire. Tentons d'analyser l'évolution des ventes de l'épicerie Rétro, Enr.

	Années		
	19__1	19__2	19__3
Chiffre d'affaires	270 000	300 000	330 000
Inflation[1]	0	0	10%

L'année 19__2 marque un progrès réel par rapport à l'année 19__1. Puisqu'il n'y a pas eu d'inflation entre 19__1 et 19__2, on peut présumer qu'il n'y a pas eu à proprement parler d'augmentation du prix de vente. Donc, aux 30 000 $ d'augmentation du chiffre d'affaires correspond un certain nombre de produits additionnels vendus. On peut penser qu'on a vendu 11% de plus d'articles qu'au cours de l'année précédente et que, par conséquent, les affaires progressent. Il faudra bientôt songer à agrandir ou encore à engager du personnel additionnel.

Si la valeur de l'unité de mesure était demeurée constante au cours de l'année 19__3, on aurait pu interpréter les chiffres de l'année 19__3 à peu près de la même façon que les chiffres de l'année 19__2. Malheureusement, tel n'a pas été le cas. En réalité, l'inflation de 10% qui s'est manifestée au cours de l'année 19__3 a fait perdre à l'unité de mesure 10% de sa valeur. Il est probable que l'épicier ait augmenté ses prix de vente au cours de l'année 19__3 dans une proportion équivalente à la perte de valeur du dollar. Les 30 000 $ d'augmentation du chiffre d'affaires ne pourront donc qu'être la conséquence de l'augmentation des prix de vente. Selon cette hypothèse, le montant de 30 000 $ ne serait nullement représentatif d'un nombre d'unités additionnelles vendues. De fait, on a probablement vendu en 19__3 un nombre d'unités égal au nombre vendu en 19__2. Aussi, contrairement à ce que laisse croire l'interprétation des données à partir de la convention de stabilité de l'unité monétaire, il n'y a eu aucune croissance des affaires au cours de l'année 19__3.

Voilà pourquoi l'application de la convention de stabilité de l'unité monétaire a fait l'objet de très nombreuses critiques au cours des dernières années, chez les comptables et chez ceux qui ont recours à la comptabilité. Par conséquent, on a consacré beaucoup d'efforts à la recherche d'une unité de mesure des opérations économiques qui serait véritablement stable et qui pourrait se substituer à l'étalon dollar. La proposition qui a jusqu'ici satisfait le plus de gens repose sur l'utilisation d'un dollar dont la valeur serait modifiée périodiquement à l'aide d'un indice représentatif de la variation du pouvoir d'achat du dollar. Malheureusement, comme nous l'avons dit plus haut lorsque nous parlions de la stabilité de l'unité de mesure, un étalon de mesure doit être accepté universellement pour devenir opérationnel. Or, jusqu'à maintenant, aucun étalon proposé ne suscite une telle unanimité. En l'absence du consensus recherché, l'étalon de mesure demeure le même (le dollar) et on continue à présumer, en vue d'applications pratiques, que sa valeur est constante. Il va de soi qu'on assume les risques que cela comporte. Ces risques sont d'ailleurs atténués parce que l'utilisateur est averti de cette incohérence et qu'il en tient compte lorsqu'il interprète les données comptables.

---

[1] Le terme *inflation* correspond ici à l'augmentation de l'indice général des prix à la consommation.

La valeur d'acquisition

Dans une certaine mesure, la convention de valeur d'acquisition est la conséquence de la précédente et elle nous conduit, dans tous les cas où cela est possible, à utiliser le coût que l'entreprise a dû accepter au moment de l'acquisition d'une ressource pour évaluer cette ressource. En effet, à partir du moment où l'unité de mesure est présumée stable, ce *coût d'acquisition* (ou historique) est censé ne pas se démoder et demeurer toujours un instrument correct d'évaluation de la ressource que l'on possède. Dans le même ordre d'idée, lorsque cette ressource sera utilisée pour gagner un produit, c'est sa valeur d'acquisition ou encore une partie de celle-ci qui constituera la mesure de la charge. C'est ainsi qu'un actif comme un jouet dans un magasin de jouets pour enfants acheté 30 $ aux fins de la revente sera évalué à 30 $ lorsqu'on procédera à l'examen des ressources de l'entreprise, même si à ce moment il en coûterait plus de 40 $ pour le remplacer. Par conséquent, lorsque cet actif sera vendu, 30 $ représenteront la charge qu'il faudra rapprocher au produit. Les défenseurs de cette approche considèrent qu'il est peu important de présenter une juste image de la valeur réelle des biens détenus par une entreprise. Pour eux, lorsqu'on établit la liste des ressources d'une entreprise, on accumule des coûts en attente d'être utilisés et on présente un ensemble de sacrifices acceptés à un moment précis pour en tirer des bénéfices dans l'avenir. Par la suite, on établit le bénéfice en comparant la valeur du sacrifice consenti à l'origine au produit qu'on en tire aujourd'hui. Cette opinion connaît d'ailleurs suffisamment de popularité pour que les praticiens aient accepté de fonctionner selon cette règle.

On doit cependant remarquer qu'en l'absence de ce coût, comme lorsque la ressource a été acquise à la suite d'un don ou d'un échange, c'est la juste valeur marchande du bien acquis, au moment de son acquisition, qui servira de substitut au coût d'origine.

La fiabilité et l'objectivité

Cette dernière convention touchant l'étalon de mesure vient en quelque sorte à la rescousse des deux précédentes. On considérera une mesure comme fiable et objective si plusieurs personnes accordent toutes la même valeur à l'élément mesuré.

Dans les faits, seul le coût d'origine convient à ce résultat, parce qu'il est aisément vérifiable. Prenons un exemple: essayons d'attribuer en 19__5 une valeur à un immeuble payé 250 000 $ au départ, en 19__1. Il est clair que si on s'entend pour attribuer comme valeur à cet immeuble sa valeur d'acquisition, tous ceux qui mesurent, quels qu'ils soient, feront référence à la facture de cet immeuble et arriveront au même résultat, soit 250 000 $. Si, par contre, on rejette la notion de valeur d'acquisition parce qu'on la considère comme peu représentative de la réalité et, si on décide d'utiliser la valeur de remplacement de cet immeuble, on devra consulter différents constructeurs pour arriver à établir cette valeur. Il n'y a à toutes fins utiles aucune chance que les valeurs communiquées soient identiques. De plus, les chances que les coûts de construction soumis correspondent aux coûts qu'on devrait réellement encourir pour reconstruire l'immeuble sont également très faibles.

On pourrait aussi utiliser la *valeur du marché*. On s'adresserait alors à des agents immobiliers qui ne pourraient indiquer qu'approximativement le prix qu'ils pourraient obtenir de la vente de cet immeuble. Chacun d'eux fournirait sa propre évaluation; ces évaluations seraient certainement différentes les unes des autres et certainement différentes aussi du prix qui pourrait être réellement tiré de la vente. La décision même de choisir entre la valeur du marché et la valeur de remplacement serait entachée de subjectivité.

La valeur d'acquisition est donc la seule qui satisfasse correctement à cette définition de l'objectivité. Elle est la seule également à offrir une preuve incontestable de son authenticité, puisqu'elle est consignée sur un document (il s'agit le plus souvent d'une facture) qui a servi de support à l'échange du bien entre le vendeur et l'acheteur. En cas de contestation de la mesure, ce document pourrait servir d'élément de preuve, protégeant ainsi le responsable de la mesure.

Aider au développement d'un mode de communication utile

Cinq conventions serviront ces fins:

1) l'importance relative;

2) la neutralité;

3) la permanence des méthodes;

4) la comparabilité;

5) la prudence.

L'importance relative

Avant toute chose, signalons que l'utilité d'un mode de communication repose sur l'utilité des informations qu'il transmet et sur sa capacité de mettre en évidence les informations qu'il doit transmettre. Il n'est pas véritablement possible de caractériser l'information utile, parce que le terme « utilité » aura des connotations différentes selon l'utilisateur auquel on s'adresse. On peut tout au moins, sans trop de crainte de se tromper, avancer que l'information utile sera celle qui conduira à l'action. Elle devra donc être suffisamment importante, d'où le concept d'*importance relative*, pour influencer directement le comportement de l'utilisateur.

Ce concept d'importance relative influera sur le choix des informations à présenter, sur le degré de regroupement des informations présentées et sur le degré de précision recherché pour mesurer ces informations. L'exemple suivant illustrera les conséquences de l'application de ce concept.

Supposons qu'une entreprise désire faire rapport à un éventuel fournisseur sur la situation de son encaisse. Le choix de présenter la situation de l'encaisse sera sans doute pertinent pour le fournisseur, puisqu'il sera appelé à consentir du crédit à cette entreprise qui le remboursera à même cette encaisse. Bien que la situation d'encaisse ne soit pas la seule information nécessaire à la prise de ce genre de décision, elle demeurera tout de même l'une des informations utiles. Maintenant que nous avons arrêté la décision de présenter l'encaisse, il nous reste à procéder à l'inventaire des éléments de cette encaisse. Or il se trouve que cette entreprise dispose de trois comptes en banque. Dans le premier est inscrite une somme de 3 000 $, dans le second, une somme de 8 000 $ et dans le troisième, une somme de 2 000 $ plus un certain montant représentant l'intérêt sur cette somme pour une période d'un an. Nous ignorons le montant exact de l'intérêt qui a été versé, puisque ce compte d'épargne a été ouvert dans une banque albertaine. De plus, l'entreprise conserve dans un coffre-fort une somme de 500 $ pour parer aux petites dépenses qui ne peuvent se payer qu'en argent comptant. On décompte finalement 1 800 $ dans la caisse enregistreuse.

Cet inventaire terminé, nous devons organiser les informations pour les présenter sous une forme utile à celui qui les demande. Il nous sera certes possible d'indiquer à ce dernier le contenu de chacun des comptes en banque, après avoir toutefois communiqué avec la banque albertaine pour connaître avec exactitude le montant d'intérêt crédité (205 $). De même, nous pourrons communiquer le contenu du coffre et de la caisse enregistreuse. Cependant, il est plus que probable que le détail de la composition de l'encaisse ne soit d'aucun intérêt pour cet éventuel créancier et qu'il ne serve au contraire qu'à faire perdre de vue à l'utilisateur que le montant total d'encaisse est de 15 505 $.

L'application à cette situation du concept de l'importance relative nous aurait évité de surcharger le système de communication, car nous n'aurions présenté que le total de l'encaisse. Ce concept nous aurait également permis d'accroître l'utilité de l'information, puisque l'utilisateur aurait pu tirer une conclusion à partir de cette information sans avoir à la transformer de nouveau. En outre, il nous aurait évité les coûts reliés à la communication avec la banque albertaine, car nous aurions pu utiliser une évaluation approximative des intérêts crédités à ce compte. En effet, la différence entre la qualité de cette information obtenue à la suite d'une évaluation approximative et l'information obtenue à la suite d'une communication avec l'Alberta ne justifie nullement le coût additionnel et ne sera pas non plus susceptible d'influencer le jugement de l'utilisateur.

L'importance relative sera étroitement reliée à cet objectif d'utilité que nous avons posé au départ, et elle servira de guide au choix des informations à communiquer, au choix du véhicule de communication et au degré de précision à rechercher lorsque notre travail nous amènera à effectuer des estimations.

La neutralité

Comme nous l'avons vu au chapitre précédent, les utilisateurs des informations financières sont très nombreux et très différents. Selon la nature des liens qui les unissent à l'entreprise, leur besoin d'informations variera. On comprend aisément que l'intérêt des syndicats n'est pas toujours le même que celui des propriétaires et que l'intérêt de ces derniers ne va pas non plus dans le même sens que celui du ministère du Revenu. Dans la poursuite de leurs objectifs divergents, ces différents intervenants n'auront pas besoin du même genre d'informations. De plus, nous devons être sensibles au fait qu'une information financière présentée à chaque groupe de façon identique pourra provoquer des réactions tout à fait différentes. Songeons par exemple aux réactions que suscite la présentation des bénéfices annuels des entreprises de services publics comme les sociétés pétrolières ou les sociétés de téléphone. La publication par ces entreprises d'excellents résultats déclenchera sans doute l'enthousiasme des propriétaires de ces entreprises, alors qu'au contraire, il est plus que probable que le consommateur moyen recevra ces mêmes résultats avec une certaine amertume.

Malgré l'existence d'un certain nombre de guides devant servir à orienter l'action du comptable, ce dernier dispose tout de même d'une certaine liberté: liberté de choix de l'événement à présenter, liberté de choix du mode de présentation et également liberté de choix, en certaines circonstances, de l'échelle de mesure. L'exercice de cette liberté, dans le respect de la *neutralité*, dirigera le comptable vers le choix d'un ensemble d'informations propres à satisfaire les besoins les plus vitaux de la majorité des groupes concernés par l'activité de l'entreprise. De plus, lorsque le comptable décidera du mode de présentation à adopter, il devra faire en sorte que ce mode procure à l'information l'impact désiré sur le comportement de l'utilisateur de cette information.

Ainsi, si on renseigne un prêteur éventuel sur le bénéfice réalisé au cours des quatre dernières années d'exploitation en lui indiquant simplement que le bénéfice moyen a été de 100 000 $ par année, cela n'aura pas du tout les mêmes conséquences sur le comportement du prêteur que si on lui présentait le bénéfice pour chacune de ces années (en supposant que le bénéfice a connu les fluctuations suivantes).

Année	Bénéfice
19__1	300 000 $
19__2	150 000 $
19__3	0
19__4	(50 000 $)

On comprend que, vue sous cet angle, la situation financière de la même entreprise ne sera pas du tout perçue de la même façon par le créancier éventuel. Cette présentation aura une influence importante sur la décision de prêter ou non, de même que sur le montant du prêt.

Dans l'exercice de son jugement professionnel en cette matière, le comptable empruntera à la fois aux sciences de la communication et aux sciences du comportement.

La permanence des méthodes

Pour respecter les conventions décrites précédemment, nous avons dû procéder à un certain nombre de choix: choix des informations à communiquer et choix du véhicule à employer pour cette communication, choix de la mesure, etc. La convention de *permanence des méthodes* interviendra, dès que ces choix seront arrêtés, pour que nous exercions ceux-ci de la même façon d'exercice en exercice, à condition, toutefois, que cette façon de procéder ne nuise pas à l'utilité des rapports présentés. Ce concept de permanence des méthodes a été imaginé pour permettre la comparaison de la situation financière d'une entreprise d'une période à l'autre. On avait au préalable vérifié l'hypothèse selon laquelle cette possibilité de comparaison de la situation financière et des résultats d'exploitation, d'une année à l'autre, permet de mieux pouvoir juger des perspectives d'avenir de l'entreprise étudiée.

Revenons à l'exemple précédent, qui nous avait servi à illustrer les conséquences de l'application de la convention d'importance relative. Supposons qu'en plus des 15 505 $ d'encaisse de toutes provenances dont dispose l'entreprise, elle dispose également de 5 000 $ de dépôts à termes dans diverses institutions financières. Dès lors, un choix s'impose: considérer le dépôt à terme comme partie de l'encaisse et afficher une encaisse de 20 505 $, ou le considérer séparément, en utilisant une expression différente du terme « encaisse », et par conséquent n'afficher qu'une encaisse de 15 505 $. Il est clair que la décision de l'entreprise à cet égard affectera considérablement la mesure de l'encaisse et que, si l'entreprise avait la liberté de modifier cette décision d'année en année, la comparaison des soldes d'encaisse deviendrait vite impossible.

On considérera souvent la permanence des méthodes comme un critère qui doit servir à réduire les dangers reliés à la liberté relative laissée au professionnel quant à l'interprétation des conventions qui régissent sa pratique.

La comparabilité

Cette convention s'inscrit dans la même logique que la précédente et amène le comptable à exercer sa liberté de choix en tenant compte de la façon dont ces libertés s'exercent dans d'autres entreprises, afin de rendre les informations produites par une entreprise donnée comparables à celles qui sont produites par d'autres entreprises. L'utilisation de ce procédé est particulièrement pertinente pour l'investisseur qui s'interroge sur la qualité des différentes possibilités d'investissements qui s'offrent à lui.

Ainsi, puisque selon la coutume, dans la grande majorité des entreprises, on rend compte de la situation de l'encaisse en excluant les dépôts à terme, le souci de *comparabilité* nous conduira à présenter l'encaisse de la sorte.

Il va sans dire que cette convention s'attire de nombreuses critiques. Les activités de diverses entreprises peuvent être si différentes qu'il serait utopique de tenter d'en rendre compte en utilisant des systèmes de communication analogues. Néanmoins, la comparabilité demeure un objectif que visent les comptables.

La prudence

C'est à dessein que nous présentons cette convention en dernier lieu. En effet, elle détermine la façon dont on interprétera les conventions que nous venons d'étudier et elle influence la mesure des événements dont nous rendrons compte. La *prudence* consiste à faire preuve d'une certaine modération en matière d'évaluation et elle a pour but de faire contrepoids à l'optimisme quelquefois exagéré que manifestent certains entrepreneurs. Selon la définition qu'en donne Fernand Sylvain, dans son *Dictionnaire* de la comptabilité, la prudence consiste à attribuer:

> d'une part, à un produit d'exploitation ou à un élément d'actif le montant le plus bas et, d'autre part, à une charge ou à un élément de passif le montant le plus élevé lorsqu'il est possible d'utiliser différentes méthodes de comptabilisation aussi acceptables les unes que les autres.

Ce concept se trouve justifié entre autres par la crise de 1929 dont l'origine était en partie la libéralisation du crédit consécutive à une surévaluation de la capacité de gains des entreprises de l'époque.

La force de cette règle est telle qu'elle pourra, en certaines circonstances, permettre des dérogations à l'application des conventions précédemment décrites. Nous pensons notamment à la règle de la valeur d'acquisition et à la règle de la permanence des méthodes. Par exemple, si la valeur marchande d'un stock de marchandise diminue en deçà de sa valeur d'acquisition, on sera forcé en vertu de cette convention d'attribuer à ce stock la valeur du marché de préférence à sa valeur d'acquisition. De ce fait, on déroge à la règle de la valeur d'acquisition en attribuant à un élément d'actif une valeur différente de cette valeur d'acquisition, et on déroge également à la règle de la permanence des méthodes dès le moment où, pour deux périodes données, on utilise deux échelles de mesure différentes pour évaluer un même article.

L'application aveugle de cette règle peut être à l'origine d'excès que nous devons combattre. Pour les éviter, nous devons nous rappeler qu'en dépit de cette règle, nous cherchons à rendre compte avec le plus d'honnêteté et d'exactitude possible de la valeur d'une entreprise à un moment donné et de ses résultats pour une période donnée. La prudence oui, mais le pessimisme non.

RÉSUMÉ

La comptabilité est d'abord et avant tout un langage propre à communiquer des informations financières. Partant, elle doit se doter d'une structure permettant cette communication. Le développement de cette structure repose notamment sur un ensemble de conventions qui se sont élaborées de façon pragmatique, à travers l'histoire de notre société, en réponse à des besoins émanant de celle-ci.

Ainsi furent élaborées trois séries distinctes de conventions, l'une précisant le cadre d'activité de la comptabilité, l'autre délimitant la période d'observation et la dernière précisant les méthodes de mesures à appliquer.

Cette dernière série de conventions sera employée à trois fins distinctes: d'abord, l'identification de la caractéristique à mesurer, ensuite, la précision de l'étalon de mesure et, finalement, la fixation des modalités de communication de cette mesure.

Ces conventions servent actuellement de cadre de référence pour le développement de la pratique comptable. Mais elles ne sont pas immuables. Dans la mesure où elles ont pour objectif d'assurer le meilleur service possible à l'utilisateur, l'évolution des besoins de ces derniers continuera à marquer l'évolution des conventions.

QUESTIONS

2-1 Qu'entend-on par *convention de personnalité de l'entreprise*?

2-2 Sur quoi repose l'identité fondamentale?

2-3 Qu'entend-on par *prudence*?

Q2-4 Que signifie la convention de continuité de l'exploitation?

Q2-5 À partir de quel moment doit-on considérer une information financière comme importante?

Q2-6 Justifier l'importance du principe de l'indépendance des exercices.

Q2-7 Quelles sont les lacunes de l'utilisation du dollar comme unité de mesure?

Q2-8 Quel est le principe de la valeur d'acquisition?

Q2-9 Expliquer ce qu'on entend par rapprochement des produits et des charges.

Q2-10 Existe-t-il un lien entre la convention de rapprochement des produits et des charges et celle de l'indépendance des exercices?

Q2-11 Plusieurs comptables expriment l'opinion suivante: « L'usage abusif de la prudence peut amener le comptable à présenter des informations financières erronées. » Commenter.

Q2-12 L'objectif principal de la comptabilité est l'utilité. Qu'entend-on par *utilité*?

Q2-13 Un comptable peut-il procéder à une estimation s'il est incapable de déterminer un montant avec exactitude?

Q2-14 Quelle est l'importance de la convention de permanence des méthodes?

Q2-15 « Les conventions comptables constituent un ensemble de règles figées qui nuisent considérablement à l'évolution de la comptabilité. » Commenter cette affirmation.

EXERCICES

E2-16 M. Ballard dispose des chiffres suivants sur les résultats atteints par son entreprise au cours des quatre derniers exercices financiers.

Exercice	Bénéfice net
19__1	100 000 $
19__2	500 000 $
19__3	200 000 $
19__4	0
Total	800 000 $

M. Ballard souhaiterait ne pas présenter ces derniers chiffres aux utilisateurs des informations financières. Il préférerait présenter le chiffre total de 800 000 $ pour les quatre années, ou encore le bénéfice annuel moyen de 200 000 $. À son avis, il ne fausserait pas la réalité. De plus, affirme-t-il, en simplifiant les informations financières, il les rend plus utiles.

• Critiquer la position de M. Ballard.

2-17 M. Pagé, président de l'entreprise Pagé Enr., éprouve certaines difficultés à évaluer les biens de son entreprise. Il nous fournit les chiffres suivants.

	Coût	Valeur du marché
Bâtiment	30 000 $	30 000 $
Terrain	50 000 $	100 000 $
Stock	15 000 $	12 000 $
Mobilier	10 000 $	15 000 $

M. Pagé indique que, ne connaissant rien aux conventions comptables, il avait l'intention d'attribuer à ces biens leur juste valeur marchande puisque, dit-il, cette valeur est le prix qu'il devrait payer aujourd'hui s'il devait les racheter.

• Quel montant devrait être utilisé pour évaluer les biens de l'entreprise de M. Pagé? Justifier l'évaluation en se fondant sur les conventions comptables.

2-18 M. Bougainville fait parvenir la lettre suivante à son comptable.

Cher comptable,

Je désire par la présente vous faire part de certaines inquiétudes que je nourris à l'endroit de votre profession. Je constate que, dans l'ensemble, les principes comptables que vous devez respecter limitent passablement l'exercice de votre jugement professionnel. Je suis déçu, par exemple, de vous voir continuellement sous-évaluer les bénéfices et surévaluer les pertes. De plus, je ne saisis pas très bien pourquoi on ne pourrait pas inscrire les biens de l'entreprise au prix auquel elle pourrait les revendre si elle arrêtait son exploitation.

Il me semble par ailleurs inconcevable d'attendre qu'un débours ait généré un produit pour le reconnaître comme une charge. Enfin, je ne comprends pas non plus pourquoi mes employés, aussi essentiels au succès de mon entreprise, ne peuvent être inscrits et mesurés comme ressource appartenant à l'entreprise.

Je vous remercie.

M. Bougainville

• Commenter la lettre que M. Bougainville a fait parvenir à son comptable.

2-19 La compagnie Bon-Soir, Ltée, entreprise qui fabrique des matelas, termine actuellement sa première année d'exploitation. Pour la première fois, M. Sansouci, le propriétaire, devra dresser la liste des ressources dont dispose son entreprise. Or, en fin de période, l'entreprise Bon-Soir compte dans ses ateliers une centaine de matelas à demi terminés. M. Sansouci ne sait comment s'y prendre pour attribuer une valeur à ces matelas. Il avait d'abord songé à leur attribuer leur valeur marchande, mais son vendeur lui a indiqué qu'elle était nulle. Il a ensuite pensé leur attribuer la moitié du prix de vente qu'il en tirera lorsqu'ils seront terminés. Il ne sait pas à quoi s'en tenir et demande à son comptable de l'aider.

- En faisant référence aux conventions comptables appropriées, attribuer une valeur aux demi-matelas de la compagnie Bon-Soir, Ltée.

E2-20 1) La compagnie minière Alpha, Ltée se consacre à l'extraction d'un minerai dans le Nord-Ouest québécois. Cette compagnie, il y a quelques années déjà, a signé une entente avec une entreprise américaine. En vertu de cette entente, toute sa production est automatiquement vendue à cette entreprise et ce, dès que l'extraction du minerai est terminée. Le prix est fixé par contrat, et c'est l'entreprise américaine qui assume les frais de transport du minerai.

2) L'entreprise Le Père du Sofa, Ltée se consacre à la vente de meubles au détail. Cette entreprise effectue environ la moitié de ses ventes au comptant, alors que l'autre moitié sera réglée selon une formule qui prévoit un versement minimum initial de 20% du prix de la facture, le solde devant être encaissé graduellement sur une période pouvant s'étaler sur 36 mois. Le Père du Sofa, Ltée se réserve le droit de reprendre la marchandise, s'il advenait que le client déroge à ses engagements.

3) Lagrue, Ltée est une entreprise de construction spécialisée en génie civil. Depuis deux ans, elle se consacre avec d'autres entrepreneurs exclusivement à la construction d'un barrage. Le contrat qu'elle a signé avec la société nationale d'électricité prévoit des travaux d'une valeur globale de 35 $ millions, devant s'étaler sur une période de cinq ans. Jusqu'à présent, Lagrue, Ltée respecte son échéancier, et la société nationale d'électricité lui verse régulière-ment des avances.

- Dans chacun des cas précédents, indiquer quel moment choisir pour reconnaître le produit comme réalisé. Justifier les réponses.

3 | Le modèle comptable — fondements théoriques

3.1 L'IDENTITÉ COMPTABLE FONDAMENTALE

L'opération commerciale

Il existe un moyen d'atteindre les objectifs de la comptabilité: concrétiser, sous forme de différents tableaux, le résultat des opérations commerciales effectuées par une personne ou par une entreprise quelconque et ce, pour une certaine période de temps préétablie. Mais qu'est-ce qu'une « opération commerciale »? Essentiellement, il s'agit d'un accord conclu à partir de concessions réciproques. Pour illustrer cette définition, supposons qu'on décide aujourd'hui même, au nom d'une entreprise, d'emprunter 7 000 $ à une banque. L'accord conclu sera celui-ci: le banquier accepte de verser à l'entreprise 7 000 $, alors que celle-ci accepte de lui verser un certain montant, chaque mois, pendant un nombre prédéterminé de mois. Cette opération a donné lieu à un déplacement: une entrée d'argent (7 000 $) pour l'entreprise et une sortie d'un montant équivalent (7 000 $) pour le banquier. Pour lui, ce débours correspond à l'*utilisation* qu'il a décidé de faire des 7 000 $ dont il disposait, alors que pour l'entreprise, cet encaissement correspond à l'une des différentes *provenances* possibles de

47

ressources financières choisies. L'opération commerciale peut donc être analysée comme à la figure 3-1.

Ce schéma de l'opération commerciale fait ressortir le principe suivant: la provenance de ressources financières dans une entreprise correspond à l'utilisation de ressources financières dans une autre entreprise. Bien que ce principe soit fondamental, il ne fera pas partie des notions étudiées dans ce chapitre.

En effet, dans les pages qui suivent, nous nous pencherons sur les effets des opérations commerciales dans une seule entreprise. Nous verrons que ces opérations aboutissent tantôt à une entrée de ressources financières dans l'entreprise (provenance), tantôt à une sortie de ressources financières de l'entreprise (utilisation).

FIGURE 3-1
L'opération commerciale

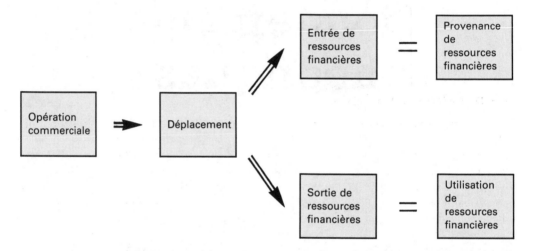

La provenance de ressources financières

Dans cet exemple, les 7 000 $ que l'entreprise a empruntés proviennent d'une banque. Mais là n'est pas le seul moyen d'obtenir un financement. En effet, il est possible d'emprunter à un autre créancier: une autre entreprise, un particulier, une société financière, un gouvernement, etc. Ou encore, si la situation financière de l'entreprise le permet, on peut procéder à l'émission d'obligations. Cette dernière façon d'obtenir des fonds, contrairement aux deux précédentes, est généralement qualifiée de *provenance à long terme* parce que le remboursement s'effectuera sur une période de plus de douze mois. Enfin, une autre façon d'obtenir des fonds à long terme est l'hypothèque, provenance de fonds garantie par un bien immobilier quelconque.

Si une entreprise utilise l'une de ces quatre provenances (banque, autres créanciers, obligations, hypothèques) pour se procurer des ressources financières, on dira que les sommes obtenues proviennent de tiers, c'est-à-dire de personnes étrangères à l'entreprise. Mais, évidemment, le propriétaire peut décider de financer lui-même son entreprise. Dans un tel cas, plutôt que d'emprunter à une banque les sommes requises, il prête lui-même ces sommes à son entreprise, à même ses fonds personnels. En comptabilité, selon la convention de la personnalité de l'entreprise, une telle opération est traitée de façon similaire aux précédentes: l'entreprise aura contracté une dette envers son propriétaire tout comme, précédemment, elle avait contracté une dette envers un tiers. Ainsi, la figure 3-2 synthétise les provenances de ressources financières.

FIGURE 3-2
La provenance des ressources financières

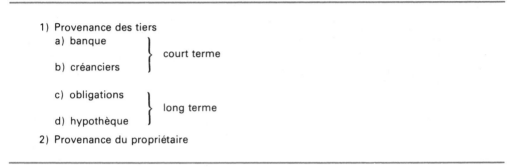

L'**utilisation des ressources financières**

L'entreprise ayant maintenant 7 000 $ à sa disposition, elle peut les utiliser comme elle le veut. Elle pourrait, par exemple, acquérir une automobile au coût de 6 500 $ et conserver 500 $ en argent. Ou encore, elle pourrait acheter 4 000 $ de mobilier de bureau et le payer comptant. Dans un tel cas, elle conserverait 3 000 $ en argent. On pourrait donner de nombreux exemples semblables et on arriverait toujours à une même conclusion: l'utilisation que l'entreprise fait des ressources financières mises à sa disposition est nécessairement égale à la provenance de ces mêmes ressources.

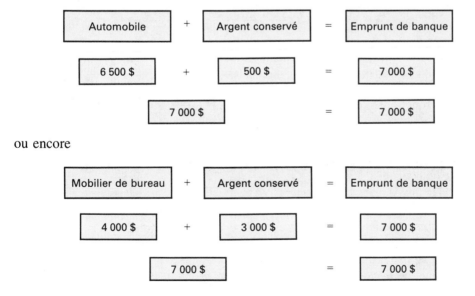

On constate que l'utilisation des biens possédés est nécessairement égale à la provenance de ces mêmes biens, d'où la notion d'équilibre suivante.

L'identité comptable fondamentale

L'utilisation des ressources se traduit par la possession de différents biens. La valeur totale en argent des bien utilisés sera l'actif de l'entreprise. De plus, la valeur totale en argent des dettes de l'entreprise envers les tiers sera son passif. Enfin, la valeur totale en argent des dettes de l'entreprise envers son propriétaire sera le capital de l'entreprise. Ainsi, l'égalité entre l'utilisation et la provenance des fonds se transforme en une nouvelle égalité entre l'actif, d'une part, et le passif et le capital, d'autre part, comme on le voit à la figure 3-3.

FIGURE 3-3

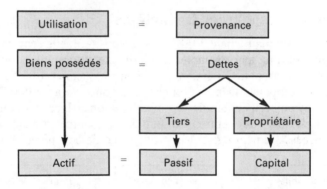

C'est cette égalité que nous nommerons *identité fondamentale*. Toute opération commerciale influe sur cette équation, mais l'équilibre entre l'actif et le passif plus le capital est toujours conservé. Nous verrons comment cet équilibre est maintenu en examinant le fonctionnement de cette identité comptable.

3.2 LE FONCTIONNEMENT DE L'IDENTITÉ FONDAMENTALE SANS VARIATION DU CAPITAL

Afin d'illustrer le fonctionnement concret de cette identité fondamentale, imaginons que, compte tenu de l'engouement québécois pour la pratique d'activités sportives, on décide de créer le Centre d'éducation physique et sportive du Québec. À cette fin, on dispose d'une somme en argent de 500 000 $. Examinons les premières opérations commerciales de l'entreprise.

Première opération commerciale

L'enregistrement légal de l'entreprise terminé, le propriétaire ouvre, au nom de cette dernière, un compte à la caisse populaire la plus proche et y dépose les 500 000 $ dont il dispose.

Analyse

L'entreprise acquiert une valeur active (valeur réelle) de 500 000 $ en argent. Le premier membre de l'équation doit donc refléter ce montant.

Mais qui a fourni cette valeur réelle? C'est le propriétaire. Le second membre de l'équation va donc laisser voir un montant de 500 000 $ également, indiquant une dette de l'entreprise envers son propriétaire. L'équilibre de l'équation, reflet de l'égalité entre l'utilisation et la provenance des ressources, est alors assuré.

Il va sans dire qu'il s'agit d'une opération commerciale faisant varier le poste « Capital ». Il est nécessaire d'insister sur cette opération pour donner aux exemples qui vont suivre un déroulement logique. En effet, seul le propriétaire peut créer son entreprise par un investissement initial. De zéro, les membres de l'identité fondamentale passent à 500 000 $.

L'identité fondamentale après la première opération commerciale

Centre d'éducation physique et sportive du Québec

	Actif		Passif	
Caisse	500 000 $		Aucun	—
			Capital	
			Nom du propriétaire	500 000 $
	500 000 $			500 000 $

Deuxième opération commerciale

On achète au comptant un immeuble au coût de 200 000 $. Ce montant comprend la valeur du terrain qui s'établit à 20 000 $.

Analyse

Un nouvel actif va d'abord apparaître: l'immeuble, qui a coûté en fait 180 000 $. Ensuite viendra s'ajouter la valeur du terrain, qui est de 20 000 $. Au total, le membre gauche de l'équation augmente de 200 000 $ et, si tout s'arrêtait là, l'égalité des deux membres de l'identité fondamentale serait faussée. Par conséquent, l'équilibre entre l'utilisation et la provenance des ressources serait brisé. Mais cet équilibre est rétabli par une diminution correspondante du poste « Caisse », diminution qui devra être la même que l'augmentation mentionnée, soit 200 000 $.

L'identité fondamentale après la deuxième opération commerciale

Centre d'éducation physique et sportive du Québec

Actif		Passif	
Caisse	300 000 $	Aucun	—
Terrain	20 000	Capital	
Bâtiment	180 000	Nom du propriétaire	500 000 $
	500 000 $		500 000 $

Troisième opération commerciale

Le propriétaire souscrit à une police d'assurance afin de protéger l'immeuble contre les risques d'incendie. La prime, qui s'élève à 2 000 $, est payée immédiatement.

Analyse

Ici encore, un nouvel actif apparaît. En effet, moyennant un débours de 2 000 $, l'entreprise acquiert le droit de recevoir un service. Ce service correspond à la certitude qu'une compensation sera versée en cas de sinistre. La valeur du service de protection qui sera rendu par la compagnie d'assurance a été acquittée et se traduit par une diminution de l'argent en banque, diminution qui sauvegarde l'équilibre de l'identité fondamentale.

L'identité fondamentale après la troisième opération commerciale

Centre d'éducation physique et sportive du Québec

Actif		Passif	
Caisse	298 000 $	Aucun	—
Terrain	20 000	Capital	
Bâtiment	180 000	Nom du propriétaire	500 000 $
Assurance constatée d'avance	2 000		
	500 000 $		500 000 $

Quatrième opération commerciale

On achète, pour le Centre et en son nom, du mobilier et de l'équipement. Le coût de cet achat payé comptant est de 30 000 $.

Analyse

L'entreprise reçoit un bien réel et donne en échange un autre bien réel: mobilier contre argent. Augmentation d'une part et diminution d'autre part, ce qui assure ainsi l'égalité des membres de l'identité fondamentale.

L'identité fondamentale après la quatrième opération commerciale

Centre d'éducation physique et sportive du Québec

Actif		Passif	
Caisse	268 000 $	Aucun	—
Terrain	20 000	**Capital**	
Bâtiment	180 000	Nom du propriétaire	500 000 $
Assurance constatée d'avance	2 000		
Mobilier et équipement	30 000		
	500 000 $		500 000 $

Cinquième opération commerciale

Le Centre achète des obligations émises par le gouvernement de la province de Québec. Ces obligations d'une valeur de 10 000 $ portent intérêt au taux de 13% l'an. Elles sont payées comptant par le Centre.

Analyse

Cette transaction est analogue à la précédente. En effet, les obligations reçues par l'entreprise sont un bien réel et, en échange, 10 000 $ sont déboursés. On a donc utilisé 10 000 $. En revanche, si le Centre était le vendeur des obligations, il aurait reçu 10 000 $. Nous aurions alors été en présence d'une provenance de ressources financières. On peut voir au tableau suivant comment l'égalité des membres de l'identité fondamentale est sauvegardée.

L'identité fondamentale après la cinquième opération commerciale

Centre d'éducation physique et sportive du Québec

Actif		Passif	
Caisse	258 000 $	Aucun	—
Terrain	20 000		
Bâtiment	180 000	**Capital**	
Assurance constatée d'avance	2 000	Nom du propriétaire	500 000 $
Mobilier et équipement	30 000		
Placement en obligations	10 000		
	500 000 $		500 000 $

Sixième opération commerciale

Le Centre vend à crédit à M. Guy Larose un appareil d'entraînement, ce dernier ne correspondant pas exactement à l'idée qu'on en avait lorsqu'on l'avait acheté. Le prix de vente est égal au prix payé, soit 4 000 $. L'acheteur doit payer cette somme dans les 30 jours.

Analyse

L'entreprise se désiste d'une valeur active, une pièce d'équipement. Ce poste diminue donc de 4 000 $. Par contre, l'entreprise acquiert, selon l'entente, le droit de réclamer le paiement dans 30 jours. Ce droit, qui est une valeur active d'une nature différente, va être noté au poste « Clients », appellation qui lui est donnée.

L'identité fondamentale après la sixième opération commerciale

Centre d'éducation physique et sportive du Québec

Actif		Passif	
Caisse	258 000 $	Aucun	—
Terrain	20 000		
Bâtiment	180 000	**Capital**	
Assurance constatée d'avance	2 000	Nom du propriétaire	500 000 $
Mobilier et équipement	26 000		
Placement en obligations	10 000		
Clients	4 000		
	500 000 $		500 000 $

Septième opération commerciale

Le Centre reçoit de M. Guy Larose un chèque de 2 000 $ et un billet à six mois pour la différence, en règlement de l'achat de la pièce d'équipement.

Analyse

Le Centre reçoit deux valeurs actives différentes:
a) un chèque qui équivaut à de l'argent, c'est-à-dire un bien réel;
b) un billet, promesse écrite de paiement dans six mois, c'est-à-dire un droit, mais cette fois différent puisqu'il a pris la forme d'un écrit.

Ces deux valeurs actives vont annuler le poste « Clients » en entier. De nouveau, l'équilibre de l'équation fondamentale est sauvegardé.

L'identité fondamentale après la septième opération commerciale

Centre d'éducation physique et sportive du Québec

Actif		Passif	
Caisse	260 000 $	Aucun	—
Terrain	20 000	Capital	
Bâtiment	180 000	Nom du propriétaire	500 000 $
Assurance constatée d'avance	2 000		
Mobilier et équipement	26 000		
Placement en obligations	10 000		
Billet à recevoir	2 000		
	500 000 $		500 000 $

Jusqu'ici, toutes les ressources financières utilisées par le Centre provenaient du propriétaire. Mais, on le sait, ces ressources peuvent aussi provenir de tierces personnes. Voyons quelques exemples pour illustrer ce dernier point.

Huitième opération commerciale

Le Centre achète à crédit de Lacourse Inc. de l'équipement additionnel d'une valeur de 16 000 $ payable dans 60 jours.

Analyse

Le poste « Mobilier et équipement » va augmenter de 16 000 $. Par ailleurs, ce bien a été fourni à l'entreprise par Lacourse Inc. qui détient, suivant l'entente, le droit de réclamer le paiement au Centre dans 60 jours. Lacourse Inc. devient ainsi un créancier de l'entreprise. Par conséquent, à l'augmentation de l'actif correspondra une augmentation du passif, compte « Fournisseurs ».

L'identité fondamentale après la huitième opération commerciale

Centre d'éducation physique et sportive du Québec

Actif		Passif	
Caisse	260 000 $	Fournisseurs	16 000 $
Terrain	20 000		
Bâtiment	180 000	Capital	
Assurance constatée d'avance	2 000	Nom du propriétaire	500 000 $
Mobilier et équipement	42 000		
Placement en obligations	10 000		
Billet à recevoir	2 000		
	516 000 $		516 000 $

Neuvième opération commerciale

Le Centre, en règlement de l'achat faisant l'objet de la huitième opération commerciale, décide d'envoyer immédiatement à Lacourse Inc.: a) un chèque de 10 000 $, b) un billet à 30 jours pour la différence.

Analyse

Il s'agit ici d'une opération analogue à la septième opération commerciale, mais envisagée d'un point de vue différent. Le poste « Fournisseurs », au passif, va disparaître. Cette diminution de 16 000 $ est en partie justifiée par une réduction de l'argent en banque de 10 000 $. Quant à la différence de 6 000 $, elle est compensée par une forme nouvelle de passif puisqu'elle devient un « Billet à payer ».

L'identité fondamentale après la neuvième opération commerciale

Centre d'éducation physique et sportive du Québec

Actif		Passif	
Caisse	250 000 $	Billet à payer	6 000 $
Terrain	20 000		
Bâtiment	180 000	Capital	
Assurance constatée d'avance	2 000	Nom du propriétaire	500 000 $
Mobilier et équipement	42 000		
Placement en obligations	10 000		
Billet à recevoir	2 000		
	506 000 $		506 000 $

Dixième opération commerciale

Pour financer des travaux de rénovation intérieure, le Centre contracte un emprunt hypothécaire de 100 000 $ remboursable dans 20 ans.

Analyse

Le poste « Caisse », à l'actif, va augmenter de 100 000 $. Qui a fourni cet argent? Le créancier hypothécaire, c'est-à-dire un tiers, d'où une augmentation équivalente du passif qui portera le nom de « Hypothèque à payer ».

L'identité fondamentale après la dixième opération commerciale

Centre d'éducation physique et sportive du Québec

Actif		Passif	
Caisse	350 000 $	Billet à payer	6 000 $
Terrain	20 000	Hypothèque à payer	100 000
Bâtiment	180 000	Capital	
Assurance constatée d'avance	2 000	Nom du propriétaire	500 000
Mobilier et équipement	42 000		
Placement en obligations	10 000		
Billet à recevoir	2 000		
	606 000 $		606 000 $

Onzième opération commerciale

On a préparé un budget des recettes et des débours pour les douze premiers mois d'exploitation du Centre et on constate que les sommes actuellement en banque ne seront pas suffisantes pour financer cette première année. Cet état de choses est principalement dû aux frais de la campagne de publicité du lancement et au délai inévitable entre le début officiel des activités et le début de la période des abonnements. On contracte donc un emprunt à court terme de 40 000 $ auprès de la caisse populaire.

Analyse

Le raisonnement est analogue à celui de l'opération précédente. La différence se situe au point de vue financier, c'est-à-dire que la date d'échéance de chaque emprunt est différente. Mais, du point de vue comptable, il n'y a à ce moment aucune différence d'interprétation.

L'identité fondamentale après la onzième opération commerciale

---

Centre d'éducation physique et sportive du Québec

Actif		Passif	
Caisse	390 000 $	Billet à payer	6 000 $
Terrain	20 000	Hypothèque à payer	100 000
Bâtiment	180 000	Emprunt de banque	40 000
Assurance constatée d'avance	2 000		
Mobilier et équipement	42 000	Capital	
Placement en obligations	10 000	Nom du propriétaire	500 000
Billet à recevoir	2 000		
	646 000 $		646 000 $

Douzième opération commerciale

Paiement, avant échéance, du billet de 6 000 $.

Analyse

L'actif et le passif diminuent d'un montant égal par les postes « Caisse » et « Billet à payer ».

L'identité fondamentale après la douzième opération commerciale

---

Centre d'éducation physique et sportive du Québec

Actif		Passif	
Caisse	384 000 $	Hypothèque à payer	100 000 $
Terrain	20 000	Emprunt de banque	40 000
Bâtiment	180 000		
Assurance constatée d'avance	2 000	Capital	
Mobilier et équipement	42 000	Nom du propriétaire	500 000
Placement en obligations	10 000		
Billet à recevoir	2 000		
	640 000 $		640 000 $

Treizième opération commerciale

Le Centre achète, pour un montant de 25 000 $, des articles de sport destinés à être revendus. Le règlement devra s'effectuer comme suit: 15 000 $ comptant, le solde dans 30 jours.

Analyse

Puisque l'augmentation de la valeur active « Stock de marchandises » augmente d'une somme de 25 000 $ et puisque l'autre valeur active, « Caisse », diminue de 15 000 $, le premier membre de l'identité fondamentale augmente de 10 000 $. Une dette à l'égard d'un tiers est créée: le second membre de l'identité fondamentale indiquera cette situation par la création au passif du compte « Fournisseurs ».

L'identité fondamentale après la treizième opération commerciale

Centre d'éducation physique et sportive du Québec

Actif		Passif	
Caisse	369 000 $	Hypothèque à payer	100 000 $
Terrain	20 000	Emprunt de banque	40 000
Bâtiment	180 000	Fournisseurs	10 000
Assurance constatée d'avance	2 000	Capital	
Mobilier et équipement	42 000	Nom du propriétaire	500 000
Placement en obligations	10 000		
Billet à recevoir	2 000		
Stock de marchandises	25 000		
	650 000 $		650 000 $

3.3 LES FACTEURS DE VARIATION DU CAPITAL

En comptabilité, le **compte « Capital »** est censé représenter *la dette de l'entreprise envers son propriétaire*. Ainsi, tout ce que l'entreprise reçoit de son propriétaire augmentera la dette de l'entreprise envers ce dernier: ce sont les apports du propriétaire à son entreprise. À l'inverse, tout ce que l'entreprise donne à son propriétaire diminue sa dette envers ce dernier: ce sont les prélèvements qu'effectue le propriétaire à même les ressources de son entreprise. Qu'advient-il des produits réalisés par l'entreprise et des charges qu'elle supporte? Pour le savoir, il faut préciser ce que ces termes signifient: les **produits** sont *les sommes, reçues ou à recevoir, en contrepartie de marchandises, travaux, services ou avantages exécutés ou fournis par l'entreprise, le tout se rap-*

portant à une période donnée. Les produits enrichissent le propriétaire et sont ainsi une cause d'augmentation du capital. Qu'entend-on par charges? D'une façon générale, les **charges** se définissent comme *ce qu'il en coûte en biens et en services durant une période donnée pour obtenir les produits de cette période.* Les charges diminuent les produits ou, en définitive, le capital. Ainsi, les charges appauvrissent le propriétaire. Sous forme de tableau, on peut présenter les facteurs de variation du capital de la façon suivante.

Solde du compte « Capital » au début		X
Plus: a) Apports du propriétaire à l'entreprise		X
b) Produits de la période		X
		XX

Moins: a) Prélèvements du propriétaire à même les ressources de l'entreprise	X	
b) Charges de la période	X	
		XX
		XX
Solde du compte « Capital » à la fin		

Cette façon d'examiner les facteurs de variation du capital ne permet pas l'identification précise des différentes opérations commerciales qui feront varier le solde de ce compte. Pour ce faire, il nous faut analyser la question sous un angle purement mathématique.

Supposons que M et N représentent deux sommes d'argent différentes tel que M est plus grand que N. Voici ce qu'on obtient dans un tel cas.

Le capital augmentera si l'actif augmente, alors que:

1) le passif demeure le même:

$$\mathbf{A} = \mathbf{P} + \mathbf{C}$$
$$(\mathbf{A} + M) = \mathbf{P} + (\mathbf{C} + M)$$

> *Exemple:* le propriétaire verse une valeur active à son entreprise.

2) le passif diminue:

$$\mathbf{A} = \mathbf{P} + \mathbf{C}$$
$$(\mathbf{A} + M) = (\mathbf{P} - N) + [\mathbf{C} + (M + N)]$$

> *Exemple:* le propriétaire verse une valeur active à son entreprise et, de plus, règle à même ses fonds personnels une dette de l'entreprise.

3) le passif s'accroît, *mais* moins *que l'actif:*

$$\mathbf{A} = \mathbf{P} + \mathbf{C}$$
$$(\mathbf{A} + M) = (\mathbf{P} + N) + [\mathbf{C} + (M - N)]$$

> *Exemple:* le propriétaire transfère à son entreprise les titres de propriété de sa maison privée alors que celle-ci est grevée d'une hypothèque égale à *N*.

Le capital augmentera *si l'actif* diminue *alors que:*

le passif décroît davantage:

$$\mathbf{A} = \mathbf{P} + \mathbf{C}$$
$$(\mathbf{A} - N) = (\mathbf{P} - M) + [\mathbf{C} + (M - N)]$$

> *Exemple:* pour payer un passif *M*, l'entreprise verse au créancier en cause une somme *N*, alors que le propriétaire verse à ce dernier, à même ses fonds personnels, une somme (*M* − *N*).

Le capital augmentera *si l'actif demeure le* même, *et le passif* diminue:

$$\mathbf{A} = \mathbf{P} + \mathbf{C}$$
$$\mathbf{A} = (\mathbf{P} - M) + (\mathbf{C} + M)$$

> *Exemple:* le propriétaire paie, à même ses fonds personnels, la totalité d'une dette de l'entreprise envers une tierce personne.

Le capital diminuera *si l'actif* diminue, *alors que*

1) le passif demeure le même:

$$\mathbf{A} = \mathbf{P} + \mathbf{C}$$
$$(\mathbf{A} - M) = \mathbf{P} + (\mathbf{C} - M)$$

> *Exemple:* transfert au propriétaire d'une valeur active quelconque de l'entreprise.

2) le passif augmente:

$$\mathbf{A} = \mathbf{P} + \mathbf{C}$$
$$(\mathbf{A} - M) = (\mathbf{P} + N) + [\mathbf{C} - (M + N)]$$

> *Exemple:* l'entreprise emprunte auprès de tiers une partie des valeurs actives qu'elle transfère à son propriétaire.

3) le passif diminue, *mais* moins *que l'actif:*

$$\mathbf{A} = \mathbf{P} + \mathbf{C}$$
$$(\mathbf{A} - M) = (\mathbf{P} - N) + [\mathbf{C} - (M - N)]$$

> *Exemple:* l'entreprise rembourse la valeur nominale N d'une dette envers un tiers et, en plus, paie les intérêts $(M - N)$ liés à cette dette.

Le capital diminuera si *l'actif* augmente, *alors que:*

le *passif* s'accroît davantage:

$$\mathbf{A} = \mathbf{P} + \mathbf{C}$$
$$(\mathbf{A} + N) = (\mathbf{P} + M) + [\mathbf{C} - (M - N)]$$

> *Exemple:* l'entreprise emprunte d'un tiers une somme M pour payer une charge $(M - N)$, le solde étant versé au compte « Caisse » de l'entreprise.

Le capital diminuera *si l'actif demeure* le même, *et le passif* augmente:

$$\mathbf{A} = \mathbf{P} + \mathbf{C}$$
$$\mathbf{A} = (\mathbf{P} + M) + (\mathbf{C} - M)$$

> *Exemple:* réception d'une facture correspondant à une charge quelconque que l'entreprise ne paie pas tout de suite.

Nous avons précisé les facteurs de variation du capital; continuons à enregistrer les opérations du Centre d'éducation physique et sportive du Québec, mais en n'enregistrant maintenant que des opérations qui affectent le compte « Capital ».

3.4 FONCTIONNEMENT DE L'IDENTITÉ FONDAMENTALE AVEC VARIATIONS DU COMPTE « CAPITAL »

Notre point de départ est l'identité fondamentale telle que nous l'avons présentée après la treizième opération commerciale. Elle se lit comme suit.

Centre d'éducation physique et sportive du Québec

Actif		Passif	
Caisse	369 000 $	Hypothèque à payer	100 000 $
Terrain	20 000	Emprunt de banque	40 000
Bâtiment	180 000	Fournisseurs	10 000
Assurance constatée d'avance	2 000	**Capital**	
Mobilier et équipement	42 000	Nom du propriétaire	500 000
Placement en obligations	10 000		
Billet à recevoir	2 000		
Stock de marchandises	25 000		
	650 000 $		650 000 $

Quatorzième opération commerciale

Le propriétaire verse au Centre, à même ses fonds personnels, une somme de 1 000 $ en argent.

Analyse

Le Centre acquiert une nouvelle valeur active, 1 000 $, que l'on inscrira au compte « Caisse ». Cet argent vient du propriétaire de l'entreprise. La dette de celle-ci envers son propriétaire est donc maintenant plus élevée. Par conséquent, on augmentera le compte « Capital » de 1 000 $.

L'identité fondamentale après la quatorzième opération commerciale

Centre d'éducation physique et sportive du Québec

Actif		Passif	
Caisse	370 000 $	Hypothèque à payer	100 000 $
Terrain	20 000	Emprunt de banque	40 000
Bâtiment	180 000	Fournisseurs	10 000
Assurance constatée d'avance	2 000	**Capital**	
Mobilier et équipement	42 000	Nom du propriétaire	501 000
Placement en obligations	10 000		
Billet à recevoir	2 000		
Stock de marchandises	25 000		
	651 000 $		651 000 $

Quinzième opération commerciale

Le propriétaire donne au Centre du mobilier qui, jusque-là, lui appartenait personnellement. La valeur marchande de ce mobilier est de 4 000 $.

Analyse

Encore une fois, on donne à l'entreprise une valeur active; cette fois, plutôt que d'être de l'argent, cette valeur correspond à du mobilier. Peu importe: la dette de l'entreprise envers son propriétaire doit augmenter de la valeur de ce mobilier. En revanche, le compte « Mobilier et équipement » doit lui aussi être augmenté du même montant.

L'identité fondamentale après la quinzième opération commerciale

---

Centre d'éducation physique et sportive du Québec

Actif		Passif	
Caisse	370 000 $	Hypothèque à payer	100 000 $
Terrain	20 000	Emprunt de banque	40 000
Bâtiment	180 000	Fournisseurs	10 000
Assurance constatée d'avance	2 000	Capital	
Mobilier et équipement	46 000	Nom du propriétaire	505 000
Placement en obligations	10 000		
Billet à recevoir	2 000		
Stock de marchandises	25 000		
	655 000 $		655 000 $

Seizième opération commerciale

Le propriétaire paie, à même ses fonds personnels, les comptes « Fournisseurs » du Centre.

Analyse

Le fait que le propriétaire paie directement aux fournisseurs du Centre avec son argent personnel la totalité des dettes du Centre envers ses fournisseurs équivaut à transformer une dette du Centre envers un tiers en une dette envers son propriétaire. En effet, cette opération peut être divisée en deux parties. Premièrement, le propriétaire verse au Centre 10 000 $. L'effet sur l'identité fondamentale serait alors une augmentation de l'argent en banque et une augmentation du compte « Capital ». Deuxièmement, le Centre paie ses comptes « Fournisseurs », ce qui implique une diminution de l'argent en banque et une diminution des comptes « Fournisseurs ». On constate que le résultat net est une diminution des comptes « Fournisseurs » et une augmentation du capital.

L'identité fondamentale après la seizième opération commerciale

Centre d'éducation physique et sportive du Québec

Actif		Passif	
Caisse	370 000 $	Hypothèque à payer	100 000 $
Terrain	20 000	Emprunt de banque	40 000
Bâtiment	180 000		
Assurance constatée d'avance	2 000	**Capital**	
Mobilier et équipement	46 000	Nom du propriétaire	515 000
Placement en obligations	10 000		
Billet à recevoir	2 000		
Stock de marchandises	25 000		
	655 000 $		655 000 $

Dix-septième opération commerciale

Le propriétaire prélève à même les fonds de son entreprise une somme de 20 000 $ en argent.

Analyse

Cette fois, c'est l'entreprise qui diminue sa dette envers son propriétaire puisqu'elle lui remet une partie des sommes qu'il lui a prêtées. Le compte « Capital » diminuera donc de 20 000 $. Ce remboursement entraînera une diminution de l'argent en banque de l'entreprise. L'égalité de l'équation est ainsi maintenue.

L'identité fondamentale après la dix-septième opération commerciale

Centre d'éducation physique et sportive du Québec

Actif		Passif	
Caisse	350 000 $	Hypothèque à payer	100 000 $
Terrain	20 000	Emprunt de banque	40 000
Bâtiment	180 000		
Assurance constatée d'avance	2 000	**Capital**	
Mobilier et équipement	46 000	Nom du propriétaire	495 000
Placement en obligations	10 000		
Billet à recevoir	2 000		
Stock de marchandises	25 000		
	635 000 $		635 000 $

Dix-huitième opération commerciale

Les opérations du Centre ont permis d'encaisser jusqu'à maintenant 15 000 $ pour la location des différents terrains de tennis, squash et racquetball.

Analyse

Cette somme de 15 000 $ correspond aux produits d'exploitation habituels du Centre. En effet, l'objet commercial du Centre est justement de louer ces différents terrains. Dans la section 3.3 de ce chapitre, qui porte sur les facteurs de variation du capital, nous avons déjà précisé que les produits sont une cause d'augmentation du capital. Cette dix-huitième opération commerciale entraînera donc une augmentation de 15 000 $ du compte « Capital », alors que le compte « Caisse » sera lui aussi augmenté de 15 000 $, ce qui maintient l'égalité de l'identité fondamentale.

L'identité fondamentale après la dix-huitième opération commerciale

Centre d'éducation physique et sportive du Québec

Actif		Passif	
Caisse	365 000 $	Hypothèque à payer	100 000 $
Terrain	20 000	Emprunt de banque	40 000
Bâtiment	180 000		
Assurance constatée d'avance	2 000	**Capital**	
Mobilier et équipement	46 000	Nom du propriétaire	510 000
Placement en obligations	10 000		
Billet à recevoir	2 000		
Stock de marchandises	25 000		
	650 000 $		650 000 $

Dix-neuvième opération commerciale

Les articles de sport qui ont été vendus jusqu'à maintenant ne l'ont pas toujours été au prix ordinaire. En effet, afin de créer une certaine clientèle, on a décidé de vendre légèrement en deçà du prix coûtant tous les vêtements de sport en stock. La composition (*mix*) depuis le début des activités se présente comme suit (toutes les ventes sont faites au comptant).

	Coût	Prix de vente
Articles à prix réduit	5 000 $	4 000 $
Articles à prix ordinaire	1 000	1 500
Ventes totales	6 000 $	5 500 $

Analyse

Les articles vendus à prix réduit entraînent une charge nette de 1 000 $ pour l'entreprise. Une telle charge viendra diminuer la dette du Centre envers son propriétaire. L'identité fondamentale est alors affectée de la façon suivante:

Augmentation de l'argent en banque	4 000 $
Diminution du stock de marchandises	5 000
Diminution nette de l'actif	1 000 $
Diminution du capital (4 000 $ − 5 000 $)	1 000 $

Par contre, les articles vendus à prix régulier permettent la réalisation d'un produit net de 500 $. Ce produit net augmentera le compte « Capital » d'autant. L'identité fondamentale est alors affectée de la façon suivante.

Augmentation de l'argent en banque	1 500 $
Diminution du stock de marchandises	1 000
Augmentation nette de l'actif	500 $
Augmentation du capital (1 500 $ − 1 000 $)	500 $

Ainsi, de façon globale, ces ventes affectent l'identité fondamentale de la façon suivante.

Augmentation de l'argent en banque	5 500 $
Diminution du stock de marchandises	6 000
Diminution nette de l'actif	500 $
Diminution nette du capital (1 000 $ − 500 $)	500 $

L'identité fondamentale après la dix-neuvième opération commerciale

Centre d'éducation physique et sportive du Québec

Actif		Passif	
Caisse	370 500 $	Hypothèque à payer	100 000 $
Terrain	20 000	Emprunt de banque	40 000
Bâtiment	180 000		
Assurance constatée d'avance	2 000	Capital	
Mobilier et équipement	46 000	Nom du propriétaire	509 500
Placement en obligations	10 000		
Billet à recevoir	2 000		
Stock de marchandises	19 000		
	649 500 $		649 500 $

Vingtième opération commerciale

Les charges encourues par le Centre depuis l'ouverture jusqu'à ce jour se présentent comme suit.

Salaires	18 000 $
Électricité	1 000
Chauffage	1 200
Intérêts sur l'hypothèque à payer et l'emprunt de banque	1 300
Publicité	3 000
Total des charges	24 500 $

Les salaires sont entièrement versés aux employés. Par contre, aucune des autres charges indiquées n'a encore été payée.

Analyse

Le fait que certaines des charges mentionnées plus haut ne soient pas encore payées implique-t-il que le compte « Capital » n'en sera pas affecté tout de suite? Au contraire. Afin de respecter la convention du rapprochement des produits et des charges (voir le chapitre 2), le compte « Capital » doit être diminué du montant de toutes les charges, qu'elles soient payées ou non, pendant la période où elles ont servi à gagner un produit. Ce qui change, c'est la contrepartie de la diminution du compte « Capital »: lorsque la charge est payée comptant, la diminution du capital correspond à une diminution de l'actif « Caisse ». Lorsque la charge n'est pas payée comptant, la diminution du capital correspond à une augmentation du passif « Fournisseurs ». Dans les deux cas, l'égalité de l'identité fondamentale est sauvegardée.

L'effet de la vingtième opération commerciale sur l'identité fondamentale peut se décrire comme suit.

Diminution de l'actif « Caisse » due au paiement des salaires		18 000 $
Augmentation du passif « Fournisseurs » due au non-paiement des charges suivantes:		
Électricité	1 000 $	
Chauffage	1 200	
Intérêt sur l'hypothèque à payer et l'emprunt de banque	1 300	
Publicité	3 000	6 500 $
Diminution du compte « Capital » de la totalité des charges		24 500 $

L'identité fondamentale après la vingtième opération commerciale

---

Centre d'éducation physique et sportive du Québec

Actif		Passif	
Caisse	352 500 $	Hypothèque à payer	100 000 $
Terrain	20 000	Emprunt de banque	40 000
Bâtiment	180 000	Fournisseurs	6 500
Assurance constatée d'avance	2 000		
Mobilier et équipement	46 000	Capital	
Placement en obligations	10 000	Nom du propriétaire	485 000
Billet à recevoir	2 000		
Stock de marchandises	19 000		
	631 500 $		631 500 $

La nécessité d'une autre méthode d'inscription des transactions

Si une entreprise reproduisait la totalité de l'identité comptable fondamentale après chacune des opérations commerciales comme nous l'avons fait, elle aurait certainement besoin d'un très grand nombre d'employés qui ne pourraient d'ailleurs sans doute pas fournir en temps utile les renseignements nécessaires à une bonne gestion. De plus, le fait de multiplier la reproduction des mêmes chiffres ne peut qu'être une cause d'erreurs, en plus d'être fort encombrant et coûteux.

Le mode d'enregistrement des opérations commerciales que nous avons retenu jusqu'à maintenant est si peu pratique que les comptables, nécessité oblige, ont inventé un moyen plus simple et combien plus rapide d'enregistrer les opérations. Pour le comprendre, il nous faut d'abord examiner les notions de débit et de crédit.

3.5 LES NOTIONS DE DÉBIT ET DE CRÉDIT

Les objectifs visés

L'utilisation des débits et des crédits, dans le travail comptable d'enregistrement des informations nécessaires à la gestion, a un double but:

a) simplifier et accélérer ce travail d'enregistrement en éliminant la nécessité de reconstituer, après chaque opération commerciale, la totalité de l'identité;

b) fournir un moyen de contrôle efficace qui permet d'avoir la certitude que l'équilibre de l'identité fondamentale est conservé, sans qu'il soit pour autant nécessaire de reconstituer l'identité fondamentale après chaque opération commerciale.

Pour réaliser ces objectifs, il faut que chaque opération commerciale soit enregistrée à l'aide des débits et des crédits. De plus, l'égalité de ces derniers doit assurer que l'égalité de l'identité fondamentale est elle-même sauvegardée. Pour concrétiser ces notions, examinons le fonctionnement pratique des débits et des crédits.

Le fonctionnement pratique des débits et des crédits

Nous savons déjà, pour l'avoir vérifié à plusieurs reprises, que la totalité des valeurs actives d'une entreprise, exprimée en dollars, est égale à la totalité des dettes de cette entreprise envers les tiers et envers son propriétaire. Nous avons exprimé cette égalité de la façon suivante:

$$\boxed{\text{Actif}} \quad = \quad \boxed{\text{Passif}} \quad + \quad \boxed{\text{Capital}}$$

Puisque cette égalité est toujours maintenue, peu importe le nombre et la valeur des opérations commerciales en cause, on peut faire sans risque d'erreurs les affirmations suivantes.

Si un ou plusieurs postes de l'actif augmentent, l'une des quatre situations suivantes se présentera:

1) un ou plusieurs postes de l'actif diminueront du même montant total:

$$\mathbf{A} = \mathbf{P} + \mathbf{C}$$
$$(\mathbf{A} + M) - M = \mathbf{P} + \mathbf{C}$$

2) *un ou plusieurs postes du passif* augmenteront *du même montant total:*

$$\mathbf{A} = \mathbf{P} + \mathbf{C}$$
$$(\mathbf{A} + M) = (\mathbf{P} + M) + \mathbf{C}$$

3) *le capital* augmentera *du même montant:*

$$\mathbf{A} = \mathbf{P} + \mathbf{C}$$
$$(\mathbf{A} + M) = \mathbf{P} + (\mathbf{C} + M)$$

4) *une combinaison quelconque de a, b et c devra se produire, de telle sorte que l'égalité de l'identité fondamentale soit maintenue.* Par exemple, si $M = X + Y$ on pourrait avoir:

$$\mathbf{A} = \mathbf{P} + \mathbf{C}$$
$$(\mathbf{A} + M) = (\mathbf{P} + X) + (\mathbf{C} + Y)$$

Si un ou plusieurs postes de l'actif diminuent, l'une des quatre situations suivantes se présentera:

1) *un ou plusieurs postes de l'actif* augmenteront *du même montant total:*

$$\mathbf{A} = \mathbf{P} + \mathbf{C}$$
$$(\mathbf{A} - M) + M = \mathbf{P} + \mathbf{C}$$

2) *un ou plusieurs postes du passif* diminueront *du même montant total:*

$$\mathbf{A} = \mathbf{P} + \mathbf{C}$$
$$(\mathbf{A} - M) = (\mathbf{P} - M) + \mathbf{C}$$

3) *le capital* diminuera *du même montant:*

$$\mathbf{A} = \mathbf{P} + \mathbf{C}$$
$$(\mathbf{A} - M) = \mathbf{P} + (\mathbf{C} - M)$$

4) *une combinaison quelconque de a, b et c devra se produire, de telle sorte que l'égalité de l'identité fondamentale soit maintenue.* Par exemple, si $M = X + Y$ on pourrait avoir:

$$\mathbf{A} = \mathbf{P} + \mathbf{C}$$
$$(\mathbf{A} - M) = (\mathbf{P} - X) + (\mathbf{C} - Y)$$

La synthèse de cette dernière analyse peut être réalisée grâce à la figure 3-4.

FIGURE 3-4

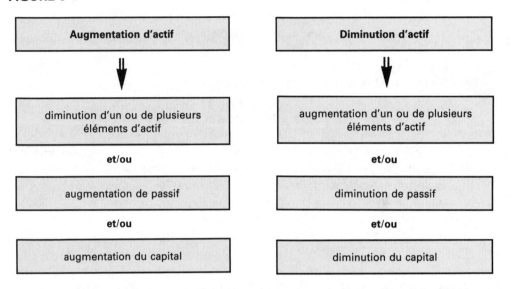

Si nous convenons, comme hypothèse de travail, qu'à l'augmentation d'un poste d'actif correspond la notion de débit, il faudra alors nécessairement que la notion de crédit corresponde aux situations de diminution d'actif, d'augmentation de passif et d'augmentation de capital, afin que nous ayons la certitude que si le débit égale le crédit, alors l'actif égale le passif plus le capital. Ce dernier raisonnement est fondé sur la partie de gauche de la figure 3-4. On peut poursuivre le raisonnement en se référant à la partie de droite: nous venons tout juste d'établir qu'à la diminution d'un actif correspond la notion de crédit. Il faudra alors nécessairement que la notion de débit corresponde aux situations d'augmentation d'actif (comme nous l'avons déjà démontré avec la partie gauche du tableau), de diminution de passif et de diminution de capital, afin qu'encore une fois, nous ayons la certitude que, si le débit égale le crédit, alors l'actif égale le passif plus le capital. La figure 3-5 synthétise ce raisonnement.

FIGURE 3-5

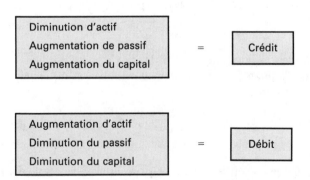

Les comptes

Nous avons déjà mentionné que les notions de débit et crédit ont un objectif: 1) simplifier et accélérer le travail d'enregistrement des opérations commerciales en éliminant la nécessité de reconstituer, après chacune d'elles, la totalité de l'identité fondamentale et 2) fournir un moyen de contrôle efficace qui permet d'avoir la certitude que l'équilibre de l'identité fondamentale est conservé. L'égalité des débits et des crédits assure, nous le savons déjà, cette égalité de l'identité fondamentale. Mais, pour accélérer le travail d'enregistrement, les débits et les crédits nécessitent l'utilisation d'un outil pratique: le *compte*. Le compte permet de regrouper tous les effets de l'ensemble des opérations commerciales d'une période donnée sur un actif ou un passif spécifique ou sur le capital et ses facteurs de variation.

Le **compte** est *un relevé méthodique des opérations se rapportant soit à une valeur active, soit à un passif, soit à une source de produits, soit à une charge, soit aux apports, soit aux prélèvements, pendant une période donnée.*

Les comptes sont représentés sous la forme d'un T, et nous conviendrons que le côté gauche du compte servira à enregistrer les débits et que le côté droit servira à enregistrer les crédits.

Nom du compte	
Débits	Crédits

Tous les débits qui affectent un compte pendant une période de temps donné seront inscrits du côté gauche du compte. Tous les crédits, eux, seront inscrits du côté droit. La différence entre les débits et les crédits d'un même compte à la fin d'une période constituera le solde (S) de ce compte à cette date. Ce solde sera *débiteur* si les débits sont supérieurs aux crédits et *créditeur* si les crédits sont supérieurs aux débits.

Pour illustrer comment, à l'aide du débit, du crédit et des comptes, on enregistre les résultats d'événements économiques, reprenons les vingt opérations commerciales que nous avons présentées au début de ce chapitre, mais en les enregistrant à l'aide de ces nouvelles notions.

3.6 UTILISATION SIMULTANÉE DES DÉBITS, DES CRÉDITS ET DES COMPTES

Première opération commerciale

L'enregistrement légal de l'entreprise terminé, le propriétaire ouvre au nom de cette dernière un compte à la caisse populaire la plus proche et y dépose les 500 000 $ disponibles.

1) Les comptes affectés sont « Caisse », qui est un actif, et « Capital ».

2) L'actif « Caisse » voit sa valeur augmenter. On devra donc le débiter.

3) Le capital augmente lui aussi. On devra donc le créditer. Ainsi, l'inscription se fera du côté droit du compte « Capital ».

Cette première opération sera donc enregistrée de la façon suivante.

Deuxième opération commerciale

On achète au comptant un immeuble au coût de 200 000 $. Ce montant comprend la valeur du terrain qui s'établit à 20 000 $.

1) Les comptes affectés sont « Terrain », « Bâtiment » et « Caisse », qui sont tous des comptes d'actif.

2) Les comptes d'actif « Terrain » et « Bâtiment » augmentent. On devra donc les débiter. Ainsi, l'inscription se fera du côté gauche de ces comptes.

3) L'actif « Caisse » diminue. On devra donc le créditer. L'inscription se fera du côté droit de ce compte.

Cette deuxième opération sera donc enregistrée de la façon suivante.

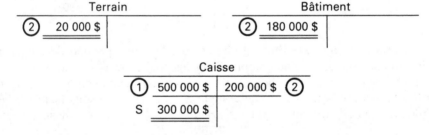

Troisième opération commerciale

Le propriétaire souscrit à une police d'assurance afin de protéger l'immeuble contre les risques d'incendie. La prime, qui s'élève à 2 000 $, est payée immédiatement.

1) Les comptes affectés sont « Assurance constatée d'avance » et « Caisse », qui sont tous deux des comptes de l'actif.

2) Le compte « Assurance constatée d'avance » augmente. C'est un actif: l'inscription se fera donc du côté gauche du compte, car il s'agit d'un débit.

3) Le compte « Caisse » diminue. Une diminution d'actif s'inscrit par un crédit. Ainsi, l'inscription se fera du côté droit du compte.

---

[1] Les chiffres encerclés représentent le numéro de l'écriture.

Assurance constatée d'avance		Caisse		
③ 2 000 $		① 500 000 $	200 000 $ ②	
			2 000 ③	
		S 298 000 $		

Quatrième opération commerciale

On achète, pour le Centre et en son nom, du mobilier et de l'équipement. Le coût de cet achat payé comptant est de 30 000 $.

1) L'actif « Mobilier et équipement » augmente de 30 000 $. On devra donc le débiter en modifiant le côté gauche du compte.

2) L'actif « Caisse » diminue. On devra le créditer en modifiant le côté droit du compte.

Voici l'enregistrement.

Mobilier et équipement		Caisse		
④ 30 000 $		① 500 000 $	200 000 $ ②	
			2 000 ③	
			30 000 ④	
		S 268 000 $		

Cinquième opération commerciale

Le Centre achète des obligations émises par le gouvernement de la province de Québec. Ces obligations d'une valeur de 10 000 $ portent intérêt au taux de 13 % l'an. Elles sont payées comptant par le Centre.

L'actif « Placement en obligations » augmente de 10 000 $, alors que l'actif « Caisse » diminue du même montant. On débitera donc le premier compte et on créditera le deuxième.

Placement en obligations		Caisse		
⑤ 10 000 $		① 500 000 $	200 000 $ ②	
			2 000 ③	
			30 000 ④	
			10 000 ⑤	
		S 258 000 $		

Sixième opération commerciale

Le Centre vend à crédit à M. Guy Larose un appareil d'entraînement, ce dernier ne correspondant pas exactement à l'idée qu'on en avait lorsqu'on l'avait acheté. Le prix de vente est égal au prix payé, soit 4 000 $. L'acheteur doit payer cette somme dans les 30 jours.

L'actif « Mobilier et équipement » diminue de 4 000 $. On doit le créditer d'autant. On débitera par contre l'actif « Clients », qui augmente de 4 000 $.

	Mobilier et équipement					Clients	
④	30 000 $	4 000 $	⑥		⑥	4 000 $	
S	26 000 $						

Septième opération commerciale

Le Centre reçoit de M. Guy Larose un chèque de 2 000 $ et un billet à six mois pour la différence, en règlement de l'achat de la pièce d'équipement.

L'actif « Caisse », parce qu'il augmente, sera débité de 2 000 $, tout comme l'actif « Billet à recevoir » le sera pour les mêmes raisons. Par contre, l'actif « Clients » diminue de 4 000 $. On le créditera de cette somme.

	Caisse					Billet à recevoir	
①	500 000 $	200 000 $	②		⑦	2 000 $	
⑦	2 000	2 000	③				
		30 000	④			Clients	
		10 000	⑤		⑥	4 000 $	4 000 $ ⑦
S	260 000 $				S	—	

Huitième opération commerciale

Le Centre achète à crédit à Larose Inc. de l'équipement additionnel d'une valeur de 16 000 $ payables dans 60 jours.

1) L'actif « Mobilier et équipement » augmente de 16 000 $. On le débitera d'autant.

2) La passif « Fournisseurs » augmente lui aussi de 16 000 $. On le créditera de cette somme par une inscription du côté droit de ce compte.

	Mobilier et équipement					Fournisseurs	
④	30 000 $	4 000 $	⑥				16 000 $ ⑧
⑧	16 000						
S	42 000 $						

Neuvième opération commerciale

Le Centre, en règlement de l'achat faisant l'objet de la huitième opération commerciale, décide d'envoyer immédiatement à Larose Inc.: a) un chèque de 10 000 $, b) un billet à 30 jours pour la différence. Il s'agit d'une opération analogue à la septième opération commerciale, mais envisagée d'un point de vue différent. Au passif, le poste « Fournisseurs » va disparaître. Cette diminution de 16 000 $ est en partie justifiée par une réduction de l'argent en banque de 10 000 $. Quant à la différence de 6 000 $, elle est compensée par une forme nouvelle de passif, puisqu'elle devient un « Billet à payer ».

1) L'actif « Caisse » diminue de 10 000 $. On le créditera de ce montant.

2) Le passif « Effet à payer » est créé pour une somme de 6 000 $. On créditera ce compte de ce montant.

3) Le passif « Fournisseurs » diminue de 16 000 $. On le débitera d'autant.

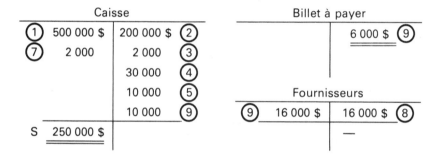

Dixième opération commerciale

Pour financer des travaux de rénovation intérieure, le Centre contracte un emprunt hypothécaire de 100 000 $ remboursable dans 20 ans.

1) On débitera l'actif « Caisse » pour enregistrer l'augmentation de 100 000 $.

2) On créditera le passif « Hypothèque à payer » parce qu'il augmente de 100 000 $.

	Caisse				Hypothèque à payer	
①	500 000 $	200 000 $	②		100 000 $	⑩
⑦	2 000	2 000	③			
⑩	100 000	30 000	④			
		10 000	⑤			
		10 000	⑨			
S	350 000 $					

Onzième opération commerciale

On a préparé un budget des recettes et des débours pour les douze premiers mois d'exploitation du Centre et on constate que les sommes actuellement en banque ne seront pas suffisantes pour financer cette première année. Cet état de choses est principalement dû aux frais de la campagne de publicité du lancement et au délai inévitable entre le début officiel des activités et le début de la période des abonnements. On contracte donc un emprunt à court terme auprès de la caisse populaire pour une somme de 40 000 $.

L'actif « Caisse » augmente de 40 000 $; on le débitera d'autant. Le passif « Emprunt de banque » augmentant lui aussi de 40 000 $, on le créditera d'autant.

Caisse			Emprunt de banque	
① 500 000 $	200 000 $ ②			40 000 $ ⑪
⑦ 2 000	2 000 ③			
⑩ 100 000	30 000 ④			
⑪ 40 000	10 000 ⑤			
	10 000 ⑨			
S 390 000 $				

Douzième opération commerciale

Paiement, avant échéance, du billet de 6 000 $.

La diminution de 6 000 $ du compte d'actif « Caisse » sera enregistrée du côté droit de ce compte, c'est-à-dire par un crédit. Par contre, la diminution de 6 000 $ du compte de passif « Billet à payer » sera enregistrée du côté gauche du compte, c'est-à-dire par un débit.

Caisse			Billet à payer	
① 500 000 $	200 000 $ ②		⑫ 6 000 $	6 000 $ ⑨
⑦ 2 000	2 000 ③			— S
⑩ 100 000	30 000 ④			
⑪ 40 000	10 000 ⑤			
	10 000 ⑨			
	6 000 ⑫			
S 384 000 $				

Treizième opération commerciale

Le Centre achète, pour 25 000 $, des articles de sport destinés à être revendus. Le règlement devra s'effectuer comme suit: 15 000 $ comptant, le solde dans 30 jours.

L'augmentation de 25 000 $ du compte d'actif « Stock de marchandises » implique l'inscription d'un débit à ce compte. Inversement, la diminution de l'actif

« Caisse », pour une somme de 15 000 $, nous oblige à créditer ce compte d'autant. Enfin, le compte « Fournisseurs » sera crédité de 10 000 $.

Caisse				Stock de marchandises	
①	500 000 $	200 000 $	②	⑬ 25 000 $	
⑦	2 000	2 000	③		
⑩	100 000	30 000	④		
⑪	40 000	10 000	⑤		
		10 000	⑨	Fournisseurs	
		6 000	⑫	10 000 $ ⑬	
		15 000	⑬		
S	369 000 $				

Jusqu'ici, nous n'avons comptabilisé que des opérations commerciales qui n'affectent pas le compte « Capital » (sauf pour la première opération, qui donna naissance à l'entreprise). Avant de poursuivre ce travail de comptabilisation avec des opérations qui affectent le compte « Capital », vérifions si les soldes de chacun des comptes que nous avons créés permettent, lorsqu'on les regroupe, de reconstituer l'identité fondamentale que nous obtenions lorsque nous l'inscrivions après chaque opération commerciale (voir le tableau 3-1).

TABLEAU 3-1

Nom des comptes	Dernière opération affectant le compte	Solde
Caisse	⑬	369 000 $
Terrain	②	20 000
Bâtiment	②	180 000
Assurance constatée d'avance	③	2 000
Mobilier et équipement	⑧	42 000
Placement en obligations	⑤	10 000
Billet à recevoir	⑦	2 000
Stock de marchandises	⑬	25 000
Total des comptes d'actif et total des soldes débiteurs		650 000 $
Hypothèque à payer	⑩	100 000 $
Emprunt de banque	⑪	40 000
Fournisseurs	⑬	10 000
Capital	①	500 000
Total des comptes de passif et de capital et total des soldes créditeurs		650 000 $

Il est donc possible de retrouver l'identité fondamentale à l'aide de l'enregistrement des opérations commerciales dans des comptes dont le mode de fonctionnement est issu des notions de débit et de crédit. En effet, la liste des comptes de l'actif, du passif et du capital présentée au tableau 3-1 est la réplique parfaite de l'identité fondamentale que nous avons inscrite avant de passer à l'étude des facteurs de variation du capital, à la section 3.3 de ce chapitre.

Prenons maintenant les soldes précédents ($S_{préc.}$) comme point de départ et enregistrons à l'aide des comptes, des débits et des crédits les opérations commerciales qui affectent le compte « Capital ».

Quatorzième opération commerciale

Le propriétaire verse au Centre, à même ses fonds personnels, une somme de 1 000 $ en argent.

L'actif « Caisse » sera débité, à cause d'une augmentation de 1 000 $. De même, le compte « Capital » voit son solde augmenter de 1 000 $. On le créditera donc d'autant.

	Caisse			Capital	
$S_{préc.}$	369 000 $			500 000 $	$S_{préc.}$
⑭	1 000			1 000	⑭
S	370 000 $			501 000 $	S

Quinzième opération commerciale

Le propriétaire donne au Centre du mobilier qui, jusque-là, lui appartenait personnellement. La valeur marchande de ce mobilier est de 4 000 $.

L'actif « Mobilier et équipement », augmentant de 4 000 $, sera débité d'autant. Le compte « Capital », lui, sera crédité puisque la dette de l'entreprise envers son propriétaire augmente de 4 000 $.

	Mobilier et équipement			Capital	
$S_{préc.}$	42 000 $			501 000 $	$S_{préc.}$
⑮	4 000			4 000	⑮
S	46 000 $			505 000 $	S

Seizième opération commerciale

Le propriétaire paie, à même ses fonds personnels, les comptes « Fournisseurs » du Centre.

La diminution du compte « Fournisseurs » sera inscrite par un débit au compte du même nom. L'augmentation du capital entraîne un crédit de 10 000 $ à ce compte.

Fournisseurs				Capital	
⑯ 10 000 $	10 000 $	$S_{préc.}$		505 000 $	$S_{préc.}$
				10 000	⑯
	—	S		515 000 $	S

Dix-septième opération commerciale

Le propriétaire prélève, à même les fonds de son entreprise, une somme de 20 000 $ en argent.

Le compte « Caisse » diminue de 20 000 $. Puisque c'est un actif, on le créditera d'autant. De même, le compte « Capital » diminue de 20 000 $. On le débitera de cette somme.

Caisse				Capital		
					515 000 $	$S_{préc.}$
$S_{préc.}$ 370 000 $	20 000 $	⑰	⑰	20 000 $		
S 350 000 $					495 000 $	S

Dix-huitième opération commerciale

Les opérations du Centre ont permis d'encaisser jusqu'à maintenant 15 000 $ pour la location des différents terrains de tennis, squash et racquetball.

On débitera l'actif « Caisse » pour y indiquer une augmentation de 15 000 $. On créditera le capital pour y inscrire l'augmentation de 15 000 $.

Caisse			Capital		
$S_{préc.}$ 350 000 $				495 000 $	$S_{préc.}$
⑱ 15 000				15 000	⑱
S 365 000 $				510 000 $	S

Dix-neuvième opération commerciale

Les articles de sport qui ont été vendus jusqu'à maintenant n'ont pas toujours été vendus au prix ordinaire. En effet, afin de créer une certaine clientèle, on a décidé de vendre légèrement en deçà du prix coûtant tous les vêtements de sport en stock. La composition (*mix*) des ventes depuis le début des activités se présente comme suit (toutes ces ventes sont faites au comptant).

	Coût	Prix de vente
Articles à prix réduit	5 000 $	4 000 $
Articles à prix régulier	1 000	1 500
Ventes totales	6 000 $	5 500 $

L'augmentation de l'actif « Caisse » entraîne un débit à ce compte de 5 500 $. La diminution de l'actif « Stock de marchandises » entraîne un crédit de 6 000 $ à ce compte. La charge nette de 500 $ entraîne un débit au compte « Capital » pour le même montant.

Caisse				Stock de marchandises		
S$_{préc.}$	365 000 $			S$_{préc.}$	25 000 $	
⑲	5 500				6 000 $	⑲
S	370 000 $			S	19 000 $	

	Capital	
	510 000 $	S$_{préc.}$
⑲ 500 $		
	509 500 $	S

Vingtième opération commerciale

Les charges encourues par le Centre depuis l'ouverture jusqu'à ce jour se présentent comme suit.

Salaires	18 000 $
Électricité	1 000
Chauffage	1 200
Intérêt sur l'hypothèque à payer et l'emprunt de banque	1 300
Publicité	3 000
Total des charges	24 500 $

Les salaires sont entièrement versés aux employés. Par contre, aucune des autres charges indiquées n'a encore été payée.

La diminution de l'actif « Caisse » implique un crédit à ce compte pour une somme de 18 000 $. Le passif « Fournisseurs » augmentera d'un crédit de 6 500 $. Enfin, le capital diminuera de 24 500 $. On devra donc le débiter d'autant.

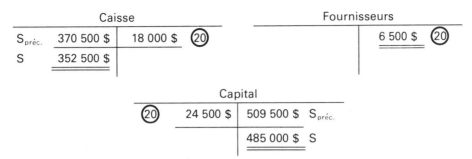

Encore une fois, pour reconstituer l'identité fondamentale, il suffit de regrouper les soldes de chacun des comptes que nous avons créés. Nous obtenons alors le tableau 3-2, dans lequel la liste des comptes est semblable à l'identité fondamentale que nous avons obtenue après la vingtième opération commerciale, lorsque nous avons reconstitué cette identité après chaque opération (voir section 3.4). Nous avons donc atteint notre objectif, c'est-à-dire éviter de réécrire l'identité fondamentale pour enregistrer chaque opération commerciale. Les notions de débit et de crédit utilisées dans le cadre pratique des comptes simplifient donc le travail d'enregistrement comptable tout en fournissant un moyen de contrôle efficace qui permet d'avoir la certitude que l'identité fondamentale est en équilibre, sans qu'il soit pour autant nécessaire de la reconstituer après chaque opération commerciale.

TABLEAU 3-2

Nom des comptes	Dernière opération affectant le compte	Solde
Caisse	20	352 500 $
Terrain	2	20 000
Bâtiment	2	180 000
Assurance constatée d'avance	3	2 000
Mobilier et équipement	15	46 000
Placement en obligations	5	10 000
Billet à recevoir	7	2 000
Stock de marchandises	19	19 000
Total des comptes d'actif et total des soldes débiteurs		631 500 $
Hypothèque à payer	10	100 000 $
Emprunt de banque	11	40 000
Fournisseurs	20	6 500
Capital	20	485 000
Total des comptes de passif et de capital et total des soldes créditeurs		631 500 $

3.7 NOTIONS DE DÉBIT ET CRÉDIT APPLIQUÉES AUX FACTEURS DE VARIATION DU CAPITAL

La reconstitution des facteurs de variation

Dans la section précédente, nous avons procédé à l'enregistrement comptable des opérations commerciales à l'aide des comptes, des débits et des crédits. Nous avons choisi de reconstituer l'identité fondamentale immédiatement après avoir enregistré toutes les opérations n'affectant pas le capital (soit les 13 premières), et aussi après avoir enregistré les opérations affectant le compte « Capital » (soit les opérations 14 à 20). Si nous comparons ces deux identités fondamentales, nous obtenons le tableau 3-3.

TABLEAU 3-3

Nom des comptes	Solde avant la comptabilisation des opérations affectant le capital (opérations 1 à 13)	Solde après la comptabilisation des opérations affectant le capital (opérations 14 à 20)
Caisse	369 000 $	352 500 $
Terrain	20 000	20 000
Bâtiment	180 000	180 000
Assurance constatée d'avance	2 000	2 000
Mobilier et équipement	42 000	46 000
Placement en obligations	10 000	10 000
Billet à recevoir	2 000	2 000
Stock de marchandises	25 000	19 000
	650 000 $	631 500 $
Hypothèque à payer	100 000 $	100 000 $
Emprunt de banque	40 000	40 000
Fournisseurs	10 000	6 500
Capital	500 000	485 000
	650 000 $	631 500 $

Si nous nous limitons à l'analyse de ce tableau, nous expliquerons la diminution de 15 000 $ (500 000 $ − 485 000 $) du compte « Capital » de la façon suivante.

	Augmentation (Diminution)
Diminution de l'argent en banque (369 000 $ − 352 500 $)	(16 500 $)
Diminution du stock de marchandises (25 000 $ − 19 000 $)	(6 000 $)
	(22 500 $)
Moins: Augmentation du mobilier et équipement (46 000 $ − 42 000 $)	4 000 $
Diminution des comptes « Fournisseurs » (10 000 $ − 6 500 $)	3 500
Diminution du capital	(15 000 $)

Mais une telle analyse n'est à toutes fins utiles d'aucun intérêt, puisqu'elle n'offre aucune information sur les facteurs de variation du capital qui sont, comme nous l'avons déjà vu:

1) les apports du propriétaire à l'entreprise;

2) les retraits du propriétaire de l'entreprise;

3) les produits ou les charges de l'entreprise.

Ainsi, si nous tentons d'expliquer cette variation de 15 000 $ du capital à partir des renseignements fournis par les opérations commerciales quatorze à vingt, nous obtenons le tableau 3-4.

TABLEAU 3-4

Description	Voir opération n°	Augmentation (Diminution)
Apport en argent	⑭	1 000 $
Apport en mobilier	⑮	4 000
Apport en argent	⑯	10 000
Retrait en argent	⑰	(20 000)
Augmentation du bénéfice ou diminution de la perte grâce à des produits	⑱	15 000
Augmentation de la perte ou diminution du bénéfice due à des ventes en deçà du prix coûtant	⑲	(500)
Augmentation de la perte ou diminution du bénéfice due aux charges de la période	⑳	(24 500)
Diminution nette du compte « Capital » dans la période		(15 000 $)

Cette seconde explication de la variation du compte « Capital » est bien sûr beaucoup plus complète que la première. La comptabilité ayant entre autres pour but de fournir une information financière pertinente à ceux qui ont besoin de cette information, il est donc souhaitable d'incorporer au système d'enregistrement comptable les facteurs de variation du capital. On peut y parvenir de la façon suivante: puisque les apports et les produits causent une augmentation du compte « Capital », on dira qu'ils sont augmentés par un crédit et diminués par un débit. À l'inverse, puisque les charges et les prélèvements causent une diminution du compte « Capital », on dira qu'ils sont augmentés par un débit et diminués par un crédit. Ce fonctionnement pratique des comptes peut être résumé comme à la figure 3-6.

FIGURE 3-6

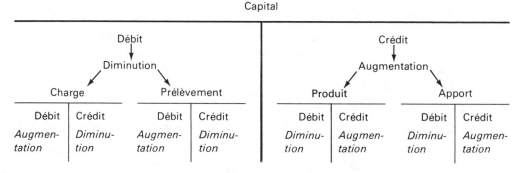

Différence de l'identité fondamentale au début et à la fin d'une période

Quels changements implique le fait d'adapter au système d'enregistrement comptable les facteurs de variation du capital? Lorsqu'une opération commerciale impliquera un ou plusieurs facteurs de variation du capital, ce n'est plus ce dernier compte qui sera débité ou crédité, mais plutôt le facteur de variation en cause. Ainsi, si nous identifions l'identité fondamentale que nous avons reproduite à la suite des treize premières opérations commerciales par l'indice $_1$:

$$A_1 = P_1 + C_1$$

et que l'identité fondamentale que nous avons reproduite à la suite des vingt premières opérations commerciales est identifiée par l'indice $_2$:

$$A_2 = P_2 + C_2$$

alors, l'introduction des facteurs de variation du capital dans le système d'enregistrement des opérations a pour effet de transformer cette dernière équation comme suit:

$$A_2 = P_2 + \underbrace{[C_1 + \text{Apport} + \text{Produits} - \text{Prélèvements} - \text{Charges}]}_{C_2}$$

Afin d'illustrer comment, en pratique, les facteurs de variation du capital influent sur l'enregistrement des opérations commerciales, reprenons le travail que nous avons déjà accompli avec les opérations quatorze à vingt, mais en créant cette fois des comptes d'apports, de produits, de prélèvements et de charges.

Quatorzième opération commerciale

Le propriétaire verse au Centre, à même ses fonds personnels, une somme de 1 000 $ en argent.

Le propriétaire du Centre fait un apport supplémentaire de 1 000 $ à son entreprise. Bien que la conséquence de cet apport soit d'augmenter le capital, ce dernier ne sera pas crédité pour le moment. Nous créditerons plutôt le compte « Apports ». Le débit sera toujours au compte « Caisse ».

	Caisse			Apports	
$S_{préc.}$	369 000 $			1 000 $	(14)
(14)	1 000				
S	370 000 $				

Quinzième opération commerciale

Le propriétaire donne au Centre du mobilier qui, jusque-là, lui appartenait personnellement. La valeur marchande de ce mobilier est de 4 000 $.

Le raisonnement est le même que pour la quatorzième opération. Cette fois, l'apport n'est pas en argent, mais en « Mobilier et équipement ».

	Mobilier et équipement			Apports	
$S_{préc.}$	42 000 $			1 000 $	(14)
(15)	4 000			4 000	(15)
S	46 000 $			5 000 $	

Seizième opération commerciale

Le propriétaire paie, à même ses fonds personnels, les comptes « Fournisseurs » du Centre.

Encore une fois, le propriétaire donne des biens à son entreprise. Le compte « Apports » sera crédité de la valeur de ces biens, soit 10 000 $. La contrepartie de l'apport, cette fois, est une diminution des comptes « Fournisseurs ».

	Fournisseurs				Apports	
(16)	10 000 $	10 000 $	$S_{préc.}$		1 000 $	(14)
	—		S		4 000	(15)
					10 000	(16)
					15 000 $	S

Dix-septième opération commerciale

Le propriétaire prélève, à même les fonds de son entreprise, une somme de 20 000 $ en argent.

Cette fois, le propriétaire soustrait des sommes à son entreprise. La dette de cette dernière envers lui diminuera donc d'autant. Mais nous ne débiterons pas le capital immédiatement. Pour le moment, nous débiterons le compte « Prélèvements ». Le crédit affectera le compte « Caisse » pour en indiquer la diminution.

	Caisse				Prélèvements	
$S_{préc.}$	370 000 $	20 000 $	⑰	⑰	20 000 $	
S	350 000 $					

Dix-huitième opération commerciale

Les opérations du Centre ont permis d'encaisser jusqu'à maintenant 15 000 $ pour la location des différents terrains de tennis, squash et racquetball.

Bien que le produit de 15 000 $ provenant de la location de terrain soit une cause d'augmentation du capital, nous ne créditerons pas immédiatement le compte « Capital » de cette somme. Nous créditerons plutôt le compte « Produits de location de terrain ». Le débit correspondant servira à augmenter l'actif « Caisse ».

	Caisse			Produits de location de terrain	
$S_{préc.}$	350 000 $			15 000 $	⑱
⑱	15 000				
S	365 000 $				

Dix-neuvième opération commerciale

Les articles de sport qui ont été vendus jusqu'à maintenant ne l'ont pas toujours été au prix ordinaire. En effet, afin de créer une certaine clientèle, on a décidé de vendre légèrement en deçà du prix coûtant tous les vêtements de sport en stock. La composition (*mix*) des ventes depuis le début des activités se présente comme suit (toutes ces ventes sont faites au comptant).

	Coût	Prix de vente
Articles à prix réduit	5 000 $	4 000 $
Articles à prix régulier	1 000	1 500
Ventes totales	6 000 $	5 500 $

La perte sur vente de stock de marchandises est une cause de diminution du capital. Nous débiterons donc ce compte pour une somme de 500 $. Nous débiterons aussi la « Caisse » pour y indiquer l'augmentation de 5 500 $, alors que nous créditerons le « Stock de marchandises » pour le diminuer de 6 000 $.

Caisse		
$S_{préc.}$	365 000 $	
⑲	5 500	
S	370 500 $	

Stock de marchandises		
$S_{préc.}$	25 000 $	6 000 $ ⑲
	19 000 $	

Perte sur vente de stock de marchandises	
⑲ 500 $	

Vingtième opération commerciale

Les charges encourues par le Centre, depuis l'ouverture jusqu'à ce jour, se présentent comme suit.

Salaires	18 000 $
Électricité	1 000
Chauffage	1 200
Intérêts sur l'hypothèque à payer et l'emprunt de banque	1 300
Publicité	3 000
Total des charges	24 500 $

Les salaires sont entièrement versés aux employés. Par contre, aucune des autres charges indiquées n'a encore été payée.

Bien que toutes ces charges soient des causes de diminution du « Capital », nous n'affecterons pas ce dernier immédiatement. Nous créerons plutôt une série de comptes de charges que nous débiterons. Ceci nous permet de connaître le détail des charges encourues.

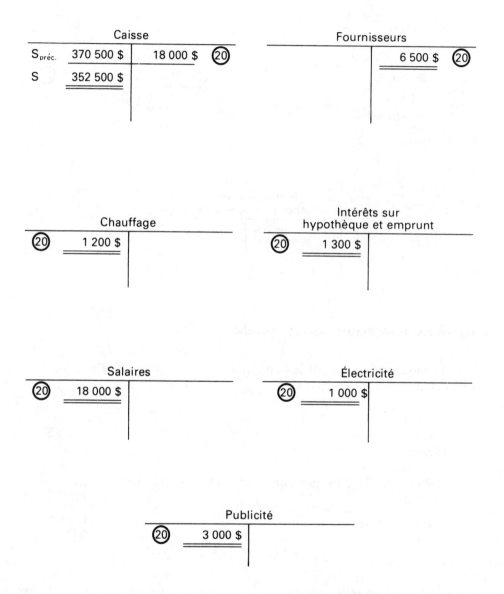

Si nous reconstituons maintenant l'identité fondamentale à l'aide des soldes des différents comptes que nous avons créés, nous obtenons:

Caisse		352 500 $
Terrain		20 000
Bâtiment		180 000
Assurance constatée d'avance		2 000
Mobilier et équipement		46 000
Placements en obligations		10 000
Billet à recevoir		2 000
Stock de marchandises		19 000
Total de l'actif		631 500 $
Hypothèque à payer	10 000 $	
Emprunt de banque	40 000	
Fournisseurs	6 500	
Total du passif		146 500 $
Capital du début (C_1)	500 000 $	
Plus: Apport (opérations ⑭, ⑮, ⑯)	15 000	
Produits de location de terrain (opération ⑱)	15 000	
Moins: Prélèvement (opération ⑰)	20 000	
Charges		
Perte sur vente de stock marchandises (opération ⑲)	500	
Électricité (opération ⑳)	1 000	
Chauffage (opération ⑳)	1 200	
Intérêts sur hypothèque et emprunt (opération ⑳)	1 300	
Publicité (opération ⑳)	3 000	
Salaires (opération ⑳)	18 000	
Capital de la fin (C_2)		485 000
Total du passif et du capital		631 500 $

Cette dernière présentation de l'identité fondamentale permet de donner les causes de la variation du capital. Parce qu'elles affectent la dette de l'entreprise envers son propriétaire, ces causes sont des informations financières importantes que le système comptable se doit de contenir. C'est le système que nous avons décrit dans ce chapitre qui permet de les y inclure.

RÉSUMÉ

Le plan comptable se base sur une notion fondamentale: l'égalité de l'utilisation et de la provenance des ressources. On peut l'exprimer par l'équation suivante:

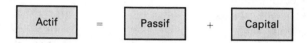

Afin de ne pas être obligé de reproduire après chaque opération commerciale l'ensemble de cette égalité fondamentale, on a donné des règles de travail communes. C'est ainsi que les notions de débit et de crédit ont été élaborées. Mais il n'est pas suffisant de pouvoir reproduire l'identité fondamentale grâce aux débits et crédits. En effet, les causes de variation du capital sont des informations financières utiles que le plan comptable doit pouvoir présenter en détail. C'est ainsi qu'à partir des notions de débit et de crédit qui ont été élaborées pour les comptes d'actif, de passif et le capital, on a déduit des règles pour enregistrer, à l'aide des débits et des crédits, les causes de variation du capital.

PROBLÈMES À SOLUTION COMMENTÉE

PROBLÈME 3-A   **De l'opération commerciale au compte en T, par l'intermédiaire de l'identité fondamentale**

Opération n° 1

Monsieur X investit 80 000 $ dans son entreprise.

Opération n° 2

L'entreprise X achète au comptant un terrain de 15 000 $ et un bâtiment de 60 000 $.

Opération n° 3

L'entreprise X achète au comptant une assurance-vol pour 100 $.

Opération n° 4

L'entreprise X achète au comptant du mobilier pour 3 500 $.

Opération n° 5

L'entreprise X achète au comptant des obligations pour 1 000 $.

Opération n° 6

L'entreprise vend 200 $ de son mobilier à crédit.

Opération n° 7

L'entreprise encaisse 100 $ du compte « Clients » et elle accepte un billet à recevoir pour le solde du compte.

Opération n° 8

L'entreprise X achète à crédit du mobilier pour 800 $.

Opération n° 9

L'entreprise X paie 500 $ du compte « Fournisseurs » et échange le solde du compte pour un effet à payer.

Opération n° 10

L'entreprise X, ayant besoin d'argent, obtient une hypothèque de 20 000 $.

Opération no 11

Réception d'une facture de papeterie de 200 $.

Opération n° 12

L'entreprise X rembourse l'effet à payer.

Opération n° 13

L'entreprise X achète 5 000 $ de stock. Elle paie 3 000 $ au comptant et le reste à crédit.

Opération n° 14

L'entreprise X engage une secrétaire à 300 $ par semaine et lui verse une avance de 50 $.

Opération n° 15

Monsieur X donne à son entreprise du mobilier évalué à 400 $.

Opération n° 16

L'entreprise X rembourse à Monsieur X le coût d'un dîner d'affaires avec un futur client. Coût du dîner: 65 $.

Opération n° 17

Monsieur X fait un prélèvement de 320 $.

Opération n° 18

Réception de 105 $ en paiement du billet, dont 5 $ d'intérêt.

Opération n° 19

Paiement du salaire de la secrétaire, solde impayé: 250 $.

Opération n° 20

Vente de marchandises ayant coûté 2 000 $. Cette vente se fait au comptant pour 3 000 $.

Opération non 21

Vente de marchandises ayant coûté 600 $. Cette vente se fait à crédit pour 700 $.

On demande

1) Démontrer après chaque opération que l'équilibre de l'identité fondamentale est conservé.

2) Faire le report de chaque opération dans les comptes en T concernés. Ne pas créer de comptes distincts pour les facteurs de variation du capital.

3) Donner, sous forme de tableau, la liste des comptes qui entrent dans la composition de l'identité fondamentale.

4) Faire le report de chaque opération dans les comptes en T concernés en créant des comptes distincts pour les facteurs de variation du capital.

Solution commentée

1) L'équilibre de l'identité fondamentale

L'identité fondamentale consiste en

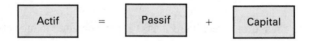

Opération n° 1

La caisse, qui est un actif, augmente de 80 000 $. L'investissement de la part du propriétaire augmente le capital de 80 000 $: Actif (80 000 $) = Passif (0) + Capital (80 000 $). L'équilibre est conservé.

Opération n° 2

La caisse, qui est un actif, diminue de 75 000 $. Le terrain, qui est un actif, augmente de 15 000 $. Le bâtiment, qui est un actif, augmente de 60 000 $. L'impact net sur l'actif est nul: l'équilibre est toujours conservé.

Opération n° 3

La caisse, qui est un actif, diminue de 100 $. L'assurance-vol, qui est une charge, diminue le capital de 100 $. Impact net: l'actif diminue de 100 $ et le capital diminue de 100 $. L'équilibre est conservé.

Opération n° 4

La caisse, qui est un actif, diminue de 3 500 $. Le mobilier, qui est un actif, augmente de 3 500 $. L'impact net sur l'actif est nul: l'équilibre est conservé.

Opération n° 5

La caisse, qui est un actif, diminue de 1 000 $. Le placement d'obligation, qui est un actif, augmente de 1 000 $. L'impact net sur l'actif est nul: l'équilibre est conservé.

Opération n° 6

Le mobilier, qui est un actif, diminue de 200 $. Le compte « Clients », qui est un actif, augmente de 200 $. L'impact net sur l'actif est nul: l'équilibre est conservé.

Opération n° 7

La compte « Clients », qui est un actif, diminue de 200 $. La caisse, qui est un actif, augmente de 100 $. Le billet à recevoir, qui est un actif, augmente de 100 $. L'impact net sur l'actif est nul: l'équilibre est conservé.

Opération n° 8

Le mobilier, qui est un actif, augmente de 800 $. Le compte « Fournisseurs », qui est un passif, augmente de 800 $. Impact net: l'actif augmente de 800 $ et le passif augmente de 800 $. L'équilibre est conservé.

Opération n° 9

Le compte « Fournisseurs », qui est un passif, diminue de 800 $. La caisse, qui est un actif, diminue de 500 $. L'effet à payer, qui est un passif, augmente de 300 $. Impact net: l'actif diminue de 500 $ et le passif diminue de (800 $ − 300 $) = 500 $. L'équilibre est conservé.

Opération n° 10

La caisse, qui est un actif, augmente de 20 000 $. L'hypothèque à payer, qui est un passif, augmente de 20 000 $. Impact net: l'actif augmente de 20 000 $ et le passif augmente de 20 000 $. L'équilibre est conservé.

Opération n° 11

Le stock de papeterie, qui est un actif, augmente de 200 $. Le compte « Fournisseurs », qui est un passif, augmente de 200 $. Impact net: l'actif augmente de 200 $ et le passif augmente de 200 $. L'équilibre est conservé.

Opération n° 12

L'effet à payer, qui est un passif, diminue de 300 $. La caisse, qui est un actif, diminue de 300 $; l'équilibre est conservé.

Opération n° 13

Le stock de marchandises, qui est un actif, augmente de 5 000 $. La caisse, qui est un actif diminue de 3 000 $. Le compte « Fournisseurs », qui est un passif, augmente de 2 000 $. Impact net: l'actif augmente de (5 000 $ − 3 000 $) = 2 000 $ et le passif augmente de 2 000 $. L'équilibre est conservé.

Opération n° 14

La caisse, qui est un actif, diminue de 50 $. Le salaire constaté d'avance, qui est un actif, augmente de 50 $. L'impact net sur l'actif est nul: l'équilibre est conservé.

Opératoin n° 15

Le mobilier, qui est un actif, augmente de 400 $. L'apport du propriétaire augmente le capital de 400 $; l'équilibre est conservé.

Opération n° 16

La caisse, qui est un actif, diminue de 65 $. Les frais de représentation, qui sont une charge, diminuent le capital de 65 $; l'équilibre est conservé.

Opération n° 17

La caisse, qui est un actif, diminue de 320 $. Le prélèvement du propriétaire diminue le capital de 320 $; l'équilibre est conservé.

Opération n° 18

La caisse, qui est un actif, augmente de 105 $. Le billet à recevoir, qui est un actif, diminue de 100 $. L'intérêt, qui est un produit, augmente le capital de 5 $. Impact net: l'actif augmente de (105 $ − 100 $) = 5 $ et le capital augmente de 5 $. L'équilibre est conservé.

Opération n° 19

La caisse, qui est un actif, diminue de 250 $. Le salaire constaté d'avance, qui est un actif, diminue de 50 $. Le salaire, qui est une charge, diminue le capital de 300 $. Impact net: l'actif diminue de (250 $ + 50 $) = 300 $ et le capital diminue de 300 $. L'équilibre est conservé.

Opération n° 20

La caisse, qui est un actif, augmente de 3 000 $. Le stock de marchandises, qui est un actif, diminue de 2 000 $. L'excédent du prix de vente sur le coût est un bénéfice qui augmente le capital de (3 000 $ − 2 000 $), soit 1 000 $. Impact net: l'actif augmente de (3 000 $ − 2 000 $) = 1 000 $ et le capital augmente de 1 000 $. L'équilibre est conservé.

Opération n° 21

Les comptes « Clients », qui sont des éléments d'actif, augmentent de 700 $. Le stock de marchandises, qui est un actif, diminue de 600 $. Donc, l'impact net sur l'actif est une augmentation de 100 $. L'excédent du prix de vente sur le coût est un bénéfice, qui augmente le capital de (700 $ − 600 $), soit 100 $; l'équilibre est conservé.

2) Liste des comptes en T

Caisse			
①	80 000 $	75 000 $	②
⑦	100	100	③
⑩	20 000	3 500	④
⑱	105	1 000	⑤
⑳	3 000	500	⑨
		300	⑫
		3 000	⑬
		50	⑭
		65	⑯
		320	⑰
		250	⑲
S	19 120 $		

Clients			
⑥	200 $	200 $	⑦
㉑	700		
S	700 $		

Billet à recevoir			
⑦	100 $	100 $	⑱
S	0 $		

Fournisseurs			
⑨	800 $	800 $	⑧
		200	⑪
		2 000	⑬
S		2 200 $	

Capital			
③	100 $	80 000 $	①
⑯	65	400	⑮
⑰	320	5	⑱
⑲	300	1 000	⑳
		100	㉑
S		80 720 $	

Effet à payer			
⑫	300 $	300 $	⑨
S		0 $	

Hypothèque à payer			
		20 000 $	⑩

Terrain			
②	15 000 $		

Stock de papeterie			
⑪	200 $		

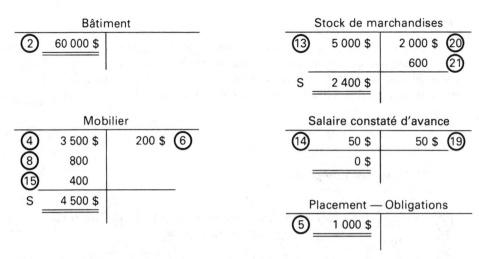

	Bâtiment	
②	60 000 $	

	Stock de marchandises	
⑬	5 000 $	2 000 $ ⑳
		600 ㉑
S	2 400 $	

	Mobilier	
④	3 500 $	200 $ ⑥
⑧	800	
⑮	400	
S	4 500 $	

	Salaire constaté d'avance	
⑭	50 $	50 $ ⑲
	0 $	

	Placement — Obligations	
⑤	1 000 $	

3) Liste des comptes qui entrent dans la composition de l'identité fondamentale

À la suite des opérations qu'a effectuées l'entreprise X au cours de cette période, l'identité fondamentale s'explique par les comptes suivants.

Actif		Passif	
Caisse	19 120 $	Fournisseurs	2 200 $
Terrain	15 000	Hypothèque à payer	20 000
Bâtiment	60 000		22 200 $
Mobilier	4 500		
Placement — Obligations	1 000	Capital	
Clients	700	Nom du propriétaire	80 720 $
Stock de papeterie	200		
Stock de marchandises	2 400		
	102 920 $		102 920 $

4) Report des opérations dans les comptes en T concernés

La réponse est la même qu'à la question 2, sauf pour le compte « Capital », qui est alors remplacé par tous les comptes suivants.

	Capital	
	80 000 $ ①	

	Assurance-vol	
③	100 $	

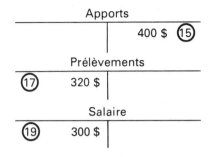

Apports		Frais de représentation	
	400 $ ⑮	⑯ 65 $	

Prélèvements		Intérêts gagnés	
⑰ 320 $			5 $ ⑱

Salaire		Produits nets sur vente	
⑲ 300 $			1 000 $ ⑳
			100 ㉑

PROBLÈME 3-B Composition de l'identité fondamentale compte tenu des facteurs de variation du capital

En date du 31-12-19__1, trois entreprises distinctes, A, B et C, font appel à un comptable pour qu'il identifie certains renseignements qu'elles sont incapables de trouver elles-mêmes. Elles lui fournissent les informations suivantes à cette date.

	Entreprises		
	A	B	C
Capital au 31-12-19__0	18 000 $	x	30 000 $
Actif au 31-12-19__1	20 000	25 000 $	10 000
Passif au 31-12-19__1	x	15 000	4 000
Excédent des produits sur les charges	5 000	4 000	(70 000)
Apports	2 000	1 000	x
Capital au 31-12-19__1	10 000	x	x
Prélèvements	x	3 000	1 000

On demande

Déterminer, pour chacune des entreprises, chacune des valeurs de x.

Solution commentée

Entreprise A

On sait qu'au 31-12-19__1:

$$\mathbf{A} = \mathbf{P} + \mathbf{C}$$
$$20\,000 = \mathbf{P} + 10\,000$$
$$\mathbf{P} = \underline{\underline{10\,000\ \$}}$$

On sait que $\mathbf{C}_{31\text{-}12\text{-}19\_1} = \mathbf{C}_{31\text{-}12\text{-}19\_0}$ + (Apports − Prélèvements) + (Produits − Charges)

$$10\,000 = 18\,000 + (2\,000 - \text{Prélèvements}) + 5\,000$$
$$\text{Prélèvements} = -10\,000 + 18\,000 + 2\,000 + 5\,000$$
$$\text{Prélèvements} = \underline{\underline{15\,000\ \$}}$$

Entreprise B

On sait qu'au 31-12-19___1:

$$A = P + C$$
$$25\ 000 = 15\ 000 + C$$
$$C = \underline{\underline{10\ 000\ \$}}$$

On sait que $C_{31\text{-}12\text{-}19\_1} = C_{31\text{-}12\text{-}19\_0}$ + (Apports − Prélèvements) + (Produits − Charges)
$$10\ 000 = C_{31\text{-}12\text{-}19\_0} + (1\ 000 - 3\ 000) + 4\ 000$$
$$C_{31\text{-}12\text{-}19\_0} = 10\ 000 - 1\ 000 + 3\ 000 - 4\ 000$$
$$C_{31\text{-}12\text{-}19\_0} = \underline{\underline{8\ 000}}$$

Entreprise C

On sait qu'au 31-12-19___1:

$$A = P + C$$
$$10\ 000 = 4\ 000 + C_{31\text{-}12\text{-}19\_1}$$
$$C_{31\text{-}12\text{-}19\_1} = \underline{\underline{6\ 000\ \$}}$$

On sait que $C_{31\text{-}12\text{-}19\_1} = C_{31\text{-}12\text{-}19\_0}$ + (Apports − Prélèvements) + (Produits − Charges)
$$6\ 000 = 30\ 000 + (\text{Apports} - 1\ 000) + (70\ 000)$$
$$\text{Apports} = 6\ 000 - 30\ 000 + 1\ 000 + 70\ 000$$
$$\text{Apports} = \underline{\underline{47\ 000\ \$}}$$

QUESTIONS

Q3-1 Pourquoi une entreprise contracte-t-elle une dette envers son propriétaire lorsque celui-ci investit de l'argent dans l'entreprise?

Q3-2 De quelle façon une entreprise peut-elle obtenir de l'argent? Donner les effets qu'aura chacune de ces façons.

Q3-3 Définir les termes suivants: *actif, passif, capital.*

Q3-4 Pourquoi utilise-t-on les notions de débit et de crédit dans le travail comptable d'enregistrement des opérations?

Q3-5 Quels sont les effets sur les membres de l'identité fondamentale qui sont caractérisés par les crédits? Par les débits?

Q3-6 Quelle est l'utilité des comptes?

Q3-7 Donner l'équation détaillée de la variation du capital entre le début et la fin d'un exercice et expliquer chacune des composantes de l'équation.

Q3-8 Est-il possible que le capital d'une entreprise diminue d'année en année bien qu'elle réalise un bénéfice chaque année? Expliquer.

Q3-9 Pour quelles raisons crée-t-on des comptes de charges et de produits distincts du compte « Capital » plutôt que de diminuer directement toutes les charges et d'ajouter tous les produits au compte « Capital »?

3-10 De quelle façon une entreprise peut-elle utiliser son argent? Donner pour chaque moyen les effets sur l'identité fondamentale.

3-11 Les banques s'intéressent beaucoup au montant de la participation financière d'un propriétaire d'entreprise dans celle-ci avant d'accepter de prêter de l'argent à cette entreprise. Pourquoi en est-il ainsi?

3-12 Que doit-on faire pour conserver intacte l'identité fondamentale, si:
a) on augmente un poste d'actif (3 réponses)?
b) on augmente le capital (3 réponses)?
c) on diminue un poste de passif (3 réponses)?
d) on diminue le capital (3 réponses)?
e) on augmente un poste de passif (2 réponses)?
f) on diminue un poste d'actif (3 réponses)?
g) on augmente un poste d'actif et on augmente un poste passif (3 réponses)?
h) on diminue un poste d'actif et on augmente un poste de passif (3 réponses)?
(Note: donner un exemple en chiffres à l'appui de chaque réponse).

3-13 Laquelle des définitions suivantes est la plus juste?
a) La comptabilité est l'art d'inscrire les transactions dans des livres ou registres dits comptables.
b) La comptabilité est l'art d'administrer de façon sage une entreprise grâce à l'interprétation d'états financiers de forme conventionnelle et de lecture facile.
c) La comptabilité est l'art de contrôler la conservation et l'utilisation des biens économiques engagés dans l'entreprise.
d) La comptabilité est l'art d'inscrire, de présenter et d'interpréter des données dites comptables.

3-14 Dans une entreprise donnée, l'actif est-il:
a) nécessairement égal au passif?
b) habituellement inférieur au capital?
c) habituellement supérieur au passif?

3-15 Le capital d'une entreprise est-il égal:
a) à l'excédent de l'actif sur le passif?
b) à l'excédent des produits sur les charges?
c) à l'excédent des mises de fonds sur les prélèvements?

Q3-16 Laquelle des situations suivantes est propre à une entreprise qui n'a pas de dettes?

    a) son actif est égal à son capital;

    b) ses produits sont égaux à ses charges;

    c) son encaisse est égal à ses stocks;

    d) ses immobilisations sont égales à son passif.

PROBLÈME À RÉSOUDRE

P3-17

a) Paiement d'un compte « Fournisseurs ».

b) Emprunt bancaire.

c) Compte « Clients » encaissé.

d) Mise de fonds additionnelle par le propriétaire.

e) Annonce dans les journaux payée.

f) Vente à crédit d'une immobilisation.

g) Marchandises défectueuses achetées à crédit et retournées au fournisseur.

h) Service rendu à un client, paiement comptant.

i) Achat de marchandises à crédit auprès d'un fournisseur.

j) Émission d'un chèque au nom du propriétaire à des fins personnelles.

1) Augmentation d'un actif accompagnée de la diminution d'un autre actif.

2) Augmentation d'un actif accompagnée de l'augmentation de l'avoir du propriétaire.

3) Augmentation d'un actif accompagnée de l'augmentation d'un passif.

4) Augmentation d'un actif accompagnée de l'augmentation d'un produit.

5) Diminution d'un actif accompagnée de la diminution d'un passif.

6) Diminution d'un actif accompagnée de la diminution de l'avoir du propriétaire.

7) Diminution d'un actif accompagnée de l'augmentation d'une charge.

8) Augmentation d'une charge accompagnée de l'augmentation d'un passif.

9) Diminution d'une charge accompagnée de la diminution d'un passif.

- Associer chacune des données de la deuxième colonne à une des opérations de la première colonne. (Note: il restera une donnée inutilisée dans la première colonne).

3-18 Étant donné les renseignements suivants:

Prélèvements	5 000 $
Ventes	100 000
Passif	35 000
Clients	25 000
Charges	25 000
Fournisseurs	10 000
Apports	7 000
Capital du début	37 000
Actif	x

- Trouver la valeur de x et donner les calculs à l'appui de la réponse.

3-19 Étant donné les renseignements suivants:

Stocks	6 000 $
Valeur nette	46 000
Encaisse	4 000
Charges constatées d'avance	500
Immobilisations	40 000
Clients	x
Passif	28 000
Placements — Obligations	15 000

- Trouver la valeur de x et donner les calculs à l'appui de la réponse.

3-20 Étant donné les renseignements suivants:

Prélèvements de l'année	5 000 $
Actif au 31-12-19__1	70 000
Produits de l'année	55 000
Passif au 31-12-19__1	37 000
Apports de l'année	15 000
Charges de l'année	45 000
Capital au 31-12-19__1	x

- Trouver la valeur de x et donner les calculs à l'appui de la réponse.

3-21 Étant donné les renseignements suivants:

Produits	85 000 $
Actif	130 000
Passif	60 000
Capital du début	60 000
Charges	x

- Trouver la valeur de x et donner les calculs à l'appui de la réponse.

P3-22 Voici la liste des valeurs (actives et passives) de M. Paul Vézina le 31-12-19__1.

Stock de marchandises	2 500 $
Stock de fournitures	300
Caisse	900
Fournisseurs	600
Clients	1 400
Mobilier de bureau	1 960

M. Vézina mentionne que son capital, à la même date, se chiffrait à 2 530 $.

● Déterminer le total du passif au 31-12-19__1.

P3-23

Actif du début	60 000 $
Passif du début	x
Produit	100 000
Capital de la fin	x
Charges	120 000
Apports	10 000
Prélèvements	20 000
Capital du début	x
Excédent des produits sur les charges	x
Actif de la fin	50 000
Passif de la fin	30 000

● Touver les valeurs de x.

P3-24 Voici cinq séries de renseignements:

a) Excédent des produits sur les charges	11 400 $
Capital au début de l'année	22 500
Capital à la fin de l'année	x
Prélèvements durant l'année	7 200
b) Capital à la fin de l'année	33 000 $
Prélèvements durant l'année	6 700
Excédent des produits sur les charges	18 300
Capital au début de l'année	x
c) Prélèvements durant l'année	x $
Capital à la fin de l'année	38 700
Excédent des produits sur les charges	7 700
Capital au début de l'année	46 400
d) Excédent des produits sur les charges	x $
Capital à la fin de l'année	25 600
Capital au début de l'année	22 500
Prélèvements durant l'année	7 200 $
e) Capital du début de l'année	48 600
Capital à la fin de l'année	58 000
Apports durant l'année	16 000
Excédent des produits sur les charges	x
Prélèvements durant l'année	4 800

● Trouver la valeur de x pour chacune des séries.

3-25 Étant donné les 9 situations suivantes:

1) augmentation d'un actif;
   augmentation du capital;

2) augmentation d'un actif;
   diminution d'un autre actif;

3) augmentation d'un actif;
   augmentation d'un passif;

4) diminution d'un actif;
   diminution d'un passif;

5) diminution d'un actif;
   diminution du capital;

6) augmentation d'un actif;
   diminution d'un autre actif;
   augmentation d'un passif;

7) augmentation d'un passif;
   diminution d'un autre passif;

8) diminution d'un actif;
   augmentation d'un passif;
   diminution d'un autre passif;

- Décrire une opération qui correspond à chaque situation.

3-26 01-09-19__1   Monsieur Sanpraublem ne possédait rien mais, un jour, il gagne 20 000 $ à la loterie. Il dépose ce montant à la banque et décide d'ouvrir une entreprise de lavage de vitrines. Son commerce aura comme raison sociale: « L'arroseur de vitrines Enr. »

02-09-19__1   Il achète pour 200 $ d'équipement et paie par chèque.

07-09-19__1   Il a encaissé et déposé à la banque toutes les recettes de la semaine, soit 400 $.

08-09-19__1   Il retire 100 $ à la banque de son commerce.

14-09-19__1   Il achète pour l'entreprise un camion au coût de 12 000 $. Il donne 2 000 $ comptant et emprunte 10 000 $ à la banque pour payer le solde.

15-09-19__1   Il achète 30 $ d'essence et paie avec la carte de crédit de l'entreprise.

16-09-19__1   Il a lavé une vitrine chez « Le Roi du Steak ». Ce dernier n'a pas encore payé sa facture de 50 $.

17-09-19__1   Il dépose ses recettes de la semaine, soit 600 $, excluant le paiement de « Le Roi du Steak ».

- Dresser la liste des comptes que Monsieur Sanpraublem a utilisés en indiquant leur solde au 30-09-19__1.

P3-27 Voici les opérations conclues par Robert Lachance, propriétaire d'une entreprise.
a) 01-03: dépôt de 120 000 $ au compte en banque de l'entreprise.
b) 02-03: achat au comptant d'un terrain au prix de 28 000 $ et d'un bâtiment au prix de 80 000 $.
c) 04-03: achat d'équipement de bureau chez Le Meuble Moderne, au prix de 6 000 $. Un paiement initial de 4 200 $ a été effectué, laissant un solde à payer dans les 30 jours suivants.
d) 05-03: achat d'équipement de bureau additionnel chez Paul Leduc, Ltée au prix de 4 000 $. Un paiement initial de 1 000 $ a été effectué. Le propriétaire a signé un billet en règlement du solde.
e) 04-04: paiement du compte « Fournisseurs » à Le Meuble Moderne.

- 1) Dresser un tableau après chacune des opérations, démontrant que l'identité fondamentale est en équilibre.

  2) Indiquer l'effet des opérations sur les différents éléments de l'actif, du passif et du capital (augmentation, diminution), tout en précisant le traitement comptable des opérations à l'aide des notions de débit et de crédit.

P3-28 Au début du mois d'octobre 19__1, la cordonnerie XYZ, dirigée par son propriétaire, M. B. Chossé, possédait l'actif suivant:

Caisse	1 830
Stock de marchandises	2 480
Outillage	1 930
Camion	800

À cette époque, la cordonnerie devait 800 $ à la compagnie « Maison du Cuir », son principal fournisseur.

Au cours du mois d'octobre, la cordonnerie a effectué les opérations suivantes.

1) Achat d'outillage additionnel: 250 $ comptant.

2) Achat de marchandise à crédit: 420 $.

3) Factures envoyées à des clients pour des travaux de réparation faits à crédit au montant de 950 $.

4) Paiement du montant dû au début du mois à la compagnie « Maison du Cuir ».

5) Ventes de chaussures « Spécialité Chossé »:
au comptant: 250 $ (coût 125 $)
à crédit: 325 $ (coût 165 $)

6) Reçu des clients pour les travaux de réparation mentionnés en 3: 735 $.

7) Vente d'un vieux camion inscrit aux livres au moment de la vente à 800 $. Le prix convenu entre M. B. Chossé et l'acheteur a été de 750 $, dont 500 $ comptant et un billet de 250 $ payable dans 30 jours.

8) Reçu des clients pour les ventes de chaussures dont il est question en 5: 300 $, soit 200 $ en argent et 100 $ d'obligations arrivant à échéance le 30-10-19__1.

9) Paiement au comptant des factures suivantes relatives à des services consommés durant le mois:

Chauffage	85 $
Publicité faite par la station de radio locale	35
Huile et essence	20
	140 $

10) Envoi d'un chèque de 200 $ pour le paiement de l'achat de marchandises mentionné en 2, avec un billet écrit promettant de payer le reste dans 60 jours.

11) M. B. Chossé tire un chèque de 450 $ sur le compte en banque de la cordonnerie pour régler des dépenses personnelles.

12) Paiement du loyer pour l'édifice occupé par la cordonnerie:

Octobre	120 $
Novembre et décembre	240
	360 $

- Montrer, à l'aide d'un tableau approprié, l'effet de ces opérations sur les éléments de l'identité fondamentale, en alignant comme il se doit les comptes d'actif, de passif et le capital.

3-29 M. Blanchard, à la veille de sa retraite, désire vendre sa brasserie « Chez Clo Clo » à M. Lavallée, en date du 31-12-19__3. Le prix de vente a été établi comme suit: le montant du capital au 31-12-19__3, plus le bénéfice moyen des 3 dernières années.

M. Blanchard n'étant pas comptable, il se perd dans les données et est incapable de déterminer le prix de vente convenu. Il fait donc appel à un comptable, à qui il fournit les renseignements suivants.

Il se souvient que le 01-01-19__1, son capital était de 20 000 $. En 19__1, ainsi que les années suivantes, il a prélevé à titre de salaire 25% du bénéfice net et il n'a fait aucun apport pendant cette année. Pour l'année 19__1, il ne se souvient plus du bénéfice, mais le comptable a trouvé un bilan daté du 31-12-19__1 où le capital s'élevait à 50 000 $.

Le 30-06-19__2, M. Blanchard a gagné 40 000 $ aux courses, qu'il a investis dans sa brasserie. M. Blanchard est incapable de se rappeler le capital au 31-12-19__2, mais son bénéfice en 19__2 était évalué à 50 000 $.

Au cours de 19__3, il reçoit un héritage de 20 000 $ dont la moitié a été investie en tables de billard et dont l'autre moitié lui a servi à acheter une automobile. De plus, il semble que son bénéfice en 19__3 a été de 10 000 $ plus élevé que le bénéfice de 19__2.

- Déterminer le prix de vente que M. Blanchard devrait demander pour la brasserie « Chez Clo Clo ».

3-30 Me B.A. Adam, avocat de Montréal, fait appel aux services d'un comptable, car il a de sérieux problèmes avec le ministère du Revenu. En effet, il a reçu un avis de cotisation d'impôt lui réclamant de réviser les revenus déclarés au cours des 5 dernières années, soit de la période commençant le 01-01-19___1 et finissant le 31-12-19___5.

Mᵉ Adam fournit à son comptable les renseignements suivants. Il a commencé à son compte le 01-01-19___1 avec 50 000 $ d'argent en caisse, 10 000 $ de mobilier et une dette envers son père de 20 000 $.

En 19___3, Mᵉ Adam a gagné 100 000 $ à la loterie, et cet argent fut investi dans son bureau pour l'achat de mobilier supplémentaire. Depuis 19___1, Mᵉ Adam a maintenu le rythme de vie annuel suivant:

Nourriture	4 000 $
Logement	11 000
Location d'automobile	3 000
Loisirs	1 000
Vêtements	5 000

Au 31-12-19___5, Mᵉ Adam a un capital de 400 000 $.

Mᵉ Adam informe le comptable qu'il a déclaré en toute bonne foi le bénéfice net suivant au ministère du Revenu.

19___1	35 000 $
19___2	57 000
19___3	64 000
19___4	76 000
19___5	48 000

- 1) Déterminer le bénéfice net réel de Mᵉ B.A. Adam pour la période du 01-01-19___1 au 31-12-19___5.

2) Établir le bénéfice non déclaré que Mᵉ B.A. Adam devra présenter être en règle avec le ministère du Revenu.

4 | Le fonctionnement du modèle comptable

Au chapitre précédent, nous avons conclu que la valeur totale des biens utilisés par une entreprise (l'actif) est égale à la valeur totale des dettes de cette même entreprise envers les tiers (le passif) plus le capital. Lorsque nous avons enregistré vingt opérations commerciales différentes par la reproduction, après chacune, d'une équation (A = P + C) en équilibre, nous avons constaté que l'égalité de cette identité fondamentale (Actif = Passif + Capital) est nécessaire. Mais le volume élevé des opérations commerciales réalisées chaque jour par la plupart des entreprises oblige à envisager une méthode plus rapide d'enregistrement comptable. C'est ainsi que nous avons utilisé les comptes en T. En les reliant aux notions de débit et de crédit, nous avons pu accélérer considérablement ce travail de comptabilisation. Cependant, cette façon de faire comporte certaines limites.

4.1 LES LIMITES DU SYSTÈME DES COMPTES EN T

Le risque d'erreur

L'enregistrement des débits et des crédits traduisant la même opération commerciale n'est pas consigné en un même endroit. Par le fait même, la comparaison mécanique ou presque instinctive des débits et des crédits pour en vérifier l'égalité n'est plus possible. À ce premier risque d'erreur vient s'en ajouter un second: plutôt que de débiter un compte et d'en créditer un autre, on risque soit de faire l'inverse, soit de les débiter tous les deux, soit encore de les créditer tous les deux. Bien sûr, ces erreurs sont attribuables à la distraction de la personne chargée de l'enregistrement. Mais, nul n'étant infaillible, il vaut mieux imaginer un système qui permet de réduire au minimum le risque d'erreur.

La découverte des erreurs

Avec le système des comptes en T, non seulement est-on susceptible de commettre de nombreuses erreurs mais, ce qui ajoute considérablement à la faiblesse de ce mode d'enregistrement, il est très difficile de découvrir une erreur lorsqu'elle a été commise. En effet, comment savoir quel compte aurait plutôt dû être un débit ou vice versa? Pour le savoir, il faudrait retrouver, pour chaque crédit et débit inscrit dans chaque compte, une description complète de l'opération commerciale en cause.

Évidemment, il est important de le souligner, moins le volume d'opérations commerciales est important, moins il est difficile de découvrir ces erreurs. Mais la majorité des entreprises réalisent plusieurs milliers d'opérations chaque année. Dans un tel cas, la découverte des erreurs dans le cadre d'un système de comptes en T devient une difficulté réelle et sérieuse.

L'analyse des opérations

Puisqu'un compte, considéré individuellement, ne permet pas l'explication des opérations qui ont permis de le débiter ou créditer, l'analyse des opérations commerciales s'en trouve d'autant plus compliquée. Encore une fois, il faut comprendre que, d'une part, certains comptes peuvent être affectés quotidiennement par plusieurs opérations et que, d'autre part, la liste des comptes d'une entreprise peut en comprendre plusieurs centaines.

La division du travail

L'enregistrement de chaque opération implique que tous les comptes doivent être disponibles. Le système des comptes en T suppose donc que tous ces comptes demeurent sous le contrôle constant d'une seule personne. Évidemment, comme on l'imagine facilement, c'est chose impossible.

Comment pallier toutes ces faiblesses? S'interroger ainsi consiste en fait à se demander comment utiliser les notions de compte, de débit et de crédit afin d'éliminer les difficultés liées non pas à la conceptualisation des principes mais plutôt à la mise en application de ceux-ci. En créant ce que nous nommerons le *journal général* et le *grand livre général*, nous trouverons une solution aux faiblesses inacceptables du système des comptes en T.

4.2 LE JOURNAL GÉNÉRAL

Définition

Le **journal général** est *un livre comptable dans lequel on inscrit et décrit les opérations commerciales en les présentant par ordre chronologique*. Ainsi, les opérations commerciales du premier jour du mois seront enregistrées dans le journal général avant celles du deuxième jour, et ainsi de suite.

Forme et contenu

Le tableau 4-1 représente une page d'un journal général. On constate que ce livre comptable fournit, sur chaque opération, les informations suivantes:

1) la date de l'opération;

2) les noms des comptes à débiter et à créditer;

3) la description de chaque opération;

4) les numéros de chacun des comptes affectés;

5) l'effet débiteur ou créditeur de l'opération sur les comptes mentionnés.

TABLEAU 4-1

Exemple de page d'un journal général

Date		Nom des comptes et description	Réf.	Débit	Crédit
		Page			
Année mois	jour	Nom du (des) compte(s) à débiter @ Nom du (des) compte(s) à créditer Description:	N° des comptes	$	$
	jour	Nom du (des) compte(s) à débiter @ Nom du (des) compte(s) à créditer Description: Etc.	N° des comptes	$	$

L'inscription des opérations

Voici comment on inscrit une opération commerciale dans le journal général.

1) *Date:* il faut d'abord inscrire l'année en haut de la première colonne. Le nom du mois doit figurer immédiatement dessous, dans la même colonne. On ne répète pas l'année et le mois sur chaque ligne. Il faut cependant donner ces détails sur la première ligne de chaque page et au début d'un nouveau mois ou d'une nouvelle année. Il faut ensuite, pour chaque opération, inscrire le quantième du mois dans la deuxième colonne sur la première ligne utilisée pour comptabiliser une opération.

2) *Nom des comptes et description:* les noms des comptes à débiter et à créditer et les notes explicatives doivent figurer dans la colonne intitulée « Nom des comptes et description ». Il faut inscrire en premier lieu les noms des comptes à débiter à partir de la colonne où figure la date. Les noms des comptes à créditer doivent être inscrits sur les lignes suivantes un peu plus bas que les comptes à débiter. Le signe comptable

@ indique que la liste des comptes à débiter est terminée et que la liste des comptes à créditer commence. Les notes explicatives doivent être courtes mais suffisamment explicites pour distinguer les opérations les unes des autres. Elles doivent être suffisamment claires et complètes de sorte qu'un nouveau comptable puisse, même des années plus tard, comprendre sans risque d'erreur ce qu'a voulu signifier son prédécesseur. Ces enregistrements portent le nom d'*écritures comptables*.

3) *Référence:* on indique ici le numéro de compte affecté. C'est le lien entre le journal général et le grand livre général. Lorsque, plus loin, nous décrirons le grand livre général, nous expliciterons l'importance de cette référence.

4) *Débit et crédit:* le montant à débiter doit figurer dans la colonne « Débit » sur la même ligne que le nom du compte à débiter. De même, le montant à créditer doit figurer dans la colonne « Crédit » sur la même ligne que le nom du compte à créditer.

Fonctionnement

Afin de mieux concrétiser comment un système comptable fondé sur l'utilisation d'un journal général peut remplacer le système des comptes en T, comptabilisons à l'aide d'un journal général les vingt opérations commerciales du Centre d'éducation physique et sportive du Québec décrites au chapitre précédent. Nous supposerons que la première opération commerciale s'est produite le premier janvier 19__1, et ainsi de suite. De plus, nous associerons aux comptes les numéros suivants.

Nom du compte	Numéro
Caisse	1
Terrain	2
Bâtiment	3
Assurance constatée d'avance	4
Mobilier et équipement	5
Placement en obligations	6
Billet à recevoir	7
Stock de marchandises	8
Clients	9
Hypothèque à payer	21
Emprunt de banque	22
Fournisseurs	23
Billet à payer	24
Capital	31
Apports	32
Prélèvements	33
Produits de location de terrain	41
Perte sur vente de stock de marchandises	51
Électricité	52
Chauffage	53
Intérêts sur hypothèque et emprunt	54
Publicité	55
Salaires	56

Ces opérations se lisent comme suit.

Première opération commerciale: 1er janvier 19__1

L'enregistrement légal de l'entreprise terminé, le propriétaire ouvre, au nom de cette dernière, un compte à la caisse populaire la plus proche et y dépose les 500 000 $ dont il dispose.

Deuxième opération commerciale: 2 janvier 19__1

On achète au comptant un immeuble au coût de 200 000 $. Ce montant comprend la valeur du terrain qui s'établit à 20 000 $.

Troisième opération commerciale: 3 janvier 19__1

Le propriétaire souscrit à une police d'assurance afin de protéger l'immeuble contre les risques d'incendie. La prime, qui s'élève à 2 000 $, est payée immédiatement.

Quatrième opération commerciale: 4 janvier 19__1

On achète, pour le Centre et en son nom, du mobilier et de l'équipement. Le coût de cet achat payé comptant est de 30 000 $.

Cinquième opération commerciale: 5 janvier 19__1

Le Centre achète des obligations émises par le gouvernement de la province de Québec. Ces obligations d'une valeur de 10 000 $ portent intérêt au taux de 13% l'an. Elles sont payées comptant par le Centre.

Sixième opération commerciale: 6 janvier 19__1

Le Centre vend à crédit à Monsieur Guy Larose un appareil d'entraînement, ce dernier ne correspondant pas exactement à l'idée qu'on en avait lorsqu'on avait acheté. Le prix de vente est égal au prix payé, soit 4 000 $. L'acheteur doit payer cette somme dans les 30 jours.

Septième opération commerciale: 7 janvier 19__1

Le Centre reçoit de Monsieur Guy Larose un chèque de 2 000 $ et un billet à six mois pour la différence, en règlement de l'achat de la pièce d'équipement.

Huitième opération commerciale: 8 janvier 19__1

Le Centre achète de Lacourse Inc., à crédit, de l'équipement additionnel d'une valeur de 16 000 $ payable dans 60 jours.

Neuvième opération commerciale: 9 janvier 19__1

Le Centre, en règlement de l'achat faisant l'objet de la huitième opération commerciale, décide d'envoyer immédiatement à Lacourse Inc.: a) un chèque de 10 000 $, b) un billet à 30 jours pour la différence.

Dixième opération commerciale: 10 janvier 19__1

Pour financer des travaux de rénovation intérieure, le Centre contracte un emprunt hypothécaire de 100 000 $ remboursable dans 20 ans.

Onzième opération commerciale: 11 janvier 19__1

Ayant préparé un budget des recettes et des débours pour les douze premiers mois d'exploitation du Centre, on constate que les sommes actuellement en banque ne seront pas suffisantes pour financer cette première année. Cet état de choses est principalement dû aux frais de la campagne de publicité du lancement et au délai inévitable entre le début officiel des activités et le début de la période des abonnements. On contracte donc un emprunt à court terme de la caisse populaire pour une somme de 40 000 $.

Douzième opération commerciale: 12 janvier 19—1
Paiement, avant échéance, du billet de 6 000 $.

Treizième opération commerciale: 13 janvier —1
Le Centre achète, pour 25 000 $, des articles de sport destinés à être revendus. Le règlement devra s'effectuer comme suit: 15 000 $ comptant, le solde dans 30 jours.

Quatorzième opération commerciale: 14 janvier 19—1
Le propriétaire verse au Centre, à même ses fonds personnels, une somme de 1 000 $.

Quinzième opération commerciale: 15 janvier 19—1
Le propriétaire donne au Centre du mobilier qui, jusque-là, lui appartenait personnellement. La valeur marchande de ce mobilier est de 4 000 $.

Seizième opération commerciale: 16 janvier 19—1
Le propriétaire paie, à même ses fonds personnels, les comptes « Fournisseurs » du Centre.

Dix-septième opération commerciale: 17 janvier 19—1
Le propriétaire prélève, à même les fonds de l'entreprise, une somme de 20 000 $ en argent.

Dix-huitième opération commerciale: 18 janvier 19—1
Les opérations du Centre ont permis d'encaisser jusqu'à maintenant 15 000 $ pour la location des différents terrains de tennis, squash et racquetball.

Dix-neuvième opération commerciale: 19 janvier 19—1
Les articles de sport qui ont été vendus jusqu'à maintenant ne l'ont pas toujours été au prix régulier. En effet, afin de créer une certaine clientèle, on a décidé de vendre légèrement en deçà du prix coûtant tous les vêtements de sport en stock. La composition des ventes depuis le début des opérations se présente comme suit (toutes ces ventes sont faites au comptant).

	Coût	Prix de vente
Articles à prix réduit	5 000 $	4 000 $
Articles à prix régulier	1 000	1 500
Ventes totales	6 000 $	5 500 $

Vingtième opération commerciale: 20 janvier 19—1
Les charges encourues par le Centre depuis l'ouverture jusqu'à ce jour se présentent comme suit.

Salaires	18 000
Électricité	1 000
Chauffage	1 200
Intérêt sur l'hypothèque à payer et l'emprunt de la banque	1 300
Publicité	3 000
Total des charges	24 500

Les salaires sont entièrement versés aux employés. Par contre, aucune des autres charges indiquées n'a encore été payée.

Date		Nom des comptes et description	Réf.	Débit	Crédit
					Page 1
19__1 Janvier	1ᵉʳ	Caisse	1	500 000 $	
		@ Capital	31		500 000 $
		(Pour inscrire la mise initiale du propriétaire dans son entreprise « Centre d'éducation physique et sportive du Québec »)			
	2	Terrain	2	20 000 $	
		Bâtiment	3	180 000	
		@ Caisse	1		200 000 $
		(Pour inscrire l'achat au comptant d'un terrain de 20 000 $ et d'un immeuble de 180 000 $)			
	3	Assurance constatée d'avance	4	2 000 $	
		@ Caisse	1		2 000 $
		(Pour inscrire le paiement comptant d'une police d'assurance contre les risques d'incendie)			
	4	Mobilier et équipement	5	30 000 $	
		@ Caisse	1		30 000 $
		(Achat comptant de mobilier et équipement)			
	5	Placement en obligations	6	10 000 $	
		@ Caisse	1		10 000 $
		(Achat au comptant d'obligations émises par le gouvernement du Québec. Ces obligations portent intérêt au taux de 13% l'an.)			

				Page 2	
Date		Nom des comptes et description	Réf.	Débit	Crédit
19__1 Janvier	6	Clients	9	4 000 $	
		@ Mobilier et équipement	5		4 000 $
		(Vente à crédit à Monsieur Guy Larose de 4 000 $ de mobilier et équipement. Le délai pour le paiement est fixé à 30 jours.)			
	7	Caisse	1	2 000 $	
		Billet à recevoir	7	2 000	
		@ Clients	9		4 000 $
		(Règlement du compte « Clients » de Monsieur Larose comme suit: 2 000 $ comptant, 2 000 $ dans six mois. Un billet a été signé à cet effet.)			
	8	Mobilier et équipement	5	16 000 $	
		@ Fournisseurs	23		16 000 $
		(Achat de Lacourse Inc., à crédit, d'équipement d'une valeur de 16 000 $ aux conditions suivantes: payable dans 60 jours)			
	9	Fournisseurs	23	16 000 $	
		@ Caisse	1		10 000 $
		Billet à payer	24		6 000 $
		(Règlement du compte « Fournis-seurs » à Lacourse Inc. comme suit: 10 000 $ comptant et un billet à 30 jours pour la différence)			

			Page 3		
Date		Nom des comptes et description	Réf.	Débit	Crédit
19__1 Janvier	10	Caisse @ Hypothèque à payer (Signature d'un emprunt hypothécaire de 100 000 $ remboursable dans 20 ans)	1 21	100 000 $	 100 000 $
	11	Caisse @ Emprunt de banque (Emprunt à court terme de la caisse populaire « X » pour une somme de 40 000 $)	1 22	40 000 $	 40 000 $
	12	Billet à payer @ Caisse (Paiement à Lacourse Inc. du billet à payer de 6 000 $)	24 1	6 000 $	 6 000 $

	13	Stock de marchandises
		    @ Caisse
		        Fournisseurs
		
		(Achat d'articles de sport, destinés à être revendus, pour un montant de 25 000 $. Le règlement s'effectue comme suit: 15 000 $ comptant, le solde dans 30 jours.)
			8
			1
			23
				25 000 $	
					15 000 $
					10 000 $

	14	Caisse @ Apports (Versement au Centre par le propriétaire, à même ses fonds personnels, d'une somme de 1 000 $)	1 32	1 000 $	 1 000 $

			Nom des comptes et description	Réf.	Débit	Crédit
				Page 4		
Date			Nom des comptes et description	Réf.	Débit	Crédit
19__1 Janvier	15		Mobilier et équipement	5	4 000 $	
			@ Apports	32		4 000 $
			(Don de mobilier et équipement à l'entreprise par le propriétaire, d'une valeur de 4 000 $)			
	16		Fournisseurs	23	10 000 $	
			@ Apports	32		10 000 $
			(Paiement par le propriétaire à même ses fonds personnels des comptes « Fournisseurs » du Centre)			
	17		Prélèvements	33	20 000 $	
			@ Caisse	1		20 000 $
			(Retrait par le propriétaire, à des fins personnelles, d'une somme de 20 000 $ en argent)			
	18		Caisse	1	15 000 $	
			@ Produits de location de terrain	41		15 000 $
			(Encaissement des revenus pour la location des différents terrains de tennis, squash et racquetball jusqu'à maintenant)			
	19		Caisse	1	5 500 $	
			Perte sur vente de stock de marchandises	51	500 $	
			@ Stock de marchandises	8		6 000 $
			(Pour comptabiliser le résultat net de la vente d'articles de sport)			

		Nom des comptes et description			Page 5	
Date		Nom des comptes et description	Réf.	Débit	Crédit	
19__1 Janvier	20	Électricité	52	1 000 $		
		Chauffage	53	1 200		
		Intérêts sur hypothèque et emprunt	54	1 300		
		Publicité	55	3 000		
		Salaires	56	18 000		
		@ Caisse	1		18 000 $	
		Fournisseurs	23		6 500	
		(Enregistrement des charges encourues par le Centre depuis l'ouverture jusqu'à maintenant. Les salaires sont entièrement payés aux employés. Par contre, aucune des autres charges n'a encore été payée.)				

4.3 LE GRAND LIVRE GÉNÉRAL

L'utilisation d'un journal général permet de minimiser les faiblesses de la méthode des comptes en T, faiblesses que nous avons expliquées au début de ce chapitre: risque d'erreur élevé, difficulté de découvrir les erreurs, analyse difficile des opérations et impossibilité de diviser le travail. Cependant, en résolvant ces problèmes, nous en avons créé un autre: nous ne connaissons plus le solde de chacun des comptes de l'entreprise. De plus, nous ne retrouvons pas, d'un simple coup d'oeil, l'ensemble des opérations commerciales qui ont affecté chacun de ces comptes. Pour corriger cette situation, nous devons inscrire dans chaque compte tous les débits et tous les crédits qui l'on affecté et, en faisant la différence entre la somme des débits (ou crédits) et la somme des crédits (ou débits), nous obtiendrons un solde débiteur (ou créditeur). L'ajout d'un autre livre comptable, le grand livre général, au journal général devient alors nécessaire.

Définition

Le **grand livre général** est *le livre comptable qui contient tous les comptes de l'entreprise*. Chaque compte est représenté par une page du grand livre général.

Forme et contenu

Le tableau 4-2 représente une page du grand livre général. On constate que ce livre comptable permet de donner les détails suivants portant sur chaque compte de l'entreprise.

119

1) *le nom du compte et son numéro:* chaque page du grand livre général représente un compte différent. Le numéro du compte, qui lui est arbitrairement assigné, sert de référence lorsque ce compte est débité ou crédité dans le journal général.

2) *La date:* on y inscrit la date d'enregistrement aux livres. Ainsi, une facture portant la date du 30 mars peut n'avoir été reçue par l'entreprise que le 4 avril. Par conséquent, nous devons inscrire dans la colonne « Date »: 4 avril.

3) *Les explications:* cette partie du compte n'est utilisée que s'il y a avantage ou nécessité. Normalement, toutes les explications nécessaires étant déjà inscrites au journal général, la colonne « Explications » est alors inutilisée.

4) *La référence*: on y inscrit de quelle page du journal général provient chaque montant inscrit dans la compte.

5) *Le débit et le crédit:* lorsque l'on veut débiter le compte, on place le montant en cause dans la colonne « Débit ». Lorsqu'on veut le créditer, on utilise alors la colonne « Crédit ».

6) *le solde du compte:* on y indique la différence entre le débit et le crédit du compte. Un solde est débiteur si le débit est plus élevé que le crédit. Il est créditeur si le crédit dépasse le débit.

7) *Le sens du solde:* la dernière colonne « DT ou CT », indique si le solde est débiteur ou créditeur. S'il est débiteur, on inscrira « DT » et s'il est créditeur, on inscrira « CT ».

TABLEAU 4-2

Exemple de page du grand livre général

Nom du compte				N° du compte			
Date		Explications	Réf.	Débit	Crédit	Solde	DT ou CT
Année Mois	Jour						

La classification des comptes

Habituellement, les comptes sont présentés au grand livre général dans l'ordre suivant: d'abord les comptes d'actif, ensuite les comptes de passif, et ensuite le capital. Ces comptes sont classés sous l'appellation générique de *comptes de valeurs*. Viennent ensuite, dans l'ordre, les comptes dont le rôle est de faire connaître les causes de variations du capital au cours d'une période: les *comptes d'apports, de prélèvements, de produits* et *de charges*.

L'inscription des opérations

Après avoir comptabilisé les opérations commerciales dans le journal général, il faut les reporter, c'est-à-dire les transcrire, dans le grand livre général. On parle alors généralement de *reports du journal général au grand livre général*. Voici la marche à suivre pour effectuer ces reports pour chaque écriture comptable du journal général:

1) trouver dans le grand livre général le compte dont le nom figure au débit de l'écriture de journal;

2) inscrire à ce compte: a) la date de l'opération, c'est-à-dire celle qui apparaît au journal général, b) le numéro de la page du journal d'où provient l'écriture, précédé de la lettre « J » pour désigner « Journal général[1] », et c) le montant à débiter;

3) calculer l'effet du débit sur le solde du compte et inscrire le nouveau solde;

4) répéter les étapes précédentes pour la partie créditrice de l'écriture.

Fonctionnement

Pour comprendre le résultat de ce travail de report des écritures du journal général au grand livre général, nous allons étudier la façon dont se présentent les comptes du grand livre général, après avoir reporté à celui-ci les vingt écritures inscrites précédemment au journal général.

Caisse							N° 1
Date		Explications	Réf.	Débit	Crédit	Solde	DT ou CT
19__1 Janvier	1er		J-1	500 000 $		500 000 $	DT
	2		J-1		200 000 $	300 000	DT
	3		J-1		2 000	298 000	DT
	4		J-1		30 000	268 000	DT
	5		J-1		10 000	258 000	DT
	7		J-2	2 000		260 000	DT
	9		J-2		10 000	250 000	DT
	10		J-3	100 000		350 000	DT
	11		J-3	40 000		390 000	DT
	12		J-3		6 000	384 000	DT
	13		J-3		15 000	369 000	DT
	14		J-3	1 000		370 000	DT
	17		J-4		20 000	350 000	DT
	18		J-4	15 000		365 000	DT
	19		J-4	5 500		370 500	DT
	20		J-5		18 000	352 500	DT

[1] On trouve également les abréviations J.G. pour désigner le journal général.

Terrain						N° 2	
Date		Explications	Réf.	Débit	Crédit	Solde	DT ou CT
19__1 Janvier	2		J-1	20 000 $		20 000 $	DT

Bâtiment						N° 3	
Date		Explications	Réf.	Débit	Crédit	Solde	DT ou CT
19__1 Janvier	2		J-1	180 000 $		180 000 $	DT

Assurance constatée d'avance						N° 4	
Date		Explications	Réf.	Débit	Crédit	Solde	DT ou CT
19__1 Janvier	3		J-1	2 000 $		2 000 $	DT

Mobilier et équipement							N° 5
Date	Explications	Réf.	Débit	Crédit	Solde	DT ou CT
19__1 Janvier 4		J-1	30 000 $		30 000 $	DT
6		J-2		4 000 $	26 000	DT
8		J-2	16 000		42 000	DT
15		J-4	4 000		46 000	DT

Placement en obligations							N° 6
Date	Explications	Réf.	Débit	Crédit	Solde	DT ou CT
19__1 Janvier 5		J-1	10 000 $		10 000 $	DT

Billet à recevoir							N° 7
Date	Explications	Réf.	Débit	Crédit	Solde	DT ou CT
19__1 Janvier 7		J-2	2 000 $		2 000 $	DT

Stock de marchandises						N° 8
Date		Explications	Réf.	Débit	Crédit	Solde	DT ou CT
19__1 Janvier	13 19		J-3 J-4	25 000 $	6 000 $	25 000 $ 19 000	DT DT

Clients						N° 9
Date		Explications	Réf.	Débit	Crédit	Solde	DT ou CT
19__1 Janvier	6 7		J-2 J-2	4 000 $	4 000 $	4 000 $ Nil	DT —

Hypothèque à payer						N° 21
Date		Explications	Réf.	Débit	Crédit	Solde	DT ou CT
19__1 Janvier	10		J-3		100 000 $	100 000 $	CT

Emprunt de banque							N° 22
Date		Explications	Réf.	Débit	Crédit	Solde	DT ou CT
19__1 Janvier	11		J-3		40 000 $	40 000 $	CT

Fournisseurs							N° 23
Date		Explications	Réf.	Débit	Crédit	Solde	DT ou CT
19__1 Janvier	8		J-2		16 000 $	16 000 $	CT
	9		J-2	16 000 $		Nil	—
	13		J-3		10 000	10 000	CT
	16		J-4	10 000		Nil	—
	20		J-5		6 500	6 500	CT

Billet à payer							N° 24
Date		Explications	Réf.	Débit	Crédit	Solde	DT ou CT
19__1 Janvier	9		J-2		6 000 $	6 000 $	CT
	12		J-3	6 000 $		Nil	—

Capital							N° 31
Date		Explications	Réf.	Débit	Crédit	Solde	DT ou CT
19__1 Janvier	1er		J-1		500 000 $	500 000 $	CT

Apports							N° 32
Date		Explications	Réf.	Débit	Crédit	Solde	DT ou CT
19__1 Janvier	14		J-3		1 000 $	1 000 $	CT
	15		J-4		4 000	5 000	CT
	16		J-4		10 000	15 000	CT

Prélèvements							N° 33
Date		Explications	Réf.	Débit	Crédit	Solde	DT ou CT
19__1 Janvier	17		J-4	20 000 $		20 000 $	DT

Produits de location de terrain							N° 41
Date		Explications	Réf.	Débit	Crédit	Solde	DT ou CT
19__1 Janvier	18		J-4		15 000 $	15 000 $	CT

Perte sur vente de stock de marchandises							N° 51
Date		Explications	Réf.	Débit	Crédit	Solde	DT ou CT
19__1 Janvier	19		J-4	500 $		500 $	DT

Électricité							N° 52
Date		Explications	Réf.	Débit	Crédit	Solde	DT ou CT
19__1 Janvier	20		J-5	1 000 $		1 000 $	DT

Chauffage						N 53
Date		Explications	Réf.	Débit	Crédit	Solde	DT ou CT
19__1 Janvier	20		J-5	1 200 $		1 200 $	DT

Intérêts sur hypothèque et emprunt						N° 54
Date		Explications	Réf.	Débit	Crédit	Solde	DT ou CT
19__1 Janvier	20		J-5	1 300 $		1 300 $	DT

Publicité						N° 55
Date		Explications	Réf.	Débit	Crédit	Solde	DT ou CT
19__1 Janvier	20		J-5	3 000 $		3 000 $	DT

Salaires							N° 56
Date		Explications	Réf.	Débit	Crédit	Solde	DT ou CT
19__1 Janvier	20		J-5	18 000 $		18 000 $	DT

Les références

Lorsqu'un compte du grand livre général est affecté, la page du journal général d'où est issue cette affectation est portée à la colonne « Référence » du compte. Par exemple, J-1 signifie: journal général, page 1. Ce renvoi rappelle au lecteur du compte désireux d'obtenir des renseignements supplémentaires qu'il doit lire le journal général à la page 1. D'autre part, le numéro d'identification du compte au grand livre général est porté au journal général, près du montant, dans la colonne « Référence ». Souvent, cette inscription n'est faite qu'au moment du report, ce qui permet de distinguer des autres les écritures déjà transcrites au grand livre général. Ce numéro indique au lecteur du journal général à quel endroit le compte touché se trouve dans le grand livre général. Les colonnes « Référence » jouent donc un rôle fort important en comptabilité. Premièrement, par les renvois, elles relient entre eux le journal général et le grand livre général. Deuxièmement, elles indiquent au lecteur du grand livre général dans quel journal et à quelle page il peut trouver des explications supplémentaires, si la nécessité s'en fait sentir. Enfin, elles guident le vérificateur dans son examen des livres de l'entreprise tout en accélérant son travail.

4.4 LA BALANCE DE VÉRIFICATION

La comptabilisation des opérations commerciales à l'aide d'écritures comptables au journal général et le report de celles-ci au grand livre général nous aura permis de reconstituer le solde, tantôt débiteur, tantôt créditeur, de chacun des comptes de l'entreprise. Les résultats obtenus ici sont donc en tous points identiques à ceux que nous a permis d'atteindre la comptabilisation des opérations directement dans des comptes en T appropriés (voir le chapitre précédent). Cependant, les faiblesses du système des comptes en T ont été éliminées; nous les avons analysées au début de ce chapitre. Une fois le solde de chacun des comptes du grand livre général établi, le comptable passe à l'étape suivante de son travail: établir une balance de vérification.

Définition

Une **balance de vérification** est *la liste de tous les comptes d'un grand livre général, avec leur solde, en vue de vérifier l'exactitude arithmétique de ce grand livre.* En effet, puisque chaque écriture de journal présente un total des débits égal au total des crédits, il en résulte que ce total des débits est identique au total des crédits lorsqu'on considère toutes les écritures dans leur ensemble. Puisque les soldes des comptes du grand livre sont la conséquence des écritures de journal, le total des soldes débiteurs doit nécessairement être identique au total des soldes créditeurs. Sinon, une ou plusieurs erreurs se sont glissées dans le travail préalablement accompli.

Forme et contenu

L'établissement d'une balance de vérification nécessite l'accomplissement des tâches suivantes:

1) déterminer le solde de chacun des comptes du grand livre;

2) dresser une liste de tous les comptes avec leur solde (inscrire les soldes débiteurs et les soldes créditeurs dans deux colonnes distinctes);

3) additionner les soldes débiteurs;

4) additionner les soldes créditeurs;

5) comparer le total des soldes débiteurs avec le total des soldes créditeurs pour s'assurer de leur égalité.

Ainsi, la balance de vérification des comptes du grand livre général du Centre d'éducation physique et sportive du Québec au 20 janvier 19__1 se présente comme au tableau 4-3.

La preuve fournie par la balance de vérification

Si, lors de l'établissement d'une balance de vérification, le total des soldes débiteurs n'est pas égal au total des soldes créditeurs, des erreurs se sont produites 1) soit lorsqu'on a comptabilisé les opérations, 2) soit lorsqu'on a reporté les écritures du journal général au grand livre général, 3) soit lorsqu'on a déterminé les soldes des comptes, 4) soit lorsqu'on a transcrit ces soldes dans la balance de vérification, 5) soit lorsqu'on a additionné les soldes figurant dans les deux colonnes de chiffres ou 6) lors de plusieurs étapes du travail à la fois. Quand les totaux d'une balance de vérification sont identiques, il est permis de supposer qu'aucune erreur ne s'est produite. Cependant, l'égalité existant entre le total des soldes débiteurs et le total des soldes créditeurs n'est pas une preuve absolue de l'absence de toute erreur. En effet, toute erreur n'entraînant pas un déséquilibre entre les débits et les crédits ne peut être identifiée par la balance de vérification. Ces erreurs peuvent être la conséquence d'une omission: par exemple, une écriture inscrite au journal général a pu ne pas être reportée au grand livre général, une opération commerciale a pu ne pas être enregistrée au journal général. Mais il peut aussi s'agir d'erreurs d'inscription: par exemple, l'enregistrement, au débit et au crédit, d'un montant inexact au journal général, ou le report du journal au grand livre d'un montant erroné pour le débit et le crédit d'une même écriture. Il se peut aussi que l'enregistrement au journal ou le report au grand livre aient été effectués en affectant les mauvais comptes. Enfin, on peut imaginer qu'une erreur au débit puisse être annulée par une erreur du même montant au crédit.

TABLEAU 4-3

Centre d'éducation physique et sportive du Québec
Balance de vérification
au 20 janvier 19__1

Nom des comptes	Débit	Crédit
Caisse	352 500 $	
Terrain	20 000	
Bâtiment	180 000	
Assurance constatée d'avance	2 000	
Mobilier et équipement	46 000	
Placement en obligations	10 000	
Billet à recevoir	2 000	
Stock de marchandises	19 000	
Hypothèque à payer		100 000 $
Emprunt de banque		40 000
Fournisseurs		6 500
Capital		500 000
Apports		15 000
Prélèvements	20 000	
Produits de location de terrain		15 000
Perte sur vente de stock de marchandises	500	
Électricité	1 000	
Chauffage	1 200	
Intérêts sur hypothèque et emprunt	1 300	
Publicité	3 000	
Salaires	18 000	
	676 500 $	676 500 $

RÉSUMÉ

L'utilisation des comptes en T pour l'enregistrement des opérations commerciales présente des lacunes inacceptables. Pour résoudre ce problème, il faut utiliser les mêmes notions (débit, crédit et compte) mais dans un environnement concret différent. C'est ainsi que le journal général et le grand livre général ont pris naissance. Le premier indique chronologiquement le détail de chaque opération; le second est une reproduction fidèle de chacun des comptes. Dans ce chapitre, nous avons illustré le fonctionnement de ces livres comptables en justifiant leurs utilisations.

PROBLÈME À SOLUTION COMMENTÉE

PROBLÈME 4-A **De l'écriture de journal à la balance de vérification par l'intermédiaire du grand livre général.**

Le 1er février 19__1, Monsieur Joseph Lemire commence à exercer sa profession d'expert-comptable avec une somme de 30 000 $. Voici les opérations commerciales conclues pendant ce mois.

01-02-19__1   Achat comptant de la clientèle (achalandage) d'un confrère, évaluée à 20 000 $.

02-02-19__1   Paiement du loyer du mois de février, 200 $.

04-02-19__1   Achat à crédit du mobilier de bureau d'une valeur de 3 100 $.

05-02-19__1   Finalisation d'un travail comptable et réception des honoraires, 650 $.

06-02-19__1   Paiement au journal Le Brouillon de l'insertion de sa carte d'affaires durant le mois, 100 $.

08-02-19__1   Réception de la facture de l'Imprimerie Royale pour la papeterie commandée, 300 $.

09-02-19__1   Émission d'un chèque en paiement de la facture du 8 courant.

10-02-19__1   Expédition des comptes d'honoraires professionnels pour des travaux effectués à ce jour, 8 260 $.

11-02-19__1   M. Lemire veut faire inscrire dans ses livres une dette sur billet qu'il a contractée personnellement avant de commencer ses activités et qui lui a permis de se lancer en affaires, soit 25 000 $. (Il n'avait en réalité que 5 000 $ de capital personnel).

13-02-19__1   Paiement comptant d'une commande de fournitures de bureau à Granger Frères, 217 $.

14-02-19__1   Achat à crédit d'une automobile, 10 150 $.

14-02-19__1   Paiement des salaires de la semaine, 1 750 $.

15-02-19＿1　Paiement de sa cotisation professionnelle annuelle, 350 $.

15-02-19＿1　M. Lemire engage une sténo-dactylo au salaire de 300 $ par semaine.

16-02-19＿1　Paiement de la taxe d'affaires à la Ville de Montréal pour l'année, 200 $.

17-02-19＿1　Réception de chèques de clients totalisant 4 010 $ en paiement d'honoraires déjà facturés.

18-02-19＿1　Paiement des factures du garagiste pour les frais d'automobile (comprenant l'essence, les réparations, etc.), 90 $.

19-02-19＿1　M. Lemire retire 500 $ pour son usage personnel.

20-02-19＿1　Versement d'un acompte de 1 500 $ sur son achat d'automobile du 14.

20-02-19＿1　M. Lemire s'engage à vérifier dans un mois les livres de la Compagnie X, Ltée.

20-02-19＿1　M. Lemire reçoit une somme de 10 000 $ en héritage, somme qu'il apporte dans son entreprise.

23-02-19＿1　Un client tarde à payer son compte et le bureau obtient un billet de 500 $.

25-02-19＿1　Réception du compte du Cercle universitaire où il amène ses clients dîner, 80 $.

26-02-19＿1　Paiement de la facture du téléphone, 70 $.

27-02-19＿1　Paiement de la facture d'électricité, 30 $.

28-02-19＿1　Paiement des salaires des employés, 2 050 $.

28-02-19＿1　Paiement des intérêts sur le billet du 11, 150 $.

On demande

1) Enregistrer les opérations qui précèdent sous forme d'écritures de journal dans le journal général.
2) Faire les reports dans le grand livre général.
3) Dresser la balance de vérification au 28-02-19＿1.

Solution commentée

1) Enregistrement des opérations dans le journal général

Date			Nom des comptes et description	Réf.	Débit	Crédit
19__1 Février	1		Caisse	100	30 000 $	
			@ Capital — M. Lemire	110		30 000 $
			(Versement initial de M. Lemire à son entreprise)			
	1		Achalandage	105	20 000 $	
			@ Caisse	100		20 000 $
			(Achat de la clientèle d'un confrère)			
	2		Loyer	201	200 $	
			@ Caisse	100		200 $
			(Paiement du loyer de février 19__1)			
	4		Mobilier de bureau	103	3 100 $	
			@ Fournisseurs	106		3 100 $
			(Achat à crédit de mobilier de bureau)			
	5		Caisse	100	650 $	
			@ Honoraires — Produits	200		650 $
			(Encaissement d'honoraires)			
	6		Publicité	202	100 $	
			@ Caisse	100		100 $
			(Paiement au journal Le Brouillon)			
	8		Papeterie	203	300 $	
			@ Fournisseurs	106		300 $
			(Achat de papeterie de l'Imprimerie Royale)			
	9		Fournisseurs	106	300 $	
			@ Caisse	100		300 $
			(Paiement de la facture du 8 courant)			
	10		Honoraires à recevoir	101	8 260 $	
			@ Honoraires — Produits	200		8 260 $
			(Expédition de comptes pour travaux terminés)			
	11		Capital — M. Lemire	110	25 000 $	
			@ Billet à payer	107		25 000 $
			(Prise en charge d'une dette personnelle de M. Lemire)			

Page J-1

Date		Nom des comptes et description	Réf.	Débit	Crédit
		Page J-2			
19__1 Février	13	Fournitures de bureau @ Caisse (Paiement de fournitures achetées de Granger et Frères)	204 100	217 $	217 $
	14	Automobile @ Fournisseurs (Achat à crédit d'une automobile)	104 106	10 150 $	10 150 $
	14	Salaires @ Caisse (Paiement des salaires de la semaine)	205 100	1 750 $	1 750 $
	15	Cotisation professionnelle @ Caisse (Paiement de la cotisation professionnelle)	206 100	350 $	350 $
	15	Embauchage sténo-dactylo: aucune écriture, car ce salaire n'est pas encore dû.			
	16	Taxe d'affaires @ Caisse (Paiement de la taxe d'affaires)	207 100	200 $	200 $
	17	Caisse @ Honoraires à recevoir (Encaissement d'honoraires à recevoir)	100 101	4 010 $	4 010 $
	18	Frais d'automobile @ Caisse (Paiement des factures du garagiste)	208 100	90 $	90 $
	19	Prélèvements @ Caisse (Retrait de M. Lemire)	108 100	500 $	500 $
	20	Fournisseurs @ Caisse (Versement d'un acompte de 1 500 $ sur l'achat de l'automobile)	106 100	1 500 $	1 500 $
	20	Contrat de vérification avec la Compagnie X, Ltée: aucune écriture puisqu'aucun travail n'a encore été effectué.			

			Nom des comptes et description	Réf.	Débit	Crédit
						Page J-3
Date			Nom des comptes et description	Réf.	Débit	Crédit
19__1 Février	23		Caisse	100	10 000 $	
			@ Apports	109		10 000 $
			(Versement par M. Lemire de 10 000 $ à son entreprise)			
	24		Billet à recevoir	102	500 $	
			@ Honoraires à recevoir	101		500 $
			(Signature d'un billet par un client)			
	25		Frais de représentation	209	80 $	
			@ Fournisseurs	106		80 $
			(Réception du compte du « Cercle Universitaire »)			
	26		Téléphone	210	70 $	
			@ Caisse	100		70 $
			(Paiement de la facture du téléphone)			
	27		Électricité	211	30 $	
			@ Caisse	100		30 $
			(Paiement de la facture d'électricité)			
	28		Salaires	205	2 050 $	
			@ Caisse	100		2 050 $
			(Paiement des salaires des employés)			
	28		Intérêts	212	150 $	
			@ Caisse	100		150 $
			(Paiement des intérêts sur le billet à payer enregistré le 11 courant)			

2) *Reports du journal général au grand livre général*

Caisse							N 100
Date		Explications	Réf.	Débit	Crédit	Solde	DT ou CT
19__1 Février	1		J-1	30 000 $		30 000 $	DT
	1		J-1		20 000 $	10 000	DT
	2		J-1		200	9 800	DT
	5		J-1	650		10 450	DT
	6		J-1		100	10 350	DT
	9		J-1		300	10 050	DT
	13		J-2		217	9 833	DT
	14		J-2		1 750	8 083	DT
	15		J-2		350	7 733	DT
	16		J-2		200	7 533	DT
	17		J-2	4 010		11 543	DT
	18		J-2		90	11 453	DT
	19		J-2		500	10 953	DT
	20		J-2		1 500	9 453	DT
	23		J-3	10 000		19 453	DT
	26		J-3		70	19 383	DT
	27		J-3		30	19 353	DT
	28		J-3		2 050	17 303	DT
	28		J-3		150	17 153	DT

Honoraires à recevoir							N° 101
Date		Explications	Réf.	Débit	Crédit	Solde	DT ou CT
19__1 Février	10		J-1	8 260 $		8 260 $	DT
	17		J-2		4 010 $	4 250	DT
	24		J-3		500	3 750	DT

Billet à recevoir							N° 102
Date		Explications	Réf.	Débit	Crédit	Solde	DT ou CT
19__1 Février	24		J-3	500 $		500 $	DT

Mobilier de bureau							N° 103
Date		Explications	Réf.	Débit	Crédit	Solde	DT ou CT
19__1 Février	4		J-1	3 100 $		3 100 $	DT

Automobile							N° 104
Date		Explications	Réf.	Débit	Crédit	Solde	DT ou CT
19__1 Février	14		J-2	10 150 $		10 150 $	DT

Achalandage							N° 105
Date		Explications	Réf.	Débit	Crédit	Solde	DT ou CT
19__1 Février	1		J-1	20 000 $		20 000 $	DT

Fournisseurs						N° 106
Date		Explications	Réf.	Débit	Crédit	Solde	DT ou CT
19__1 Février	4		J-1		3 100 $	3 100 $	CT
	8		J-1		300	3 400	CT
	9		J-1	300 $		3 100	CT
	14		J-2		10 150	13 250	CT
	20		J-2	1 500		11 750	CT
	25		J-3		80	11 830	CT

Billet à payer						N° 107
Date		Explications	Réf.	Débit	Crédit	Solde	DT ou CT
19__1 Février	11		J-1		25 000 $	25 000 $	CT

Prélèvements						N° 108
Date		Explications	Réf.	Débit	Crédit	Solde	DT ou CT
19__1 Février	19		J-2	500 $		500 $	DT

Apports						N° 109
Date		Explications	Réf.	Débit	Crédit	Solde	DT ou CT
19__1 Février	23		J-3		10 000 $	10 000 $	CT

Capital						N° 110
Date	Explications	Réf.	Débit	Crédit	Solde	DT ou CT
19__1 Février 1		J-1		30 000 $	30 000 $	CT
11		J-1	25 000 $		5 000	CT

Honoraires — Produits						N° 200
Date	Explications	Réf.	Débit	Crédit	Solde	DT ou CT
19__1 Février 5		J-1		650 $	650 $	CT
10		J-1		8 260	8 910	CT

Loyer						N° 201
Date	Explications	Réf.	Débit	Crédit	Solde	DT ou CT
19__1 Février 2		J-1	200 $		200 $	DT

Publicité						N° 202
Date	Explications	Réf.	Débit	Crédit	Solde	DT ou CT
19__1 Février 6		J-1	100 $		100 $	DT

Papeterie						N° 203
Date	Explications	Réf.	Débit	Crédit	Solde	DT ou CT
19__1 Février 8		J-1	300 $		300 $	DT

Fournitures de bureau					N 204

Date		Explications	Réf.	Débit	Crédit	Solde	DT ou CT
19__1 Février	13		J-2	217 $		217 $	DT

Salaires					N 205

Date		Explications	Réf.	Débit	Crédit	Solde	DT ou CT
19__1 Février	14		J-2	1 750 $		1 750 $	DT
	28		J-3	2 050		3 800	DT

Cotisation professionnelle					N 206

Date		Explications	Réf.	Débit	Crédit	Solde	DT ou CT
19__1 Février	15		J-2	350 $		350 $	DT

Taxe d'affaires					N 207

Date		Explications	Réf.	Débit	Crédit	Solde	DT ou CT
19__1 Février	16		J-2	200 $		200 $	DT

Frais d'automobile					N 208

Date		Explications	Réf.	Débit	Crédit	Solde	DT ou CT
19__1 Février	18		J-3	90 $		90 $	DT

Frais de représentation						N° 209	
Date		Explications	Réf.	Débit	Crédit	Solde	DT ou CT
19__1 Février	25		J-3	80 $		80 $	DT

Téléphone						N° 210	
Date		Explications	Réf.	Débit	Crédit	Solde	DT ou CT
19__1 Février	26		J-3	70 $		70 $	DT

Électricité						N° 211	
Date		Explications	Réf.	Débit	Crédit	Solde	DT ou CT
19__1 Février	27		J-3	30 $		30 $	DT

Intérêts						N° 212	
Date		Explications	Réf.	Débit	Crédit	Solde	DT ou CT
19__1 Février	28		J-3	150 $		150 $	DT

3) Balance de vérification au 28-02-19__1

M. Joseph Lemire
Balance de vérification
au 28-02-19__1

N° de compte	Nom du compte	DT	CT
100	Caisse	17 153 $	
101	Honoraires à recevoir	3 750	
102	Billet à recevoir	500	
103	Mobilier de bureau	3 100	
104	Automobile	10 150	
105	Achalandage	20 000	
106	Fournisseurs		11 830 $
107	Billet à payer		25 000
108	Prélèvements	500	
109	Apports		10 000
110	Capital		5 000
200	Honoraires — Produits		8 910
201	Loyer	200	
202	Publicité	100	
203	Papeterie	300	
204	Fournitures de bureau	217	
205	Salaires	3 800	
206	Cotisation professionnelle	350	
207	Taxes d'affaires	200	
208	Frais d'automobile	90	
209	Frais de représentation	80	
210	Téléphone	70	
211	Électricité	30	
212	Intérêts	150	
		60 740 $	60 740 $

QUESTIONS

Q4-1 Quels sont les limites du système des comptes en T? Expliquer.

Q4-2 Qu'entend-on par *journal général*?

Q4-3 Quel est le contenu du journal général?

Q4-4 Pourquoi est-il important d'inscrire une note explicative pour chaque écriture passée dans le journal général?

Q4-5 Qu'entend-on par *grand livre général*?

Q4-6 Quelle est l'utilité du grand livre général?

Q4-8 Qu'est-ce qu'un *compte de valeurs*?

Q4-9 Comment doit-on classer les comptes dans le grand livre général?

Q4-10 Qu'entend-on par l'expression *report au grand livre général*? Quelle est la marche à suivre pour effectuer un report au grand livre général?

Q4-11 Quelle est l'importance des renvois du journal général au grand livre général et vice versa?

Q4-12 Qu'entend-on par *balance de vérification*?

Q4-13 Quels sont la forme et le contenu d'une balance de vérification?

Q4-14 Quelles peuvent être les causes d'erreurs lorsque, dans une balance de vérification, le total des soldes créditeurs n'égale pas le total des soldes débiteurs? Expliquer.

Q4-15 Qu'entend-on par *assurance constatée d'avance*?

Q4-16 M. Brillant vient d'ouvrir un bureau d'ingénieurs-conseils. Il fait appel à Mme Lecompte afin d'élaborer un plan comptable lui permettant de connaître en tout temps la situation financière de son bureau. Quels conseils Mme Lecompte devrait-elle donner à M. Brillant pour l'élaboration du plan comptable?

PROBLÈMES À RÉSOUDRE

P4-17 Le docteur Morand ouvre ses bureaux le 1er janvier 19__1 et il vous fournit les renseignements suivants.

03-01-19__1   Apport initial en argent de 50 000 $.

04-01-19__1   Achat d'équipement 40 000 $ comptant.

05-01-19__1   Achat à crédit de mobilier de bureau pour 1 000 $.

08-01-19__1   Achat d'une bibliothèque médicale 5 000 $ (4 000 $ comptant, le solde à crédit).

11-01-19__1   Le cabinet emprunte à La Banque Royale du Canada 10 000 $.

13-01-19__1   Versement d'une somme de 1 500 $ aux créanciers.

16-01-19__1   Achat d'équipement médical pour 6 000 $ (2 000 $ comptant et le solde à crédit).

19-01-19__1   Achat d'une automobile de 15 000 $. Il paie 3 000 $ comptant et le solde à crédit.

30-01-19__1   Il prête 2 000 $ à un confrère, M. H.B., sur billet.

- 1) Enregistrer les écritures pour le mois de janvier 19__1 au journal général.

  2) Faire les reports au grand livre général.

  3) Dresser la balance de vérification au 30-01-19__1.

4-18   Au mois de février, M. Légaré, expert-comptable, fournit les renseignements suivants.

01-02-19__1   M. Légaré engage une secrétaire à temps partiel au salaire de 1 000 $ par mois.

02-02-19__1   Expédition aux clients des comptes d'honoraires pour le mois de janvier 19__1, 6 500 $.

09-02-19__1   Réception de 2 000 $ comptant pour services rendus à 5 clients au cours de la semaine.

13-02-19__1   Le cabinet encourt les charges suivantes que M. Légaré paie comptant.

Charges de bureau	150 $
Fournitures	200
Frais généraux divers	250

15-02-19__1   Le cabinet paie comptant le salaire de sa secrétaire, 500 $.

16-02-19__1   Le cabinet reçoit divers comptes:

Électricité	100 $
Chauffage	60
Entretien et réparations	40

19-02-19__1   Réception d'une somme de 2 200 $ sur les factures expédiées le 02-02-19__1.

24-02-19__1   Paiement des factures reçues le 16 février.

26-02-19__1   Paiement à différents créanciers, 800 $.

27-02-19__1   Le cabinet doit verser des honoraires à un stagiaire qui est venu travailler durant février, 400 $. (On paie 300 $ comptant.)

28-02-19__1   Paiement comptant du salaire de sa secrétaire, 500 $.

- Enregistrer sous forme d'écritures de journal les opérations commerciales qui précèdent.

P4-19 Le notaire Brault fournit le 1er mars 19__1 le solde des comptes suivants, tiré de son grand livre général.

Caisse	3 500 $
Honoraires à recevoir	4 300
Effets à recevoir	2 000
Honoraires à payer	100
Fournisseurs	5 700
Emprunt de banque	10 000
Mobilier de bureau	1 000
Bâtiment	4 000
Matériel roulant	5 000
Capital de Me Brault, Notaire	10 000
Honoraires — Produits	6 700
Honoraires — Charges	400
Salaires — Secrétaire	500
Charges de bureau	150
Charges — Téléphone	200
Frais généraux divers	250
Entretien et réparations	40
Électricité	100
Chauffage	60
Fournitures de bureau	11 000

Voici les opérations du mois de mars.

02-03-19__1   Reçu des clients des honoraires au comptant, 2 000 $.

03-03-19__1   Encaissement d'honoraires à recevoir, 3 300 $.

05-03-19__1   Facturation des honoraires de clients pour le mois de février, 7 200 $.

08-03-19__1   Encaissement de l'effet à recevoir.

09-03-19__1   Le notaire Brault a reçu en héritage un montant de 15 000 $ qu'il investit dans son cabinet.

10-03-19__1   Achat de fournitures de bureau pour 4 000 $ (comptant).

11-03-19__1   Encaissement d'honoraires à recevoir de clients, 2 000 $.

12-03-19__1   Paiement des charges suivantes (comptant):

Salaire	500 $
Honoraires — Charges	2 650 $

13-03-19__1   Réception de différentes factures représentant des frais généraux divers pour 650 $.

15-03-19__1   Le notaire Brault retire 6 500 $ pour usage personnel.

18-03-19__1   Encaissement d'honoraires à recevoir, 3 350 $.

20-03-19__1   Achat de mobilier de bureau pour 5 000 $. Le cabinet paie 3 000 $ comptant.

22-03-19__1   Remboursement de 4 500 $ sur l'emprunt bancaire de janvier. Le cabinet paie en outre 105 $ en intérêt sur cette tranche.

30-03-19__1   Paiement au comptant du salaire, 500 $.

31-03-19__1   Achat de fournitures de bureau à crédit, 200 $.

● 1) Enregistrer les opérations qui précèdent au journal général, sous forme d'écritures comptables.

2) Reporter au grand livre général les opérations comptabilisées à la question 1.

3) Établir la balance de vérification au 31-03-19__1.

4-20 Me Laliberté se lance en affaires le 1er octobre 19__1, avec 10 000 $ en argent. Il a effectué les opérations suivantes durant le mois d'octobre.

02-10-19__1   Paiement du loyer de bureau pour le mois d'octobre, 500 $.

03-10-19__1   Achat de mobilier de bureau à crédit, 7 500 $.

04-10-19__1   Paiement d'une facture pour publicité, 250 $.

05-10-19__1   Retrait de 2 500 $ pour son usage personnel.

06-10-19__1   Paiement de 5 000 $ sur l'achat du 3 octobre; il fait parvenir un billet venant à échéance dans 30 jours pour le solde.

10-10-19__1   Emprunt de la banque d'une somme de 10 000 $.

12-10-19__1   Émission de factures pour services rendus, 3 750 $.

16-10-19__1   Achat de fournitures de bureau à crédit, 1 000 $. Me Laliberté bénéficiera d'un escompte de 2% s'il paie d'ici 10 jours.

19-10-19__1   Reçu 2 500 $ pour services rendus au cours de la semaine.

20-10-19__1   Paiement de son compte de téléphone, 125 $.

24-10-19__1   Reçu des chèques de clients en paiement d'honoraires déjà facturés, 3 000 $.

25-10-19__1   Paiement de la facture du 16 octobre.

30-10-19__1   Paiement du salaire de la secrétaire pour le mois d'octobre, 1 250 $.

● 1) Préparer les écritures de journal nécessitées par les opérations précédentes (avec explications).

● 2) Effectuer au grand livre général les reports du journal général.

4-21 M. Jean Beaudoin, expert-comptable, décide de se retirer des affaires et vend sa clientèle à son employé, M. Gilles Meloche. Celui-ci achète l'actif net de son ex-employeur, en date du 1er janvier 19__2, sauf l'encaisse, aux conditions suivantes:

a) versement en argent, 20 000 $;

b) signature d'un billet sans intérêts, 10 000 $.

Il est de plus convenu dans le contrat intervenu entre les deux intéressés que M. Gilles Meloche verserait chaque mois, en paiement de son billet, la somme de 2 000 $.

Les soldes des comptes suivants au 31-12-19__1 ont servi de base à la rédaction du contrat de vente signé la même journée.

Jean Beaudoin
Solde des comptes d'actif, de passif et capital
au 31 décembre 19__1

Actif		Passif	
Encaisse	2 000 $	Fournisseurs	2 000 $
Honoraires à recevoir	20 000	Capital	
Stock de papeterie	5 000	Valeur nette, le 31 décembre	
Mobilier de bureau	7 000	19__1	32 000
	34 000 $		34 000 $

Voici les opérations qui ont été effectuées pendant le mois de janvier 19__2.

07-01-19__2   Encaissements d'honoraires à recevoir, 15 000 $.

09-01-19__2   Paiement partiel des comptes « Fournisseurs » assumés, 1 500 $.

11-01-19__2   Achat au comptant d'un bureau et d'équipement de bureau, 550 $.

13-01-19__2   Facturation de clients pour 20 000 $.

14-01-19__2   Factures suivantes reçues:

Loyer	1 000 $
Téléphone	100
Entretien de l'équipement bureautique	200
	1 300 $

15-01-19__2   Paiement des salaires:

Gilles Meloche	1 150 $
Stagiaires	1 200
Secrétaires	1 150
	3 500 $

18-01-19__2   Paiement du solde des comptes « Fournisseurs » assumés.

19-01-19__2   Encaissement d'honoraires à recevoir, 5 000 $.

21-01-19__2   Paiement de la facture du loyer.

24-01-19__2   Paiement, au comptant, des charges suivantes:

Frais de déplacement	300 $
Charges de bureau	325
Entretien et réparations	125
Dépenses personnelles de Gilles Meloche	1 175
	1 925 $

31-01-19__2   Paiement à Jean Beaudoin d'une partie de son billet, selon les conditions acceptées par chacun le 31 décembre 19__1.

- 1) Enregistrer au journal général de Gilles Meloche les écritures nécessaires pour:
     a) comptabiliser l'achat de l'entreprise de Jean Beaudoin;
     b) inscrire les opérations qui précèdent.

  2) Reporter les écritures de journal aux comptes du grand livre général.

  3) Préparer une balance de vérification datée du 31 janvier 19__2.

4-22 L'entreprise La Réparation Éclair s'est spécialisée dans les réparations de toutes natures et, comme son nom l'indique, elle est reconnue pour la rapidité de son service tant à domicile qu'à ses ateliers.

Le propriétaire est M. Albert Jourdain qui est entré dans ce genre de commerce depuis un certain temps déjà. Au 31 mai, le solde des comptes d'actif, de passif et capital est le suivant.

La Réparation Éclair
Solde des comptes d'actif, de passif et capital
au 31 mai 19__1

N°	Actif			N°	Passif		
1	Caisse		2 000 $	30	Fournisseurs		
3	Clients				Garage Joyal	75 $	
	H. Dancause	700 $			Joy Mach. Ltd.	800	875 $
	P. Liboire	500	1 200				
					Capital		
22	Machinerie		4 000		Jourdain		19 825
25	Camion		13 500				
			20 700 $				20 700 $

Voici les opérations commerciales du mois de juin 19__1.

Juin 2   Payé 700 $ pour fournitures (clous, colle, fils, etc.).

    4   Payé le loyer de juin, 500 $.

    5   Réparation de machinerie chez H. Dancause, 750 $ à crédit.

    6   Les recettes de la période du 1er au 6 juin se sont élevées à 2 250 $.

    7   Reçu un chèque de 500 $ de H. Dancause.

    7   Payé en entier le compte dû au Garage Joyal, soit 75 $.

    9   Payé 200 $ à Joy Machinery Ltd. en acompte.

    9   Prélèvement de M. Jourdain, 1 500 $.

10 M. Jourdain a retiré de la caisse 80 $ pour ses besoins personnels.

13 Recettes de la semaine du 7 au 13 juin, 2 650 $.

15 Payé 280 $ pour des fournitures (toiles).

16 Réparation à crédit chez Atawar Ltd., 550 $.

18 Payé 20 $ pour des timbres (charges diverses).

19 Payé le téléphone du mois, 52 $.

20 Prélèvement de 1 250 $ par M. Jourdain.

20 Recettes de la semaine du 13 au 20 juin, 2 480 $.

21 Reçu un chèque de 500 $, P. Liboire.

22 Réparation de moteurs chez H. Dancause, 290 $ à crédit.

27 Recettes de la semaine du 21 au 27 juin, 2 730 $.

28 Reçu une facture du Garage Joyal pour les charges relatives au camion de livraison, 67 $.

29 Payé les salaires des employés, 600 $.

30 Payé l'électricité du mois de juin, 57 $.

30 Recettes de la période du 28 au 30 juin, 1 120 $.

• 1) Inscrire dans le journal général les opérations commerciales du mois de juin 19__1.

  2) Préparer la balance de vérification au 30 juin 19__1.

P4-23 M. Louis Pépin, ingénieur, a commencé à exercer sa profession le 1ᵉʳ août 19__1 avec l'actif suivant, qu'il a apporté:

Argent	2 000 $
Automobile	10 500
Mobilier de bureau	3 000

Il a de plus effectué les opérations suivantes durant le mois d'août.

2 août Il paie le loyer du bureau pour le mois d'août, 500 $.

3 août Il achète à crédit une machine à écrire, 300 $.

5 août Il reçoit une facture pour la publicité relative à l'ouverture de son bureau, 300 $.

9 août Il emprunte de la banque la somme de 10 800 $.

11 août Il émet des factures pour services rendus, 7 000 $.

12 août Il verse un acompte de 50 $ sur l'achat du 3 août et émet un billet pour la différence.

13 août Il reçoit la somme de 5 000 $ relativement aux factures du 11 août.

16 août Il paie les factures suivantes qu'il vient de recevoir:

Téléphone	250 $
Électricité	100
Fournitures de bureau	150

18 août Il émet des factures pour services rendus, 15 000 $.

24 août   Il engage une secrétaire au salaire de 300 $ par semaine.

25 août   Il paie la facture du 5 août et le billet du 12 août.

26 août   Il reçoit des chèques de clients, 12 000 $.

27 août   Il reçoit une facture de 200 $ pour des réparations effectuées à son automobile.

28 août   Il retire 500 $ pour son usage personnel.

29 août   Il paie le salaire de la secrétaire, 300 $.

- 1) Présenter les écritures de journal nécessitées par les opérations précédentes.

  2) Effectuer au grand livre général les reports du journal général.

4-24 Jean-Marc Bard vient d'ouvrir un commerce de location et de réparation de moteurs hors-bord et de canots automobiles. Voici les opérations commerciales effectuées en juin 19__1.

1   M. Bard apporte comme mise de fonds dans son entreprise la somme de 140 000 $.

2   Il achète un terrain dans les Îles de Sorel. Il paie immédiatement l'ancien propriétaire, 20 000 $.

3   Il engage un entrepreneur afin d'aménager son terrain et de construire un bâtiment qui comprendrait son bureau, une salle de repos avec bar, un motel de 40 unités, un atelier de réparation et une salle d'exposition. Voici le détail du contrat:

Aménagement du terrain	5 000 $
Construction de quais	20 000
Bureau	13 000
Salle de repos et bar	35 000
Motel	90 000
Atelier de réparation	20 000
Total	183 000 $

Les conditions du contrat stipulent que M. Bard doit payer 60 000 $ le 6 juin et le solde lorsque tout sera terminé.

4   M. Bard rencontre le directeur de la banque qui lui consent un emprunt de 120 000 $ remboursable dans 6 mois.

5   M. Bard reçoit de sa compagnie d'assurance un chèque de 50 000 $. Ce montant est remboursable à raison de 5 000 $ par année et porte intérêt à 10% l'an.

6   M. Bard remet 60 000 $ à l'entrepreneur.

7   Achat à crédit de 5 moteurs hors-bord   5 500 $
    Achat à crédit de 3 canots automobiles   12 600

8   Achat au comptant de fournitures de bureau   1 000
    Achat au comptant de pièces de réparations   5 000

9 Achat au comptant d'un réservoir à essence de 10 000 litres, 1 500 $. Le représentant de Pétrole, Ltée livre 10 000 litres d'essence à 1,25 $/L.

10 M. Bard loue vingt-cinq places sur le quai principal à raison de 300 $ chacune pour la saison. Il encaisse la moitié de ces produits.

11 Il paie la facture du représentant de Pétrole, Ltée.

12 Il paie la moitié du solde dû sur les hors-bord et les canots automobiles.

15 Les recettes provenant de l'entretien et de la réparation des moteurs hors-bord se chiffrent à 2 300 $ pour la période du 1er au 15 juin.

16 Les charges pour la même période sont les suivantes:

Salaires	2 000 $
Téléphone	50
Électricité	100
Taxe d'affaires	400

17 M. Bard a retiré de la banque 1 000 $ pour les besoins de sa famille.

18 Il réserve pour lui-même un moteur hors-bord et un canot automobile. De plus, il a donné l'ordre à son gérant de ne louer son embarcation pour aucune considération.

20 Il paie le solde dû sur les hors-bord et les canots automobiles.

25 Il encaisse le solde dû pour la location de places sur son quai.

26 Il loue 20 places de plus au prix de 375 $ chacune; 14 clients paient immédiatement leur compte.

30 L'entrepreneur remet à M. Bard les clés de son établissement en lui disant que le contrat a été terminé selon ses devis.

30 Les recettes d'entretien et de réparation pour la période du 15 au 30 juin se chiffrent à 12 700 $.

30 Les charges pour la même période sont les suivantes:

Salaires	2 000 $
Téléphone	50
Électricité	100
Timbres	25
Papeterie	25

• Enregistrer au journal général les opérations commerciales effectuées en juin 19__1, faire les reports au grand livre général et préparer la balance de vérification au 30 juin 19__1.

4-25 Le 1er septembre 19__1, R. Beaupré s'est porté acquéreur de l'entreprise C. Beaulac dont voici le solde des comptes d'actif, de passif et capital.

C. Beaulac
Entrepreneur plombier
Solde des comptes d'actif, de passif et capital
Balance de vérification au 1er septembre 19__1

Actif		Passif	
Caisse	4 000 $	Fournisseurs	4 000 $
Clients	12 000	Effets à payer	1 000
Terrain	18 000	Hypothèque à payer	83 000
Immeuble	80 000		88 000
Mobilier et agencement	1 200	Capital	
Matériel et outillage	4 000	C. Beaulac	31 200
	119 200 $		119 200 $

L'opération a été effectuée ainsi:

a) R. Beaupré acquiert à la valeur comptable tout l'actif de Beaulac, sauf la caisse, et assume le passif en entier;

b) en règlement, Beaupré verse à Beaulac une somme en argent de 7 200 $, signe un billet à 90 jours de 15 000 $ en faveur du vendeur et consent à celui-ci une seconde hypothèque sur l'immeuble pour le solde. Le billet et l'hypothèque sont pris en charge par l'entreprise de Beaupré.

De plus, voici les opérations commerciales de la nouvelle entreprise de R. Beaupré pour la période du 1er au 15 septembre 19__1.

Septembre 19__1.

4   Deux clients règlent leur compte échu depuis quelques semaines déjà, l'un en envoyant un chèque de 2 900 $ en paiement complet et l'autre, en envoyant un chèque de 1 600 $ ainsi qu'un billet à 30 jours de 500 $.

8   Paiement de l'effet à payer de 1 000 $ assumé au moment de l'achat de l'entreprise de Beaulac le 1er courant.

11   Réception de la facture de la compagnie Bell relativement à l'installation du téléphone le 2 courant, 100 $.

13   Facturation à des clients pour un montant de 4 800 $ représentant l'installation d'un système de chauffage dans trois maisons actuellement en construction.

14   Paiement du compte reçu de la compagnie Bell le 11 courant.

15   Paiement des salaires bimensuels comme suit:

Sténo-dactylo	500 $
Maître-plombier	1 000
R. Beaupré, propriétaire	1 000
	2 500 $

- Présenter les écritures de journal propres à refléter les opérations précédentes dans les livres de l'entreprise R. Beaupré, entrepreneur-plombier.

5 | Les états financiers

Les chapitres 3 et 4 illustrent le fonctionnement d'un système d'enregistrement comptable des opérations commerciales. Ce système utilise les notions de débit et de crédit dont l'application est facilitée par certains outils comme les comptes, le journal général et le grand livre général. La synthèse de ce travail est la balance de vérification, qui consiste en la liste des comptes du grand livre général présentés les uns à la suite des autres avec leur solde respectif. Mais il ne s'agit pas là du produit fini que le comptable présente au(x) propriétaire(s) de l'entreprise. Les informations fournies par la balance de vérification devront être agencées différemment afin d'en faciliter la compréhension, d'une part, et d'en faire ressortir clairement toute la pertinence, d'autre part. Cette présentation nouvelle des informations incluses dans la balance de vérification donne naissance aux états financiers. Dans ce chapitre, nous préciserons d'abord le contenu de la balance de vérification; une fois cette étude terminée, il sera facile de conclure que toute la richesse des données que cette liste de comptes contient nécessite l'utilisation de trois états financiers distincts. Nous les étudierons dans l'ordre de leur préparation: état des résultats, état des variations de la valeur nette et bilan.

5.1 CONTENU DE LA BALANCE DE VÉRIFICATION

Le premier janvier 19__1, l'entreprise d'ingénieurs-conseils et de location d'équipement de construction G. Lapierre Enr. est créée par un apport initial de 400 000 $ versé le même jour par M. Lapierre, le propriétaire. Pendant les douze mois qui suivent, les opérations commerciales de cette entreprise sont enregistrées chronologiquement dans un journal général à l'aide d'écritures comptables.

Par la suite, on effectue le report de ces écritures au grand livre général. À partir du solde de chacun des comptes, on obtient la balance de vérification présentée au tableau 5-1.

TABLEAU 5-1

Entreprise d'ingénieurs-conseils et de location
d'équipement de construction G. Lapierre Enr.
Balance de vérification
au 31 décembre 19__1

	Débit	Crédit
Caisse	20 000 $	
Billets à recevoir (sans intérêt)	30 000 $	
Clients	131 000 $	
Dépôts remboursables sur soumission	15 000 $	
Placements temporaires — Obligation du gouvernement du Québec (achat le 31-12-19__1)	75 000 $	
Charges constatées d'avance	7 000 $	
Stock de fournitures de bureau	5 000 $	
Mobilier et équipement	50 000 $	
Bâtiment	300 000 $	
Terrain	85 000 $	
Outillage	100 000 $	
Matériel roulant	200 000 $	
Billets à payer (sans intérêt)		60 000 $
Fournisseurs		90 000 $
Salaires à payer		25 000 $
Impôts fonciers à payer		20 000 $
Emprunt de banque		51 000 $
Hypothèque à payer		125 000 $
Capital G. Lapierre		400 000 $
Apports		77 000 $
Prélèvements	24 250 $	

Produits de contrats		1 003 000 $
Téléphone	6 000 $	
Électricité et chauffage	4 000 $	
Loyer du garage	18 000 $	
Réparations et entretien du matériel roulant	20 000 $	
Permis et taxes	7 000 $	
Publicité	15 000 $	
Assurances — Bâtiment	4 000 $	
Essence, huile et graisse	55 000 $	
Permis et plaques — Matériel roulant	5 000 $	
Salaires	630 000 $	
Charges d'intérêts	14 750 $	
Impôts fonciers	20 000 $	
Assurance — Matériel roulant	10 000 $	
	1 851 000 $	1 851 000 $

Les comptes d'actif

Cette balance de vérification présente d'abord une série de comptes, avec leur solde débiteur, composant l'actif de l'entreprise. Ce sont:

Caisse	20 000 $
Billets à recevoir (sans intérêt)	30 000 $
Clients	131 000 $
Dépôts remboursables sur soumission	15 000 $
Placements temporaires — Obligations du gouvernement du Québec	75 000 $
Charges constatées d'avance	7 000 $
Stock de fournitures de bureau	5 000 $
Mobilier et équipement	50 000 $
Bâtiment	300 000 $
Terrain	85 000 $
Outillage	100 000 $
Matériel roulant	200 000 $
Total de l'actif	1 018 000 $

Le solde de chacun de ces comptes d'actif correspond-il au solde du début de l'année? De la fin de l'année? Ou encore au solde de tout autre moment de l'année? Pour répondre, il faut examiner le système d'enregistrement comptable des opérations commerciales présenté aux chapitres 3 et 4. Par exemple, chaque fois que l'encaisse de l'entreprise est soit augmentée, soit diminuée, le compte « Caisse » est selon le cas immédiatement débité ou crédité. C'est donc dire que le solde du compte « Caisse » inscrit à la balance de vérification du 31 décembre 19__1 de l'entreprise G. Lapierre

Enr. (20 000 $) correspond aux valeurs monétaires détenues par l'entreprise à la même date. Puisque ce raisonnement peut être repris pour chacun des comptes d'actif, on peut énoncer la conclusion générale suivante: *lorsqu'à une date quelconque, une balance de vérification est dressée, le solde des comptes d'actif correspond au solde réel de ces comptes à cette date.*

Les comptes de passif

La balance de vérification présente ensuite une série de comptes composant le passif de l'entreprise avec leur solde créditeur.

Billets à payer (sans intérêt)	60 000 $
Fournisseurs	90 000 $
Salaires à payer	25 000 $
Impôt fonciers à payer	20 000 $
Emprunt de banque	51 000 $
Hypothèque à payer	125 000 $
Total du passif	371 000 $

Le solde de chacun de ces postes de passif correspond-il aux dettes réelles de l'entreprise à la date de la balance de vérification? Nous devons répondre par l'affirmative pour des raisons similaires à celles que nous avons utilisées lorsque nous avons étudié le solde des comptes d'actif. Par exemple, lorsque l'entreprise reconnaît avoir une dette envers un tiers par la signature d'un billet, le système d'enregistrement comptable oblige d'inscrire, à la même date, un crédit au compte « Billets à payer », ce qui a pour effet de porter son solde à un montant égal aux reconnaissances de dettes de l'entreprise sous forme de billets à cette date. À l'inverse, lors du paiement partiel ou complet d'un billet, le compte sera tout de suite débité pour en reporter le solde à un montant égal aux dettes réelles de l'entreprise. Puisqu'un raisonnement identique peut être repris pour chacun des comptes de passif, on peut énoncer la seconde conclusion générale suivante: *lorsqu'à une date quelconque, une balance de vérification est dressée, le solde des comptes de passif correspond au solde réel de ces comptes à cette même date.*

Le compte « Capital »

Immédiatement à la suite des comptes de passif, la balance de vérification présente le compte « Capital G. Lapierre » avec un solde créditeur de 400 000 $. Puisque, comme nous l'avons démontré au chapitre 3, le total de l'actif doit nécessairement être égal au total du passif plus le capital, voyons si cet énoncé se vérifie dans la balance de vérification de l'entreprise G. Lapierre Enr.

Total de l'actif		1 018 000 $
Total du passif	371 000 $	
Capital	400 000 $	
Total du passif et du capital		771 000 $
Différence		247 000 $

Cette différence de 247 000 $ est due au fait que les soldes des comptes d'actif et de passif correspondent à leur solde exact au 31 décembre 19__1, alors que le solde du compte « Capital » (400 000 $) est celui du 1ᵉʳ janvier 19__1. En effet, le compte « Capital » est augmenté soit par les apports du propriétaire, soit par les produits de l'entreprise. À l'inverse, il est diminué soit par les prélèvements du propriétaire, soit par les charges de l'entreprise. Or, ces apports, ces produits, ces prélèvements et ces charges sont comptabilisés dans un compte « Apports », dans différents comptes de produits, dans un compte « Prélèvements » et dans différents comptes de charge, et non pas dans le compte « Capital ». Si le comptable agit ainsi, c'est pour offrir au propriétaire de l'entreprise le détail des événements qui expliquent la variation du compte « Capital » entre le début et la fin d'une période. Cela signifie aussi que le solde du compte « Capital » inscrit à la balance de vérification de G. Lapierre Enr. est le solde du début de l'année et non celui du 31 décembre 19__1. On en arrive alors à la conclusion suivante: *lorsqu'une balance de vérification comprend des comptes d'apport et/ou de produits et/ou de prélèvements et/ou de charges, alors le solde du compte « Capital » qu'on y retrouve est celui du début de la période couverte par cette balance de vérification.*

Il faut voir là l'explication de cette différence de 247 000 $ entre le total de l'actif (1 018 000 $) et le total du passif et du capital (771 000 $) inscrits à la balance de vérification de G. Lapierre Enr.

L'égalité de l'identité fondamentale ne se réalise que lorsque les soldes de tous les comptes d'actif et de passif et celui du capital correspondent à leur solde exact à une même date. Ainsi, si l'indice $_2$ est attribué au 31 décembre 19__1 et l'indice $_1$ au 1ᵉʳ janvier 19__1, on a:

Pour réaliser l'égalité de l'identité fondamentale, il faut connaître la valeur du capital au 31 décembre 19__1, c'est-à-dire « Capital$_2$ ». La balance de vérification de G. Lapierre Enr. offre les informations nécessaires à la détermination du solde de « Capital$_2$ », puisque nous y retrouvons l'accumulation de tous les produits et de toutes les charges depuis le début de l'année. On y remarque aussi le montant total des apports et des prélèvements effectués par le propriétaire pendant la période. Ainsi, le solde de « Capital$_2$ » peut être déterminé de la façon suivante:

Solde du capital au début de la période (C_1)			X
Plus:	Produits	X	
	Apports	X	X
Moins:	Charges	X	
	Prélèvements	X	(X)
Solde du capital à la fin de la période (C_2)			X

Et l'égalité $A_2 = P_2 + C_2$ devient:

$$A_2 = P_2 + [\underbrace{C_1 + (\text{Produits} - \text{Charges}) + \text{Apports} - \text{Prélèvements}}_{C_2}]$$

Pour connaître le solde du capital au 31 décembre 19__1, il faut dans un premier temps calculer la différence entre les produits et les charges de l'entreprise G. Lapierre Enr.: quel est le total des produits et quel est le total des charges?

Produits	
Produits de contrats	1 003 000 $
Charges	
Téléphone	6 000 $
Électricité et chauffage	4 000 $
Loyer du garage	18 000 $
Réparations et entretien du matériel roulant	20 000 $
Permis et taxes	7 000 $
Publicité	15 000 $
Assurances — Bâtiment	4 000 $
Essence, huile et graisse	55 000 $
Permis et plaques — Matériel roulant	5 000 $
Salaires	630 000 $
Charges d'intérêts	14 750 $
Impôts fonciers	20 000 $
Assurance — Matériel roulant	10 000 $
Charges totales	808 750 $

L'entreprise a ainsi réalisé un excédent des produits sur les charges de 194 250 $ (1 003 000 $ − 808 750 $) pour l'année 19__1.

De plus, la balance de vérification nous indique que les apports du propriétaire ont totalisé 77 000 $ pour la période, alors que les prélèvements totalisent 24 250 $. Ainsi, le capital au 31 décembre 19__1 (Capital$_2$) sera:

Capital au 1er janvier 19__1 (C$_1$)			400 000 $
Plus:	Excédent des produits sur		
	les charges	194 250 $	
	Apports	77 000 $	271 250 $
Moins:	Prélèvements		(24 250 $)
Capital au 31 décembre 19__1 (C$_2$)			647 000 $

Comme l'indique l'équation suivante, l'égalité de l'identité fondamentale est ainsi rétablie:

$$\boxed{\text{Actif}_2} = \boxed{\text{Passif}_2} + \boxed{\text{Capital}_2}$$

$$\boxed{1\ 018\ 000\ \$} = \boxed{371\ 000\ \$} + \boxed{647\ 000\ \$}$$

5.2 LIEN ENTRE L'IDENTITÉ FONDAMENTALE ET LES ÉTATS FINANCIERS

De cette analyse du contenu d'une balance de vérification, nous pouvons conclure qu'elle contient suffisamment d'informations pour qu'on puisse présenter au propriétaire de l'entreprise les renseignements suivants. Premièrement, la différence entre les produits et les charges de la période le renseignera sur le bénéfice net d'exploitation de l'entreprise: ce sera l'état des résultats. Deuxièmement, nous expliquerons la différence entre le capital du début et le capital de la fin de la période: ce sera l'état des variations de la valeur nette. Enfin, la situation financière de l'entreprise, c'est-à-dire le solde des comptes d'actif, de passif et du capital à une date précise, sera présentée: ce sera le bilan de l'entreprise. À l'aide de l'identité fondamentale, on peut représenter la façon dont tous ces états sont interreliés.

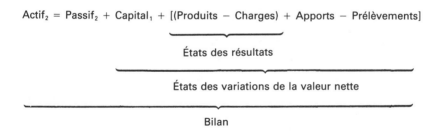

$$\text{Actif}_2 = \text{Passif}_2 + \text{Capital}_1 + [(\text{Produits} - \text{Charges}) + \text{Apports} - \text{Prélèvements}]$$

États des résultats

États des variations de la valeur nette

Bilan

5.3 L'ÉTAT DES RÉSULTATS

Définition et but

L'**état des résultats** est *un résumé méthodique de opérations de l'entreprise avec les tiers au cours d'une période de temps donnée*. Le but ultime en est d'indiquer si ces opérations se soldent par un excédent des produits sur les charges ou l'inverse.

Les opérations de l'entreprise avec les tiers sont les produits et les charges de l'entreprise. Elles excluent les prélèvements et les apports du propriétaire, celui-ci n'étant pas un tiers par rapport à son entreprise.

Le produit

Un **produit** est *la somme brute reçue ou à recevoir à la suite de la cession à un tiers, dans le cours des opérations commerciales de l'entreprise, d'un actif corporel (bien), de la jouissance d'un actif (loyer) ou d'un service, au cours d'une période donnée.*

Cette définition précise qu'un produit est une somme brute; ainsi, lorsqu'un vendeur d'automobiles vend pour 10 000 $ une voiture qui lui coûte 9 000 $, son produit est de 10 000 $ et non de 1 000 $. De la même façon, lorsque le propriétaire d'un immeuble encaisse un loyer mensuel de 400 $, ce montant constitue le produit du mois, peu importe les frais qu'il a dû supporter. Enfin, un comptable qui reçoit 1 000 $ pour un travail a un produit de 1 000 $ même si, pour accomplir ce travail, il a dû encourir certains frais comme les salaires de ses employés.

La charge

Une **charge** est *le coût des actifs tangibles vendus, de la jouissance d'un actif ou d'un service que l'entreprise a dû utiliser au cours de l'exercice pour effectuer les opérations commerciales qui ont créé le produit.*

Cette définition permet de conclure que, dans les exemples précédents, le coût de 9 000 $ de l'automobile, les frais supportés par le propriétaire de la maison et les salaires payés par le comptable sont les charges de l'entreprise.

Le bénéfice net

Le **bénéfice net** est *la différence entre la totalite des produits d'une période et la totalité des charges pour la même période.*

Ainsi, pour connaître le bénéfice net d'une entreprise pour une période donnée, il suffit de présenter sous forme de tableau tous les produits et toutes les charges de cette entreprise pour cette période. Lorsque ce tableau est présenté selon des règles précises (conventions comptables), il devient l'état des résultats. La période de temps à laquelle l'état des résultats fait référence peut varier: si les produits et les charges présentés dans l'état sont ceux d'une semaine, alors la période de référence de l'état sera cette semaine précise. Selon le même raisonnement, l'état peut être mensuel, trimestriel, semestriel, annuel ou peut couvrir n'importe quelle autre période. Le choix de la période est fonction du besoin d'informations précisé par le ou les propriétaires ou par les administrateurs de l'entreprise. Toutefois, comme nous l'avons indiqué au chapitre 2, la période généralement acceptée correspond à douze mois d'exploitation.

Les composantes de l'état des résultats

L'état des résultats comprend quatre composantes essentielles: l'en-tête, les comptes de produits, les comptes de charges et la différence entre les produits et les charges.

L'en-tête

L'en-tête doit comporter a) le nom de l'entreprise, b) le nom de l'état et c) la période à laquelle se rapporte l'état.

Les comptes de produits

Ces comptes reflètent les montants de marchandises ou de services vendus au comptant et à crédit au cours de la période. Ils seront classés par ordre d'importance pour la réalisation de l'objectif commercial. L'expression « chiffre d'affaires » est habituellement retenue pour désigner ces produits dans l'état des résultats.

Les comptes de charges

Ces comptes reflètent les montants de marchandises ou de services achetés au comptant et à crédit au cours de la période. Ils seront classés par ordre d'importance pour la réalisation de l'objectif commercial.

La différence entre les produits et les charges

Cette différence est le bénéfice net. Il y aura un bénéfice net si les produits sont supérieurs aux charges. Dans le cas contraire, il y aura perte nette.

EXEMPLE D'APPLICATION

La balance de vérification de l'entreprise G. Lapierre Enr. en date du 31 décembre 19__1 permet de préparer l'état des résultats présenté au tableau 5-2.

TABLEAU 5-2

Entreprise d'ingénieurs-conseils et de location
d'équipements de construction G. Lapierre Enr.
État des résultats
pour l'exercice terminé le 31 décembre 19__1

Produits

Chiffre d'affaires		1 003 000 $

Charges

Frais de vente

Salaires[1]	315 000 $	
Essence, huile et graisse	55 000 $	
Réparations et entretien du matériel roulant	20 000 $	

Loyer du garage	18 000 $	
Assurance — Matériel roulant	10 000 $	
Permis et plaques — Matériel roulant	5 000 $	
Publicité	15 000 $	
Permis et taxes[1]	3 500 $	
Téléphone[1]	3 000 $	444 500 $
Frais d'administration		
Salaires[1]	315 000 $	
Impôts fonciers	20 000 $	
Assurance — Bâtiment	4 000 $	
Électricité et chauffage	4 000 $	
Permis et taxes[1]	3 500 $	
Téléphone[1]	3 000 $	
Charges d'intérêts	14 750 $	364 250 $
Total des charges		808 750 $
Bénéfice net de l'exercice		194 250 $

[1] Par hypothèse, nous considérons que les charges « Salaires », « Permis et taxes » et « Téléphone » ont autant servi à l'administration qu'à la vente.

5.4 L'ÉTAT DES VARIATIONS DE LA VALEUR NETTE

Définition et but

L'état des variations de la valeur nette est l'explication de la différence entre le capital du début et le capital de la fin d'une période donnée. Son but ultime est de faire connaître la valeur du capital à la fin de la période.

Les composantes de l'état des variations de la valeur nette

L'état des variations de la valeur nette comprend cinq composantes essentielles: l'en-tête, le compte « Capital » avec son solde de début de période, les causes d'augmentation du capital pendant la période, les causes de diminution du capital pendant la période et le compte « Capital » avec son solde de fin de période.

L'en-tête

L'en-tête doit comporter a) le nom de l'entreprise, b) le nom de l'état et c) la période à laquelle se rapporte l'état.

Le capital du début

Le solde du compte « Capital » au début de la période est celui que l'on retrouve à la balance de vérification à la date de la préparation de l'état.

Les causes d'augmentation

Le bénéfice net indiqué à l'état des résultats de même que les apports de la période inscrits à la balance de vérification à la date de préparation de l'état sont les causes de l'augmentation du capital.

Les causes de diminution du capital

Si l'état des résultats indiquait une perte nette plutôt qu'un bénéfice net, alors le capital serait diminué d'autant. De plus, les prélèvements de la période inscrits à la balance de vérification à la date de préparation de l'état sont une cause de diminution du capital.

Le capital de la fin

Le solde du compte « Capital » à la fin de la période est obtenu en ajoutant au solde du début les causes d'augmentation et en retranchant les causes de diminution.

EXEMPLE D'APPLICATION

L'état des variations de la valeur nette de l'entreprise G. Lapierre Enr. pour l'année terminée le 31 décembre 19__1 est présenté au tableau 5-3.

TABLEAU 5-3

Entreprise d'ingénieurs-conseils et de location
d'équipement de construction G. Lapierre Enr.
État des variations de la valeur nette
pour l'exercice terminé le 31 décembre 19__1

Capital au 1er janvier 19__1		400 000 $
Plus: Bénéfice net	194 250 $	
Apports	77 000 $	271 250 $
		671 250 $
Moins: Prélèvement		24 250 $
Capital au 31 décembre 19__1		647 000 $

5.5 LE BILAN

Définition et but

Le **bilan** est *l'état financier qui présente l'inventaire de l'actif et du passif à une date donnée et le solde du compte « Capital » à cette même date.* Son but est de présenter la situation financière de l'entreprise.

Les composantes du bilan

Comme l'état des résultats, le bilan comprend quatre composantes essentielles: l'en-tête, les comptes d'actif, les comptes de passif et le compte « Capital ».

L'en-tête

On y indique le nom de l'entreprise, le nom de l'état et la date de l'état.

Les comptes d'actif

Pour présenter les comptes d'actif de l'entreprise G. Lapierre, on distinguera l'actif à court terme des immobilisations. L'**actif à court terme** doit comprendre *les éléments normalement réalisables dans l'année qui suit la date du bilan.* Ainsi, toutes les valeurs actives susceptibles d'être échangées pour de l'argent d'ici douze mois à partir de la date du bilan sont à court terme. Dans l'entreprise de construction G. Lapierre Enr., l'actif à court terme est composé des comptes suivants: caisse, billets à recevoir sans intérêt, comptes « Clients », dépôts remboursables sur soumission, placements temporaires, charges constatées d'avance, stock de fournitures de bureau. Sous le titre « **Immobilisations** », on placera *les valeurs actives qui sont nécessaires au commerce sans être destinées à la revente.* Ainsi, l'objet du commerce de M. Lapierre est d'offrir des conseils en ingénierie et de louer de l'équipement de construction. Pour exploiter une telle entreprise, il doit disposer de mobilier et d'équipement, d'un terrain et d'un bâtiment, de matériel roulant et d'outillage. À l'intérieur de chacune des rubriques, l'ordre de présentation sera fonction de leur liquidité. Ainsi, si un compte doit être converti en argent avant un autre, il sera présenté avant. C'est le principe de la *liquidité décroissante.*

Les comptes de passif

Cette fois, on distinguera entre passif à court terme et passif à long terme. le **passif à court terme** doit comprendre *les sommes à payer au cours de l'année qui suit la date du bilan.* Par conséquent, le **passif à long terme** sera composé des *dettes à échéance éloignée, c'est-à-dire celles qui deviendront dues dans plus d'un an.* À l'intérieur de chacune des rubriques, une dette échue avant une autre sera présentée avant cette autre dette.

Le compte « Capital »

Le solde du compte « Capital » est le solde à la date du bilan, calculé par l'état des variations de la valeur nette.

EXEMPLE D'APPLICATION

Le bilan de l'entreprise G. Lapierre Enr. au 31 décembre 19__1 est présenté au tableau 5-4.

5.6 PRINCIPAUX COMPTES UTILISÉS

Les comptes utilisés pour comptabiliser les opérations commerciales peuvent varier d'une entreprise à l'autre selon la nature particulière de l'actif, du passif et du capital de chacune. Voici tout de même une description des comptes utilisés le plus souvent.

Les comptes d'actif

Caisse

On y comptabilise toutes les variations de l'encaisse, qui comprend l'argent et tous les effets qu'une institution bancaire accepte généralement à titre de dépôts. L'encaisse comprend donc les pièces de monnaie, les billets de banque, les chèques, les mandats-poste ou les mandats bancaires et les sommes déposées dans un compte en banque.

Billets à recevoir

Ce compte sert à la comptabilisation des sommes qu'un client s'est engagé à payer en signant un « billet à ordre », c'est-à-dire une promesse écrite de payer une somme d'argent précise à une date déterminée d'avance.

Comptes « Clients »

Lorsqu'une entreprise vend des marchandises à des clients, ces derniers s'engagent, implicitement ou verbalement, à acquitter les sommes dues plus tard. Ces ventes et ces promesses de paiement faites par les clients s'appellent respectivement « Ventes à crédit » et comptes « Clients ». Les ventes à crédit contribuent à l'accroissement des comptes « Clients », alors que les sommes recouvrées auprès des clients les diminuent.

Autres types de valeurs à recevoir

Outre les billets et les comptes « Clients » précédemment définis, une entreprise peut créer différents comptes pour identifier distinctement les diverses opérations suivantes: avances de fonds à des employés ou administrateurs, dépôts remboursables sur soumission; revenus échus mais non encore encaissés en relation avec des opérations autres que celles qui découlent de l'objet commercial de l'entreprise (par exemple, les intérêts sur dépôt).

TABLEAU 5-4

Entreprise d'ingénieurs-conseils et de location
d'équipement de construction G. Lapierre Enr.
Bilan
au 31 décembre 19__1

Actif

Actif à court terme		
Caisse	20 000 $	
Billets à recevoir — sans intérêt	30 000	
Clients	131 000	
Dépôts remboursables sur soumission	15 000	
Placements temporaires — Obligations du gouvernement du Québec	75 000	
Charges constatées d'avance	7 000	
Stock de fournitures de bureau	5 000	
Total de l'actif à court terme	283 000	283 000 $
Immobilisations		
Mobilier et équipement	50 000	
Bâtiment	300 000	
Terrain	85 000	
Outillage	100 000	
Matériel roulant	200 000	
Total des immobilisations	735 000	735 000
Total de l'actif		1 018 000 $

Liquidité décroissante

Passif

Passif à court terme		
Billets à payer sans intérêt	60 000 $	
Fournisseurs	90 000	
Salaires à payer	25 000	
Impôts fonciers à payer	20 000	
Emprunt de banque	51 000	
Total du passif à court terme	246 000	246 000 $
Passif à long terme		
Hypothèque à payer		125 000
		371 000
Capital		647 000
Total du passif et du capital		1 018 000 $

Échéance la plus éloignée

Placements

Une entreprise peut acheter des actions d'une autre entreprise ou encore des obligations d'entreprises ou de gouvernements. Ces achats sont comptabilisés dans le compte « Placements ». On pourra également inscrire dans ce compte la valeur de rachat d'une police d'assurance-vie. Enfin, si une entreprise dont l'objet n'est pas de prêter de l'argent avait décidé, par exemple, de prêter sur hypothèque, elle pourra comptabiliser cette opération dans le compte « Placements ». Au bilan, on trouvera une rubrique distincte pour ces comptes.

Assurances constatées d'avance

Les primes d'assurances sont généralement facturées par le courtier au tout début de la période de couverture. Au moment de recevoir la facture, nous sommes tenus de reconnaître aux livres l'engagement pris à l'égard du courtier en inscrivant un passif qui corresponde au montant facturé. En contrepartie, la protection à recevoir constitue un actif pour l'entreprise. En inscrivant au débit du poste « Assurances constatées d'avance » le montant en cause, nous reconnaissons qu'il s'agit là d'un actif pour l'entreprise. Cet actif se transformera en charge par la suite, au fur et à mesure du passage du temps. Nous examinerons donc à intervalles réguliers les polices d'assurance auxquelles nous avons souscrit, de façon à inscrire à l'état des résultats la charge d'assurance correspondant à la portion de l'assurance constatée d'avance échue.

Autres charges constatées d'avance

Le raisonnement justifiant la création d'un compte « Assurances constatées d'avance » peut s'appliquer, toutes choses étant égales d'ailleurs, à une série d'autres charges telles que les taxes foncières, les loyers, les intérêts, les redevances, etc. Chaque type de charge peut donner naissance à un compte distinct de charges constatées d'avance, ou encore toutes les charges peuvent être regroupées dans un même compte collectif. Le nombre de charges regroupées sera fonction de l'importance relative de chacune d'elles.

Stock

Dans une entreprise qui ne fait qu'offrir des services sans vendre une marchandise quelconque, les stocks seront uniquement constitués de fournitures de bureau, sauf exception. On y retrouvera alors la valeur des timbres-poste, du papier à lettres, des factures et autres documents commerciaux, des crayons, etc. Ces articles représentent une valeur active au moment où on les achète, car ce n'est que lors de leur utilisation qu'ils deviennent des charges. Par contre, si une entreprise vend une marchandise quelconque sans la fabriquer, un autre compte, « Stock de marchandises », s'ajoutera au compte « Stock de fournitures de bureau ». Ce compte « Stock de marchandises » indiquera le coût des marchandises destinées à la revente. Enfin, si une entreprise fabrique et vend une marchandise quelconque, d'autres comptes de stock viendront s'ajouter: les « Stocks de matières premières », les « Stocks de produits en cours » et les « Stocks de produits finis ». Nous étudierons ces trois derniers comptes au chapitre 11.

Mobilier et équipement

Les acquisitions et les aliénations de biens comme les machines de traitement de texte et les imprimantes, les bureaux, les chaises et les calculatrices, dont la durée d'utilisation est relativement longue, sont comptabilisées dans un compte appelé « Mobilier et équipement ». De même, une entreprise qui a des comptoirs, des vitrines, des étagères, des caisses enregistreuses et d'autres biens de même nature les comptabilisera dans le compte « Mobilier et équipement ».

Bâtiments

L'immeuble, quel qu'en soit le genre (magasin, garage, entrepôt, usine, etc.), dont l'entreprise a besoin pour son exploitation, porte généralement le nom de « Bâtiments » ou « Immeubles ».

Terrain

Ce compte sert à inscrire les opérations relatives aux terrains dont une entreprise a besoin pour son exploitation. Bien qu'il soit matériellement impossible de séparer un bâtiment du terrain sur lequel il se trouve, il est préférable de comptabiliser ces biens dans deux comptes distincts car, contrairement aux terrains, les bâtiments se déprécient.

Autres éléments d'actif immobilisés

On comptabilisera généralement les opérations portant sur les outils de fabrication dans un compte intitulé « Équipement ». De plus, tous les autres outils possédés par l'entreprise s'inscriront au compte « Outillage ». Enfin, le coût des automobiles et des camions sera présenté au compte « Matériel roulant ».

Actif incorporel

L'actif incorporel regroupe habituellement les comptes suivants: « Brevets », « Droits d'auteur », « Marques de commerce », « Achalandage », etc. Ils doivent être présentés distinctement aux états financiers.

Les comptes de passif

Billets à payer

On comptabilise dans ce compte les opérations relatives aux billets faits à l'ordre des créanciers ou des fournisseurs.

Emprunt de banque

On y retrouve la totalité des sommes dues aux différentes succursales bancaires avec lesquelles on transige.

Comptes « Fournisseurs »

On y retrouve les sommes qu'une entreprise s'est implicitement ou verbalement engagée à payer à des fournisseurs. La plupart des comptes « Fournisseurs » découlent d'achats de marchandises, de fournitures, de matériel ou de services reçus à crédit.

Charges à payer

Il est important de noter que les comptes « Fournisseurs » ne sont pas les seuls comptes à payer de l'entreprise. Les autres dettes à court terme, comme les salaires à payer, les impôts fonciers à payer, les impôts sur le revenu à payer, les intérêts à payer, etc., doivent être comptabilisés dans des comptes distincts si leur importance relative le justifie.

Hypothèque à payer

Une **hypothèque** est *une dette à long terme garantie par un droit accordé à un créancier sur un ou plusieurs immeubles*. L'hypothèque donne au créancier le droit de forcer le débiteur à vendre le bien hypothéqué si le débiteur ne peut acquitter sa dette au moment convenu. Les opérations relatives aux dettes hypothécaires s'inscrivent dans un compte qui s'intitule « Hypothèque à payer ».

Le compte « Capital »

Nous avons analysé ce compte au chapitre précédent. Qu'il soit simplement permis de rappeler que les apports du propriétaire de même que les produits impliquent une augmentation du compte « Capital », alors que les prélèvements et les charges entraînent une diminution de ce compte.

RÉSUMÉ

Le travail préalable à la préparation des états financiers comporte quatre phases:

1) l'enregistrement chronologique des opérations commerciales à l'aide d'écritures de journal;

2) le report des écritures du journal général au grand livre général;

3) l'établissement du solde de chacun des comptes;

4) la vérification de l'égalité des débits et des crédits grâce à la balance de vérification.

Les états financiers sont le produit fini de l'enregistrement comptable. L'état des résultats indique si l'entreprise a réalisé un excédent des produits sur les charges ou l'inverse. Ce bénéfice net ou cette perte nette, jumelé aux apports et aux prélèvements, indique au propriétaire de l'entreprise les raisons de la variation du compte « Capital » pendant la période en question. Enfin, le bilan présente la situation financière de l'entreprise à une date donnée.

Les états financiers présentés dans ce chapitre sont ceux d'une entreprise de services. Par conséquent, ils sont simples. Cependant, l'étude des particularités de l'entreprise commerciale (chapitre 6) et de l'entreprise industrielle (chapitre 11) modifieront sensiblement la présentation des états financiers. Les principes de base seront toutefois identiques.

PROBLÈMES À SOLUTION COMMENTÉE

PROBLÈME 5-A **La présentation des états financiers à l'aide de la technique du chiffrier**

Le chiffrier est un outil de travail qui facilite la préparation des états financiers. Pour l'utiliser, il faut respecter l'ordre de travail suivant.

1) Diviser la feuille de travail en onze colonnes.

2) Inscrire, en utilisant les trois premières colonnes, le nom de chacun des comptes du grand livre général de l'entreprise.

3) Indiquer, dans les colonnes quatre et cinq, le solde de chacun des comptes du grand livre général. On dresse ainsi sur le chiffrier la balance de vérification. Ce solde sera inscrit sur la même ligne que le nom du compte en question. Si le solde est débiteur, on l'inscrira dans la quatrième colonne. S'il est créditeur, on l'inscrira dans la cinquième.

4) Vérifier l'égalité entre le total des soldes débiteurs et créditeurs par l'inscription du total des soldes inscrits dans chaque colonne, au bas de celles-ci.

5) Reporter dans la sixième colonne le solde de chacun des comptes de charges et, dans la septième, celui de chacun des comptes de produits. Ainsi, si les produits sont supérieurs aux charges (c'est-à-dire si le total de la septième colonne est supérieur à celui de la sixième), alors l'entreprise aura réalisé un bénéfice net. Dans le cas contraire, elle supportera une perte nette.

6) Inscrire, le cas échéant, le bénéfice net à la neuvième colonne ou, autrement, la perte nette d'exploitation à la huitième colonne.

7) Reporter le solde du compte « Capital » à la neuvième colonne s'il est créditeur et à la huitième, s'il est débiteur. De plus, le solde du compte « Prélèvements » sera inscrit à la huitième colonne, alors que celui du compte « Apports » le sera à la neuvième. Ainsi, si le total de la neuvième colonne est supérieur à celui de la huitième, alors le capital de la fin a un solde créditeur qui doit être reporté à la onzième colonne. Dans le cas contraire, il a un solde débiteur qui doit être reporté à la dixième colonne.

8) Reporter le solde de chacun des comptes d'actif dans la dixième colonne et celui de chacun des comptes de passif dans la onzième colonne. Les totaux de ces deux colonnes sont nécessairement en équilibre puisqu'elles reconstituent l'équation fondamentale:

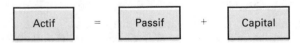

L'avantage principal du chiffrier est de faciliter le contrôle arithmétique des comptes répartis entre trois états financiers distincts. De plus, il fournit une vue d'ensemble de l'entreprise. En effet, on l'aura remarqué, les colonnes six et sept constituent l'état des résultats; les colonnes huit et neuf constituent l'état des variations de la valeur nette; enfin, les colonnes dix et onze constituent le bilan.

Par contre, il faut souligner l'inconvénient suivant: la présentation des états financiers prescrite par la saine pratique comptable n'est pas respectée. Il est donc essentiel de reproduire à partir du chiffrier les états financiers sur d'autres feuilles, en respectant cette fois la présentation généralement acceptée. Pour illustrer la méthode du chiffrier, prenons l'exemple suivant.

M. Léon Tassé présente la balance de vérification de son entreprise, Tassé Enr., en date du 31 décembre 19__1.

Tassé Enr.
Balance de vérification
au 31 décembre 19__1

	DT	CT
Caisse	30 000 $	
Clients	35 000	
Billet à recevoir	25 000	
Taxes constatées d'avance	10 000	
Immeuble	75 000	
Terrain	25 000	
Matériel roulant	12 000	
Mobilier de bureau	7 000	
Fournisseurs		55 000 $
Emprunt de banque		30 000
Billet à payer en 19__3		55 000
Capital		45 000
Apports		25 000
Prélèvements	10 000	

Honoraires — Produits		120 000
Loyer	15 000	
Salaires	25 000	
Assurances	2 000	
Taxes	30 000	
Électricité	1 500	
Cotisation professionnelle	500	
Frais d'automobile	2 000	
Entretien — Bâtiment	4 300	
Téléphone	200	
Frais de bureau	500	
Intérêts — Charges	15 000	
Publicité	5 000	
	330 000 $	330 000 $

On demande

Dresser les états financiers pour Tassé Enr. à l'aide de la méthode du chiffrier.

Solution commentée

La solution de ce problème est présentée au tableau 5-5.

À partir du chiffrier, il est facile de présenter les états financiers correctement. On aura, dans l'ordre de leur présentation, l'état des résultats, l'état des variations de la valeur nette et le bilan qui suivent.

Tassé Enr.
État des résultats
pour l'exercice terminé le 31 décembre 19__1

Produits

Chiffre d'affaires   120 000 $

Charges

Frais de vente			
Salaires[1]	12 500 $		
Frais d'automobile	2 000		
Publicité	5 000	19 500 $	
Frais d'administration			
Salaires[1]	12 500		
Loyer	15 000		
Taxes	30 000		
Assurance	2 000		
Électricité	1 500		
Entretien du bâtiment	4 300		
Frais de bureau	500		
Téléphone	200		
Intérêt	15 000		
Cotisation professionnelle	500	81 500	
Total des charges		101 000 $	101 000
Bénéfice net			19 000 $

[1] Par hypothèse, les salaires servent autant aux ventes qu'à l'administration.

Tassé Enr.
État des variations de la valeur nette
pour l'exercice terminé le 31 décembre 19__1

Capital au 1er janvier 19__1		45 000 $
Plus: Bénéfice net	19 000 $	
Apports	25 000	44 000
		89 000
Moins: Prélèvements		10 000
Capital au 31 décembre 19__1		79 000 $

175

TABLEAU 5-5

Tassé Enr.
Chiffrier
au 31 décembre 19__1

	Balance de vérification		État des résultats		État des variations de la valeur nette		Bilan	
	DT	CT	DT	CT	DT	CT	DT	CT
Caisse	30 000 $						30 000 $	
Clients	35 000						35 000	
Billet à recevoir	25 000						25 000	
Taxes constatées d'avance	10 000						10 000	
Immeuble	75 000						75 000	
Terrain	25 000						25 000	
Matériel roulant	12 000						12 000	
Mobilier de bureau	7 000						7 000	
Fournisseurs		55 000 $						55 000 $
Emprunt de banque		30 000						30 000
Billet à payer en 19__3		55 000						55 000
Capital 01-01-19__1		45 000				45 000 $		
Apports		25 000				25 000		
Prélèvements	10 000				10 000 $			
Honoraires — Produits		120 000		120 000 $				

Loyer	15 000	15 000 $
Salaires	25 000	25 000
Assurances	2 000	2 000
Taxes	30 000	30 000
Électricité	1 500	1 500
Cotisation professionnelle	500	500
Frais d'automobile	2 000	2 000
Entretien — Bâtiment	4 300	4 300
Téléphone	200	200
Intérêts — Charges	15 000	15 000
Publicité	5 000	5 000
Frais de bureau	500	500
		101 000
	330 000 $	120 000
	330 000	120 000 $
		120 000

Bénéfice net	19 000		19 000	
	120 000 $	10 000	89 000	219 000
	120 000	79 000		140 000
Capital au 31-12-19—1			89 000 $	79 000
		89 000 $	219 000 $	
		89 000	219 000 $	

177

Tassé Enr.

Bilan

au 31 décembre 19___1

Actif

Actif à court terme		
Caisse		30 000 $
Clients		35 000
Billets à recevoir		25 000
Taxes constatées d'avance		10 000
Total de l'actif à court terme		100 000
Immobilisations		
Immeuble	75 000 $	
Terrain	25 000	
Matériel roulant	12 000	
Mobilier de bureau	7 000	
Total des immobilisations		119 000
Total de l'actif		219 000 $

Passif

Passif à court terme		
Fournisseurs	55 000 $	
Emprunt de banque	30 000	
Total du passif à court terme		85 000 $
Passif à long terme		
Billet à payer, remboursable en 19___3		55 000
		140 000
Capital		79 000
Total du passif et du capital		219 000 $

PROBLÈME 5-B   **Présentation des états financiers lorsque le capital est débiteur**

Si les résultats et/ou les prélèvements d'une période totalisent un montant débiteur supérieur au total du solde du capital du début plus celui des apports de cette même période, alors le solde du capital de la fin sera débiteur. En voici un exemple.

M. Leblond présente sa balance de vérification au 31 décembre 19___1 tirée des livres de sa compagnie, R. Leblond Enr.

R. Leblond Enr.
Balance de vérification
au 31 décembre 19__1

	DT	CT
Caisse	25 000	
Clients	45 000	
Assurances constatées d'avance	5 000	
Immeuble	100 000	
Matériel roulant	12 000	
Mobilier de bureau	18 000	
Achalandage	25 000	
Fournisseurs		75 000
Emprunt de banque		70 000
Hypothèque à payer échéant le 31-12-19__3		100 000
Capital		25 000
Apports		5 000
Prélèvements	30 000	
Honoraires — Produits		100 000
Honoraires — Charges	35 000	
Loyer	12 000	
Frais de bureau	8 000	
Assurances	25 000	
Taxes	4 000	
Électricité	3 400	
Cotisation professionnelle	1 600	
Frais — Automobile	2 000	
Téléphone	400	
Frais d'intérêt	12 000	
Papeterie	800	
Publicité	10 800	
	375 000 $	375 000 $

On demande

Préparer les états financiers de R. Leblond Enr.

Solution commentée

Les états financiers doivent être dressés dans l'ordre suivant: l'état des résultats, l'état des variations de la valeur nette et le bilan.

R. Leblond Enr.
État des résultats
pour l'exercice terminé le 31 décembre 19___1

Produits

Chiffre d'affaires		100 000 $

Charges

Frais de ventes			
Frais d'automobile	2 000 $		
Publicité	10 800	12 800 $	
Frais d'administration			
Honoraires — Charges	35 000		
Loyer	12 000		
Taxes	4 000		
Assurances	25 000		
Électricité	3 400		
Frais de bureau	8 000		
Téléphone	400		
Frais d'intérêt	12 000		
Cotisation professionnelle	1 600		
Papeterie	800	102 200	
Total des charges			115 000
Perte nette			15 000 $

R. Leblond Enr.
État des variations de la valeur nette
pour l'exercice terminé le 31 décembre 19___1

Capital au 1er janvier 19___1		25 000 $
Plus: Apports		5 000
		30 000
Moins: Prélèvements	30 000 $	
Perte nette	15 000	45 000
Capital au 31 décembre 19___1		(15 000) $

Dans ce cas, le capital au 31 décembre 19___ est débiteur, parce que la perte d'exploitation de 15 000 $ et les prélèvements de 30 000 $ sont plus élevés que les apports (5 000 $) et le capital du début (25 000 $).

R. Leblond Enr.
Bilan
au 31 décembre 19___1

Actif

Actif à court terme		
Caisse	25 000 $	
Clients	45 000	
Assurances constatées d'avance	5 000	
Total de l'actif à court terme		75 000 $
Immobilisations		
Immeuble	100 000	
Matériel roulant	12 000	
Mobilier de bureau	18 000	
Total des immobilisations		130 000
Autre actif		
Achalandage		25 000
Total de l'actif		230 000 $

Passif

Passif à court terme		
Fournisseurs	75 000 $	
Emprunt de banque	70 000	
Total du passif à court terme		145 000 $
Passif à long terme		
Hypothèque à payer		100 000
Capital au 31 décembre 19___1		(15 000)
Total du passif et du capital		230 000 $

---

[1] Lorsque le capital est débiteur, il doit être présenté entre parenthèses dans la section « Capital ».

QUESTIONS

Q5-1 Expliquer pourquoi le solde du compte « Capital » inscrit à une balance de vérification datée du 31-12-19__1, qui comprend des comptes d'apports et/ou de prélèvements et/ou de charges, est le solde du début de l'année et non le solde au 31-12-19__1.

Q5-2 Si on fournissait une balance de vérification au 31-12-19__1 qui ne contiendrait aucun compte de produits ou de charges, ni aucun compte d'apports ou de prélèvements, quelle serait la date de l'établissement du solde du compte « Capital »?

Q5-3 Qu'entend-on par *état des résultats*?

Q5-4 Qu'entend-on par *produit*?

Q5-5 Qu'est-ce qu'une *charge*?

Q5-6 Définir l'expression *bénéfice net*.

Q5-7 Combien de composantes comprend l'état des résultats? Expliquer chacune d'elles.

Q5-8 Que veut expliquer l'état des variations de la valeur nette? Combien de composantes comporte-t-il? Expliquer.

Q5-9 Définir le bilan et ses différentes composantes.

Q5-10 Que comprend l'actif à court terme?

Q5-11 Que comprend le passif à court terme?

Q5-12 Quelle date porte le solde du poste « Capital » dans un bilan daté du 31-12-19__1? Expliquer.

Q5-13 Plusieurs utilisateurs d'états financiers affirment que les états financiers ne sont que l'image du passé et ne leur permettent pas d'établir des prévisions pour l'avenir. Qu'en pensez-vous?

PROBLÈME À RÉSOUDRE

P5-14 M. Blouin fournit les données suivantes:

Capital au 01-01-19__1	20 000 $
Prélèvements en 19__1	10 000 $
Produits en 19__1	50 000 $

Charges en 19___1	30 000 $
Apports en 19___1	15 000 $

- Établir le capital de son entreprise au 31-12-19___1.

P5-15 Voici les opérations de janvier 19___1 de Me Alphonse Légaré, avocat.

01 Me Alphonse Légaré commence à exercer sa profession d'avocat; il dispose d'une somme de 100 000 $.

02 Achat au comptant de la clientèle (achalandage) d'un confrère évaluée à 15 000 $.

03 Paiement du loyer du mois de janvier, 1 000 $.

04 Achat à crédit du mobilier de bureau au prix de 14 000 $.

05 Il termine un travail pour un client et reçoit des honoraires au montant de 2 700 $.

08 Paiement au journal Le Torchon d'une somme de 200 $ pour l'insertion de sa carte d'affaires.

09 Réception d'une facture de l'imprimerie Banale pour de la papeterie, 1 500 $.

10 Expédition des comptes d'honoraires professionnels pour des travaux effectués à ce jour, 20 500 $.

11 Il achète un immeuble 160 000 $, il emprunte à la banque 130 000 $ et donne 30 000 $ comptant. Il devra briser son bail et donner immédiatement au propriétaire 800 $ comptant pour bris de contrat.

12 Achat comptant d'une automobile, 14 495 $.

13 Il engage une secrétaire au salaire hebdomadaire de 350 $.

14 Paiement de la taxe d'affaires, 600 $.

15 Réception de chèques de clients pour un montant de 8 800 $ en paiement d'honoraires déjà facturés.

16 Paiement du salaire de la secrétaire, 350 $.

17 Me Légaré retire 900 $ pour son usage personnel.

18 Me Légaré s'engage à préparer un contrat d'achat pour un client le 15 mars 19___1, lequel lui a déjà versé 950 $ pour ce service futur.

19 Me Légaré a gagné 20 000 $ aux courses qu'il a décidé d'investir dans son entreprise.

20 Paiement du salaire de la secrétaire, 350 $.

21 Réception du compte du Club St-Jude où il amène ses clients dîner, 250 $.

22 Un client tarde à payer son compte et le bureau obtient un billet de 1 500 $.

23 Paiement de sa cotisation annuelle au Barreau du Québec, 1 325 $.

24 Paiement de la facture du téléphone, 170 $.

25 Paiement de la facture d'électricité, 130 $.

26 Paiement des intérêts sur son emprunt de banque, 2 000 $.

27 Paiement du salaire de sa secrétaire, 350 $.

- 1) Enregistrer les opérations qui précèdent sous forme d'écriture de journal dans le journal général.
- 2) Faire les reports dans le grand livre général.
- 3) Dresser la balance de vérification au 31 janvier 19__1.
- 4) Dresser les états financiers suivants: états des résultats, état des variations de la valeur nette et bilan.

P5-16 En marge de son activité principale, M. Lego exploite une petite entreprise de services, Lego Enr., dont voici la balance de vérification en date du 31 décembre 19__1.

Lego Enr.
Balance de vérification
au 31 décembre 19__1

	DT	CT
Caisse	62 244 $	
Loyer	600 $	
Capital		15 000 $
Billets à recevoir	1 500 $	
Billets à payer en 19__3		75 000 $
Publicité	300 $	
Salaires	1 305 $	
Fournisseurs		14 490 $
Automobile	9 450 $	
Achalandage	60 000 $	
Mobilier de bureau	9 300 $	
Honoraires à recevoir	11 250 $	
Prélèvements	1 500 $	
Apports		30 000 $
Honoraires — Produits		26 730 $
Papeterie	900 $	
Fournitures de bureau	651 $	
Cotisation professionnelle	360 $	
Taxes d'affaires	600 $	
Frais d'automobile	270 $	
Frais de représentation	240 $	
Téléphone	210 $	
Électricité	90 $	
Intérêts — Charges	450 $	
	161 220 $	161 220 $

- 1) Critiquer la présentation de la balance de vérification préparée par Monsieur Lego.
- 2) Dresser les états financiers suivants: le bilan, l'état des résultats ainsi que l'état des variations de la valeur nette de l'entreprise Lego pour l'exercice terminé le 31-12-19__1.

5-17 Voici la balance de vérification du Notaire Brault au 31 janvier 19__1, un mois après le début de l'exercice 19__1.

Notaire Brault
Balance de vérification
au 31 janvier 19__1

	DT	CT
Caisse	9 895 $	
Honoraires à recevoir	2 850 $	
Mobilier de bureau	6 000 $	
Amélioration des locaux	4 000 $	
Équipement de bureau	5 000 $	
Honoraires à payer		100 $
Fournisseurs		8 550 $
Emprunt de banque		5 500 $
Billets à payer en 19__5		2 000 $
Capital — Notaire Brault		8 000 $
Apports — Notaire Brault		1 000 $
Prélèvements — Notaire Brault	6 500 $	
Honoraires — Produits		15 900 $
Honoraires — Charges	3 050 $	
Salaires — Secrétaire	1 000 $	
Charge — Bureau	150 $	
Charge — Téléphone	200 $	
Frais généraux divers	900 $	
Entretien et réparations	40 $	
Électricité	100 $	
Fournitures de bureau	1 200 $	
Chauffage	60 $	
Intérêts — Charges	105 $	
	41 050 $	41 050 $

185

• Préparer le bilan au 31 janvier 19___1 ainsi que l'état des résultats et l'état des variations de la valeur nette à la même date.

P5-18 M. Jean-Marc Bardas fournit la balance de vérification de son entreprise, Bardas Enr., au 30 juin 19___1.

Bardas Enr.
Balance de vérification
au 30 juin 19___1

	DT	CT
Caisse	32 100 $	
Clients	2 250 $	
Terrain	25 000 $	
Équipement	16 545 $	
Stock de pièces	5 000 $	
Stock d'essence	1 300 $	
Réservoir d'essence	1 500 $	
Charges constatées d'avance	2 000 $	
Bâtiment	56·000 $	
Fournisseurs		50 000 $
Hypothèque à payer		50 000 $
Capital — M. Bardas		120 000 $
Produits — Location		15 000 $
Produits — Entretien		15 000 $
Fournitures de bureau	1 050 $	
Salaires	34 000 $	
Téléphone	100 $	
Électricité	200 $	
Taxes d'affaires	400 $	
Prélèvements	72 555 $	
	250 000 $	250 000 $

• Dresser les état financiers au 30 juin 19___1.

5-19 Guillaume Untel exploite une entreprise d'ingénieurs-conseils. Son comptable étant grièvement malade, M. Untel a préparé lui-même ses états financiers pour l'exercice terminé le 31 décembre 19__3. Cependant, il a éprouvé certaines difficultés lors de la préparation des états financiers et il met en doute certains des postes qui y apparaissent. Voici ces états:

État des résultats
au 31 décembre 19__3

Produits

Chiffre d'affaires	505 000 $
Clients	50 000 $
Dépôts reçus de clients	1 000 $
Produit d'intérêt sur obligations	1 000 $
Produit perçu d'avance	3 000 $
	560 000 $

Charges

Honoraires — Charges	359 000 $
Loyer	12 000 $
Fournisseurs	15 000 $
Prélèvements	6 000 $
Salaires courus à payer	2 000 $
Salaires des secrétaires	52 000 $
Publicité	9 000 $
Chauffage et électricité	1 500 $
	456 500 $
Bénéfice net	103 500 $

Bilan
au 31 décembre 19__3

Actif

Actif à court terme

Banque	15 000 $
Achalandage	10 000
Assurances	1 200
Papeterie et frais de bureau	800
Charges constatées d'avance	2 000
	29 000

Actif à long terme

Matériel roulant	35 000
Mobilier de bureau	16 000
	51 000
	80 000 $

Passif

Passif à court terme

Emprunt de banque	5 000 $
Obligations du Canada, 10%	10 000
Entretien et réparations	30 000
Taxes	1 000
	46 000
Capital — Guillaume Untel	74 000
	120 000 $

- Rédiger, en bonne et due forme, l'état des résultats de Guillaume Untel pour l'année terminée le 31 décembre 19__3.

6 L'entreprise commerciale

6.1 UNE AUTRE FORME ÉCONOMIQUE D'ENTREPRISE

Dans les chapitres 3, 4 et 5, nous avons étudié le fonctionnement du modèle comptable avec, comme cadre de référence principal, l'entreprise de services. Ces entreprises, comme nous l'avons déjà indiqué, gagnent leur produit en fournissant à leurs clients un service qui ne peut être identifié physiquement. Il peut s'agir, par exemple, de consultation juridique, de soins médicaux ou encore de services rendus à l'aide d'équipement spécialisé, comme les services de transport. D'autres entreprises, appelées **entreprises commerciales**, se consacrent au contraire *à la vente de biens qui sont physiquement identifiables*. Elles achètent des biens de divers fournisseurs et les offrent dans leurs magasins pour les revendre aux clients. Les entreprises commerciales sont omniprésentes dans notre société. Les épiceries, les quincailleries et les grands magasins en sont autant d'exemples. En fait, chaque fois qu'un consommateur achète un bien, il l'acquiert habituellement d'une entreprise commerciale.

L'objet de ce chapitre est d'examiner les caractéristiques économiques et comptables des entreprises commerciales. Plus précisément, nous verrons en quoi le modèle de comptabilisation présenté aux chapitres 3, 4 et 5 doit être modifié pour être compatible avec les exigences de l'entreprise commerciale.

6.2 LES CARACTÉRISTIQUES ÉCONOMIQUES

Généralités

C'est donc le commerce de biens qui distingue l'entreprise commerciale de l'entreprise de services. Ces opérations commerciales peuvent être présentées schématiquement comme suit:

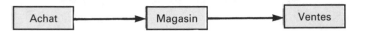

Les marchandises doivent d'abord être achetées de divers fournisseurs. Cette opération est assurée par le *service des achats*, qui doit les acquérir en quantité suffisante pour satisfaire à la demande des clients et ce, au coût le plus bas possible. C'est une fonction de première importance, car une lacune dans son exécution peut signifier que les marchandises acquises ne correspondent pas aux goûts des clients ou encore qu'elles ont été acquises à un coût trop élevé. Dans tous les cas, l'acquisition de telles marchandises a pour conséquence de réduire la capacité concurrentielle de l'entreprise, de même que son chiffre d'affaires et ses bénéfices. Outre les coûts directs d'acquisition des stocks, les coûts nécessaires au fonctionnement du service des achats sont principalement les salaires des employés qui y sont affectés de même que les coûts d'utilisation des locaux que ces employés utilisent. À ces coûts s'ajoutent également des frais comme les frais de téléphone et de télécommunications, les frais de déplacement ainsi que tous les autres frais nécessaires à l'accomplissement de cette tâche.

Les marchandises acquises sont ensuite reçues par l'entreprise qui doit alors en vérifier la quantité reçue et la qualité et ce, conformément aux stipulations de la commande passée par le service des achats. Les marchandises sont ensuite acheminées au magasin pour être mises en vente. Selon leur nature, elles y demeureront plus ou moins longtemps avant de faire l'objet d'une vente. Par exemple, les produits reliés à l'alimentation, et plus particulièrement les produits périssables, sont souvent vendus le jour même ou, au plus tard, quelques jours après l'acquisition. Par contre, des produits comme ceux que vend un libraire demeurent en magasin plusieurs semaines, sinon plusieurs mois, avant d'être vendus. Dans tous les cas, il y a toujours une certaine quantité de marchandises en magasin. Elles doivent être conservées et protégées, ce qui implique des coûts associés à l'utilisation des locaux où se trouve le magasin et des coûts liés à leur protection contre le vol et le vandalisme, par exemple. Parmi ces coûts, on retrouve des charges comme le loyer, l'entretien et le chauffage des locaux, les impôts fonciers et l'assurance.

Ces marchandises en magasin sont des éléments d'actif d'un caractère particulier. En effet, il s'agit de biens que l'entreprise possède et qu'elle ne consommera pas, comme c'est le cas d'un bâtiment ou d'un camion de livraison, mais qu'elle revendra.

Cette caractéristique distingue nettement ces biens des autres biens que l'entreprise possède et pose, comme nous le verrons plus loin, des problèmes de comptabilisation et de mesure qui sont propres aux marchandises.

La fonction vente consiste à céder les marchandises aux clients à un prix suffisant pour rembourser le coût des marchandises ainsi vendues, et pour laisser un profit à la vente qui permet de rembourser les coûts de fonctionnement de l'entreprise et d'assurer un bénéfice. Cette activité entraîne des charges comme la publicité, les frais de déplacement ainsi que les salaires et commissions aux vendeurs.

Vente des marchandises et ressources disponibles

L'entreprise commerciale se caractérise principalement par le fait qu'elle vend un bien qui lui a coûté quelque chose. C'est pourquoi, contrairement à l'entreprise de services, ses produits servent, souvent dans une grande proportion, à payer les biens qui ont été vendus. Plus ce coût est important, plus il lui faut vendre de marchandises afin d'obtenir une même somme nécessaire au paiement des charges d'exploitation de l'entreprise et à la réalisation du bénéfice.

EXEMPLE D'APPLICATION

Soit les trois entreprises A, B et C qui fixent leur prix de vente en majorant leurs coûts d'achat d'une proportion respective de 50%, 75% et 100%. Supposons qu'en 19__1, elles aient réalisé chacune des ventes de 100 000,00 $.

Après le paiement des marchandises, les ressources disponibles seraient alors:

	A	B	C
Produit provenant des ventes	100 000 $	100 000 $	100 000 $
Coûts des marchandises vendues			
A: $100\ 000\ \$ \times \dfrac{100}{150}$	66 667		
B: $100\ 000\ \$ \times \dfrac{100}{175}$		57 143	
C: $100\ 000\ \$ \times \dfrac{100}{200}$			50 000
Ressources disponibles	33 333 $	42 857 $	50 000 $

On constate que, plus le taux de majoration des coûts est important, plus les ressources disponibles le sont également. Ainsi, avec une majoration de 100%, l'entreprise C est celle qui a le taux de majoration le plus important. C'est également celle qui dispose des ressources disponibles les plus importantes. À l'inverse, l'entreprise A a le plus faible taux de majoration (50%) et est celle qui a le moins de ressources disponibles (33 333 $). Enfin, l'entreprise B se situe entre l'entreprise A et C à la fois pour le taux de majoration (75%) et pour les ressources disponibles (42 857 $).

Si les entreprises A et B voulaient disposer des mêmes ressources que l'entreprise C, il faudrait qu'elles vendent respectivement pour 150 000 $ et 116 667 $, comme le montre le tableau suivant.

	A	B	C
Produit provenant des ventes	150 000 $	116 667 $	100 000 $
Coûts des marchandises vendues			
A: 150 000 $ $\times \frac{100}{150}$	100 000		
B: 116 667 $ $\times \frac{100}{175}$		66 667	
C: 100 000 $ $\times \frac{100}{200}$			50 000
Ressources disponibles	50 000 $	50 000 $	50 000 $

Cet exemple illustre que, pour une entreprise commerciale, le montant des ressources disponibles est autant, sinon plus, important que celui du produit provenant des ventes. C'est pourquoi il faut mesurer avec précision le coût des marchandises vendues et, donc, le stock de marchandises, puisque ce sont ces stocks qui font l'objet des ventes.

Le stock de marchandises

Définition et présentation au bilan

Le **stock de marchandises** correspond à *l'ensemble des articles en magasin qu'une entreprise destine à la vente.*

Par exemple, dans le cas d'une librairie, le stock de marchandises sera constitué des livres, revues et journaux offerts aux clients. Par contre, les catalogues de références, les affiches publicitaires et les autres fournitures de magasin ne font pas partie du stock de marchandises parce qu'ils ne sont pas destinés à être vendus, mais plutôt à être consommés par l'entreprise dans l'exécution de ses activités, c'est-à-dire la réalisation de son objectif de vente. Donc, pour qu'un bien possédé par une entreprise soit considéré comme un stock de marchandises, il faut qu'il possède les deux caractéristiques suivantes:

1) être physiquement identifiable;

2) être destiné à la vente.

Ces deux caractéristiques nous amènent à considérer le stock comme un actif à court terme. En effet, le fait qu'il s'agit d'un bien possédé par l'entreprise le classe automatiquement dans l'*actif*. De plus, comme il est destiné à être vendu, c'est un actif qui ne devrait demeurer que peu de temps dans l'entreprise. Nous pouvons donc le classer comme *actif à court terme* et le présenter comme tel lors de la préparation du bilan. Le stock de marchandises sera toujours présenté ainsi, même s'il s'agit de biens qui peuvent avoir une durée de vie supérieure à un an. Par exemple, pour un vendeur de véhicules automobiles, le stock de marchandises est un actif à court terme, même si, pour l'acheteur du véhicule, il s'agit d'une immobilisation dont la durée de vie excède un an.

Le coût d'acquisition des marchandises au cours d'une période

Le **coût d'acquisition du stock de marchandises** est constitué de *toutes les sommes engagées par l'entreprise pour en acquérir la propriété et la disponibilité en magasin.* Il s'agit, en plus du montant facturé par le fournisseur, des frais de transport pour faire l'acquisition des marchandises, des frais de douane s'il s'agit de produits importés, des droits et taxes d'accise s'il y a lieu et de tous les autres frais de même nature, c'est-à-dire des frais nécessaires soit à l'acquisition des marchandises, soit à leur acheminement à l'entreprise.

EXEMPLE D'APPLICATION

Le propriétaire de la quincaillerie Aux Bons Outils demande à son comptable de déterminer le coût des marchandises qu'il a acquises au cours du mois de janvier 19__1. Il lui indique qu'il a payé 20 000 $ à des fournisseurs pour en faire l'acquisition, 4 500 $ en frais de transport, soit 3 500 $ pour acheminer les marchandises achetées au magasin et 1 000 $ pour livrer certaines marchandises chez des clients, 2 500 $ de frais de douane et enfin, 1 000 $ d'assurances, soit 200 $ pour les assurer pendant le transport de chez le fournisseur au magasin et 800 $ pour assurer les marchandises en magasin.

Afin de déterminer le coût d'acquisition des marchandises, examinons un à un chacun des coûts présentés.

La somme de 20 000 $ payée aux fournisseurs fait partie du coût des marchandises. En effet, puisqu'il faut payer les marchandises aux fournisseurs pour en faire l'acquisition, ce coût fait partie du coût d'acquisition des stocks.

Les frais de transport de 4 500 $ ne constituent cependant pas en entier des coûts qu'il faut incorporer aux stocks de marchandises. En effet, on doit établir une distinction entre les frais de transport pour acquérir les marchandises, c'est-à-dire le fret à l'achat, et les frais de livraison chez les clients, soit le fret à la vente. Le fret à l'achat, qui s'élève ici à 3 500 $, est une charge essentielle à l'acquisition des marchandises et fait partie du coût du stock. Par contre, le fret à la vente de 1 000 $ n'est pas une charge essentielle à l'acquisition des marchandises, mais plutôt une charge pour les vendre. Il ne fait donc pas partie du coût d'acquisition des stocks, ce qui signifie que les seuls frais de transport à retenir sont le fret à l'achat de 3 500 $

Quant aux frais de douane de 2 500 $, il s'agit d'une charge nécessaire à l'acquisition de marchandises qui doit donc être incluse dans le coût des stocks.

Enfin, le coût d'assurance de 1 000 $ doit être examiné en fonction de son objectif. En ce qui concerne le coût de 800 $ pour assurer le stock en magasin, il est clair qu'il ne s'agit pas d'un coût d'acquisition des marchandises, mais plutôt d'un coût lié à des frais d'entreposage. Il ne fait donc pas partie du coût des stocks. Quant au coût d'assurance en cours de transport de 200 $, il s'agit d'une charge liée à l'acquisition des marchandises. En effet, même si, théoriquement, on peut acquérir des marchandises sans les assurer, la pratique des affaires et la prudence élémentaire nous conduisent à le faire. Par conséquent, lorsqu'une entreprise veut acquérir des marchandises, elle sait qu'elle devra payer pour les assurer pendant le transport qui les amène au magasin. Donc, ce coût de 200 $ fait partie du coût des stocks.

En résumé, pour répondre au propriétaire de Aux Bons Outils, le coût des marchandises acquises en janvier 19__1 se calcule comme suit.

Prix à l'achat	20 000 $
Fret à l'achat	3 500
Douanes	2 500
Assurances	200
	26 200 $

Le calcul du coût d'acquisition des marchandises permet de connaître l'ensemble des engagements pris par l'entreprise, au cours d'une période, pour acquérir des stocks de marchandises. C'est toutefois l'inventaire des marchandises à une date donnée qui conduit à déterminer le coût des marchandises en main.

L'inventaire des marchandises

L'**inventaire des marchandises** à un moment donné consiste à *faire le dénombrement de ces marchandises afin d'en établir le coût à présenter au bilan*. On détermine ainsi la quantité de marchandises que possède l'entreprise de même que le coût total de ces marchandises en multipliant cette quantité par le coût unitaire d'acquisition.

Généralement, le stock de marchandises est constitué de toutes les marchandises ainsi inventoriées.

EXEMPLE D'APPLICATION

Au 31 décembre 19__1, la Librairie Ravenelle Enr. possède en magasin 100 000 $ de volumes, 3 500 $ de périodiques et 500 $ de journaux. Les marchandises inventoriées correspondent donc à:

Volumes	100 000 $
Périodiques	3 500
Journaux	500
	104 000 $

Le stock de marchandises devrait donc dans ce cas-ci être présenté au bilan à 104 000 $, ce montant correspondant au coût des marchandises en magasin. Le montant du stock de marchandises pourra toutefois différer du coût des marchandises en magasin si les marchandises sont en transit ou si elles sont en consignation.

Les marchandises en transit

Les **marchandises en transit** sont *les marchandises qui ont quitté l'entrepôt du fournisseur mais qui ne sont pas encore rendues dans les locaux de l'entreprise.* On considérera qu'elles doivent être incluses dans le stock de marchandises seulement si l'entreprise en est propriétaire. Sinon, elles ne doivent pas être incluses dans le stock de marchandises.

Dans le cours normal des affaires, les marchandises sont la propriété de l'entreprise qui doit en assumer les frais de transport. Ainsi, si un fournisseur assume la totalité des frais de transport jusque chez son client, on considérera que les marchandises ont été acquises par ce dernier uniquement au moment où il les a reçues. Au contraire, si selon l'entente, l'acheteur paie la totalité des frais de transport, le transfert de propriété des marchandises se fera au moment où elles quitteront les locaux du fournisseur. Le moment du transfert de propriété, basé sur le critère des conditions de paiement du coût de transport, procède de ce que l'entreprise qui est responsable du transport assume automatiquement le risque inhérent à la propriété du bien, risque de détérioration, de perte, de vol, etc. Par exemple, supposons que 5 000 $ de volumes en provenance du fournisseur Hacher Inc. devant parvenir à la Librairie Ravenelle le 3 janvier 19__2 sont détruits lors d'un accident survenu le 2 janvier 19__2. Si la Librairie Ravenelle était responsable du transport, elle devrait donc assumer cette perte. Par conséquent, elle devrait payer la somme de 5 000 $ à Hacher Inc., en dépit du fait qu'elle n'a jamais été en possession des livres. Au contraire, si le fournisseur (Hacher Inc.) était responsable du transport de ces marchandises, il ne pourrait réclamer aucune somme à la Librairie Ravenelle puisqu'elle n'a jamais eu ni la possession, ni la propriété de ces marchandises.

Pour savoir qui, du fournisseur ou de l'acheteur, est responsable des frais de transport, il suffit d'examiner, à cet effet, l'entente passée au préalable entre eux. L'expression **FAB point d'expédition** signifie que *les frais de transport sont sous la responsabilité de l'acheteur.* On retrouvera l'expression **FAB point de livraison** dans le cas où *le vendeur paie les frais de transport.* En fait l'abréviation *FAB*, pour *franco à bord,* signifie qu'au-delà de la destination qui y est indiquée, l'acheteur est responsable des frais de transport.

EXEMPLE D'APPLICATION

Supposons que la Librairie Ravenelle est située à Montréal et Hacher, en Belgique, et supposons également que l'entente qui les lie en regard des frais de transport est la suivante: FAB Port de Montréal.

Cette entente signifie que Hacher assumera les frais de transport jusqu'au Port de Montréal et qu'à partir de ce lieu, la responsabilité du transport sera celle de la Librairie Ravenelle. Si, le 31 décembre 19—1, les marchandises n'ont pas encore transité à cet endroit, Hacher Inc. en assume encore les frais et risques du transport et en est le propriétaire. Par contre, si elles y ont transité, c'est à la Librairie Ravenelle d'assumer les frais de transport et c'est elle qui est la propriétaire des marchandises. Dans le premier cas, les marchandises ne seraient pas incluses dans le stock de la Librairie Ravenelle, alors qu'elles le seraient dans le deuxième cas.

Si la Librairie Ravenelle n'est pas propriétaire de ces marchandises, l'évaluation des stocks de marchandises ne serait pas affectée et demeurerait à 104 000 $. Par contre, si elle en est propriétaire, on ajouterait 5 000 $ au compte « Stock de marchandises ». qui passerait de 104 000 $ à 109 000 $, et on augmenterait les comptes « Fournisseurs » de 5 000 $.

Les marchandises en consignation

Les **marchandises en consignation** sont *les marchandises qu'un fournisseur a livrées à un négociant tout en en conservant la propriété*. Le transfert de cette propriété ne se fera qu'au moment où le négociant vendra ces marchandises. Dans ces conditions, même si les marchandises se trouvent dans le magasin du négociant, elles ne doivent pas être incluses dans le stock de marchandises puisque c'est le fournisseur qui en est le propriétaire.

EXEMPLE D'APPLICATION

Supposons que parmi les volumes qui ont fait l'objet du dénombrement, une collection traitant de l'histoire des étoiles de mer a été acceptée aux conditions suivantes:

1) la librairie est tenue de payer le coût de chaque volume dix jours après l'avoir vendu;

2) en tout temps, elle peut retourner au fournisseur la totalité des volumes de cette collection sans qu'on ne puisse lui facturer de frais.

La valeur de ces volumes en stock au 31 décembre 19—1 est de 2 500 $

Ici, il semble qu'au lieu d'un engagement formel de payer les marchandises au fournisseur et d'assumer le risque complet de la propriété comme c'est normalement le cas, ce soit le fournisseur qui assume le risque financier associé à ces marchandises. En effet, le fournisseur ne peut être payé que lorsque la Librairie a vendu les volumes et, en tout temps, elle peut les retourner sans aucune forme de pénalité. Elle n'en est donc pas propriétaire et, par conséquent, ne peut les inclure dans le montant des stocks à présenter au bilan.

Comme ces marchandises ont déjà fait l'objet d'un dénombrement et qu'elles sont comprises dans le total de l04 000 $, il faudra réduire ce total pour qu'il ne tienne compte que des marchandises qui appartiennent à la librairie.

En somme, le coût d'une marchandise en magasin doit habituellement être inclus dans le stock de marchandises. Cependant, s'il s'agit de marchandises en consignation, on ne doit pas en inclure le coût. D'autre part, selon que l'entreprise est propriétaire ou non des marchandises en transit, elle doit ou non en inclure le coût dans le stock.

Le coût des marchandises vendues

Définition

Dans notre exposé, nous avons jusqu'à maintenant considéré la détermination du coût d'acquisition des marchandises uniquement comme une étape de la détermination du poste « Stock » au bilan. Cependant, il existe un lien étroit entre l'identification du coût d'acquisition des marchandises et l'identification du coût des marchandises vendues. En effet, le mouvement des marchandises dans une entreprise commerciale peut être représenté par le modèle suivant.

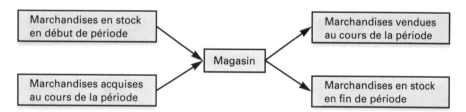

Ce modèle montre que la somme de ce qui a été vendu au cours d'une période et des stocks en fin de période ne peut provenir que de la somme des stocks en début de période et des acquisitions de la période. En pratique, à la fin d'une période, deux de ces éléments sont connus: le *coût des stocks de marchandises en début de période*, coût qu'il a été nécessaire d'établir lors de la préparation des états financiers à la fin de la période précédente, et le *coût d'acquisition des marchandises de la période*, coût enregistré aux livres au moment où ces coûts ont été engagés. Par la détermination du coût des stocks en fin de période, on peut alors déterminer comme suit le coût des marchandises vendues.

Stock de marchandises en début de période		XX
Plus:	Coût d'acquisition des marchandises au cours de la période	XX
		XX
Moins:	Stock de marchandises en fin de période	XX
		XX

Le **coût des marchandises vendues** est donc défini comme *l'équivalent du coût d'acquisition des marchandises, compte tenu de la variation entre le coût total des stocks de marchandises au début et à la fin de la période.* Si, au cours d'une période, il y a un accroissement du stock de marchandises, le coût des marchandises vendues sera inférieur au coût d'acquisition. Si, au contraire, il s'est produit une diminution du stock de marchandises, le coût des marchandises vendues sera supérieur au coût d'acquisition des stocks.

EXEMPLE D'APPLICATION

Calcul du coût des marchandises vendues

Le propriétaire du magasin Les Jouets Ovni Enr. indique qu'au 1er janvier 19__1, le magasin détenait pour 2 500 $ de marchandises et, qu'au cours de l'année 19__1, il a encouru les coûts suivants d'acquisition des marchandises.

Achat	55 000 $
Fret à l'achat	5 000 $
Douanes	1 000 $

Enfin, au 31 décembre 19__1, il restait en magasin pour 4 000 $ de marchandises.

Le coût des marchandises vendues au 19__1 par Les Jouets Ovni Enr. se calcule donc comme suit.

Stock de marchandises au 1er janvier 19__1		2 500 $
Plus: Achats	55 000$	
Fret à l'achat	5 000 $	
Douanes	1 000	61 000
Coût des marchandises disponibles à la vente		63 500 $
Moins: Stock de marchandises au 31 décembre 19__1		4 000
Coût des marchandises vendues		59 500 $

Présentation de l'état des résultats

L'état des résultats d'une entreprise commerciale doit refléter sa caractéristique, soit la vente de marchandises qui lui ont coûté quelque chose. Voilà pourquoi cet état est divisé en trois parties:

1) l'identification des produits provenant des clients;

2) l'identification du coût des marchandises vendues et du bénéfice brut provenant des ventes, c'est-à-dire du bénéfice lorsque le seul coût retenu est le coût des marchandises vendues;

3) l'identification des charges d'exploitation et du bénéfice net.

EXEMPLE D'APPLICATION

Supposons que pour l'année 19__1, les Jouets Ovni Enr. a réalisé des ventes de 100 000 $ et a encouru, en plus du coût des marchandises vendues, les charges suivantes.

Salaires	18 000 $
Publicité	5 500 $
Téléphone et électricité	1 000 $
Loyer	4 800 $
Assurance	1 200 $

La présentation de l'état des résultats pour l'année 19__1 serait alors celle que nous donnons au tableau 6-1.

TABLEAU 6-1

Les Jouets Ovni Enr.
État des résultats
de l'exercice terminé le 31 décembre 19__1

Chiffre d'affaires			100 000 $
Coût des marchandises vendues			
Stock de marchandises au 1er janvier 19__1		2 500 $	
Plus: Achats	55 000 $		
Fret à l'achat	5 000		
Douanes	1 000	61 000	
Coût des marchandises disponibles à la vente		63 500 $	
Moins: Stock de marchandises au 31 décembre 19__1		4 000	59 500
Bénéfice brut			40 500 $
Charges d'exploitation			
Salaires		18 000 $	
Publicité		5 500	
Téléphone et électricité		1 000	
Loyer		4 800	
Assurance		1 200	30 500
Bénéfice net			10 000 $

Ainsi présenté, cet état met en évidence le bénéfice brut ou les ressources disponibles après la vente des marchandises, ainsi que le bénéfice net dont la signification est la même que lorsqu'il s'agit d'une entreprise de services, c'est-à-dire la différence entre tous les produits et toutes les charges.

La présentation du bilan

La seule distinction entre le contenu du bilan d'une entreprise commerciale et celui d'une entreprise de services (que nous avons vu au chapitre 5) a trait au poste « Stock de marchandises » présenté à l'actif à court terme. On retrouve ce poste au bilan d'une entreprise commerciale, alors qu'il est absent de celui de l'entreprise de services. Pour les autres postes, il n'y a pas de différence, chacune de ces deux formes économiques d'entreprise pouvant, pour répondre aux besoins des activités de ces formes d'entreprise, posséder les mêmes biens et la même structure de financement.

6.3 LA COMPTABILITÉ DES OPÉRATIONS

Nous avons vu que les opérations d'une entreprise commerciale se divisent en opérations consistant en l'acquisition des marchandises et la gestion des opérations inhérentes à toute entreprise. Nous savons également que ce qui distingue ses opérations de celles d'une entreprise de services a trait au mouvements des marchandises, soit l'achat et la vente de celles-ci. Quant aux charges d'exploitation, il s'agit de charges analogues à celles que l'entreprise de services encourt, charges dont la comptabilisation a été décrite aux chapitres 3 et 4. C'est pourquoi nous n'allons ici étudier en détail que la façon dont le système d'information comptable doit enregistrer les mouvements des marchandises.

À cet effet, on a le choix entre deux méthodes de comptabilisation des opérations. On peut choisir de ne pas mettre à jour le poste « Stock de marchandises » après chaque opération. On utiliserait alors la méthode de l'inventaire périodique. Au contraire, si on retient la méthode qui assure la mise à jour continue du poste « Stock de marchandises », on aura choisi d'utiliser la méthode de l'inventaire permanent. Examinons donc les caractéristiques de base et le mode de fonctionnement de ces deux méthodes.

La méthode de l'inventaire périodique

La **méthode de l'inventaire périodique** consiste à *enregistrer les opérations de l'entreprise de telle sorte qu'en tout temps, on retrouve au grand livre général le stock d'ouverture et les comptes de résultats nécessaires au calcul du coût des marchandises vendues (achat, fret à l'achat, etc.).*

L'enregistrement des opérations selon la méthode de l'inventaire périodique laisse donc intact le compte « Stock de marchandises », celui-ci n'étant jamais affecté au cours d'un exercice. Il faut donc, pour en connaître le solde à un moment donné, procéder à un dénombrement des marchandises. Il est également impossible, sans cet inventaire, de procéder au calcul du coût des marchandises vendues puisque celui-ci suppose la connaissance du stock de clôture.

C'est par l'enregistrement des principales opérations liées à l'achat et à la vente des marchandises que nous illustrons le fonctionnement de cette méthode.

La comptabilisation des opérations liées à l'acquisition des marchandises

Les opérations liées à l'acquisition des marchandises se divisent en trois grandes catégories:

1) l'acquisition proprement dite ou l'achat des marchandises;

2) le retour des marchandises aux fournisseurs, lorsque c'est le cas, et les rabais accordés par ceux-ci;

3) le paiement des marchandises aux fournisseurs.

L'achat des marchandises

L'achat de marchandises donne lieu à un engagement de l'entreprise envers des tierces personnes. Cet engagement peut être avec le fournisseur de marchandises, ou encore avec des intermédiaires, comme les compagnies de transport par exemple. Pour le comptabiliser, on débitera les différents comptes de résultats appropriés et on créditera le compte « Caisse » ou le compte « Fournisseurs », selon qu'il s'agit d'un achat au comptant ou d'un achat à crédit.

EXEMPLE D'APPLICATION

Une entreprise reçoit le 23 janvier 19__1 des marchandises facturées au coût de 500 $ par le fournisseur. En plus, elle doit payer 25 $ de frais de transport et 150 $ de frais de douane. L'écriture de journal alors à enregistrer serait la suivante:

Achat	500 $	
Fret à l'achat	25	
Frais de douanes	150	
@ Caisse ou Fournisseurs		675 $

L'inscription du crédit au compte « Caisse » ou au compte « Fournisseurs » ne devrait pas poser de problème. Pour la partie de l'opération au comptant, on crédite le compte « Caisse » et, pour la partie à crédit, on crédite le compte « Fournisseurs ». Par exemple, si l'entreprise paie trente jours après la réception des marchandises ses achats aux fournisseurs, mais paie au comptant le fret à l'achat et les frais de douane, il faudrait alors créditer le compte « Caisse » de 175 $ et le compte « Fournisseurs » de 500 $.

L'inscription des débits aux différents comptes de résultats est nécessaire pour pouvoir, en fin de période, déterminer le coût des marchandises vendues. Notons que si, pour tout achat, le compte « Achats » est nécessairement affecté, il n'en va pas de même pour les autres comptes de résultats. Ainsi, si les conditions de transport sont FAB point de livraison, l'entreprise n'a pas de frais de transport à payer et n'a donc aucun montant à enregistrer au compte « Fret à l'achat ».

Les rendus et rabais sur achats

Si les marchandises achetées ne sont pas conformes aux spécifications de l'entreprise, elle peut les retourner au fournisseur ou encore demander une réduction du prix d'achat. On parlera alors de rendus ou de rabais sur achat. Même s'il ne s'agit pas de deux opérations strictement identiques, on les consigne dans un même compte parce qu'en plus d'avoir la même origine, c'est-à-dire des marchandises qui ne conviennent pas à l'entreprise, l'effet de chacune sur les engagements de l'entreprise et sur le coût des marchandises achetées est le même. Dans les deux cas, il y a une réduction des engagements envers les fournisseurs et, dans les deux cas, cette réduction des engagements diminue le coût des marchandises achetées.

La comptabilisation des opérations de rendus et rabais sur achats doit donc refléter ce double phénomène. Il y aura donc une diminution des comptes de résultats constituant le coût des marchandises vendues et une réduction du compte « Fournisseurs » ou une augmentation du compte « Caisse », selon le cas.

EXEMPLE D'APPLICATION

Une entreprise retourne à un fournisseur pour 125 $ de marchandises et obtient un remboursement de ce montant. Cette opération donne lieu à l'écriture suivante.

Caisse	125 $	
@ Rendus et rabais sur achat		125 $

On a ici débité le compte « Caisse », car l'entreprise a obtenu un remboursement en argent. Souvent, les fournisseurs émettront plutôt des notes de crédit, ce qui signifie que, dans leurs registres comptables, ils créditent leur compte « Clients ». Si tel avait été le cas, il aurait fallu débiter le compte « Fournisseurs » du montant de crédit accordé.

Quant au crédit au compte « Rendus et rabais sur achats », on reconnaît par cette comptabilisation le coût des marchandises retournées aux fournisseurs ou des rabais accordés par ceux-ci. Il s'agit d'un compte à solde créditeur qui sera présenté, à l'état des résultats, en diminution du coût d'acquisition des marchandises.

L'identification spécifique des rendus et rabais sur achats, comme l'illustre l'exemple précédent, permet de mettre en évidence l'importance de ces retours et rabais de marchandises. Si ceux-ci sont très élevés par rapport aux achats, ce sera un indice que le service des achats ne fonctionne pas bien. Il est en effet important d'éviter d'avoir à retourner des marchandises aux fournisseurs, car cela coûte cher. Chaque rendu et chaque rabais sur achat signifient pour l'entreprise une négociation avec le fournisseur, la commande, au besoin, de nouvelles marchandises, le retour des marchandises s'il y a lieu, etc. Toutes ces opérations sont effectuées par l'entreprise sans qu'elle ne soit remboursée par le fournisseur.

Le paiement des comptes « Fournisseurs »

Le paiement des comptes « Fournisseurs » est en principe une opération dont l'enregistrement est fort simple. On débite un compte de passif et on crédite l'encaisse du montant du paiement. Par exemple, l'enregistrement d'un paiement de 150 $ à un fournisseur s'enregistre ainsi:

Fournisseurs	150 $	
@ Caisse		150 $

Le débit au compte « Fournisseurs » le réduit de 150 $, alors que le crédit au compte « Caisse » en réduit le solde d'autant.

Cependant, dans le cours normal des affaires, il arrive souvent qu'un fournisseur, dans le but de hâter la perception de ses comptes « Clients », accorde un escompte de caisse si le client paie dans un délai prédéterminé. Cette politique est souvent aussi avantageuse pour l'acheteur que pour le vendeur puisque, d'une part, l'acheteur peut acquérir des marchandises à un prix effectivement réduit et, d'autre part, le vendeur voit grâce à cette méthode une façon efficace d'inciter ses clients à le payer plus rapidement. Examinons, à l'aide de l'exemple suivant, comment comptabiliser l'achat et le paiement des marchandises lorsqu'un fournisseur accorde un tel escompte sur achat.

Le 1er décembre 19__1, l'entreprise XYZ achète des marchandises au coût de 1 000 $ aux conditions de paiement suivantes: elle doit payer le montant total au plus tard 30 jours après l'achat. Toutefois, si elle paie dans un délai de 10 jours après l'achat, elle pourra se prévaloir d'un escompte de 2% du prix d'achat. (Une autre façon d'exprimer ces conditions d'achat serait de le noter comme suit: 2/10, n/30, abréviation utilisée couramment dans la rédaction des factures.)

Au moment de l'acquisition des marchandises, le 1er décembre 19__1, la comptabilisation de l'achat s'est faite comme suit:

Achat	1 000 $	
@ Fournisseurs		1 000 $

Au moment du paiement du compte « Fournisseurs », des difficultés peuvent toutefois survenir. Considérons d'abord la situation la plus simple, celle où l'entreprise XYZ paie trop tard pour bénéficier de l'escompte, par exemple le 30 décembre 19__1. Elle devrait alors débourser la somme de 1 000 $ pour payer un compte « Fournisseurs » inscrit aux registres comptables au même montant. Alors, l'écriture de journal à passer serait la suivante:

Fournisseurs	1 000 $	
@ Caisse		1 000 $

Par contre, si elle paie en temps requis pour bénéficier de l'escompte, le 10 décembre 19__1 par exemple, la somme qu'elle devra alors débourser sera la suivante:

Montant de l'achat	1 000 $
Moins: Escompte: 2% × 1 000 $	20
Débours	980 $

Cela signifie qu'un débours de 980 $ effacera une dette enregistrée aux registres comptables à 1 000 $. La différence entre ces deux montants, soit l'escompte de caisse de 20 $, sera considérée comme un gain réalisé sur ce paiement. On enregistrerait alors ce paiement comme suit:

Fournisseurs	1 000 $	
@ Caisse		980 $
Escompte sur achats		20 $

Quelle est la nature du compte « Escompte sur achat »? Théoriquement, on devrait le considérer comme un produit d'intérêt, puisque la décision de se prévaloir ou non de l'escompte n'a strictement rien à voir avec les opérations sur stock de marchandises mais est plutôt liée aux opérations de financement. Il s'agit en effet ici, pour l'entreprise, de juger s'il est économiquement à son avantage de payer 980 $ au plus tard 10 jours après l'achat ou 1 000 $ 30 jours après l'achat. En d'autres termes, elle doit comparer l'économie de 20 $ avec le coût additionnel d'intérêt qu'elle devra soit payer si elle doit emprunter la somme de 980 $, soit sacrifier si elle doit liquider des placements d'une somme de 980 $ pendant une période de 20 jours. Si le coût est inférieur à 20 $, elle a tout avantage à bénéficier de l'escompte en payant au plus tard 10 jours après l'achat. Sinon, dans le cas où le coût est supérieur à 20 $, il est préférable qu'elle attende l'échéance de 30 jours et qu'elle paie à ce moment 1 000 $.

Si on retient cette notion qu'il s'agit d'un produit de financement, on en arrive à présenter l'escompte sur achats sous la rubrique « Autres produits » à l'état des résultats. Toutefois, en pratique, on considère souvent qu'étant donné que l'escompte sur achat est effectivement négocié en même temps que les autres conditions d'achats comme les délais de livraison et le coût unitaire, il est normal de le considérer comme une réduction du coût des marchandises vendues. L'état des résultats présenté au tableau 6-2 montre comment présenter ainsi l'escompte sur achat.

Il existe une autre façon de considérer l'escompte sur achats comme une diminution du coût d'acquisition: la comptabilisation de tout achat à son montant net.

La comptabilisation des achats au montant net

La comptabilisation d'un achat au montant net conduit à l'inscrire à son coût net, c'est-à-dire au coût nominal diminué de l'escompte sur achat. Ainsi, l'opération d'achat de 1 000 $ de l'exemple précédent serait enregistrée comme un achat de 980 $, puisque l'entreprise a droit à un escompte de 2%. L'enregistrement de l'achat au 1er décembre 19__1 donnerait donc lieu à l'écriture suivante:

Achats	980 $	
@ Fournisseurs		980 $

TABLEAU 6-2

Compagnie XYZ
État des résultats
de l'exercice terminé le 31 décembre 19__1

Chiffre d'affaires			XX
Coût des marchandises vendues			
Stock de marchandises au 1er janvier 19__1		XX	
Plus: Achat	XX		
Fret à l'achat	XX	XX	
		XX	
Moins: Escompte sur achats	XX		
Stock de marchandises au 31 décembre 19__1	XX	XX	XX
Bénéfice brut			XX
Charges d'exploitation			XX
Bénéfice net			XX

En dépit du fait que cet achat soit enregistré au montant net de 980 $, l'entreprise peut encore choisir de bénéficier ou non de l'escompte accordé par le fournisseur et, donc, de lui payer selon le cas 980 $ ou 1 000 $. Si elle choisit de bénéficier de l'escompte en payant dans le délai de 10 jours, l'écriture de journal alors à passer est la suivante:

Fournisseurs	980 $	
@ Caisse		980 $

On remarque qu'il n'y a ici aucune difficulté au moment de l'enregistrement du paiement, puisque la somme déboursée est équivalente au passif remboursé, c'est-à-dire au montant net de l'achat. Par contre, si l'entreprise paie trop tard pour bénéficier de l'escompte, elle devra rembourser une somme équivalente au montant brut de l'opération. On serait alors dans la situation où un débours de 1 000 $ assure le paiement d'une dette de 980 $. La différence entre ces deux montants, correspondant à l'escompte de 20 $ qui n'a pu être gagné, peut alors être considérée comme une perte reconnue au moment du paiement. Dans ces conditions, l'enregistrement du paiement donnerait lieu à l'écriture suivante:

Fournisseurs	980 $	
Escompte perdu	20 $	
@ Caisse		1 000 $

Le total du compte « Escompte perdu » pourrait alors être présenté à l'état des résultats, soit en augmentation du coût des marchandises vendues, soit sous la rubrique « Autres charges ». Étant donné son caractère exceptionnel et le fait que l'escompte sur achat est habituellement une aubaine dont toute entreprise a intérêt à profiter, la place logique de ce compte serait sous la rubrique « Autres charges ». En effet, si on le présente au « Coût des marchandises vendues », on le surestime au-delà de ce que les conditions préalables d'achat autorisent. De plus, la présentation suggérée met en évidence le compte « Escompte perdu » (voir l'état des résultats présenté au tableau 6-3), ce qui permet à la direction de constater facilement l'ampleur des économies ainsi manquées.

TABLEAU 6-3

Compagnie XYZ
État des résultats
de l'exercice terminé le 31 décembre 19__1

Chiffre d'affaires			XX
Coût des marchandises vendues			
Stock de marchandises au 1er janvier 19__1		XX	
Plus: Achat	XX		
Fret à l'achat	XX	XX	
Coût des marchandises disponibles à la vente		XX	
Moins: Stock de marchandises au 31 décembre 19__1		XX	XX
Bénéfice brut			XX
Charges d'exploitation			XX
Bénéfice d'exploitation			XX
Autres charges			
Escomptes perdus			XX
Bénéfice net			XX

Nous venons de voir deux méthodes d'enregistrement des achats lorsqu'il y a un escompte de caisse accordé par le fournisseur: la méthode du prix brut et la méthode du prix net à l'achat. La principale différence entre ces deux méthodes a trait au fait que la méthode du prix brut mène à l'identification de l'escompte gagné alors que celle du prix net vise à mettre en évidence l'escompte perdu. Nous pensons que la méthode du prix net est préférable, car elle met en évidence une inefficacité de l'entreprise. En effet, par une simple constatation de l'importance du compte « Escompte perdu », la direction connaît l'ampleur des économies ainsi manquées et peut rapidement apporter, le cas échéant, les correctifs qui s'imposent.

La comptabilisation des opérations liées à la vente des marchandises

Les opérations liées à la vente des marchandises sont les suivantes:
a) la vente des marchandises;
b) le retour des marchandises par les clients et les rabais accordés par l'entreprise;
c) l'encaissement du produit de la vente.

La vente des marchandises

La vente des marchandises consiste en la cession de ces marchandises aux clients, en retour de quoi l'entreprise reçoit ou de l'encaisse s'il s'agit d'une vente au comptant, ou une créance à recevoir dans le cas d'une vente à crédit. Il s'agit donc d'une opération où l'entreprise:

a) gagne un actif appelé *encaisse* dans le cas d'une vente au comptant ou « Clients » dans le cas d'une vente à crédit;

b) réalise un produit appelé « ventes ».

La comptabilisation de cette opération se fait donc en portant un débit au poste « Caisse » ou au poste « Clients », selon le cas, et un crédit au poste « Ventes ».

EXEMPLE D'APPLICATION

L'entreprise Alpha vend à crédit 500 $ de marchandises. Ici, grâce à cette opération, l'entreprise a obtenu la possession d'une créance à recevoir 500 $. Il s'agit de l'accroissement d'un poste d'actif appelé « Clients », accroissement qui correspond à l'augmentation du produit provenant des ventes. Cette opération donne donc lieu à l'écriture suivante:

Clients	500 $	
@ Ventes		500 $

Le débit au compte « Clients » correspond à l'augmentation d'un actif, alors que le crédit au poste « Ventes » marque l'augmentation du produit provenant des ventes.

Les rendus et rabais sur ventes

Dans le cadre des activités normales d'une entreprise commerciale, il arrive que les clients ne soient pas satisfaits des marchandises et obtiennent un rabais du prix de vente établi au moment de la vente ou encore retournent simplement les marchandises à l'entreprise. Dans les deux cas, il s'agit d'une opération équivalente à la réduction des ventes de l'entreprise. Comment procéder à l'enregistrement d'une telle opération? C'est par la résolution de l'exemple suivant que nous en mettrons en évidence les principes directeurs.

Le 30 juin 19__1, un client retourne à l'entreprise des marchandises vendues à crédit 150 $, le 27 juin 19__1. Le 27 juin 19__1, la vente de ces marchandises avait été enregistrée comme suit aux registres comptables.

Clients	150 $	
@ Ventes		150 $

Le 30 juin 19__1, comme le retour de ces marchandises annule la vente du 27 juin, doit-on passer, pour l'enregistrer aux registres comptables, une écriture qui annulerait celle qui a été passée à cette date? Si oui, cela nous conduirait à passer l'écriture suivante:

| Ventes | 150 $ | |
| @ Clients | | 150 $ |

Si on adopte cette pratique comptable, la direction ne pourrait pas connaître l'ampleur des rendus et rabais sur ventes. En effet, on constate que l'écriture du 30 juin 19__1 a simplement annulé celle du 27 juin 19__1. Comme les rendus et rabais sur ventes coûtent cher à l'entreprise en service à la clientèle et en manutention des stocks, et comme il s'agit également d'un indice d'insatisfaction des clients, il est important que la direction sache quel en a été le total au cours d'une période donnée. C'est pourquoi, au lieu de débiter le compte « Ventes » et le réduire ainsi, il est préférable de débiter un poste de charge appelé « Rendus et rabais sur ventes ». Dans ces conditions, l'opération précédente serait enregistrée comme suit:

| Rendus et rabais sur ventes | 150 $ | |
| @ Clients | | 150 $ |

Le poste « Rendus et rabais sur ventes » sera présenté à l'état des résultats en diminution du poste « Ventes ». Au lieu de présenter seulement le poste comme nous l'avons fait jusqu'à présent, on présentera les ventes diminuées des rendus et rabais sur ventes. L'état sommaire des résultats de l'entreprise Alpha donne un exemple de la présentation du poste « Rendus et rabais sur ventes » (voir le tableau 6-4).

Remarquons que, dans l'exemple précédent, nous avons supposé une situation où l'entreprise émettait une note de crédit au bénéfice de son client, ce qui explique le crédit au poste « Clients ». Si l'entreprise choisit plutôt de rembourser son client en argent, il suffirait alors, au moment de l'enregistrement des écritures de journal, de créditer le compte « Caisse » au lieu de créditer le compte « Clients ».

TABLEAU 6-4

Entreprise Alpha
État des résultats
de l'exercice terminé le 31 décembre 19__1

Chiffre d'affaires brut	XX
Moins: Rendus et rabais sur ventes	X
Chiffre d'affaires net	XX
Coût des marchandises vendues	XX
Bénéfice brut	XX
Charges d'exploitation	XX
Bénéfice net	XX

L'encaissement des comptes « Clients »

L'encaissement des comptes « Clients » est a priori facile à enregistrer. Il suffit de débiter le compte « Caisse » et de créditer le compte « Clients » d'un montant correspondant à celui de la somme encaissée. Ainsi, l'encaissement d'une somme de 200 $ serait enregistré comme suit:

Caisse	200 $	
@ Clients		200 $

Il se peut toutefois qu'une entreprise accorde à ses clients la possibilité de bénéficier d'un escompte de caisse s'ils paient dans un délai prédéterminé. Dans ces conditions, il est possible que les sommes d'argent reçues du client diffèrent du montant nominal de la vente. Prenons, par exemple, le cas d'une entreprise qui vend à crédit 350 $ de marchandises aux conditions 2/10, n/30.

Devons-nous considérer cette opération comme une vente de 350 $ avec la possibilité que le client bénéficie d'un escompte de caisse de 2% à identifier au moment de la réception du paiement ou doit-on voir là une vente de 343 $ (350 $ moins l'escompte de 2%) et la possibilité que le client ne profite pas de l'escompte? Nous sommes d'avis que la première solution est plus conforme à la réalité, car ce n'est pas à l'entreprise, mais bien aux clients, de décider s'ils vont systématiquement bénéficier de l'escompte qui leur est offert. C'est pourquoi l'inscription de cette vente doit se faire comme suit:

Clients	350 $	
@ Ventes		350 $

Au moment de l'enregistrement du paiement, si le client paie trop tard pour bénéficier de l'escompte, l'entreprise recevra sous forme d'encaisse la somme de 350 $ en échange de sa créance à recevoir. Dans ce cas, il n'y a donc pas de problème de comptabilisation de l'escompte, et l'écriture de journal à passer pour enregistrer cet encaissement sera:

Caisse	350 $	
@ Clients		350 $

Dans le cas où le client paie assez tôt pour bénéficier de l'escompte, l'entreprise recevrait la somme de 343 $ en échange de l'annulation d'une créance à recevoir de 350 $. La différence entre ces deux sommes correspond au coût de l'escompte de caisse accordé au client. L'opération sera alors enregistrée comme suit:

Caisse	343 $	
Escompte sur ventes	7 $	
@ Clients		350 $

La détermination de la nature du poste « Escompte sur ventes » peut être envisagée de deux façons. Si on considère que l'entreprise accorde de tels escomptes afin de réduire ses besoins de financement par l'accélération de la perception des comptes « Clients », il serait alors logique de considérer l'escompte sur ventes au même titre que les autres charges financières, c'est-à-dire sous la rubrique « Autres charges ». Par contre, l'escompte peut être envisagé comme un moyen de stimuler les ventes, puisque grâce à cet escompte, un client peut effectivement réduire le prix d'achat.

Dans ce cas, l'escompte serait alors un des éléments du prix de vente et devrait être présenté à l'état des résultats en diminution du montant du chiffre d'affaires. Nous sommes d'avis que cette dernière solution est plus conforme à la réalité et, de plus, correspond à la pratique actuelle.

Présentation détaillée de l'état des résultats

Nous présentons au tableau 6-5 un état détaillé des résultats d'une entreprise commerciale. Il retient tous les éléments de comptabilisation que nous avons évoqués et montre comment les produits et les charges propres à une entreprise commerciale doivent être présentés. On y constate qu'il est divisé en trois sections principales:

a) la détermination du produit provenant des ventes, soit le chiffre d'affaires;

b) la détermination du coût des produits vendus;

c) les charges d'exploitation.

TABLEAU 6-5

Entreprise Alpha
État des résultats
de l'exercice terminé le 31 décembre 19__1

Chiffre d'affaires brut			XX
Moins: Rendus et rabais sur ventes		XX	
Escompte sur ventes		XX	XX
Chiffre d'affaires net			XX
Coût des marchandises vendues			
Stock de marchandises au 1er janvier 19__1		XX	
Plus: Achats	XX		
Fret à l'achat	XX		
	XX		
Moins: Rendus et rabais sur achats	XX		
Achats nets		XX	
Coût des marchandises disponibles à la vente		XX	
Moins: Stock de marchandises au 31 décembre 19__1		XX	XX
Bénéfice brut			XX
Charges d'exploitation			
Salaires		XX	
Publicité		XX	
Téléphone et électricité		XX	
Loyer		XX	
Frais de déplacement		XX	
Fret à la vente		XX	XX
Bénéfice net d'exploitation			XX
Autres charges			
Escomptes perdus			XX
Bénéfice net			XX

Nous signalons également qu'à l'état des résultats d'une entreprise commerciale, il existe trois genres de bénéfice:

a) le bénéfice brut;

b) le bénéfice net d'exploitation;

c) le bénéfice net.

Comme pour l'entreprise de services, on constate que le bénéfice net sera différent du bénéfice net d'exploitation seulement s'il y a des produits et/ou des charges qui ne résultent pas de l'exploitation normale de l'entreprise.

La méthode de l'inventaire permanent

Jusqu'à maintenant, nous avons procédé à l'enregistrement des opérations d'une entreprise commerciale selon la méthode de l'inventaire périodique. Nous allons maintenant examiner comment on peut enregistrer ces opérations selon une autre méthode d'enregistrement des stocks de marchandises: la méthode de l'inventaire permanent.

La **méthode de l'inventaire permanent** consiste à *enregistrer les opérations d'une entreprise commerciale de telle sorte qu'en tout temps, on retrouve au grand livre général le stock de marchandises à ce jour et le coût des marchandises vendues depuis le début de l'exercice.*

Selon cette méthode, chaque fois qu'il y a une opération reliée au stock de marchandises, on en modifie le solde afin qu'il corresponde à celui des marchandises en main. S'il y a acquisition de marchandises, on augmente le stock. S'il y a vente de marchandises, on le diminue. Également, chaque fois que l'entreprise procède à la vente de marchandises, on met en évidence le coût de cette vente en augmentant le compte de résultat « Coût des marchandises vendues ».

Examinons donc, à l'aide de l'exemple suivant, les modalités d'enregistrement des opérations, lorsqu'on adopte cette méthode.

EXEMPLE D'APPLICATION

L'entreprise Gros Gros a effectué les opérations suivantes du 1er au 15 janvier 19__2.

05-01	Achat à crédit aux conditions 2/10, n/30 de 500 $ de marchandises.
05-01	Paiement de 25 $ de frais de transport relatifs à l'achat précédent.
08-01	Retour à un fournisseur de 125 $ de marchandises. Ce dernier émet à cet effet une note de crédit pour ce montant.
10-01	Gros Gros effectue une vente de 500 $ aux conditions 3/5, n/30. Ces marchandises ont été payées 325 $ en décembre 19__1.
12-01	Un autre client retourne à Gros Gros des marchandises qui lui avaient été facturées 300 $. Gros Gros émet alors une note de crédit à cet effet. Le coût des marchandises ainsi reçues par l'entreprise est de 180 $.
14-01	Paiement complet de l'achat du 05-01-19__2.
15-01	Encaissement de la vente du 10-01-19__2.

Achat du 5 janvier

Le 5 janvier 19__2, Gros Gros acquiert des marchandises au coût de 500 $. Il y a donc une augmentation du compte « Stocks de marchandises » et, comme il s'agit d'un achat à crédit, une augmentation du compte « Fournisseurs ». Selon la méthode de l'inventaire permanent, on doit donc passer l'écriture suivante:

Stock de marchandises	500 $	
@ Fournisseurs		500 $

Ici, l'enregistrement de cet achat a été effectué au montant brut. Au montant net, il serait comptabilisé par une même écriture, sauf que cette écriture n'est pas d'un montant de 500 $ mais bien de 490 $ (500 $ moins 10 $ d'escompte sur achats). Dans la suite de cet exemple, nous supposons que l'entreprise comptabilise ses achats au montant brut.

Paiment de frais de transport du 5 janvier

Ces frais de transport de 25 $ ont servi à acheminer les marchandises à l'entreprise. Par conséquent, ils font partie des coûts d'acquisition des marchandises. C'est pourquoi on en enregistre le coût par un débit au poste « Stock de marchandises ».

Stock de marchandises	25 $	
@ Caisse		25 $

L'enregistrement des deux opérations du 5 janvier montre que le débit au compte « Stock de marchandises » comprend tous les éléments de coût liés à l'acquisition des marchandises et non pas seulement les engagements envers les fournisseurs. Quant au crédit au compte « Caisse » ou au compte « Fournisseurs », il s'agit d'une diminution d'un actif ou d'une augmentation d'un passif, opérations dont l'enregistrement n'est pas affecté par la méthode d'inventaire retenue. C'est pourquoi les crédits au compte « Caisse » et au compte « Fournisseurs » sont enregistrés de la même façon, que l'entreprise utilise la méthode de l'inventaire permanent ou celle de l'inventaire périodique.

Retour des marchandises à un fournisseur le 8 janvier

Comme le retour de marchandises à un fournisseur réduit le coût des marchandises que l'entreprise possède, il faut enregistrer cette opération par un crédit au poste « Stock de marchandises ». D'autre part, comme le fournisseur a accordé ici une note de crédit, il y a également une réduction des dettes de l'entreprise envers ce dernier. On doit donc passer l'écriture suivante:

Fournisseurs	125 $	
@ Stock de marchandises		125 $

Le débit au compte « Fournisseurs » procède de la même logique qu'en inventaire périodique, puisqu'il y a 125 $ en moins au compte « Fournisseurs ». Le crédit au compte « Stock de marchandises » signifie que l'entreprise a 125 $ de marchandises en moins. Dans notre exemple, cette réalité est évidente puisqu'il s'agit de 125 $ de marchandises retournées au fournisseur. Si, au lieu d'un retour au fournisseur, il s'agissait d'un rabais, on aurait également crédité le compte « Stock de marchandises », car cela aurait alors signifié une réduction du coût unitaire de celles-ci, ce qui conduit quand même à une réduction du coût des marchandises en main.

Vente le 10 janvier

Nous sommes ici en présence d'une vente à crédit de marchandises. En inventaire permanent, on doit enregistrer, en plus du revenu provenant d'une vente, le coût de cette vente. On sait également qu'avec cette méthode d'inventaire, il faut noter toute augmentation des stocks lors de chaque opération. Donc, il faudra que l'écriture ou les écritures reflètent les réalités économiques suivantes:

a) l'acquisition d'une créance à recevoir de 500 $;

b) la réalisation d'un produit de 500 $;

c) la cession de stocks au coût de 325 $;

d) le fait que le coût des biens vendus soit de 325 $.

Pour ce faire, on procède, dans un premier temps, à l'enregistrement du produit comme c'est le cas en inventaire périodique et, dans un deuxième temps, à l'enregistrement du coût des marchandises vendues. L'enregistrement du produit se traduit par l'écriture suivante:

Clients	500 $	
@ Ventes		500 $

Il s'agit d'une écriture en tous points semblables à celle qu'on aurait passée en inventaire périodique. Quant à l'écriture relative à l'enregistrement du coût des marchandises vendues, elle doit refléter à la fois une augmentation de cette charge, qui se traduit par un débit à ce compte, et une diminution correspondante des stocks de marchandises, diminution que l'on note par un crédit. On obtient l'écriture suivante:

Coût des marchandises vendues	325 $	
@ Stock de marchandises		325 $

En résumé, en inventaire périodique, on n'enregistre que les produits qui proviennent des ventes. Par contre, en inventaire permanent, on enregistre à la fois les produits et le coût des marchandises vendues. Voilà pourquoi il y a une écriture additionnelle à passer en inventaire permanent par rapport à l'écriture requise en inventaire périodique.

Réception des marchandises le 12 janvier

Ici, un client a retourné des marchandises à l'entreprise. Comme Gros Gros utilise la méthode de l'inventaire permanent, il faut reconnaître par une ou des écritures:

a) qu'il y a un rendu et rabais sur vente de 300 $;

b) qu'il y a une réduction du poste « Clients » de 300 $;

c) qu'il y a une augmentation du stock de marchandises de 180 $;

d) que, puisqu'une vente a été annulée, il y a une réduction du coût des marchandises vendues (dans ce cas-ci, 180 $).

On doit donc passer les deux écritures suivantes:

Rendus et rabais sur ventes	300 $	
@ Clients		300 $
Stock de marchandises	180 $	
@ Coût des marchandises vendues		180 $

Remarquons qu'en inventaire périodique, on aurait passé seulement la première écriture, puisque la deuxième sert à la mise à jour des postes « Stock de marchandises » et « Coût des marchandises vendues ».

Paiement du 14 janvier

On paie ici l'achat du 5 janvier 19__2 à temps pour bénéficier de l'escompte. On doit donc payer le montant net de 490 $, ce qui donne lieu à l'écriture suivante:

Fournisseurs	500 $	
@ Caisse		490 $
Escompte sur achats		10 $

On constate que cette écriture est la même que celle que l'on aurait passée si on avait utilisé la méthode de l'inventaire périodique plutôt que celle de l'inventaire permanent. C'est normal, car l'opération enregistrée ici est simplement le paiement d'une dette, ce qui signifie que les stocks de marchandises ne sont ni augmentés, ni diminués.

Encaissement du 15 janvier

Le client a payé à temps pour bénéficier de l'escompte de 3% ou 15 $. On doit donc passer l'écriture suivante:

Caisse	485 $	
Escompte sur ventes	15 $	
@ Clients		500 $

C'est une écriture qui enregistre un encaissement sans qu'il n'y ait, au 15 janvier 19__2, une acquisition ou une vente de marchandises. C'est pourquoi cette écriture est la même que celle qu'on aurait passée si on avait utilisé la méthode de l'inventaire périodique.

Inventaire périodique ou inventaire permanent

Nous avons présenté la comptabilisation des opérations propres à l'entreprise commerciale selon deux méthodes: la méthode de l'inventaire périodique et la méthode de l'inventaire permanent. Le tableau 6-6 montre la différence des modalités de fonctionnement de chacune d'elles, modalités qui synthétisent leurs particularités comptables que nous avons étudiées.

Théoriquement, la méthode de l'inventaire permanent est supérieure à la méthode de l'inventaire périodique. D'une part, les opérations reliées au stock de marchandises y sont enregistrées au fur et à mesure qu'elles se réalisent. D'autre part, une entreprise qui utilise cette méthode peut dresser plus rapidement ses états financiers, car le dénombrement des marchandises n'est pas essentiel à la préparation de ces états. Également, le fait d'établir le solde en stock à la suite de chaque opération donne à la direction un moyen de contrôle fort important. En effet, il lui suffit alors de comparer le solde qu'elle devrait théoriquement avoir, selon les registres comptables, au montant obtenu à la suite d'un dénombrement des stocks. Si ces deux montants diffèrent de

TABLEAU 6-6

Comparaison entre les modalités de fonctionnement de la méthode de l'inventaire périodique et de la méthode de l'inventaire permanent

Inventaire périodique	Inventaire permanent
On utilise les comptes de résultats « Achats », « Fret à l'achat », « Rendus et rabais sur achat », etc.	On ne retrouve que le compte de résultats « Coût des marchandises vendues ».
Le compte de valeurs « Stock de marchandises » n'est jamais affecté au cours d'un exercice.	Le compte de valeurs « Stock de marchandises » est constamment mis à jour après chaque opération.
Il est nécessaire de procéder au dénombrement des articles pour calculer le coût des marchandises vendues.	Le solde du compte « Coût des marchandises vendues » est connu après chaque opération.

façon significative, c'est là un indice qu'il y a eu des vols de marchandises ou encore des erreurs dans les enregistrements comptables. Chose certaine, le problème serait alors mis en évidence et, à partir de ces renseignements, la direction prendrait les mesures qui s'imposent.

La méthode de l'inventaire permanent n'a toutefois pas que des avantages. Son principal inconvénient vient du fait qu'elle peut être fort coûteuse à appliquer. L'application de cette méthode suppose en effet qu'on identifie spécifiquement chaque élément de stock et qu'on modifie le solde de cet élément s'il est affecté par une opération. Ainsi, une quincaillerie qui aurait 1 000 articles différents en stock devrait en comptabiliser séparément le coût à la suite de chacune des opérations. Comme on peut le constater, il s'agit d'un travail qui peut s'avérer extrêmement long et qui nécessite souvent l'emploi d'un ordinateur. Il faut également noter que l'utilisation de la méthode de l'inventaire permanent ne dispense pas l'entreprise de procéder à un dénombrement des articles. Les stocks peuvent en effet être perdus, volés ou encore désuets, phénomènes qui ne peuvent être enregistrés par la méthode de l'inventaire permanent. De même, rien ne garantit qu'il n'y a eu aucune erreur dans l'inscription des opérations. Dans ce cas, le seul avantage de l'inventaire permanent est qu'une entreprise peut préparer des états financiers périodiques, par exemple chaque mois, en posant l'hypothèse que le compte « Stock de marchandises » est raisonnablement exact. Cependant, au moins une fois l'an, il est essentiel de procéder au dénombrement des articles.

Pour déterminer la méthode d'inventaire à utiliser, une entreprise doit tenir compte de facteurs comme le nombre d'opérations, la valeur unitaire des stocks et la dimension de l'entreprise. Généralement, moins il y a d'opérations, plus les marchandises ont un coût unitaire élevé, et plus l'entreprise est grande, plus il est probable que la méthode de l'inventaire permanent soit à retenir. En effet, un nombre limité d'opérations limite le nombre d'écritures de journal à passer. Cela réduit donc le travail additionnel de mise à jour constante du poste « Stock de marchandises ». D'autre part, si les articles ont un coût unitaire élevé, il y a de fortes chances que l'avantage de l'inventaire permanent soit très grand, du point de vue du contrôle. Par exemple, un concessionnaire de véhicules automobiles a généralement avantage à utiliser la méthode de l'inventaire permanent pour son stock de voitures neuves. Par contre, l'avantage est beaucoup moins grand dans le cas du stock de pièces, surtout lorsque, par exemple, on considère uniquement les pièces valant 5 $ et moins chacune. Enfin, la dimension de l'entreprise peut devenir un facteur déterminant en ce sens où souvent, seules les grandes entreprises ont les moyens financiers de se payer les outils et les structures nécessaires à l'utilisation de l'inventaire permanent. On ne peut toutefois formuler aucune directive permettant d'affirmer hors de tout doute si une entreprise doit utiliser l'inventaire permanent ou l'inventaire périodique. Chaque cas doit être analysé en fonction des besoins et des ressources de l'entreprise.

6.4 L'ATTRIBUTION D'UN COÛT AU STOCK DE MARCHANDISES

Nous avons déjà mis en évidence le fait qu'il faut procéder à l'évaluation des stocks de marchandises par un dénombrement. Ce dénombrement s'effectue normalement en date de fin d'exercice, afin qu'il puisse servir à la préparation des états financiers. Rien n'empêche une entreprise de procéder à un tel dénombrement à un autre moment, sauf que cela n'élimine pas la nécessité d'effectuer ce travail en fin de période. Le dénombrement du stock n'est toutefois qu'une étape de la détermination du coût des stocks. Il faut également attribuer un coût aux articles qui ont été dénombrés.

EXEMPLE D'APPLICATION

Un inventaire révèle qu'il y a en stock au 31 juillet 19__2 1 500 articles du produit A. De même, l'examen des documents relatifs à l'inventaire en date du 31 juillet 19__1 et des registres des opérations de l'exercice terminé le 31 juillet 19__2 révèle:
  1) qu'au 31 juillet 19__1, il y avait 800 articles du produit A en stock, évalués à 1,50 $ l'unité, soit un total de 1 200 $;
  2) qu'au cours de l'exercice terminé le 31 juillet 19__2, les achats de ce produit ont été les suivants:

Date de l'achat	Quantité	Prix	Total
01-09-19__1	500	1,55 $	775 $
23-11-19__1	600	1,40 $	840
27-02-19__2	400	1,20 $	480
05-05-19__2	500	1,70 $	850
15-07-19__2	300	1,35 $	405
	2 300		3 350 $

3) qu'au cours du même exercice, les ventes de ce produit ont été les suivantes:

Date de la vente	Quantité
23-08-19__1	300
05-10-19__1	400
20-12-19__1	250
30-04-19__2	350
24-07-19__2	300
	1 600

On constate que le fait d'avoir dénombré 1 500 articles en stock n'est pas suffisant pour déterminer le coût des marchandises en main au 31 juillet 19__2, puisque ces articles ont été acquis à des coûts différents au cours de l'année. Doit-on choisir le dernier prix payé comme le plus représentatif du coût? Doit-on au contraire chercher à établir un coût moyen des articles achetés au cours de la période?

Devant ces questions, on a élaboré plusieurs méthodes d'attribution des coûts. Les plus reconnues sont les suivantes:

1) la méthode du coût propre;

2) la méthode du coût moyen;

3) la méthode de l'épuisement successif;

4) la méthode de l'épuisement à rebours.

La méthode du coût propre

La **méthode du coût propre** consiste à faire *le rapprochement entre les articles en magasin et leur coût spécifique au moment de leur acquisition*. Si on précise, dans l'exemple précédent, qu'au 31 juillet 19__2, les 1 500 articles en stock avaient été payés comme suit:

300 articles à 1,55 $ =	465 $
300 articles à 1,40 $ =	420
200 articles à 1,20 $ =	240
400 articles à 1,70 $ =	680
300 articles à 1,35 $ =	405
	2 210 $

le coût à attribuer au stock de marchandises serait de 2 210 $. Comme ce coût se base sur le prix effectivement payé pour les articles en stock, il ne fait aucun doute qu'il représente parfaitement la réalité. Cependant, cette façon de déterminer les coûts est inapplicable lorsque les articles sont homogènes. Ainsi, si les 1 500 articles du produit A sont des crayons à bille identiques, il est impossible de savoir si ceux qui restent en stock à une date donnée viennent de tel ou tel lot particulier. De même, si les articles ont un coût unitaire relativement faible, ce travail de rapprochement des articles en magasin avec les coûts peut être onéreux. Par exemple, si un numéro de lot a été apposé sur chaque crayon à bille au moment de la fabrication, on peut à ce moment effectuer ce rapprochement. Va-t-on le faire quand les crayons sont mélangés? Probablement pas, car ce serait beaucoup trop long. C'est pourquoi la méthode du coût propre est utilisée seulement lorsque les articles ont une grande valeur ou lorsque leur nombre est relativement faible. C'est le cas par exemple des véhicules automobiles, des motoneiges et des bijoux de grand prix. Pour les autres catégories de stock, il faut revenir à des méthodes plus pratiques.

La méthode du coût moyen

La **méthode du coût moyen** consiste à *attribuer au stock de clôture un coût correspondant au coût moyen pondéré des achats de l'exercice et du stock d'ouverture.* Dans notre exemple, cela conduirait à la détermination du coût suivant.

1) Calcul du coût moyen unitaire

Stock de marchandises au 31 juillet 19__2: 800 articles	1 200 $
Achats de l'exercice: 2 300 articles	3 350
	4 550 $

$$\text{Coût moyen:} \frac{4\ 550\ \$}{3\ 100\ \text{articles}} = 1,47\ \$ \text{ par article}$$

2) Coût à attribuer

1 500 articles × 1,47 $ = 2 205 $

Le coût des stocks serait alors de 2 205 $. Il a pu être déterminé par un calcul simple qui évite de devoir rapprocher chaque article en stock à sa valeur d'acquisition. Cette méthode peut également produire des résultats aussi valables, sinon meilleurs, que celle du coût spécifique dans le cas où les prix fluctuent beaucoup. En effet, dans ce cas, le prix moyen est souvent une meilleure estimation du coût des stocks qu'une évaluation à une date donnée.

EXEMPLE D'APPLICATION

Supposons qu'au cours de l'année, les vendeurs de l'entreprise aient fait en sorte:

Hypothèse 1

de vendre en priorité les articles les plus coûteux;

Hypothèse 2

de vendre en priorité les articles les moins coûteux.

Si l'entreprise utilise la méthode du coût spécifique, dans le premier cas, le coût des 1 500 articles en stock correspondrait aux articles moins coûteux, c'est-à-dire:

400 articles à 1,20 $	480 $
300 articles à 1,35 $	405
600 articles à 1,40 $	840
200 articles à 1,50 $	300
	2 025 $

Dans le deuxième cas, il correspondrait au coût des articles les plus coûteux:

500 articles à 1,70 $	850,00 $
500 articles à 1,55 $	775,00 $
500 articles à 1,50 $	750,00 $
	2 375 $

Le stock au 31 juillet 19___2 a-t-il un coût de 2 025 $ ou de 2 375 $? Le coût à attribuer doit-il être influencé par l'attitude des vendeurs? N'oublions pas qu'il s'agit ici de produits homogènes. Grâce à la méthode du coût moyen, on évite cette difficulté. Dans tous les cas, le coût à attribuer serait de 2 205 $.

Cependant, la méthode du coût moyen a le désavantage de fausser la détermination du coût des stocks si le prix à l'achat, au lieu de fluctuer, augmente ou diminue systématiquement. En effet, la méthode du coût moyen accorde une importance égale aux articles achetés, peu importe le moment où ils l'ont été. Pourtant, en période d'inflation ou de déflation, les coûts les plus récents sont plus représentatifs du coût de remplacement du stock que les coûts les plus anciens. C'est pourquoi on utilise rarement la méthode du coût moyen. On lui préfère plutôt celle de l'épuisement successif.

La méthode de l'épuisement successif

La **méthode de l'épuisement successif** consiste à attribuer au stock de clôture un coût, en posant l'hypothèse qu'au cours de l'exercice, les premiers articles acquis ont été les premiers vendus. Ce qui reste en stock correspond alors aux derniers articles acquis. L'application de cette méthode à notre exemple conduirait à attribuer le coût suivant aux articles en stock au 31 juillet 19___2.

300 articles à 1,35 $	405 $
500 articles à 1,70 $	850
400 articles à 1,20 $	480
300 articles à 1,40 $	420
	2 155 $

Cette méthode a le mérite d'évaluer les stocks aux coûts les plus récents et donc d'attribuer au stock de clôture un coût qui se rapproche davantage du coût de remplacement. Cependant, l'hypothèse que les articles vendus soient ceux qui ont été acquis en premier comporte un inconvénient: on attribue au coût des marchandises vendues les coûts les plus anciens. Ce faisant, en période d'inflation, le coût des marchandises vendues est systématiquement sous-évalué et le bénéfice est surévalué. Dans le cas contraire, en période de déflation, le coût des marchandises vendues serait surévalué et le bénéfice sous-évalué. C'est pourquoi certaines entreprises préfèrent utiliser la méthode de l'épuisement à rebours.

La méthode de l'épuisement à rebours

La **méthode de l'épuisement à rebours** fonctionne à l'inverse de celle de l'épuisement successif. Elle consiste à poser l'hypothèse que *les articles vendus sont ceux qui ont été acquis en dernier*. Les coûts à attribuer aux articles seront donc ceux qui correspondent aux premières acquisitions. Selon les données de notre exemple, cette méthode conduirait à attribuer le coût suivant au stock au 31 juillet 19__2.

800 articles à 1,50 $	1 200 $
500 articles à 1,55 $	775
200 articles à 1,40 $	280
	2 255 $

On le constate, cette méthode a pour effet de présenter au coût des marchandises vendues les coûts les plus récents. Ce faisant, le poste « Stocks de marchandises » sera affecté si les coûts évoluent systématiquement à la hausse ou à la baisse. Il aura, dans ces conditions, un coût qui s'éloigne considérablement du coût de remplacement.

L'attribution des coûts et l'inventaire permanent

Dans notre exposé sur les différentes méthodes d'attribution des coûts aux articles en stock, nous avons posé l'hypothèse que ce travail était effectué en fin de période. Cela correspond au fonctionnement de la méthode de l'inventaire périodique mais non à celle de l'inventaire permanent. Dans ce dernier cas, chaque fois qu'il y a vente, il faut attribuer un coût aux produits vendus, coût basé sur une des méthodes que nous avons étudiées. Cette attribution des coûts se fait donc plusieurs fois par année au lieu d'une seule fois en fin d'exercice. Nous verrons que cette modalité d'application conduira à une détermination qui peut être différente du coût des articles en stock.

Méthode du coût propre

Si on utilise cette méthode d'attribution des coûts, il n'y aurait aucune différence dans la détermination du coût des stocks de clôture selon qu'on utilise la méthode de l'inventaire permanent ou celle de l'inventaire périodique. Quelle que soit la méthode d'inventaire retenue, il faudra toujours prendre en considération le coût spécifique de chaque article vendu.

Méthode du coût moyen

Selon cette méthode, chaque fois qu'il y a une vente, on pose l'hypothèse que le coût unitaire des articles vendus est le coût unitaire moyen des articles en stock au moment de la vente. L'application de cette méthode aux données de notre exemple donnerait alors l'attribution suivante.

Date	Opération	Coût	Solde en main Quantité	Prix	Coût moyen
31-07-19__1	Stock d'ouverture		800	1 200 $	1,50 $
23-08-19__1	Vente 300 articles @ 1,50 $	450 $	500	750	1,50
01-09-19__1	Achat 500 articles @ 1,55 $	775	1 000	1 525	1,525
05-10-19__1	Vente 400 articles @ 1,525 $	610	600	915	1,525
23-11-19__1	Achat 600 articles @ 1,40 $	840	1 200	1 755	1,46
20-12-19__1	Vente 250 articles @ 1,46 $	365	950	1 390	1,46
27-02-19__2	Achat 400 articles @ 1,20 $	480	1 350	1 870	1,385
30-04-19__2	Vente 350 articles @ 1,385 $	485	1 000	1 385	1,385
05-05-19__2	Achat 500 articles @ 1,70 $	850	1 500	2 235	1,49
15-07-19__2	Achat 300 articles @ 1,35 $	405	1 800	2 640	1,47
24-07-19__2	Vente 300 articles @ 1,47 $	441	1 500	2 199	1,47

En utilisant cette méthode, on constate que le coût moyen varie à chaque opération d'achat de marchandises mais non lorsqu'il y a une vente de marchandises. À chaque acquisition, on calcule le coût moyen des articles en stock, coût qui sera retenu pour la détermination des articles vendus. Même si les résultats finals diffèrent peu de ceux qu'on obtient lorsque le coût moyen est calculé en fin de période (2 199 $ au lieu de 2 205 $), la base de calcul est fort différente, et on doit noter que l'ordonnancement des opérations affecte les résultats. Ainsi, si les deux opérations du mois de juillet 19__2 étaient interverties, l'application de cette méthode donnerait un solde de 2 193 $ pour un coût moyen de 1,46 $.

Date	Opération	Coût	Solde en main Quantité	Prix	Coût moyen
05-05-19__2	Solde		1 500	2 235 $	1,49 $
15-07-19__2	Vente 300 articles @ 1,49 $	447 $	1 200	1 788 $	1,49 $
24-07-19__2	Achat 300 articles @ 1,35 $	405 $	1 500	2 193 $	1,46 $

Méthode de l'épuisement successif

Comme la méthode de l'épuisement successif conduit à attribuer les coûts les plus récents aux articles en stock, on obtiendrait avec cette méthode les mêmes résultats, que l'entreprise utilise l'inventaire permanent ou l'inventaire périodique. En effet, à chaque vente, on considère que les articles vendus sont ceux qui ont été acquis en premier. Par conséquent, quel que soit l'ordonnancement des opérations et quelle que soit la méthode d'inventaire retenue, on sera toujours amené à attribuer les mêmes coûts. Pour le constater, examinons à l'aide des données de notre exemple le fonctionnement de la méthode de l'épuisement successif en inventaire permanent.

Date	Opération	Débit	Crédit	Solde
31-07-19__1	Stock d'ouverture			
	800 articles @ 1,50 $	1 200 $		1 200 $
23-08-19__1	Vente 300 articles @ 1,50 $		450 $	750
01-09-19__1	Achat 500 articles @ 1,55 $	775		1 525
05-10-19__1	Vente 400 articles @ 1,50 $		600	925
23-11-19__1	Achat 600 articles @ 1,40 $	840		1 765
20-12-19__1	Vente 250 articles:			
	100 @ 1,50 $ = 150			
	150 @ 1,55 $ = 232,50 $		382,50	1 382,50
27-02-19__2	Achat 400 articles @ 1,20 $	480		1 862,50
30-04-19__2	Vente 350 articles @ 1,55 $		542,50	1 320
05-05-19__2	Achat 500 articles @ 1,70 $	850		2 170
15-07-19__2	Achat 300 articles @ 1,35 $	405		2 575
24-07-19__2	Vente 300 articles @ 1,40 $		420	2 155

Le tableau précédent montre qu'à chaque opération de vente, le coût à attribuer aux marchandises vendues s'obtient en retenant les coûts les plus anciens. Ainsi, lors de la vente du 23 août 19__1, les 300 articles vendus provenaient, de toute évidence, du stock d'ouverture. Par contre, lors de la vente des 250 articles le 20 décembre 19__1, la provenance des stocks était plus difficile à déterminer. Comme, à cette date, on avait déjà attribué 700 des 800 articles du stock d'ouverture (300 le 23 août 19__1 et 400 le 5 octobre 19__1), il n'en restait que 100 à attribuer. C'est ce qui explique pourquoi nous avons retenu ensuite 150 articles venant de l'achat du 1er septembre 19__1, le premier achat de l'exercice.

On constate par cet exemple que l'application de la méthode de l'épuisement successif à l'inventaire permanent est délicate, car il faut constamment s'interroger sur la provenance des articles vendus. Toutefois, le solde obtenu du 2 155 $ correspond exactement, comme nous l'avions prévu, à celui qu'on obtient par l'inventaire périodique.

Méthode de l'épuisement à rebours

Ici, les résultats ne seront pas nécessairement les mêmes, selon qu'il s'agit de la méthode de l'inventaire permanent ou de la méthode de l'inventaire périodique. En effet, en inventaire permanent, lors de chaque opération de vente, on attribuera au coût des marchandises vendues les coûts les plus récents alors qu'en inventaire périodique, on n'y procédera qu'en fin d'année. Par conséquent, les coûts attribués aux marchandises vendues en début d'exercice seront forcément des coûts du début de l'exercice, contrairement à l'inventaire périodique qui ne les retient qu'en dernier lieu. Le tableau suivant illustre cette constatation.

Date	Opération	Débit	Crédit	Solde
31-07-19__1	Stock d'ouverture 800 articles @ 1,50 $	1 200 $		1 200 $
23-08-19__1	Vente 300 articles @ 1,50 $		450 $	750
01-09-19__1	Achat 500 articles @ 1,55 $	775		1 525
05-10-19__1	Vente 400 articles @ 1,55 $		620	905
23-11-19__1	Achat 600 articles @ 1,40 $	840		1 745
20-12-19__1	Vente 250 articles @ 1,40 $		350	1 395
27-02-19__2	Achat 400 articles @ 1,20 $	480		1 875
30-04-19__2	Vente 350 articles @ 1,20 $		420	1 455
05-05-19__2	Achat 500 articles @ 1,70 $	850		2 305
15-07-19__2	Achat 300 articles @ 1,35 $	405		2 710
24-07-19__2	Vente 300 articles @ 1,35 $		405	2 305

Cette méthode conduit donc à déterminer un stock de fermeture de 2 305 $, alors qu'avec l'inventaire périodique, on avait obtenu 2 255 $. On remarque également que, tout comme en épuisement successif, le travail d'identification du coût des stocks est plus difficile en inventaire permanent qu'en inventaire périodique, puisqu'il faut l'effectuer lors de chaque opération de vente.

En résumé, le coût attribué au stock peut différer selon le mode d'attribution des coûts et selon la méthode d'inventaire retenue, comme on peut le constater au tableau 6-7. Chacun des modes d'attribution des coûts qui a été présenté peut être utilisé, puisque chacun comporte des avantages et des inconvénients, mais il importe de toujours utiliser la même méthode une fois qu'on l'a choisie (permanence des méthodes) et d'indiquer au lecteur des états financiers quelle méthode on utilise effectivement.

TABLEAU 6-7

Tableau comparatif du résultat de l'évaluation des stocks selon les diverses méthodes d'attribution des coûts

	Inventaire périodique	Inventaire permanent
Coût propre	2 210 $	2 210 $
Coût moyen	2 205	2 199
Épuisement successif	2 155	2 155
Épuisement à rebours	2 255	2 305

6.5 L'ÉVALUATION DES STOCKS

Habituellement, la valeur attribuée aux stocks de marchandises pour les présenter dans les états financiers correspondra au coût déterminé selon la méthode d'attribution des coûts qui a été retenue. Cependant, si le coût de remplacement des stocks de marchandises est inférieur au coût ainsi obtenu, la règle de la prudence nous conduit à retenir le coût de remplacement. Cela signifie donc que les stocks seront évalués au minimum du coût ou du coût de remplacement.

RÉSUMÉ

Nous avons vu que la caractéristique principale d'une entreprise commerciale est d'effectuer des opérations reliées au stock de marchandises. Ces marchandises peuvent être enregistrées aux livres selon l'une ou l'autre des méthodes d'inventaire suivantes: la méthode de l'inventaire périodique et la méthode de l'inventaire permanent. Toutefois, quelle que soit la méthode retenue, il faudra que l'entreprise procède en fin d'exercice au dénombrement des articles et qu'elle les évalue au moindre du coût d'acquisition ou du coût de remplacement. Enfin, la présentation des états financiers de l'entreprise commerciale révèle un état des résultats grâce auxquels on constate que la vente de marchandises produit un bénéfice brut. Ce bénéfice brut est le produit qui sert à assumer le paiement des charges et la réalisation du bénéfice net. La seule caractéristique du bilan par rapport à celui de l'entreprise de services est qu'on y retrouve le poste « Stock de marchandises » à l'actif à court terme.

PROBLÈMES À SOLUTION COMMENTÉE

PROBLÈME 6-A Présentation des états financiers d'une entreprise commerciale

Le 1er juin 19__1, P. Leblanc a effectué une mise de fonds initiale de 40 000 $ dans une entreprise commerciale qu'il a appelé Blanbec Enr. La même journée, Blanbec Enr. a acquis un petit bâtiment au coût de 80 000 $, soit 20 000 $ pour le terrain et 60 000 $ pour le bâtiment. Ce bâtiment abrite deux studios situés à l'étage, qui ont été loués le 1er juillet 19__1, à 300 $ par mois par studio. L'acquisition de cet immeuble a été financée par:

a) un versement comptant de 30 000 $;

b) un emprunt hypothécaire de 50 000 $. Cet emprunt, dont le principal vient à échéance le 1er juin 19__5, porte intérêt au taux annuel de 15%. L'intérêt est payable le 1er janvier et le 1er juillet de chaque année.

Les autres opérations de ce premier exercice financier qui se termine le 31 mai 19__2 ont été les suivantes:

1) l'acquisition au comptant de mobilier de bureau et d'équipement de magasin au coût total de 5 000 $ ainsi que d'une camionnette usagée au coût de 4 000 $;

2) l'achat de 250 000 $ de marchandises dont 220 000 $ ont été payées et 12 000 $ ont été retournées aux fournisseurs;

3) le paiement de 5 000 $ de frais de transport pour assurer l'acheminement des marchandises au magasin ainsi que de 4 000 $ de frais de douane relatifs à certaines marchandises importées;

4) des ventes qui ont fait l'objet d'un encaissement total de 225 000 $ et dont il reste 35 000 $ à percevoir au 31 mai 19__2; en outre, M. Leblanc précise qu'il a dû rembourser 7 500 $ à des clients qui étaient insatisfaits des marchandises qu'il leur avait livrées;

5) on a encouru les charges d'exploitation suivantes, toutes payées comptant:

Salaires	27 700 $
Assurance	800
Taxes	1 500
Électricité	500
Frais de livraison	2 500
Publicité	4 500
Frais de bureau	3 500
Total	41 000 $

6) tous les loyers furent encaissés à temps à l'exception de ceux du mois de mai 19__2, car un locataire n'a pas encore payé son loyer;

7) Blanbec Enr. a emprunté, le 31 décembre 19__1, 60 000 $ à la banque. Cet emprunt renégociable le 31 décembre 19__2, porte intérêt au taux annuel de 14%, payable le 30 juin et le 31 décembre 19__2.

Enfin, l'inventaire effectué le 31 mai 19__2 affiche un stock de clôture d'une valeur globale de 45 000 $.

On demande

1) Préparer l'état des résultats de Blanbec Enr. pour l'exercice terminé le 31 mai 19__2.

2) Préparer le bilan à la même date.

Solution commentée

1) Présentation de l'état des résultats

À l'état des résultats, nous devons retrouver les trois grandes divisions suivantes:
a) le chiffre d'affaires;
b) le coût des marchandises vendues;
c) les charges d'exploitation.

On retrouve également, s'il y a lieu, une division pour les autres produits et les autres charges.

a) Le chiffre d'affaires

On indique que Blanbec Enr. a perçu 225 000 $ des clients. Il s'agit toutefois uniquement du produit des ventes qui a été encaissé. Afin de respecter le principe de réalisation du chiffre d'affaires, on doit ajouter à cette somme les ventes de l'exercice qui n'ont pas encore fait l'objet d'un encaissement. Le montant du chiffre d'affaires se calcule alors comme suit.

Encaissement des ventes de l'exercice	225 000 $
Plus: Solde des comptes « Clients » au 31 mai 19__2	35 000
	260 000 $

On doit également noter que l'entreprise a dû rembourser à des clients 7 500 $ en argent. Ce sont là des rendus et rabais sur vente qui serviront à déterminer le chiffre d'affaires net.

Chiffre d'affaires brut	260 000 $
Moins: Rendus et rabais sur ventes	7 500
Chiffre d'affaires net	252 500 $

b) Le coût des marchandises vendues

La détermination du coût des marchandises vendues consiste à établir le coût des marchandises qui ont été cédées aux clients au cours de l'exercice. Cette opération vise à permettre la comparaison entre le montant du chiffre d'affaires net qui est exprimé par le prix de vente et le coût des marchandises ainsi vendues exprimé par le coût d'acquisition. Le coût des marchandises vendues sera alors calculé en prenant comme point de départ le coût d'acquisition des marchandises que l'on diminuera ou augmentera selon que le stock aura augmenté ou diminué au cours de l'exercice.

Détermination du coût d'acquisition des marchandises

Le coût d'acquisition des marchandises correspond aux sommes engagées pour les acquérir et les acheminer en magasin. Pour Blanbec Enr., il se calcule comme suit:

Achats		250 000 $
Plus: Fret à l'achat	5 000 $	
Douanes	4 000	9 000
		259 000
Moins: Rendus et rabais sur achats		12 000
Coût d'acquisition des marchandises		247 000 $

On remarque qu'outre les engagements directs auprès des fournisseurs, on retrouve des charges de fret à l'achat et de frais de douane parce qu'elles sont nécessaires à l'acquisition des marchandises. Également, on retire du montant brut d'acquisition des marchandises le montant des rendus et rabais sur achats afin de montrer le coût net d'acquisition de la période. Enfin, il faut noter que le montant retenu pour les achats (250 000 $) correspond aux engagements pris avec les fournisseurs et non aux débours sur achats (220 000 $), car la reconnaissance d'une charge ne vient pas du débours qui y est relatif mais des engagements auprès de tierces personnes en échange de l'acquisition de produits ou de services.

Détermination du coût des marchandises vendues

Il s'agit, comme nous l'avons dit précédemment, de diminuer ou d'augmenter le coût d'acquisition des marchandises selon que le stock a augmenté ou diminué.

Stock de marchandises au 1ᵉʳ juin 19__1	0 $
Plus: Coût d'acquisition des marchandises	247 000
	247 000
Moins: Stock de marchandises au 31 mai 19__2	45 000
Coût des marchandises vendues	202 000 $

c) Charges d'exploitation

Ici, il n'y a pas de difficultés particulières puisque les charges d'exploitation, qui totalisent 41 000 $, ont été entièrement payées. Il suffira donc de les transcrire, à l'état des résultats, telles qu'elles étaient présentées dans l'énoncé du problème.

Autres produits

Les autres produits de Blanbec Enr. correspondent aux produits de loyer de 6 600 $ (300 $ × 2 studios × 11 mois). On les considère comme autres produits, car l'activité normale de l'entreprise est de faire le commerce de biens et non de louer des immeubles.

Autres charges

Les seules autres charges de Blanbec sont les charges financières. Elles correspondent au coût de l'emprunt pour la période, que les créanciers en aient reçu paiement ou non. Pour l'établir, il faudra faire la somme de la charge relative à l'emprunt hypothécaire et à l'emprunt de banque.

Intérêt sur emprunt hypothécaire
$$50\ 000\ \$ \times 15\% \times 1\ \text{an} = 7\ 500\ \$$$

Intérêt sur emprunt de banque
$$60\ 000\ \$ \times 14\% \times \frac{5\ \text{mois}}{12\ \text{mois}} = 3\ 500\ \$$$

TABLEAU 6-8

Blanbec Enr.
État des résultats
de l'exercice terminé le 31 mai 19__2

Chiffre d'affaires brut			260 000 $
Moins: Rendus et rabais sur ventes			7 500
Chiffre d'affaires net			252 500
Coût des marchandises vendues			
Stock de marchandises au 1er juin 19__1		0 $	
Plus: Achats	250 000 $		
Fret à l'achat	5 000		
Frais de douane	4 000		
	259 000		
Moins: Rendus et rabais sur achats	12 000		
Achats nets		247 000	
Coût des marchandises disponibles à la vente		247 000	
Moins: Stock de marchandises au 31 mai 19__2		45 000	202 000 $
Bénéfice brut			50 500
Charges d'exploitation			
Salaires		27 700	
Assurance		800	
Taxes		1 500	
Électricité		500	
Frais de livraison		2 500	
Publicité		4 500	
Frais de bureau		3 500	41 000
Bénéfice net d'exploitation			9 500 $
Autres charges et autres produits			
Autres charges			
Intérêts sur hypothèque		7 500 $	
Intérêts sur emprunt de banque		3 500	
		11 000	
Autres produits			
Produits de loyer		6 600	4 400
Bénéfice net			5 100 $

2) *Présentation du bilan*

Lorsqu'on présente le bilan d'une entreprise, qu'il s'agisse d'une entreprise commerciale ou autre, on dresse à une date donnée la liste des éléments constituant l'actif, le passif ainsi que la mise en évidence de la valeur nette. Le bilan de Blanbec Enr. au 31 mai 19__2 est présenté au tableau 6-9.

TABLEAU 6-9

Blanbec Enr.
Bilan
au 31 mai 19__2

Actif

Actif à court terme		
Encaisse (note 1)		10 425 $
Clients		35 000
Stock de marchandises		45 000
Loyer à recevoir (note 1)		300
		90 725
Actif immobilisé		
Terrain	20 000 $	
Bâtiment	60 000	
Mobilier et agencement	5 000	
Matériel roulant	4 000	89 000
Total de l'actif		179 725 $

Passif et avoir du propriétaire

Passif à court terme	
Emprunt de banque	60 000 $
Fournisseurs (note 2)	
Intérêt à payer (note 3)	6 625
	84 625
Passif à long terme	
Hypothèque à payer le 1er juin 19__5, portant un intérêt annuel de 15%, payable les 1er janvier et 1er juillet de chaque année	50 000
Total du passif	134 625
Avoir du propriétaire	
Capital — P. Leblanc (note 4)	45 100
Total du passif et de l'avoir du propriétaire	179 725 $

Note 1 — Encaisse

Détermination du solde en caisse au 31 mai 19__2

Comme le début des opérations de l'entreprise Blanbec correspond à celui de l'exercice, le solde en caisse sera déterminé par la différence entre le total des recettes, ou encaissements de l'exercice, et le total des débours, ou sorties d'encaisse de l'exercice.

Recettes de l'exercice		
Mise de fonds initiale		40 000 $
Emprunt hypothécaire		50 000
Encaissement des ventes		225 000
Encaissement des loyers[1]		6 300
Emprunt de banque		60 000
		381 300
Débours de l'exercice		
Acquisition de l'immeuble	80 000 $	
Acquisition du mobilier et de l'agencement	5 000	
Acquisition du matériel roulant	4 000	
Paiement aux fournisseurs	220 000	
Paiement du fret à l'achat	5 000	
Paiement des frais de douane	4 000	
Remboursement aux clients	7 500	
Paiement des charges d'exploitation	41 000	
Intérêts sur emprunt hypothécaire[2]	4 375	370 875
Solde en caisse au 31 mai 19__2		10 425 $

---

[1] Les studios ont été loués de juillet 19__1 à mai 19__2, soit une période de 11 mois. Les sommes encaissées ont donc été de:

Produit de loyer gagné:	
11 mois × 300 $ × 2 studios	6 600 $
Moins: Loyer à recevoir (un locataire n'a pas payé son loyer de mai 19__2)	300
Encaissement total sur loyers	6 300 $

[2] L'intérêt versé sur l'emprunt hypothécaire correspond aux deux périodes suivantes:

Du 1er juin 19__1 au 1er juillet 19__1	1 mois
Du 1er juillet 19__1 au 1er janvier 19__2	6 mois
	7 mois

Le débours d'intérêt sera donc calculé comme suit:

$$50\,000\ \$ \times 15\% \times \frac{7\text{ mois}}{12\text{ mois}} = 4\,375\ \$$$

Note 2 — Fournisseurs

Le solde de 18 000 $ des comptes « Fournisseurs » a été calculé comme suit:

Achats		250 000 $
Moins: Sommes versées aux fournisseurs	220 000 $	
Marchandises retournées aux fournisseurs	12 000	232 000
		18 000 $

Note 3 — Intérêt à payer

Le solde de l'intérêt couru à payer correspond à l'excédent de la charge d'intérêt de 11 000 $ sur les débours relatifs à l'intérêt de 4 375 $.

Note 4 — Capital — P. Leblanc

Le capital P. Leblanc de 45 100 $ a été obtenu par la préparation de l'état des variations de la valeur nette pour l'exercice terminé le 31 mai 19__2.

Blanbec Enr.
État des variations de la valeur nette
de l'exercice terminé le 31 mai 19__2

Mise de fonds initiale le 1er juin 19__1	40 000 $
Plus: Bénéfice net	5 100
Capital au 31 mai 19__2	45 100 $

PROBLÈME 6-B Inscription des opérations et présentation de l'état des résultats d'une entreprise commerciale

L'entreprise Lebedon Enr. exploite un commerce de vente en gros dans le domaine de l'alimentation. Jusqu'à maintenant, elle a utilisé la méthode de l'inventaire périodique pour enregistrer ses opérations sur stock de marchandises. Cependant, comme elle désire améliorer ses méthodes d'enregistrement et de contrôle des opérations, elle envisage d'utiliser à l'avenir la méthode de l'inventaire permanent. À cette fin, elle demande à un expert-comptable de lui illustrer le fonctionnement de cette méthode en prenant comme exemple ses opérations du mois de décembre 19__1.

3 décembre Achat à la Coopérative agricole du Québec de marchandises au montant de 28 700 $ aux conditions 2/10, n/30, FAB — point d'expédition. Les frais de transport de 740 $ ont été payés sur réception des marchandises.

4 décembre Vente à 18 300 $ aux Magasins Leclerc, aux conditions 2/5, n/30, FAB — point de livraison, de marchandises qui ont été payées 14 900 $. Les frais de transport de 570 $ ont été payés comptant.

5 décembre Retour à la Coopérative agricole du Québec de 900 $ de marchandises reçues en mauvais état le 3 décembre.

7 décembre   Vente de 30 800 $ à Fortier Enr. aux conditions 2/10, n/30, FAB — point d'expédition, de marchandises qui ont été payées 25 120 $.

7 décembre   Réception d'un chèque des Magasins Leclerc en paiement de leur achat du 4 décembre.

12 décembre   Paiement à la Coopérative agricole du Québec de 15 000 $ sur l'achat du 3 décembre.

13 décembre   Retour par les Magasins Leclerc de marchandises qui leur avaient été livrées par erreur lors de la vente du 4 décembre. Une note de crédit de 441 $ a été émise pour annuler la vente de ces marchandises dont le coût atteint 320 $.

19 décembre   Vente de 40 000 $ aux Magasins Leclerc aux conditions 2/5, n/30, FAB — point d'expédition, de marchandises qui ont coûté 34 750 $. Lebedon Enr. doit payer au comptant les frais de transport de 690 $.

19 décembre   Réception d'un chèque de Fortier Enr. en paiement de son achat du 7 décembre.

26 décembre   Réception des Magasins Leclerc du paiement de leur achat du 19 décembre, y compris les coûts de transport.

30 décembre   Paiement à la Coopérative agricole du Québec du solde qui lui est dû sur l'achat du 3 décembre.

31 décembre   Paiement des charges suivantes sur réception de factures:

Frais de vente	3 500 $
Frais d'administration	3 250 $
Intérêt	225 $

On demande

Sachant qu'au 30 novembre 19__1, un dénombrement du stock a montré qu'il y avait 200 000 $ de marchandises en stock et que l'entreprise comptabilise ses achats au montant net:

1) procéder à l'enregistrement au journal général des opérations du mois de décembre 19__1 selon:
   a) la méthode de l'inventaire périodique;
   b) la méthode de l'inventaire permanent;
2) présenter l'état des résultats du mois de décembre 19__1.

Solution commentée

1) Enregistrement, au journal général, des opérations de décembre 19__1

Ce problème nous invite à procéder à l'examen comparatif de l'enregistrement des opérations selon chacune des méthodes d'inventaire. C'est pourquoi nous présentons en parallèle au tableau 6-10 l'enregistrement des opérations en inventaire périodique et en inventaire permanent, et pourquoi nous allons commenter cette solution.

3 décembre 19___1

Il s'agit d'un achat de 28 700 $ grâce auquel l'acheteur peut bénéficier d'un escompte de 2%, ce qui lui donne la possibilité de ne payer que 28 126 $ s'il paie dans les délais requis. Comme l'entreprise a choisi d'enregistrer ses achats au montant net, c'est ce dernier montant qui doit être retenu à l'enregistrement.

On remarque qu'en inventaire périodique, le compte de résultats « Achats » est débité de ce montant alors qu'en inventaire permanent, c'est le compte de valeurs « Stock de marchandises » qui l'est. Par contre, dans les deux cas, on retrouve un crédit au compte « Fournisseurs » puisque la méthode d'inventaire utilisée ne change pas le fait que Lebedon Enr. a encouru une dette additionnelle envers ses fournisseurs.

En ce qui concerne le fret à l'achat, la mention FAB — point d'expédition signifie que les frais de transport sont à la charge de l'acheteur, soit Lebedon Enr. Comme ils sont payés comptant, le crédit de 740 $ se passe à la caisse. Quant au débit, en inventaire périodique, il s'inscrit au compte de résultats « Fret à l'achat » alors qu'en inventaire permanent, le compte débité est le « Stock de marchandises ». Notons ici que l'enregistrement relatif aux frais de transport est de 740 $ et qu'il n'y a pas d'escompte, puisque ce dernier ne s'applique qu'aux engagements envers le fournisseur et non envers la société de transport.

Ces enregistrements illustrent les différences principales entre les deux méthodes d'inventaire lorsqu'il s'agit d'enregistrer l'acquisition de marchandises. En inventaire périodique, le compte « Stock de marchandises » n'est pas tenu à jour et l'écriture au moment de l'acquisition consiste à débiter les comptes de résultats liés à l'acquisition de marchandises. Au contraire, en inventaire permanent, le compte « Stock de marchandises » est constamment tenu à jour. Dans ce cas-ci, le coût d'acquisition comprend, en plus des engagements envers le fournisseur, des frais de transport. Voilà qui explique alors les deux débits au poste « Stock de marchandises » de 28 126 $ et 740 $.

4 décembre 19___1

Cette opération se divise en deux: la vente de marchandises et le paiement des frais de transport.

La vente des marchandises, quelle que soit la méthode d'inventaire, doit être comptabilisée par une augmentation des créances à recevoir de 18 300 $ et par une augmentation des produits de 18 300 $. Ceci explique pourquoi, en inventaire périodique comme en inventaire permanent, on retrouve un débit au poste « Clients » et un crédit au poste « Ventes ». En inventaire périodique, le poste « Stock de marchandises » n'est pas tenu à jour; l'enregistrement de la vente des marchandises se limite donc à cette écriture. Par contre, en inventaire permanent, on doit enregistrer la diminution du stock en main, en plus d'enregistrer la vente. Ceci se fait par le crédit de 14 900 $ au poste « Stock de marchandises ». Ce faisant, la sortie des marchandises est enregistrée et on obtient le coût des marchandises qui ont été vendues jusqu'à présent par le débit au poste « Coût des marchandises vendues ».

Le paiement des frais pour livrer les marchandises chez les clients n'a toutefois rien à voir avec le coût d'acquisition des marchandises et, de ce fait, va être enregistré comme toute sortie d'encaisse, sans être influencé par la méthode d'inventaire utilisée. C'est pourquoi, en inventaire périodique comme en inventaire permanent, on retrouve un débit au compte « Frais

TABLEAU 6-10

Lebedon Inc.

Enregistrement des opérations de décembre 19__1

selon la méthode de l'inventaire périodique et la méthode de l'inventaire permanent

Inventaire périodique

Date	Compte	Débit	Crédit
03-12-19__1	Achat	28 126	
	@ Fournisseurs		28 126
	Fret à l'achat	740	
	@ Caisse		740
04-12-19__1	Clients	18 300	
	@ Ventes		18 300
	Frais de livraison	570	
	@ Caisse		570
05-12-19__1	Fournisseurs	882	
	@ Rendus et rabais sur achats		882
07-12-19__1	Clients	30 800	
	@ Ventes		30 800
07-12-19__1	Caisse	17 934	
	Escompte sur vente	366	
	@ Clients		18 300

Inventaire permanent

Date	Compte	Débit	Crédit
03-12-19__1	Stock de marchandises	28 126	
	@ Fournisseurs		28 126
	Stock de marchandises	740	
	@ Caisse		740
04-12-19__1	Clients	18 300	
	@ Ventes		18 300
	Coût des marchandises vendues	14 900	
	@ Stock de marchandises		14 900
	Frais de livraison	570	
	@ Caisse		570
05-12-19__1	Fournisseurs	882	
	@ Stock de marchandises		882
07-12-19__1	Clients	30 800	
	@ Ventes		30 800
	Coût des marchandises vendues	25 120	
	@ Stock de marchandises		25 120
07-12-19__1	Caisse	17 934	
	Escompte sur ventes	366	
	@ Clients		18 300

Date	Compte	Débit	Crédit
12-12-19__1	Fournisseurs	15 000	
	@ Caisse		15 000
13-12-19__1	Rendus et rabais sur ventes	450	
	@ Clients		441
	Escompte sur ventes		9
	Stock de marchandises	320	
	@ Coût des marchandises vendues		320
19-12-19__1	Clients	40 000	
	@ Ventes		40 000
	Coût des marchandises vendues	34 750	
	@ Stock de marchandises		34 750
	Clients	690	
	@ Caisse		690
19-12-19__1	Caisse	30 800	
	@ Clients		30 800
26-12-19__1	Caisse	40 690	
	@ Clients		40 690
30-12-19__1	Fournisseurs	12 244	
	Escompte perdu	249,88	
	@ Caisse		12 493,88
31-12-19__1	Frais de vente	3 500	
	Frais d'administration	3 250	
	Intérêt	225	
	@ Caisse		6 975

Date	Compte	Débit	Crédit
12-12-19__1	Fournisseurs	15 000	
	@ Caisse		15 000
13-12-19__1	Rendus et rabais sur ventes	450	
	@ Clients		441
	Escompte sur ventes		9
19-12-19__1	Clients	40 000	
	@ Ventes		40 000
	Clients	690	
	@ Caisse		690
19-12-19__1	Caisse	30 800	
	@ Clients		30 800
26-12-19__1	Caisse	40 690	
	@ Clients		40 690
30-12-19__1	Fournisseurs	12 244	
	Escompte perdu	249,88	
	@ Caisse		12 493,88
31-12-19__1	Frais de vente	3 500	
	Frais d'administration	3 250	
	Intérêt	225	
	@ Caisse		6 975

de livraison » et un crédit au poste « Caisse ». Notons également que les frais de livraison n'étant pas liés à l'acquisition des marchandises, ils seront présentés à l'état des résultats parmi les charges d'exploitation et non dans la section « Coût des marchandises vendues ».

Enfin, en ce qui concerne les conditions de paiement accordées au client, celui-ci peut bénéficier d'un escompte de 2% s'il paie dans un délai de cinq jours. Comme la décision finale de bénéficier de l'escompte appartient au client, il est préférable d'attendre la réception du paiement pour enregistrer, s'il y a lieu, l'escompte qui aura été accordé.

5 décembre 19___1

Ici, Lebedon Enr. a retourné des marchandises achetées le 3 décembre 19___1. Comme cet achat a été enregistré au montant net, il faut de la même façon identifier le montant net de retour de marchandises.

Montant brut	900 $
Escompte: 2% × 900 $	18
Montant net	882 $

Cela signifie que, du fait de cette opération, Lebedon a 882 $ de marchandises en moins et doit 882 $ de moins au fournisseur.

En inventaire périodique, toute opération liée à l'acquisition des marchandises est portée aux comptes de résultats, d'où le crédit au poste « Rendus et rabais sur achats ». Ce compte servira à identifier le montant net des achats à l'état des résultats, tout en fournissant à l'utilisateur des renseignements sur l'importance de ces retours de marchandises.

En inventaire permanent, le crédit au poste « Stock de marchandises » s'explique parce qu'un retour des marchandises au fournisseur est une sortie de stock, donc une diminution de celui-ci. Que cette diminution ait comme origine la vente de marchandises à des clients ou le retour à des fournisseurs, elle doit être enregistrée de la même façon, c'est-à-dire par un crédit au compte « Stock de marchandises ». Enfin, on constate que, pour les deux méthodes d'inventaire, le compte « Fournisseurs » est débité de 882 $. C'est normal, car ce débit enregistre la diminution de la dette envers les fournisseurs.

7 décembre 19___1

C'est une opération de vente de marchandises analogue à celle du 4 décembre 19___1, sauf en ce qui concerne les frais de livraison. Alors que le 4 décembre, la vente était faite aux conditions FAB — point de livraison, elle s'effectue ici aux conditions FAB — point d'expédition. Lebedon Enr. n'a donc pas à faire les frais du transport de cette vente, parce que ces frais sont à la charge du client. C'est pourquoi il n'y a aucune écriture à passer en rapport avec les frais de transport.

Il suffit d'enregistrer la vente par l'inscription du produit, soit en débitant le compte « Clients » et en créditant le compte « Ventes » d'un montant de 30 800 $, et ce tant en inventaire périodique qu'en inventaire permanent. De plus, comme nous l'avons mentionné lors de l'opération du 4 décembre, on doit, dans le cas de l'inventaire permanent, procéder également à la mise à jour du poste « Stock de marchandises » par un débit au poste « Coût des marchandises vendues » et un crédit au poste « Stock de marchandises » d'un montant de

25 120 $, correspondant au coût des marchandises vendues. Finalement, comme pour l'opération du 4 décembre, il convient d'attendre la réception du paiement avant d'enregistrer l'escompte sur vente.

7 décembre 19__1

Les Magasins Leclerc paient l'achat du 4 décembre 19__1 dans le délai de cinq jours, ce qui leur donne droit à l'escompte de caisse de 2%. La somme exigible sera alors égale à:

Montant de l'opération	18 300 $
Moins: Escompte de caisse	
2% × 18 300 $	366
	17 934 $

Le problème est donc ici d'enregistrer le paiement de 17 934 $ des Magasins Leclerc. Comme il ne s'agit pas d'une opération où il y a un mouvement de marchandises, la solution retenue sera la même en inventaire périodique et en inventaire permanent. Cet enregistrement doit noter par un crédit de 18 300 $ la diminution du compte « Clients » et par un débit de 17 934 $ l'augmentation de l'encaisse. La différence entre ces deux montants correspond à l'escompte qui a été accordé, soit 366 $. C'est pourquoi un débit de 366 $ s'inscrit au compte de résultats « Escompte sur ventes », compte dont le solde sera présenté à l'état des résultats en diminution des ventes.

12 décembre 19__1

Lebedon Enr. paie 15 000 $ de son achat du 3 décembre 19__1 à la Coopérative agricole du Québec. Comme il s'agit du paiement partiel d'un compte « Fournisseurs », analysons le solde dû à la Coopérative agricole avant et après ce paiement.

Achat le 3 décembre 19__1	28 126 $
Moins: Retour de marchandises	
le 5 décembre 19__1	882
Solde dû avant le paiement	
du 12 décembre 19__1	27 244
Paiement	15 000
Solde dû après le paiement	
du 12 décembre 19__1	12 244 $

Notons qu'ici l'entreprise paie 15 000 $ avant la fin du délai prescrit, ce qui lui permet de bénéficier de l'escompte de caisse. C'est pourquoi elle diminue son compte « Fournisseurs » du montant du paiement (rappelons-nous que l'opération d'achat, le 3 décembre 19__1, a été enregistrée au montant net). Il faudra donc, pour enregistrer ce paiement, diminuer l'encaisse de 15 000 $ et diminuer le compte « Fournisseurs » d'autant, d'où un débit au compte « Fournisseurs » et un crédit de ce montant au compte « Caisse ». Il n'y a aucun escompte sur achat à noter puisque l'achat de marchandises a été inscrit à l'origine au montant net. Enfin, l'inscription aux livres sera la même en inventaire permanent et en inventaire périodique, car il n'y a ici aucun mouvement de marchandises.

13 décembre 19__1

Voilà une opération assez complexe. Un client retourne à l'entreprise des marchandises achetées le 4 décembre et payées le 7 décembre. Comme à cette date le client avait bénéficié d'un escompte de caisse de 2%, l'entreprise ne doit pas rembourser le montant brut de l'opération mais le montant net. Cela signifie que si elle a émis une note de crédit de 441$, cela correspond à des ventes brutes de 450 $.

Sans tenir compte du mouvement des marchandises, lors de l'enregistrement au journal général, on devra:

1) identifier un rendu et rabais sur vente équivalent au montant brut de l'opération, 450 $;

2) annuler l'escompte de caisse de 9 $ qui a été accordé.

On devra réunir ces deux opérations dans une écriture de journal, qu'il s'agisse de l'inventaire périodique ou de l'inventaire permanent.

On doit également ajouter, en inventaire permanent, une écriture qui tient compte du fait:

1) qu'une partie d'une vente a été annulée, ce qui réduit le coût des marchandises vendues de 320 $;

2) que par ce retour des marchandises, il y a une augmentation du stock de marchandises de 320 $.

C'est ce qui explique pourquoi, en inventaire permanent, on retient un débit au compte « Stock de marchandises » et un crédit au compte « Coût des marchandises vendues ». Cette écriture est propre à l'inventaire permanent parce qu'en inventaire périodique, on ne met pas à jour au cours de l'exercice le compte « Stock de marchandises », non plus que le compte « Coût des marchandises vendues ».

19 décembre 19__1

Cette vente entraîne deux opérations distinctes:

1) la vente de marchandises;

2) le paiement des frais de transport qui sont à la charge du client.

La vente de marchandises est une opération analogue à celles du 4 et du 7 décembre. On peut faire référence aux explications qui ont alors été données pour comprendre les écritures du tableau 6-10.

Les frais de transport de 690 $ font l'objet d'une écriture qui apparaît a priori bizarre, soit un débit au compte « Clients » et un crédit au compte « Caisse ». En réalité, cette écriture enregistre le fait que les frais de transport feront l'objet d'un remboursement des Magasins Leclerc. C'est pourquoi on retrouve un débit aux comptes « Clients ». Quant au crédit à la caisse, ce n'est la façon habituelle de noter une sortie d'encaisse. Enfin, le paiement des frais de transport étant une opération distincte du mouvement des marchandises, l'enregistrement de ces frais se fera de la même façon en inventaire périodique et en inventaire permanent.

19 décembre 19___1

Fortier Enr. paie son achat du 7 décembre trop tard pour bénéficier de l'escompte de caisse. Il doit donc payer 30 800 $, soit le montant brut de l'opération.

26 décembre 19___1

Le paiement des Magasins Leclerc est ici caractérisé par:

1) le fait qu'ils paient trop tard pour bénéficier de l'escompte de caisse; ils devront donc débourser 40 000 $ pour leur achat;

2) le paiement des frais de transport de 690 $ payés par Lebedon Enr. le 19 décembre 19___1.

Il s'agira donc de la réception d'un paiement total de 40 690 $ qui aura pour effet d'augmenter le compte « Caisse » et de diminuer le compte « Clients » d'autant.

30 décembre 19___1

Lebedon Enr. paie le solde de 12 244 $ dû à la Coopérative agricole du Québec, trop tard pour bénéficier de l'escompte. Comme ce solde représente le montant net de l'opération d'achat, il devra quitter la somme suivante:

$$12\ 244\ \$\ \times\ \frac{100}{98}\ =\ 12\ 493,88\ \$$$

On constate donc un escompte perdu de 249,88 $. C'est pourquoi on retrouve un débit à ce compte dont le solde sera présenté sous la rubrique « Autres charges » à l'état des résultats.

31 décembre 19___1

Cette opération est le cas classique du paiement de comptes de charges.

2) Présentation de l'état des résultats du mois de décembre 19___1

Pour ce faire, il nous faut établir le solde des comptes de résultats de ce mois. C'est ce que nous faisons aux tableaux 6-11 et 6-12 où on retrouve, pour l'inventaire périodique (6-11) et l'inventaire permanent (6-12) les comptes en T nécessaires pour présenter l'état des résultats. Cet état est présenté au tableau 6-13.

On constate que les comptes en T obtenus par la méthode de l'inventaire périodique nous permettent de préparer l'état des résultats, sauf en ce qui concerne le coût des marchandises vendues, pour lequel il nous manque le stock de clôture. C'est normal, car avec la méthode de l'inventaire périodique, il est essentiel de procéder au dénombrement des articles pour en connaître le solde à une date donnée.

Avec la méthode de l'inventaire permanent, c'est différent, car on retrouve alors le solde du poste « Stock de marchandises » au 31 décembre 19___1. Cependant, bien que l'on connaisse le montant du coût des marchandises vendues, la méthode de l'inventaire permanent ne nous en donne pas la composition. C'est là une faiblesse qui peut, en pratique, être corrigée par l'utilisation de registres auxiliaires, sujet traité au chapitre 7.

TABLEAU 6-11

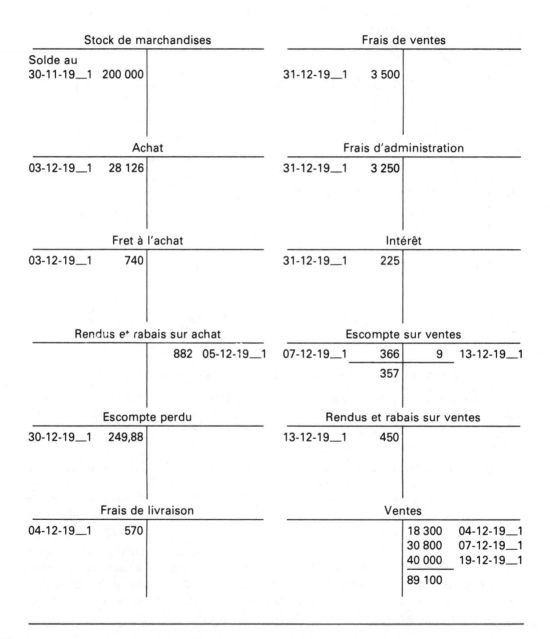

Lebedon Enr.
Méthode d'inventaire périodique
Comptes de résultats de
décembre 19__1

Stock de marchandises			Frais de ventes	
Solde au 30-11-19__1 200 000			31-12-19__1 3 500	

Achat			Frais d'administration	
03-12-19__1 28 126			31-12-19__1 3 250	

Fret à l'achat			Intérêt	
03-12-19__1 740			31-12-19__1 225	

Rendus et rabais sur achat			Escompte sur ventes	
	882 05-12-19__1		07-12-19__1 366	9 13-12-19__1
			357	

Escompte perdu			Rendus et rabais sur ventes	
30-12-19__1 249,88			13-12-19__1 450	

Frais de livraison			Ventes	
04-12-19__1 570				18 300 04-12-19__1
				30 800 07-12-19__1
				40 000 19-12-19__1
				89 100

TABLEAU 6-12

Lebedon Enr.
Méthode d'inventaire permanent
Comptes de résultats de
décembre 19__1

Stock de marchandises

Solde au			
30-11-19__1	200 000	14 900	04-12-19__1
03-12-19__1	28 126	882	05-12-19__1
03-12-19__1	740	25 120	07-12-19__1
13-12-19__1	320	34 750	19-12-19__1
	229 186	75 652	
	153 534		

Frais d'administration

31-12-19__1	3 250

Coût des marchandises vendues

04-12-19__1	14 900	320	13-12-19__1
07-12-19__1	25 120		
19-12-19__1	34 750		
	74 770	320	
	74 450		

Intérêt

31-12-19__1	225

Escompte perdu

30-12-19__1	249,88

Escompte sur ventes

07-12-19__1	366	9	13-12-19__1
	357		

Frais de livraison

04-12-19__1	570

Rendus et rabais sur ventes

13-12-19__1	450

Frais de ventes

31-12-19__1	3 500

Ventes

18 300	04-12-19__1
30 800	07-12-19__1
40 000	19-12-19__1
89 100	

TABLEAU 6-13

Lebedon Enr.
État des résultats
du mois de décembre 19__1

Chiffre d'affaires brut			89 100 $
Moins: Rendus et rabais sur ventes		450 $	
Escompte sur ventes		357	807
Chiffre d'affaires net			88 293 $
Coût des marchandises vendues			
Stock de marchandises au 30 novembre 19__1		200 000 $	
Plus: Achat	28 126 $		
Fret à l'achat	740	28 866 $	
		228 866	
Moins: Rendus et rabais sur achats		882	
Coût des marchandises disponibles à la vente		227 984	
Moins: Stock de marchandises au			
31 décembre 19__1		153 534	74 450
Bénéfice brut			13 843
Charges d'exploitation			
Frais de livraison		570	
Frais de vente		3 500	
Frais d'administration		3 250	7 320
Bénéfice net d'exploitation			6 523
Autres charges			
Intérêt		225	
Escompte perdu		249,88	474,88
Bénéfice net			6 048,12 $

QUESTIONS

Q6-1 Comment l'entreprise commerciale se distingue-t-elle de l'entreprise de services?

Q6-2 Qu'entend-on par coût des marchandises vendues? Comment le calcule-t-on?

Q6-3 Définir la méthode de l'inventaire permanent. Quels en sont les avantages et les inconvénients?

Q6-4 Définir la méthode de l'inventaire périodique. Quels en sont les avantages et les inconvénients?

Q6-5 Comment et quand se calcule le coût des marchandises vendues en inventaire périodique?

Q6-6 Comment établit-on le coût d'acquisition des marchandises? Donner un exemple.

Q6-7 Si une entreprise utilise l'inventaire périodique et si on sait qu'il n'y a pas de différence entre la valeur du stock du début et celui de la fin de l'exercice, à quoi correspondra le coût des marchandises vendues de l'exercice?

Q6-8 Pourquoi est-il important de présenter les rendus et rabais sur achats distinctement plutôt que de les intégrer au compte « Achats »?

Q6-9 Comment concilier la méthode de l'inventaire permanent avec la présentation détaillée du coût des marchandises vendues?

Q6-10 Plusieurs comptables ne sont pas d'accord avec la comptabilisation actuelle des escomptes sur achats et sur ventes. Ils allèguent que le vendeur devrait comptabiliser les ventes au prix du contrat diminué de l'escompte et devrait traiter comme un produit divers tout escompte dont le client n'a pas bénéficié. De plus, l'acheteur devrait comptabiliser les achats au prix du contrat diminué de l'escompte et il devrait débiter tout escompte perdu à un compte de charges.

Comment cette conception se distingue-t-elle de la conception traditionnelle de comptabilisation de l'escompte sur achats et sur ventes? Êtes-vous d'accord avec cette forme de comptabilisation proposée? Pourquoi?

Q6-11 Pourquoi est-il important de présenter le bénéfice brut dans l'état des résultats d'une entreprise commerciale?

Q6-12 Expliquer de quelle façon l'inventaire permanent conduit à un meilleur contrôle des marchandises que l'inventaire périodique.

Q6-13 Quelles sont les principales méthodes d'attribution d'un coût au stock de marchandises? Définir chacune d'elles.

Q6-14 En quoi la règle de la prudence influence-t-elle la présentation du poste « Stock de marchandises » au bilan?

Q6-15 La règle de la prudence influence-t-elle également la détermination du coût des marchandises vendues à l'état des résultats? Expliquer.

EXERCICES

E6-16 Voici un extrait de la balance de vérification de Diablo Enr. en date du 31 décembre 19__2.

	Débit	Crédit
Stock de marchandises	15 000 $	
Ventes		250 000 $
Rendus et rabais sur ventes	7 000	
Achat	150 000	
Rendus et rabais sur achat		4 000 $
Fret à l'achat	8 000	

- Calculer le bénéfice brut réalisé en 19__2, sachant que le dénombrement au 31 décembre 19__2 a révélé un stock de marchandises d'une valeur de 18 000 $.

E6-17 Au 31 mars 19__2, les marchandises inventoriées chez Lupin Enr. affichent une valeur de 18 000 $, dont 2 000 $ représentent des marchandises en consignation. De plus, à cette date, deux commandes de marchandises étaient en transit: l'une s'élevant à 1 500 $, porte la mention FAB — point d'expédition et l'autre, de 700 $, porte la mention FAB — point de livraison.

- Établir la valeur du stock de marchandises de Lupin Enr. en date du 31 mars 19__2.

E6-18 En 19__2, Rivet Enr. a réalisé un bénéfice brut de 15 000 $ sur un chiffre d'affaires net de 200 000 $. On note également qu'au cours de cette période, les stocks ont augmenté de 5 000 $ et que le fret à l'achat s'élève à 8 000 $.

- Établir le montant des achats effectués par Rivet Enr. en 19__2.

E6-19 Le 1er septembre 19__3, Lado Enr. vend à crédit à 500 $ des marchandises acquises au coût de 300 $. Les conditions de crédit de cette vente sont 2/10, n/30.

Le 10 septembre 19__3, le client paie la moitié de son achat et règle le solde le 20 septembre 19__3.

- Enregistrer les opérations précédentes au moyen d'écritures de journal général, en supposant que:

  1) Lado Enr. utilise la méthode de l'inventaire périodique;

  2) Lado Enr. utilise la méthode de l'inventaire permanent.

E6-20 En février 19__3, les opérations reliées à l'achat et à la vente du produit C ont été les suivantes.

> 04-02-19__3: achat de 100 articles à 1,40 $
> 11-02-19__3: vente de 150 articles
> 15-02-19__3: achat de 200 articles à 1,45 $
> 18-02-19__3: achat de 150 articles à 1,45 $
> 21-02-19__3: vente de 300 articles
> 24-02-19__3: vente de 150 articles
> 28-02-19__3: achat de 200 articles à 1,50 $

- Sachant que ces opérations ont été enregistrées selon la méthode de l'inventaire périodique et que le stock du produit C au 1er février 19___3 était de 400 articles à 1,35 $, établir le coût des marchandises vendues en février 19___3 en utilisant:

    1) la méthode de l'épuisement successif;

    2) la méthode de l'épuisement à rebours;

    3) la méthode du coût moyen.

PROBLÈMES À RÉSOUDRE

6-21 Monsieur Armand Laberge vend au détail des glacières sur lesquels il réalise une marge de bénéfice brut de 25%, c'est-à-dire qu'il fixe son prix de vente par une majoration de 33⅓% de son coût à l'achat. Supposons que, pendant un exercice, il n'a réalisé que les opérations suivantes.

1) Achat à crédit de 15 glacières au prix unitaire de 210 $.

2) Vente de 5 glacières à crédit aux conditions 2/10, n/30.

3) Réception d'une note de crédit de 50 $ du fournisseur, représentant le coût des réparations nécessaires pour remettre en bon état de fonctionnement un appareil endommagé lors de son transport chez M. Laberge.

4) M. Laberge retourne trois glacières au manufacturier.

5) Réception du paiement de la vente effectuée en 2, moins un escompte de 2%.

6) Vente de 5 glacières à crédit aux conditions 1/10, n/30.

7) Achat à crédit de 7 glacières au prix unitaire de 210 $.

8) Accord d'un rabais relativement à la vente effectuée en 6, parce que ce client a retourné une glacière.

9) Le client à qui l'entreprise a vendu en 6 paie son compte huit jours après la vente.

10) M. Laberge fait cadeau d'une glacière à son épouse.

- Enregistrer les opérations précédentes en utilisant la méthode de l'inventaire permanent.

P6-22 Voici certains renseignements relatifs aux opérations de l'entreprise Y pour le mois de novembre 19__1.

Marchandises en stock au 1er novembre	Coût	Prix de vente fixé par Y
Lot n° 1	1 650 $	1 900
Lot n° 2	7 240	10 300
Lot n° 3	3 600	5 000
Lot n° 4	34 500	58 500

Achats du mois (à crédit)		
Lot n° 5	900	1 100
Lot n° 6	700	1 050

Ventes du mois (à crédit)

100% du lot n° 2
50% du lot n° 6
33⅓% du lot n° 4

Toutes ces ventes ont été conclues au prix d'abord fixé par Y, sauf la dernière, pour laquelle le client a bénéficié d'un rabais de 10% du prix de vente.

Retour de marchandises au fournisseur

20% du lot n° 5

Retour de marchandises d'un client

L'acheteur du lot n° 2 (première vente) a retourné la moitié des marchandises achetées quelques jours après en avoir reçu livraison.

- Calculer le bénéfice brut réalisé par l'entreprise Y pour le mois de novembre 19__1.

P6-23 Pendant le mois de juin 19__1, un commerçant a conclu les opérations suivantes.

1er juin	Achat à crédit de 6 000 $ de marchandises aux conditions 2/10, n/30, FAB — point d'expédition.
3 juin	Vente de 8 000 $ de marchandises ayant coûté 5 000 $, aux conditions 2/10, n/30.
5 juin	Retour au fournisseur de 1 000 $ de marchandises. Ces marchandises faisaient partie de l'achat de 6 000 $ du 1er juin 19__1.
7 juin	Achat à crédit de 8 000 $ de marchandises. Les conditions sont 2/10, n/30, FAB — point d'expédition.
10 juin	Paiement de l'achat du 1er juin 19__1.
13 juin	Encaissement du produit de la vente effectuée le 3 juin 19__1.

15 juin   Achat à crédit de 5 000 $ de marchandises. Les conditions sont 2/10, n/30, Fab — point d'expédition.

16 juin   Paiement de la facture du 7 juin 19__1.

17 juin   Vente à crédit de 6 000 $ de marchandises ayant coûté 4 000 $ aux conditions 2/10, n/30.

18 juin   On retourne à l'entreprise pour 3 000 $ des 6 000 $ de marchandises vendues la veille.

20 juin   Réception d'une facture de 75 $ de frais de transport en rapport avec l'achat du 15 juin courant.

24 juin   Paiement de la facture du 15 juin.

26 juin   Encaissement de la vente du 17 juin.

30 juin   Paiement de la facture de transport du 20 juin.

- 1) Donner les écritures de journal propres à enregistrer les opérations du mois de juin 19__1, selon la méthode de l'inventaire périodique et selon la méthode de l'inventaire permanent.
- 2) Présenter l'état des résultats de juin 19__1, sachant que le stock d'ouverture était de 15 000 $.

P6-24 Voici la liste des opérations d'Électricité Primo au cours du mois de septembre 19__1.

3 septembre   Achat de 7 friteuses au coût unitaire de 100 $. Les conditions de paiement sont de 2/10, n/30.

6 septembre   Achat au comptant de 10 robots culinaires au coût total de 1 500 $. Les frais de transport relatifs à cette opération, soit 75 $, sont payés par l'acheteur le jour même.

11 septembre   Paiement de l'achat effectué le 3 courant.

17 septembre   Vente à crédit, FAB — point d'expédition, de 6 friteuses, au prix de 140 $ l'unité.

20 septembre   Un client retourne la friteuse qu'il a achetée le 17 courant. L'entreprise expédie au client une nouvelle friteuse et renvoie immédiatement au fournisseur la friteuse défectueuse.

22 septembre   Réception d'une note de crédit émise par le fournisseur au sujet de la friteuse défectueuse.

24 septembre   Vente au comptant de 2 robots culinaires au prix de 180 $ l'unité.

- Sachant qu'au 31 août 19__1, un dénombrement a révélé qu'il y avait en stock 2 friteuses à 100 $ et 3 robots culinaires à 150 $, déterminer, avec calculs à l'appui, le bénéfice brut réalisé au cours du mois de septembre 19__1.

P6-25 Monsieur Globel est propriétaire de Luminaires Enr., entreprise spécialisée dans la distribution de fournitures électriques destinées aux entrepreneurs.

Il demande de lui illustrer, à l'aide des opérations du mois d'octobre 19__2, le fonctionnement des méthodes d'inventaire permanent et périodique.

Voici donc les opérations de Luminaires Enr. pour le mois d'octobre 19__2.

1er octobre   Réception de 5 000 mètres de câbles électriques en aluminium de Alcanise Inc. au coût de 1,50 $/m.

2 octobre   Luminaires Enr. passe une commande de 200 plaques à 0,40 $ chacune chez Laveton Inc. Les conditions sont 2/10, n/30. La marchandise doit être livrée le 13 octobre 19__2, FAB — point d'expédition.

7 octobre   Vente à crédit à J.J. Courant pour 3 000 $ aux conditions suivantes: net 30 jours.

10 octobre   On retourne à Alcanise Inc. 1 000 m de câbles à cause d'une défectuosité de la gaine.

12 octobre   Vente à crédit de 4 500 $ à Électricité B.B. Enr. aux conditions 2/10, n/30.

13 octobre   Réception de 150 plaques commandées chez Laveton Inc. le 2 octobre 19__2.

18 octobre   Achat de marchandises chez Au Bon Courant Inc. pour une valeur de 3 000 $. Les frais de transport, à la charge de l'acheteur, sont évalués à 150 $. Les conditions de l'achat sont 1/10, n/30.

21 octobre   Vente au comptant à Monsieur Brillant pour une somme de 1 200 $.

23 octobre   Monsieur Brillant retourne le quart des marchandises achetées le 21 octobre 19__2.

24 octobre   Monsieur Globel apporte chez lui des marchandises dont le prix de vente est évalué à 600 $.

30 octobre   À l'ouverture du courrier, on enregistre la remise d'Électricité B.B. au montant de 3 920 $.

- Enregistrer ces opérations selon:

     1) la méthode de l'inventaire périodique;

     2) la méthode de l'inventaire permanent.

(Noter que Monsieur Globel fixe son prix de vente en majorant de 50% le prix d'achat des marchandises.)

P6-26 On consulte le comptable de Physika Enr., entreprise de distribution d'articles de sports, au sujet de la signature d'un contrat d'approvisionnement en balles de tennis pour les quatre prochains mois. On lui indique que les besoins de l'entreprise sont de 5 000 boîtes de balles pour chacun de ces mois et que 3 fournisseurs ont proposé de livrer cette quantité à l'entreprise. Voici le sommaire des soumissions présentées par chacun des fournisseurs.

Fournisseur A

Il offre de livrer, au début de chaque mois, 5 000 boîtes de balles au coût de 2,50 $ la boîte. Les frais de transport de 0,10 $ la boîte sont à la charge de l'acheteur et les conditions de paiement sont de 2/10, n/30.

Fournisseur B

Il propose de livrer 20 000 boîtes au début du premier mois aux conditions suivantes.

> Coût unitaire: 2,30 $ chacune
> Coût de transport: FAB — point de livraison
> Conditions de paiement: 1/5, n/30

Fournisseur C

Il offre de livrer 10 000 boîtes au début des deux premiers mois, au coût de 2,30 $ pour la première livraison et 2,40 $ la seconde. Ses conditions de vente sont 2/10, n/30, FAB — point d'expédition. Le coût de transport est estimé à 0,15 $ la boîte.

Autres renseignements

1) l'entreprise doit payer un coût mensuel d'assurance sur stock de marchandises équivalent à 1/10 de 1% du coût des marchandises en stock au début du mois;

2) chaque fois qu'elle débourse une somme, l'entreprise doit soit payer 15% sur l'argent qu'elle emprunte, soit sacrifier un revenu de placement de 15%.

- 1) Quel fournisseur propose le coût d'acquisition le plus faible?
  2) Quel fournisseur l'entreprise devra-t-elle choisir pour son approvisionnement en balles de tennis?

6-27 Étant donné les quatre situations A, B, C et D:

	A	B	C	D
Chiffre d'affaires	55 000	158 000	550 000	x
Coût des marchandises vendues	x	x	x	650 000
Stock d'ouverture	8 000	x	30 000	20 000
Stock de clôture	x	17 000	80 000	40 000
Achats	40 000	140 000	x	x
Bénéfice net	x	x	(10 000)	50 000
Bénéfice brut	x	18 000	100 000	x
Frais de vente et d'administration	9 850	16 000	x	150 000
Prélèvements	2 500	x	3 000	25 000
Apports	0	8 000	2 000	5 000
Capital au début de l'exercice	16 000	35 000	x	x
Capital à la fin de l'exercice	32 150	40 000	55 000	50 000

- Trouver les valeurs de x

P6-28 L'entreprise Excelsior Enr. ne procède au dénombrement de son stock qu'une fois l'an, le 31 décembre. Cependant, en juin 19__5, afin de pouvoir décider s'il accordera l'emprunt demandé, le banquier de l'entreprise demande de procéder à l'évaluation du stock de marchandises.

Excelsior Enr. consulte donc un expert-comptable et lui demande de procéder à cette évaluation à l'aide des renseignements suivants tirés des registres comptables.

Excelsior Enr.
Tableau comparatif de certains postes de produits et charges
pour les périodes annuelles de 19__1 à 19__4 et
semestrielle de 19__5

	19__1	19__2	19__3	19__4	19__5 (6 mois)
Ventes à crédit	525 000 $	582 000 $	600 000 $	646 000 $	325 000 $
Stock de clôture	436 000	452 850	504 050	521 300	?
Escomptes sur ventes	6 000	7 000	10 000	11 000	5 000
Coût des marchandises prélevées	6 800	7 500	5 200	10 800	4 000
Rendus et rabais sur ventes	24 700	23 000	30 000	18 000	10 000
Achats	598 400	624 000	684 000	700 000	340 000
Fret à l'achat	9 800	11 500	14 200	16 800	7 500
Rendus et rabais sur achats	12 500	16 400	19 500	23 050	11 200
Ventes au comptant	186 000	205 000	230 000	255 000	100 000

- Établir le montant du stock au 30 juin 19__5.

7 Les registres auxiliaires

7.1 LES LIMITES DU JOURNAL GÉNÉRAL

Le quatrième chapitre présente comment, à l'aide du journal général, il est possible d'enregistrer les opérations commerciales d'une entreprise selon leur ordre chronologique. Cependant, plus une entreprise se développe, plus il devient difficile de limiter le système d'enregistrement des opérations commerciales au seul journal général. En effet, le journal général ne classe pas les opérations commerciales par catégorie: on y retrouve successivement l'enregistrement d'opérations de ventes, d'achats, de recettes, de débours, etc. Ce n'est qu'après le report au grand livre général qu'on obtient un regroupement par nature. De plus, la définition même du journal général exige qu'on enregistre les opérations commerciales selon l'ordre chronologique des faits comptables; il devient alors difficile d'y employer plus d'une personne. Aussi, puisque chaque opération est enregistrée par une écriture de journal distincte, il s'ensuit que lorsqu'un même compte du grand livre général est débité ou crédité plus d'une fois, on devra réécrire le nom de ce compte autant de fois au journal général. Par exemple, si une entreprise effectue dix mille ventes à crédit différentes dans un mois, alors la technique du journal oblige à écrire les mots « Clients » et « Ventes » dix mille fois, puisque chaque vente est enregistrée par une écriture de journal distincte. Enfin, on devra effectuer dix mille reports du journal au compte « Clients » du grand livre général, et on devra faire de même pour le traitement du compte « Ventes ».

On réduira ces inconvénients en imaginant un mode d'enregistrement comptable qui permettra de:

1) regrouper dans un même journal les opérations de même nature;

2) faire travailler plusieurs personnes à la fois; ainsi, en divisant les tâches, on accélère le travail d'enregistrement comptable;

3) réduire au minimum le travail d'enregistrement comptable en évitant la réinscription du nom des mêmes comptes;

4) réduire au minimum le travail de report au grand livre général.

Les registres auxiliaires

Dans le système comptable qui offre les avantages décrits plus tôt, on utilise différents registres auxiliaires. Ces registres sont des outils d'enregistrement comptable qui servent à inscrire des opérations commerciales à caractère répétitif. Chacun de ces registres a pour rôle de recevoir les inscriptions relatives à un même type d'opération: par exemple toutes les ventes seront comptabilisées dans un même registre, alors qu'un autre servira à comptabiliser toutes les recettes, et ainsi de suite.

Ce chapitre explique le fonctionnement pratique des différents registres auxiliaires. Pour ce faire, nous diviserons le système d'enregistrement comptable des opérations commerciales en deux sous-systèmes: 1) un sous-système des ventes qui comprend l'ensemble des opérations commerciales qu'exige une vente à crédit; 2) un sous-système des achats qui comprend l'ensemble des opérations commerciales qu'exige un achat à crédit. Pour le sous-système des ventes, on fera une comparaison entre la comptabilisation à l'aide d'un seul journal général jumelé au grand livre général et la comptabilisation à l'aide de différents registres auxiliaires jumelés au grand livre général. Nous ferons ensuite le lien avec le sous-système des achats.

7.2 LE SOUS-SYSTÈME DES VENTES

Du point de vue de la comptabilité, les différentes étapes d'une vente à crédit à partir du moment où un client achète jusqu'au moment où il paie son achat, plusieurs jours plus tard, se résument ainsi: enregistrement d'un crédit aux comptes « Ventes » et « Taxe de vente à payer », s'il y a lieu, et d'un débit au compte « Clients ». Par la suite, lorsque le montant de la vente est encaissé, on débitera le compte « Caisse » et on créditera le compte « Clients ». La figure 7-1 synthétise ce sous-système.

Nous illustrerons le fonctionnement comptable de ce sous-système à l'aide de quatre opérations commerciales semblables, soit les ventes suivantes effectuées par un vendeur d'automobiles pendant la première semaine de juin 19__1.

01-06-19__1 Vente à M. Sénécal d'une automobile au prix de 10 000 $, plus 9% de taxe de vente provinciale. La facture porte le numéro 8209.

02-06-19___1 Vente à M. C.A. Turbine d'une camionnette au prix de 12 000 $, plus 9% de taxe de vente provinciale. La facture porte le numéro 8210.

04-06-19___1 Vente à Mme V.A. Bien d'une voiture sport au prix de 20 000 $ plus 9% de taxe de vente provinciale. La facture porte le numéro 8211.

06-06-19___1 Vente à Mlle Lejeune d'un modèle tout terrain au prix de 15 000 $, plus 9% de taxe provinciale. La facture porte le numéro 8212.

FIGURE 7-1

Sous-système des ventes

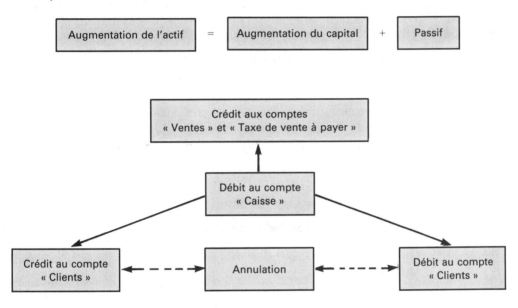

La comptabilisation à l'aide du journal général

Si ces opérations étaient comptabilisées à l'aide d'un journal général, il faudrait alors répéter quatre fois l'écriture suivante, comme l'indique la figure 7-2:

Clients
  @ Ventes
      Taxe de vente à payer

De plus, pour chacun des comptes, quatre reports sont nécessaires au grand livre général. Ces répétitions peuvent être éliminées par l'utilisation d'un journal des ventes en lieu et place d'un journal général.

La comptabilisation à l'aide du journal des ventes

L'élimination du caractère répétitif de la comptabilisation des opérations de vente à crédit, grâce au journal général, conduit à l'utilisation d'un nouveau journal: le *journal des ventes*.

Définition

Le **journal des ventes** est *le résumé de toutes les ventes de marchandises faites à crédit, ce qui a pour effet d'éliminer du journal général toutes les écritures se rapportant à ces ventes à crédit.*

Forme et contenu

Les journaux auxiliaires ont tous la même forme: ils sont divisés en colonnes, les plus importantes ayant pour en-tête le nom du compte qui sera débité ou crédité par les inscriptions dans cette colonne. Le nombre de colonnes de même que leurs en-têtes est fonction de la nature des opérations de l'entreprise: dès qu'une opération est répétitive, elle justifie la création d'une colonne distincte dans un journal auxiliaire approprié. Le tableau 7-1 illustre une forme simple d'un journal des ventes.

L'utilité de chacune des colonnes s'explique de la façon suivante.

Date des factures: cette date devrait aussi correspondre à la date d'inscription au journal des ventes. Ainsi, chaque facture est enregistrée sans délai et peut facilement être retrouvée si le classement de ces factures est en fonction des dates.

Numéro des factures: même si les factures sont classées en fonction des dates, elles peuvent être difficiles à retrouver si le volume des ventes pour une même date

TABLEAU 7-1

Journal des ventes

Date des factures		Numéro des factures	Nom du client	Réf.	Clients Débit	Ventes Crédit	Taxe de vente à payer Crédit

est très élevé. Aussi sera-t-il facile de retrouver une facture si, pour chaque date, on les classe par numéro.

Nom du client: lorsqu'un client demande des explications sur son compte sans pouvoir donner plus de renseignements que son nom, cette colonne permet de retrouver les dates et numéros de factures en question.

Référence: cette colonne sera utilisée pour indiquer que le compte « Clients » a été reporté au grand livre auxiliaire des comptes « Clients » que nous étudierons plus loin.

Compte « Clients »: on y trouve le montant total de la facture, soit le prix de vente plus la taxe de vente provinciale qu'on fait payer au client.

Ventes: on y indique le prix de vente au client.

Taxe de vente à payer: on y indique le montant de la taxe de vente qu'on fait payer au client et qu'on devra verser au gouvernement provincial.

Comptabilisation

La figure 7-2 illustre comment des opérations de vente, lorsqu'on les comptabilise à l'aide d'un journal général et du grand livre général, entraînent la répétition du même travail: inscription du nom des mêmes comptes et report de différents montants au même compte du grand livre général.

Avec la figure 7-3, pour comptabiliser les mêmes opérations, nous remplaçons le journal général par un journal des ventes. Voici comment on procède: à chaque écriture du journal inscrite à la figure 7-2 correspondra une seule ligne du journal des ventes. Le nom des comptes à débiter et créditer n'a pas à être écrit de nouveau pour chaque opération puisque, pour chaque compte, il suffit de placer dans la colonne qui porte son nom le montant du débit ou du crédit. Ainsi, l'écriture comptable qui se fait à la verticale dans le journal général se fait à l'horizontale dans le journal des ventes. Enfin, la date et les explications qu'on retrouve pour chaque écriture du journal général sont consignées dans les trois premières colonnes du journal des ventes.

Qu'en est-il du report des opérations au grand livre général? Lorsqu'on utilise le journal général, comme la figure 7-2 le démontre, chaque compte du grand livre général est autant de fois débité ou crédité qu'il y a d'opérations enregistrées au journal général. Par contre, lorsqu'on utilise le journal des ventes, comme à la figure 7-3, chaque compte du grand livre général n'est débité ou crédité qu'une seule fois du total des opérations de la période. Notons enfin que la colonne « Référence » (Réf.) de chaque compte du grand livre général indique « J.V. » à la figure 7-3 pour indiquer que le report se fait du journal des ventes au grand livre général. Dans la figure 7-2, la colonne indiquait « J.G. » puisque le report était issu du journal général.

Avantages

Les principaux avantages du journal des ventes sont que:

1) le nom des comptes n'est écrit qu'une fois par page, ce qui entraîne donc une économie de temps;

2) le travail de report au grand livre général est réduit à sa plus simple expression.

FIGURE 7-2

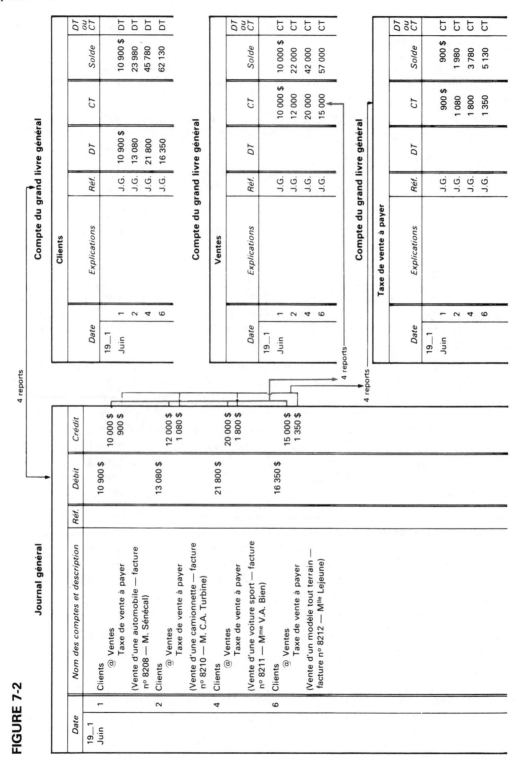

FIGURE 7-3

Utilisation du journal des ventes et reports au grand livre général

Clients

Date		Explications	Réf.	DT	CT	Solde	DT ou CT
19_1 Juin	6		J.V.	62 130 $		62 130 $	DT

Ventes

Date		Explications	Réf.	DT	CT	Solde	DT ou CT
19_1 Juin	6		J.V.		57 000 $	57 000 $	CT

Un seul report

Taxe de vente à payer

Date		Explications	Réf.	DT	CT	Solde	DT ou CT
19_1 Juin	6		J.V.		5 130 $	5 130 $	CT

Journal des ventes

Date des factures		Numéro des factures	Nom du client	Réf.	Clients DT	Ventes CT	Taxe de vente à payer CT
19_1 Juin	1	8209	M. Sénécal		10 900 $	10 000 $	900 $
	2	8210	M. C.A. Turbine		13 080	12 000	1 080
	4	8211	Mme V.A. Bien		21 800	20 000	1 800
	6	8212	Mlle Lejeune		16 350	15 000	1 350
					62 130 $	57 000 $	5 130 $

Un seul report
Un seul report
Un seul report

257

De plus, mentionnons qu'il est possible de nommer une personne responsable du journal des ventes, alors que d'autres seront responsables d'autres opérations de l'entreprise. Cette division des tâches, tout en minimisant les possibilités de fraude, accélère le traitement des données.

Le grand livre auxiliaire des comptes « Clients »

Bien que le journal des ventes soit de loin plus fonctionnel que le journal général pour la comptabilisation des ventes à crédit, il ne pallie néanmoins pas toutes les faiblesses. Entre autres, comment savoir ce que chacun des clients doit à l'entreprise? Le grand livre général n'offre pas ce renseignement, puisque le compte « Clients » qu'on y trouve a pour solde la totalité de ce que tous les clients de l'entreprise lui doivent sans en offrir le détail par client. D'autre part, si on utilise le journal général, il faudrait en examiner toutes les écritures depuis l'ouverture de l'entreprise pour connaître toutes les transactions qui ont été effectuées avec un même client. Si on utilise le journal des ventes, il faudrait en examiner toutes les lignes depuis l'ouverture de l'entreprise. Évidemment, dans un cas comme dans l'autre, une solution plus pratique s'avère nécessaire. Cette solution, c'est le grand livre auxiliaire des comptes « Clients ».

Définition

Le **grand livre auxiliaire des comptes « Clients »** est généralement composé *d'une série de fiches, chacune d'elles indiquant le détail des opérations de ventes entre un client et l'entreprise.*

Forme et contenu

Graphiquement, on peut représenter un grand livre auxiliaire des comptes « Clients » de la façon indiquée au tableau 7-2.

L'utilité de chacune des colonnes de chacune des fiches s'explique de la façon suivante.

Date: cette date devrait correspondre au jour où le client désigné par la fiche augmente ou diminue la somme qu'il doit à l'entreprise.

Débit: on y inscrit les augmentations de la dette du client envers l'entreprise.

Crédit: on y inscrit les diminutions de la dette du client envers l'entreprise.

Solde: on y trouve la différence entre le total de la colonne « Débit » et le total de la colonne « Crédit ». Si les débits sont supérieurs aux crédits, alors le solde est débiteur et représente le solde que le client doit à l'entreprise. Si les crédits sont supérieurs aux débits, ce qui ne peut se produire qu'exceptionnellement, le solde est créditeur et représente le solde que l'entreprise doit au client.

Comptabilisation

La figure 7-3 indique comment on comptabilise les opérations de vente à l'aide d'un journal des ventes; de plus, le mode de report du journal des ventes au grand livre général y est indiqué. Pour compléter le travail d'enregistrement comptable des ventes à crédit, il faut compléter la figure 7-3 en y ajoutant le grand livre auxiliaire

TABLEAU 7-2

Grand livre auxiliaire
des comptes « Clients »

Nom du client

Date	Débit	Crédit	Solde

Nom du client

Date	Débit	Crédit	Solde

Nom du client

Date	Débit	Crédit	Solde

Nom du client

Date	Débit	Crédit	Solde

des comptes « Clients ». Ainsi, nous pourrons connaître le détail du solde inscrit au compte « Clients » du grand livre général. Chaque montant inscrit dans la colonne « Débit » du journal des ventes doit donc être reporté au grand livre auxiliaire des comptes « Clients » en débitant la fiche du client concerné. Ainsi, à la figure 7-4, on voit que le solde de 62 130 $ inscrit au débit du compte « Clients » du grand livre général est composé de quatre comptes « Clients » différents, comme le précise le grand livre auxiliaire des comptes « Clients ».

FIGURE 7-4

Compte contrôle du grand livre général

Clients

Date	Explications	Réf.	DT	CT	Solde	DT ou CT
19__1 Juin	6	J.V.	62 130 $		62 130 $	DT

Grand livre auxiliaire des comptes « Clients »

M. Sénécal

Date	Débit	Crédit	Solde	
01-06-19__1	10 900 $		10 900 $	DT

M. C.A. Turbine

Date	Débit	Crédit	Solde	
02-06-19__1	13 080 $		13 080 $	DT

Mme V.A. Bien

Date	Débit	Crédit	Solde	
04-06-19__1	21 800 $		21 800 $	DT

Mlle Lejeune

Date	Débit	Crédit	Solde	
06-06-19__1	16 350 $		16 350 $	DT

Journal des ventes

Date des factures		Numéro des factures	Nom du client	Réf.	Clients DT	Ventes CT	Taxe de vente à payer CT
19__1 Juin	1	8209	M. Sénécal	✓	10 900 $	10 000 $	900 $
	2	8210	M. C.A. Turbine	✓	13 080	12 000	1 080
	4	8211	Mme V.A. Bien	✓	21 800	20 000	1 800
	6	8212	Mlle Lejeune	✓	16 350	15 000	1 350
					62 130 $	57 000 $	5 130 $

Report du total en fin de période

Reports individuels quotidiens

Indique le report au grand livre auxiliaire des comptes « Clients »

Avantages

L'avantage principal du grand livre auxiliaire des comptes « Clients » est, bien sûr, de fournir le détail du solde du compte « Clients » qu'on retrouve au grand livre général. Par le fait même, si on additionne le solde de chaque fiche du grand livre auxiliaire des comptes « Clients », on devra obtenir le solde du compte « Clients » au grand livre général.

Un autre avantage mérite d'être souligné: chaque fiche du grand livre auxiliaire permet de savoir depuis quand les sommes sont dues. C'est donc un outil qui permet, lorsqu'on procède à l'étude analytique de chacune de ces fiches, de rappeler aux clients retardataires qu'ils ont oublié de payer les sommes qu'ils doivent.

Le journal des recettes

Comme la figure 7-1 l'indique, une opération de vente à crédit n'est terminée que lorsque le vendeur a encaissé le prix de vente. Lorsque, quelque temps après le moment de la vente, un compte « Clients » est réglé, l'enregistrement comptable de cet encaissement se fait par l'inscription d'un débit au compte « Caisse » et d'un crédit au compte « Clients ». Puisque cette écriture est la conséquence d'une opération répétitive (les ventes à crédit), elle est aussi susceptible de se reproduire très souvent. Ainsi, l'utilisation du journal général conduirait à multiplier l'inscription des mêmes noms de compte de même que le nombre de reports au grand livre général comme l'illustre la figure 7-5. On y suppose que tous les comptes « Clients » enregistrés à la figure 7-4 sont encaissés le 31 juillet 19__1. On remarque que les noms des comptes « Caisse » et « Clients » sont répétés quatre fois et qu'on doit effectuer autant de reports au grand livre général pour chacun d'eux. De même, les explications sont toujours à reprendre. On peut éliminer ces inconvénients par l'utilisation du journal des recettes.

Définition

Le **journal des recettes** est essentiellement *un résumé de tous les encaissements de comptes « Clients »*, ce qui a pour effet d'éliminer du journal général toutes les écritures se rapportant à ces encaissements.

Forme et contenu

Le tableau 7-3 illustre une forme simple d'un journal des recettes.

L'utilité de chacune des colonnes s'explique de la façon suivante.

Date de l'encaissement: cette date devrait être celle du jour de réception du paiement.

Nom du client: cette colonne permet de savoir quel compte « Clients » peut être radié des livres étant donné cet encaissement.

Référence: cette colonne est utilisée pour indiquer que le crédit au compte « Clients » a été reporté au grand livre auxiliaire des comptes « Clients ».

TABLEAU 7-3

Journal des recettes

Date de l'encaissement	Nom du client	Réf.	Caisse DT	Clients CT

Caisse: on y indique le montant de l'encaissement.

Compte « Clients »: on y retrouve le montant dont il faut diminuer le compte du client inscrit sur la même ligne.

Comptabilisation

La figure 7-5 illustre comment des encaissements de comptes « Clients », lorsqu'on les comptabilise à l'aide d'un journal général et du grand livre général, entraînent la répétition du même travail: inscription du nom des mêmes comptes et report de différents montants au même compte du grand livre général.

Avec la figure 7-6, pour comptabiliser les mêmes opérations, nous remplaçons le journal général par un journal des recettes. On procède alors ainsi: à chaque écriture de journal inscrite à la figure 7-5 correspondra une seule ligne du journal des recettes. Le nom des comptes à débiter et créditer n'a pas à être écrit de nouveau pour chaque

FIGURE 7-5

Journal général

Date	Nom des comptes et description	Réf.	Débit	Crédit
19__1 Juillet 31	Caisse		10 900 $	
	@ Clients			10 900 $
	(Encaissement du compte de M. Sénécal)			
31	Caisse		13 080 $	
	@ Clients			13 080 $
	(Encaissement du compte de M. C.A. Turbine)			
31	Caisse		21 800 $	
	@ Clients			21 800 $
	(Encaissement du compte de Mᵐᵉ V.A. Bien)			
31	Caisse		16 350 $	
	@ Clients			16 350 $
	(Encaissement du compte de Mˡˡᵉ Lejeune)			

4 reports

Compte du grand livre général

Clients

Date	Explications	Réf.	DT	CT	Solde	DT ou CT
19__1 Juin 6		J.V.			62 130 $	DT
Juillet 31		J.G.		10 900 $	51 230	DT
31		J.G.		13 080	38 150	DT
31		J.G.		21 800	16 350	DT
31		J.G.		16 350	—	—

Compte du grand livre général

Caisse

Date	Explications	Réf.	DT	CT	Solde	DT ou CT
19__1 Juillet 31		J.G.	10 900 $		10 900 $	DT
31		J.G.	13 080		23 980	DT
31		J.G.	21 800		45 780	DT
31		J.G.	16 350		62 130	DT

4 reports

opération puisque, pour chaque compte qu'on veut affecter, il suffit de placer dans la colonne qui porte son nom le montant du débit ou du crédit. Ainsi, l'écriture comptable qui se fait à la verticale dans le journal général se fait à l'horizontale dans le journal des recettes. Enfin, la date et les explications qu'on retrouve pour chaque écriture du journal sont consignées dans les deux premières colonnes du journal des recettes. Qu'en est-il du report des opérations au grand livre général? Lorsqu'on utilise le journal général, comme la figure 7-5 le démontre, chaque compte du grand livre général est débité ou crédité autant de fois qu'il y a d'opérations enregistrées. Par contre, lorsque le journal des recettes est utilisé, comme à la figure 7-6, chaque compte du grand livre n'est débité ou crédité qu'une seule fois du total des opérations de la période. Notons enfin que la colonne « Référence » (Réf.) de chaque compte du grand livre général indique « J.R. » à la figure 7-6 pour indiquer que le report se fait du journal des recettes au grand livre général.

Avantages

Les principaux avantages du journal des recettes sont similaires à ceux du journal des ventes:

1) le nom des comptes n'est écrit qu'une fois par page, ce qui entraîne donc une économie de temps;
2) le travail de report au grand livre général est réduit à sa plus simple expression.

Aussi, il est possible de nommer une personne responsable du journal des recettes, alors que d'autres seront responsables des autres opérations de l'entreprise. Tout en minimisant les possibilités de fraude, cette division des tâches accélère le traitement des données.

Lien avec le grand livre auxiliaire des comptes « Clients »

Ce grand livre auxiliaire des comptes « Clients », comme nous l'avons vu, indique le détail des opérations de vente entre chaque client et l'entreprise. On y retrouve inscrit, à la figure 7-4, le solde dû par chacun des clients au moment de la vente. Ainsi, pour compléter le travail d'enregistrement comptable de l'encaissement des comptes « Clients », il faut ajouter à la figure 7-6 le grand livre auxiliaire des comptes « Clients ». Chaque montant inscrit dans la colonne « Clients CT » du journal des recettes doit être reporté au grand livre auxiliaire des comptes « Clients » en créditant la fiche du client concerné. Ainsi, à la figure 7-7, on voit que le solde « — » inscrit au compte « Clients » du grand livre général s'explique par le fait que tous les soldes des fiches du grand livre auxiliaire des comptes « Clients » donnent zéro.

Synthèse des méthodes comptables du sous-système des ventes à l'aide des registres auxiliaires

La figure 7-8 illustre de façon globale comment la comptabilisation des ventes à crédit peut s'effectuer à l'aide des registres auxiliaires. Les étapes à suivre sont les suivantes.

FIGURE 7-6

Compte du grand livre général

Clients

Date		Explications	Réf.	DT	CT	Solde	DT ou CT
19_1							
Juin	6		J.V.			62 130 $	DT
Juillet	31		J.R.		62 130 $	—	—

Compte du grand livre général

Caisse

Date		Explications	Réf.	DT	CT	Solde	DT ou CT
19_1							
Juillet	31		J.R.	62 130 $		62 130 $	DT

Report en fin de période

Report en fin de période

Journal des recettes

Date de l'encaissement		Nom du client	Réf.	Caisse DT	Clients CT
19_1					
Juillet	31	M. Sénécal		10 900 $	10 900 $
	31	M. C. A. Turbine		13 080	13 080
	31	Mᵐᵉ V. A. Bien		21 800	21 800
	31	Mˡˡᵉ Lejeune		16 350	16 350
				62 130 $	62 130 $

265

FIGURE 7-7

Compte du grand livre général

Clients

Date		Explications	Ref.	DT	CT	Solde	DT ou CT
19__1							
Juin	6		J.V.			62 130 $	DT
Juillet	31		J.R.		62 130 $	—	—

Grand livre auxiliaire des comptes « Clients »

M. Sénécal

Date	Débit	Crédit	Solde	
01-06-19__1	10 900 $		10 900 $	DT
31-07-19__1		10 900 $	—	—

M. C.A. Turbine

Date	Débit	Crédit	Solde	
02-06-19__1	13 080 $		13 080 $	DT
31-07-19__1		13 080 $	—	—

Mme V.A. Bien

Date	Débit	Crédit	Solde	
04-06-19__1	21 800 $		21 800 $	DT
31-07-19__1		21 800 $	—	—

Mlle Lejeune

Date	Débit	Crédit	Solde	
06-06-19__1	16 350 $		16 350 $	DT
31-07-19__1		16 350 $	—	—

Report du total en fin de période

Journal des recettes

Date de l'encaissement	Nom du client	Ref.	Caisse DT	Clients CT
19__1				
Juillet				
31	M. Sénécal	✓	10 900 $	10 900 $
31	M. C. A. Turbine	✓	13 080	13 080
31	Mme V.A. Bien	✓	21 800	21 800
31	Mlle Lejeune	✓	16 350	16 350
			62 130 $	62 130 $

Reports individuels quotidiens

Indique le report au grand livre auxiliaire des comptes « Clients »

FIGURE 7-8

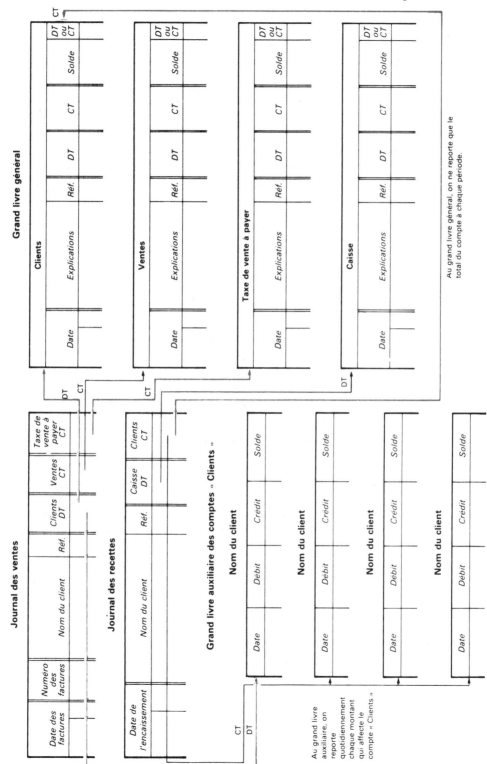

Grand livre général

Journal des ventes

Journal des recettes

Grand livre auxiliaire des comptes « Clients »

Au grand livre général, on ne reporte que le total du compte à chaque période.

Au grand livre auxiliaire, on reporte quotidiennement chaque montant qui affecte le compte « Clients »

Comptabilisation de la vente

1) Inscription au journal des ventes d'un débit au compte « Clients » et d'un crédit aux comptes « Ventes » et « Taxe de vente à payer ».

2) Chaque débit inscrit dans la colonne « Clients » fait l'objet d'un report au grand livre auxiliaire des comptes « Clients » en débitant la fiche du client en question.

3) À la fin de chaque période, le total de chacune des colonnes du journal des ventes est reporté au compte correspondant du grand livre général. Ainsi, le compte « Clients » est débité, alors que les comptes « Ventes » et « Taxe de vente à payer » sont crédités. On peut choisir comme durée de la période une semaine, un mois, six mois ou toute autre durée, selon les besoins de l'entreprise.

Comptabilisation de l'encaissement

1) Inscription au journal des recettes d'un débit au compte « Caisse » et d'un crédit au compte « Clients ».

2) Chaque crédit inscrit dans la colonne « Clients » fait l'objet d'un report au grand livre auxiliaire des comptes « Clients » en créditant la fiche du client en question.

3) À la fin de chaque période, le total de chacune des colonnes du journal des recettes est reportée au compte correspondant du grand livre général. Ainsi, le compte « Caisse » est débité, alors que le compte « Clients » est crédité. La durée sera la même que celle qu'on aura choisie plus haut.

7.3 LE SOUS-SYSTÈME DES ACHATS

Dans la section 7.2, nous avons procédé à l'analyse et à la comptabilisation d'opérations de ventes à crédit en comparant, pour chaque étape, le travail accompli grâce au journal général et le travail accompli grâce aux registres auxiliaires. Le but de cette comparaison était d'illustrer à quel point le remplacement du journal général par différents registres auxiliaires permet une économie d'efforts, de temps et, par conséquent, d'argent. La section 7.3 précise comment les achats à crédit peuvent être comptabilisés à l'aide de registres auxiliaires. Nous n'établirons pas la comparaison entre ce mode de comptabilisation et celui qui n'utilise que le journal général; cette comparaison est inutile, car elle n'ajoute rien aux conclusions déjà obtenues si ce n'est que les avantages de la méthode des registres auxiliaires sont les mêmes pour le sous-système des achats et pour le sous-système des ventes.

Du point de vue de la comptabilité, les différentes étapes d'un achat de marchandises à crédit, à partir du moment où une entreprise achète jusqu'au moment où elle paie, plusieurs jours plus tard, se résument ainsi: enregistrement d'un débit au compte « Achats » et d'un crédit au compte « Fournisseurs ». Par la suite, lorsque le montant de l'achat est payé, on débitera le compte « Fournisseurs » et on créditera le compte « Caisse ». La figure 7-9 synthétise ce sous-système.

FIGURE 7-9
Sous-système des achats

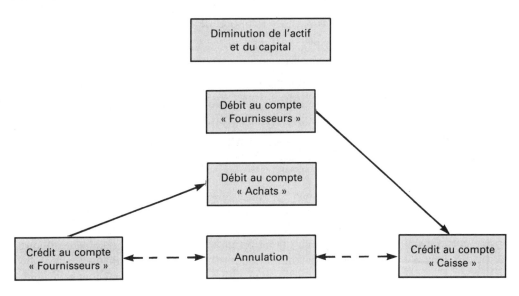

Nous illustrerons le fonctionnement comptable de ce sous-système à l'aide de quatre opérations commerciales semblables. Soit les achats suivants, effectués par un pharmacien pendant la première semaine d'octobre 19__1.

01-10-19__1   Achat chez Bonsommeil Inc. de médicaments au coût total de 1 000 $.

02-10-19__1   Achat chez C-Si-Bon Inc. de chocolats au coût total de 300 $.

04-10-19__1   Achat chez Pensez-y Inc. de cartes de souhaits au coût total de 100 $.

06-10-19__1   Achat chez Bien Sec Inc. de séchoirs à cheveux au coût total de 400 $.

Comptabilisation à l'aide des registres auxiliaires

Une opération à caractère répétitif comme l'achat de marchandises justifie l'utilisation de registres auxiliaires. Dans le sous-système que nous créerons, nous utiliserons le journal des achats, le grand livre auxiliaire des comptes « Fournisseurs » et le journal des débours.

Le journal des achats

Définition

Le **journal des achats** est *le résumé de tous les achats de marchandises à crédit.* Il sera utilisé pour éliminer du journal général les débits au compte « Achats » et les crédits au compte « Fournisseurs ».

Forme et contenu

Le tableau 7-4 illustre une forme simple d'un journal des achats.

L'utilité de chacune des colonnes s'explique de la façon suivante.

Date: c'est la date d'inscription au journal des achats. Elle devrait correspondre à la date où la commande a été passée.

Nom des fournisseurs: on y indique le nom de celui de qui on a acheté.

Référence: cette colonne sera utilisée pour indiquer que l'information a été reportée au grand livre auxiliaire des comptes « Fournisseurs ».

Achats: on y consigne le coût total des achats à crédit.

Compte « Fournisseurs »: on y trouve la dette contractée à l'égard du fournisseur.

Comptabilisation

Voici comment on procède: chaque ligne du journal des achats correspond à une écriture du journal général complète. Le nom des comptes à débiter et créditer n'a pas à être écrit de nouveau pour chaque opération puisque, pour chaque compte, il suffit de placer dans la colonne qui porte son nom le montant du débit ou du crédit. De plus, la date et les explications que l'on retrouve à chaque écriture de journal sont consignées dans les deux premières colonnes du journal des achats.

Le report au grand livre général n'est toutefois effectué qu'une seule fois par période, à la fin. Le total de la colonne « Achats » est reporté au débit du compte « Achats », alors que celui de la colonne « Fournisseurs » est reporté au crédit du compte « Fournisseurs ».

La figure 7-10 indique comment les achats décrits plus haut seraient comptabilisés à l'aide d'un journal des achats; on y effectuera de plus les reports au grand livre général.

Avantages

Comme c'est le cas pour tous les journaux auxiliaires, le journal des achats permet une économie de temps en éliminant le travail de réinscription du nom des comptes. De plus, le travail de report au grand livre général est réduit à un seul report par période.

TABLEAU 7-4

Journal des achats

Date		Nom des fournisseurs	Réf.	Achats DT	Fournisseurs CT

FIGURE 7-10

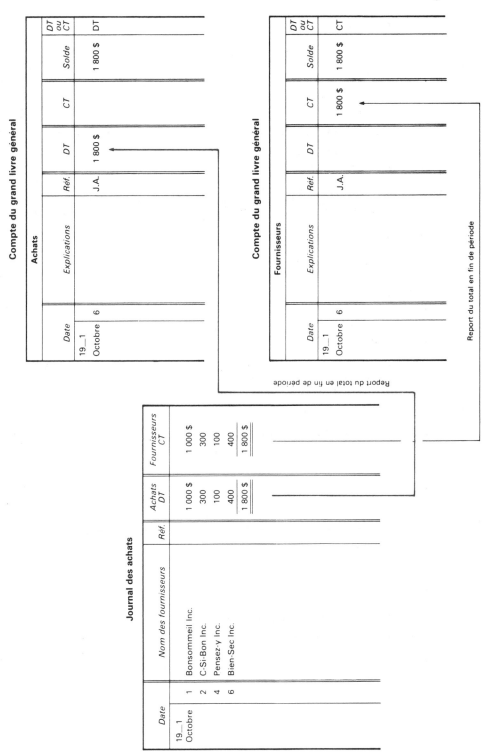

Compte du grand livre général

Achats

Date	Explications	Réf.	DT	CT	Solde	DT ou CT
19__1 Octobre	6	J.A.	1 800 $		1 800 $	DT

Compte du grand livre général

Fournisseurs

Date	Explications	Réf.	DT	CT	Solde	DT ou CT
19__1 Octobre	6	J.A.		1 800 $	1 800 $	CT

Report du total en fin de période

Report du total en fin de période

Journal des achats

Date		Nom des fournisseurs	Réf.	Achats DT	Fournisseurs CT
19__1 Octobre	1	Bonsommeil Inc.		1 000 $	1 000 $
	2	C-Si-Bon Inc.		300	300
	4	Pensez-y Inc.		100	100
	6	Bien-Sec Inc.		400	400
				1 800 $	1 800 $

Le grand livre auxiliaire des comptes « Fournisseurs »

La seule utilisation d'un journal des achats et d'un compte « Fournisseurs » au grand livre général rend difficile la détermination du solde dû par l'entreprise à chacun de ses fournisseurs. Bien sûr, l'analyse de chaque ligne du journal des achats depuis l'ouverture de l'entreprise permettrait d'obtenir ce renseignement. Cependant, pour des raisons évidentes, cette façon d'agir ne peut être retenue; on utilisera plutôt un grand livre auxiliaire des comptes « Fournisseurs ».

Définition

Le **grand livre auxiliaire des comptes « Fournisseurs »** est généralement composé d'*une série de fiches, chacune d'elles indiquant le détail des opérations d'achat à crédit effectuées chez chacun des fournisseurs de l'entreprise.*

Forme et contenu

Graphiquement, on peut représenter un grand livre auxiliaire des comptes « Fournisseurs » de la façon indiquée au tableau 7-5.

L'utilité de chacune des colonnes de chacune des fiches s'explique de la façon suivante.

Date : elle devrait correspondre à celle du jour où l'entreprise augmente ou diminue son compte envers le fournisseur désigné par la fiche.

Débit : on y inscrit les paiements de l'achat.

Crédit : on y inscrit les achats à crédit.

Solde : on y trouve la différence entre le total de la colonne « Crédit » et le total de la colonne « débit ». Si les crédits sont supérieurs aux débits, alors le solde est créditeur et représente le solde dû par l'entreprise au client. Si les débits sont supérieurs aux crédits, ce qui ne peut se produire qu'exceptionnellement, le solde est débiteur et représente le solde dû par le fournisseur à l'entreprise.

Comptabilisation

La figure 7-10 indique comment on comptabilise les opérations d'achat à crédit à l'aide d'un journal des achats; de plus, le mode de report du journal des achats au grand livre général y est indiqué. Pour compléter le travail d'enregistrement comptable des achats à crédit, il faut ajouter à la figure 7-10 le grand livre auxiliaire des comptes « Fournisseurs ». Ainsi, nous pourrons connaître le détail du solde inscrit au compte « Fournisseurs » du grand livre général. Chaque montant inscrit dans la colonne « Crédit » du journal des achats doit donc être reporté au grand livre auxiliaire des comptes « Fournisseurs » en affectant la fiche du fournisseur concerné. Ainsi, à la figure 7-11, on voit que le solde de 1 800 $ inscrit au crédit du compte « Fournisseurs » au grand livre général est composé de quatre comptes « Fournisseurs » différents, comme le précise le grand livre auxiliaire des comptes « Fournisseurs ».

TABLEAU 7-5

Grand livre auxiliaire des comptes « Fournisseurs »

Nom du fournisseur

Date	Débit	Crédit	Solde

Nom du fournisseur

Date	Débit	Crédit	Solde

Nom du fournisseur

Date	Débit	Crédit	Solde

Nom du fournisseur

Date	Débit	Crédit	Solde

FIGURE 7-11

Compte du grand livre général

Fournisseurs

Date	Explications	Réf.	DT	CT	Solde	DT ou CT
19—1						
Octobre 6		J.A.		1 800 $	1 800 $	CT

Grand livre auxiliaire des comptes « Fournisseurs »

Bonsommeil Inc.

Date	Débit	Crédit	Solde	
01-10-19—1		1 000 $	1 000 $	CT

C-Si-Bon Inc.

Date	Débit	Crédit	Solde	
02-10-19—1		300 $	300 $	CT

Pensez-y Inc.

Date	Débit	Crédit	Solde	
04-10-19—1		100 $	100 $	CT

Bien-Sec Inc.

Date	Débit	Crédit	Solde	
06-10-19—1		400 $	400 $	CT

Report du total en fin de période

Reports individuels quotidiens

Journal des achats

Date	Nom des fournisseurs	Réf.	Achats DT	Fournisseurs CT
19—1				
Octobre 1	Bonsommeil Inc.	✓	1 000 $	1 000 $
2	C-Si-Bon Inc.	✓	300	300
4	Pensez-y Inc.	✓	100	100
6	Bien-Sec Inc.	✓	400	400
			1 800 $	1 800 $

Indique le report au grand livre auxiliaire des comptes « Fournisseurs »

Avantages

L'avantage principal du grand livre auxiliaire des comptes « Fournisseurs » est de fournir le détail du solde du compte « Fournisseurs » qu'on retrouve au grand livre général. Par le fait même, si on additionne le solde de chaque fiche du grand livre auxiliaire des comptes « Fournisseurs », on devra obtenir le solde du compte « Fournisseurs » au grand livre général.

Un autre avantage mérite d'être souligné: chaque fiche du grand livre auxiliaire permet de savoir depuis quand les sommes sont dues. C'est donc un outil qui permet, lorsqu'on procède à l'étude analytique de chacune de ces fiches, de savoir quels comptes existent depuis moins de trente et un jours, depuis plus de trente jours mais moins de soixante et un jours, depuis plus de soixante jours mais moins de quatre-vingt-onze jours, et depuis plus de quatre-vingt-onze jours. À partir de cette étude, on peut savoir quels comptes doivent être payés maintenant et lesquels peuvent être reportés.

Le journal des débours

Comme la figure 7-9 l'indique, une opération d'achat à crédit n'est terminée que lorsque l'acheteur a payé le coût de son achat. Lorsque, quelque temps après le moment de l'achat, un compte « Fournisseurs » est payé, l'enregistrement comptable de ce débours se fait par l'inscription d'un débit au compte « Fournisseurs » et d'un crédit au compte « Caisse ». Puisque cette écriture est la conséquence d'une opération répétitive (les achats à crédit), elle sera également susceptible de se reproduire très souvent. Dans un tel cas, l'utilisation d'un registre auxiliaire, que nous nommerons journal des débours, accélère l'enregistrement comptable.

Définition

Le **journal des débours** constitue essentiellement *un résumé de tous les paiements de comptes « Fournisseurs »*. Ce faisant, il conduit à l'élimination du journal général des écritures se rapportant à ces débours.

Forme et contenu

Le tableau 7-6 illustre une forme simple d'un journal des débours.

L'utilité de chacune des colonnes s'explique de la façon suivante.

Date du débours: cette date correspond à celle qui est inscrite sur le chèque. Ce dernier devrait d'ailleurs être expédié le jour même de sa préparation.

Nom du fournisseur: il indique le nom du bénéficiaire du chèque et permet de savoir quel compte « Fournisseurs » peut être radié des livres étant donné ce débours.

Référence: cette colonne est utilisée pour indiquer que le débit au compte « Fournisseurs » a été reporté au grand livre auxiliaire des comptes « Fournisseurs ».

Caisse: on y indique le montant du débours.

Compte « Fournisseurs »: on y indique le montant dont il faut diminuer le compte du fournisseur dont le nom est inscrit sur la même ligne.

TABLEAU 7-6

Journal des débours

Date du débours		Nom des fournisseurs	Réf.	Caisse CT	Fournisseurs DT

Comptabilisation

Voici comment on doit utiliser un journal des débours. Chaque ligne de ce journal correspond à une écriture complète du journal général. Le nom des comptes à débiter et créditer n'a pas à être écrit de nouveau pour chaque opération puisque, pour chaque compte qu'on veut affecter, il suffit de placer dans la colonne qui porte son nom le montant du débit ou du crédit. Ainsi, l'écriture comptable qui se fait à la verticale dans le journal général se fait à l'horizontale dans le journal des débours. Enfin, la date et les explications qu'on retrouve pour chaque écriture du journal général sont consignées dans les deux premières colonnes du journal des débours. Qu'en est-il du report des opérations au grand livre général? Seul le total de la colonne est reporté au grand livre général à la fin de chacune des périodes en débitant ou créditant le compte qui fait l'objet de cette colonne. La figure 7-12 illustre comment ces reports du journal des débours au grand livre général s'effectuent. Notons que la colonne « Référence » (Réf.) de chaque compte du grand livre général indique « J.D. » pour indiquer que le report se fait du journal des débours au grand livre général. On y suppose que tous les comptes « Fournisseurs » sont payés le 31 octobre 19__1.

Avantages

Les principaux avantages du journal des débours sont d'éliminer l'inscription répétitive du nom des comptes tout en minimisant le travail de report au grand livre général. Aussi est-il possible de nommer une personne responsable du journal des débours, alors que d'autres sont responsables de la comptabilisation d'autres opérations de l'entreprise. Tout en minimisant les possibilités de fraude, cette division des tâches accélère le traitement des données.

FIGURE 7-12

Compte du grand livre général

Fournisseurs

Date		Explications	Réf.	DT	CT	Solde	DT ou CT
19_1							
Octobre	6		J.A.			1 800 $	CT
	31		J.D.	1 800 $		—	—

Compte du grand livre général

Caisse

Date		Explications	Réf.	DT	CT	Solde	DT ou CT
19_1							
Octobre	31		J.D.		1 800 $	1 800 $	CT

Report en fin de période

Report en fin de période

Journal des débours

Date du débours		Nom des fournisseurs	Réf.	Caisse CT	Fournisseurs DT
19_1					
Octobre	31	Bonsommeil Inc.		1 000 $	1 000 $
	31	C-Si-Bon Inc.		300	300
	31	Pensez-y Inc.		100	100
	31	Bien-Sec Inc.		400	400
				1 800 $	1 800 $

Lien avec le grand livre auxiliaire des comptes « Fournisseurs »

Le grand livre auxiliaire des comptes « Fournisseurs », comme nous l'avons vu, indique le détail des opérations d'achat à crédit conclues entre l'entreprise et chacun de ses fournisseurs. On y retrouve, à la figure 7-11, le solde dû à chacun des fournisseurs. Ainsi, pour compléter le travail d'enregistrement comptable du paiement des comptes « Fournisseurs », il faut ajouter à la figure 7-12 le grand livre auxiliaire des comptes « Fournisseurs ». Chaque montant inscrit dans la colonne « Fournisseurs DT » du journal des débours doit être reporté au grand livre auxiliaire des comptes « Fournisseurs » en affectant la fiche du fournisseur concerné. Ainsi, à la figure 7-13, on voit que le solde « Nil » inscrit au compte « Fournisseurs » du grand livre général s'explique par le fait que tous les soldes des fiches du grand livre auxiliaire des comptes « Fournisseurs » sont nuls.

Synthèse des méthodes comptables du sous-système des achats à l'aide des registres auxiliaires

La figure 7-14 illustre de façon globale comment la comptabilisation des achats à crédit peut s'effectuer à l'aide des registres auxiliaires. Les étapes à suivre sont les suivantes.

Comptabilisation de l'achat

1) Inscription au journal des achats d'un débit au compte « Achats » et d'un crédit au compte « Fournisseurs ».

2) Chaque crédit inscrit dans la colonne « Fournisseurs » fait l'objet d'un report au grand livre auxiliaire des comptes « Fournisseurs » par un crédit à la fiche du fournisseur en question.

3) À la fin de chaque période, le total de chacune des colonnes du journal des achats est reporté au compte correspondant du grand livre général. Ainsi, le compte « Achats » est débité alors que le compte « Fournisseurs » est crédité. La durée de la période est variable selon les besoins de l'entreprise.

Comptabilisation du débours

1) Inscription au journal des débours d'un crédit au compte « Caisse » et d'un débit au compte « Fournisseurs ».

2) Chaque débit inscrit dans la colonne « Fournisseurs » fait l'objet d'un report au grand livre auxiliaire des comptes « Fournisseurs » par un débit à la fiche du fournisseur en question.

3) À la fin de chaque période, le total de chacune des colonnes du journal des débours est reporté au compte correspondant du grand livre général. Ainsi, le compte « Caisse » est crédité, alors que le compte « Fournisseurs » est débité. La période sera la même que celle que nous avons choisie plus haut.

FIGURE 7-13

Compte du grand livre général

Fournisseurs

Date		Explications	Réf.	DT	CT	Solde	DT ou CT
19__1							
Octobre	6		J.A.		1 800 $	1 800 $	CT
	31		J.D.	1 800 $		—	—

Grand livre auxiliaire des comptes « Fournisseurs »

Bonsommeil Inc.

Date	Débit	Crédit	Solde	
01-10-19__1		1 000 $	1 000 $	CT
31-10-19__1	1 000 $		—	—

C-Si-Bon Inc.

Date	Débit	Crédit	Solde	
02-10-19__1		300 $	300 $	CT
31-10-19__1	300 $		—	—

Pensez-y Inc.

Date	Débit	Crédit	Solde	
04-10-19__1		100 $	100 $	CT
31-10-19__1	100 $		—	—

Bien-Sec Inc.

Date	Débit	Crédit	Solde	
06-10-19__1		400 $	400 $	CT
31-10-19__1	400 $		—	—

Report du total en fin de période

Reports individuels quotidiens

Journal des débours

Date		Nom des fournisseurs	Réf.	Caisse CT	Fournisseurs DT
19__1					
Octobre	31	Bonsommeil Inc.	✓	1 000 $	1 000 $
	31	C-Si-Bon Inc.	✓	300	300
	31	Pensez-y Inc.	✓	100	100
	31	Bien-Sec Inc.	✓	400	400
				1 800 $	1 800 $

Indique le report au grand livre auxiliaire des comptes « Clients »

FIGURE 7-14

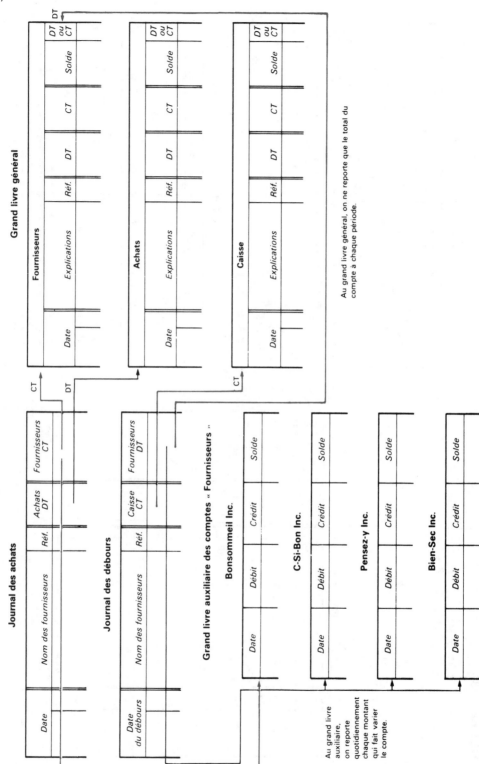

7.4 ÉLARGISSEMENT DU MODÈLE

Notions générales

Parmi les opérations commerciales effectuées par une entreprise, plusieurs sont répétitives. Comme nous l'avons vu, c'est le cas des ventes à crédit et des achats à crédit. Aussi, tout en respectant le même principe de base (A = P + C), la technique d'enregistrement comptable des événements économiques a été sensiblement modifiée: des journaux auxiliaires spécialisés ont remplacé le journal général pour tirer avantage de ces événements répétitifs. Évidemment, selon la nature de l'entreprise concernée, les répétitions d'opérations commerciales effectuées peuvent varier. Par exemple, une institution financière peut effectuer de nombreux prêts hypothécaires; dans un tel cas, l'écriture qui débite le compte « Prêt hypothécaire à recevoir » et qui crédite le compte « Caisse » pourrait ne plus être inscrite au journal général mais plutôt au journal des débours. Pour cela, il suffit de titrer l'une des colonnes de celui-ci « Prêt hypothécaire à recevoir ». Ce dernier exemple indique comment les journaux auxiliaires doivent être adaptés à la nature même des opérations à comptabiliser.

Un raisonnement similaire peut s'appliquer aux grands livres auxiliaires. Nous avons précisé l'utilité et le mode de fonctionnement du grand livre auxiliaire des comptes « Clients » et celui des comptes « Fournisseurs ». L'avantage principal de ces registres est de préciser, de façon détaillée, de quoi est composé un compte dont seul le solde global apparaît au grand livre général. Ainsi, une entreprise qui possède plusieurs camions peut souhaiter connaître le détail du solde global inscrit à ce compte au grand livre général. Si tel est le cas, il suffira d'utiliser un grand livre auxiliaire du matériel roulant. Un tel raisonnement peut être repris pour tous les comptes du grand livre général dont il est souhaitable de connaître la composition détaillée. Ici aussi, comme pour les journaux auxiliaires, les grands livres auxiliaires doivent être adaptés afin de fournir toutes les informations financières nécessaires à ceux qui ont avantage à les utiliser.

La conception d'un système d'enregistrement comptable des opérations commerciales pour une entreprise fait donc appel au jugement et au sens pratique du comptable. Il s'agit d'abord de déterminer quelles opérations seront suffisamment répétitives pour justifier une colonne particulière dans un journal auxiliaire donné. Il s'agit ensuite de déterminer de quels grands livres auxiliaires on a besoin. Pour apporter une réponse satisfaisante, il faut analyser en détail le fonctionnement quotidien de l'entreprise et déterminer une liste des comptes qui seront utilisés pour en enregistrer les opérations.

Précisions sur la conception d'un système d'enregistrement comptable

Forme pratique des journaux

La forme adoptée jusqu'à présent pour le journal des achats (voir le tableau 7-4) laisse supposer que tous les comptes « Fournisseurs » d'une entreprise sont issus d'achats de marchandises. Pourtant, on le sait, des comptes « Fournisseurs » peuvent avoir comme contrepartie des charges de bureau, des frais d'entretien du matériel roulant, des charges relatives à un immeuble (comme le chauffage), etc. Bien que ce genre de charges ne se répète généralement pas souvent pendant une période donnée, il est tout de même souhaitable de pouvoir les enregistrer au journal des achats puisqu'elles contribuent à augmenter le solde du compte « Fournisseurs ». Pour ce faire, il faut compléter le journal des achats présenté au tableau 7-4 en y ajoutant une colonne « Divers » qui, elle-même, se divise en trois colonnes: « Détails », « Référence » et « Montant ». Dans la colonne « Détails », on indiquera le nom du compte qui est la contrepartie du compte « Fournisseurs » enregistré; la colonne « Référence » précise le numéro du compte de charge en question; enfin, on inscrit le montant à payer dans la dernière colonne. La figure 7-15 illustre comment on pourrait tirer avantage du journal des achats pour enregistrer les opérations suivantes:

1) 03-11-19___1: frais de bureau, n° 150, 700 $. Le fournisseur est la papeterie Léger Inc.

2) 07-11-19___1: chauffage, n° 160, 800 $. Le fournisseur est Laflamme Inc.

Il est important de souligner que chaque inscription dans la colonne « Divers » fait l'objet, en fin de période, d'un report distinct au grand livre général. Les reports au grand livre auxiliaire des comptes « Fournisseurs » se font toujours de la même façon.

De même, la forme adoptée jusqu'à présent pour le journal des recettes (voir le tableau 7-3) laisse supposer que toutes les recettes d'une entreprise proviennent du remboursement des comptes « Clients ». Pourtant, une entreprise peut encaisser des loyers, des intérêts, etc. Bien que ce genre d'encaissement ne se répète généralement pas souvent pendant une période donnée, on réalisera une économie de temps en les enregistrant au journal des recettes. Pour ce faire, il faut élargir le journal des recettes illustré au tableau 7-3 de la même façon qu'on a élargi le journal des achats. La figure 7-16 indique comment le journal des recettes peut être élargi pour comptabiliser les opérations suivantes:

1) 10-11-19___1: encaissement de loyers, n° 80, 500 $. Le locataire est M. Leriche.

2) 14-11-19___1: encaissement d'intérêts, n° 90, 1 000 $. Le créancier est M. Raté.

Puisque les comptes « Clients » ne sont pas en cause, aucun report au grand livre auxiliaire n'est nécessaire.

Enfin, il convient de préciser que la forme adoptée jusqu'à présent pour le journal des débours (voir le tableau 7-6) laisse supposer que tous les débours correspondent aux paiements de comptes « Fournisseurs ». Pourtant, une entreprise doit payer des frais de représentation, des intérêts, des loyers, etc. Bien que ce genre de débours ne se répète généralement pas souvent pendant une période donnée, il peut être avantageux de les enregistrer au journal des débours. Pour ce faire, il faut élargir le journal des débours présenté au tableau 7-6 comme on l'a fait précédemment pour le journal des

FIGURE 7-15

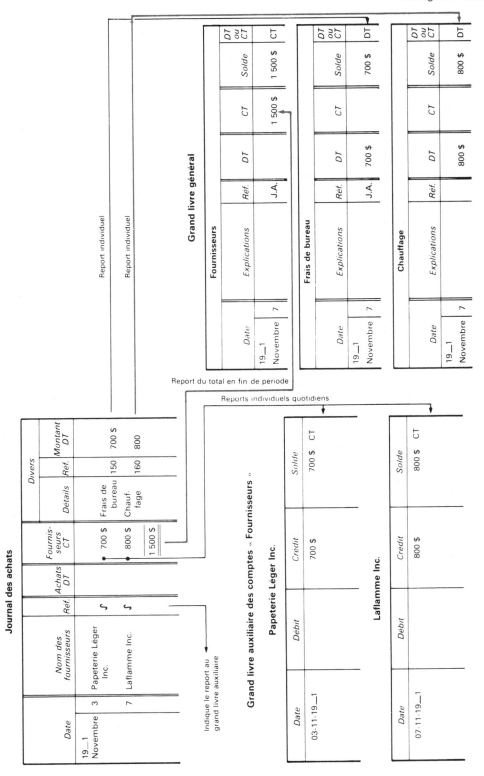

283

FIGURE 7-16

Journal des recettes

Date de l'encaissement	Nom du client	Réf.	Caisse DT	Clients CT	Divers		
					Détails	Réf.	Montant CT
19__1 Novembre 10	M. Leriche		500 $		Loyers — Produits	80	500 $
14	M. Raté		1 000		Intérêts — Produits	90	1 000
			1 500 $				

Report du total en fin de période

Report individuel

Report individuel

Grand livre général

Caisse

Date	Explications	Réf.	DT	CT	Solde	DT ou CT
19__1 Novembre 14		J.R.	1 500 $		1 500 $	DT

Loyers — Produits   **N 80**

Date	Explications	Réf.	DT	CT	Solde	DT ou CT
19__1 Novembre 14		J.R.		500 $	500 $	CT

Intérêts — Produits   **N 90**

Date	Explications	Réf.	DT	CT	Solde	DT ou CT
19__1 Novembre 14		J.R.		1 000 $	1 000 $	CT

achats et le journal des recettes. Aussi, la figure 7-17 illustre comment le journal des débours peut être utilisé pour comptabiliser les opérations suivantes:

1) 15-11-19__1: paiement de loyers, n° 300, 1 000 $. Le propriétaire est M. Ledur.

2) 17-11-19__1: paiement d'intérêts, n° 320, 2 000 $, à M. Legros.

Les ventes et les achats au comptant

Le journal des ventes (voir le tableau 7-1) et celui des achats (voir le tableau 7-4) utilisés jusqu'ici permettent l'enregistrement des ventes et des achats à crédit. Pourtant, il est possible de vendre et d'acheter au comptant. La comptabilisation de telles opérations peut s'effectuer de différentes façons. Examinons d'abord le cas des ventes, pour ensuite établir un parallèle avec les achats.

Les ventes au comptant

Puisque de telles ventes impliquent un encaissement, le journal des recettes peut être celui qu'on utilise pour l'enregistrement comptable. Alors, la colonne « Caisse » recevra un débit pour le montant total des recettes, alors que les crédits aux comptes « Ventes » et « Taxes de vente à payer » seront présentés dans les colonnes correspondantes (si le caractère répétitif de cette opération le justifie) ou dans la colonne « Divers » en créditant spécifiquement les comptes.

Une telle façon d'agir implique qu'on crédite le compte « Ventes », tout comme celui de « Taxes de vente à payer » d'ailleurs, dans deux journaux différents: celui des ventes, pour les ventes à crédit, et celui des recettes, pour les ventes au comptant. Bien que cette situation soit acceptable, elle n'est généralement pas souhaitable. En effet, chaque fois qu'on désire connaître le niveau des ventes, à différents moments pendant une période donnée, il faut faire référence à deux journaux plutôt qu'à un. De plus, et c'est là l'inconvénient principal, le caractère peu répétitif des ventes au comptant ne justifie pas, dans la plupart des cas, la création d'une colonne distincte au journal des recettes. L'analyse complète de la colonne « Divers » devient alors nécessaire pour retracer toutes les ventes au comptant qui y sont enregistrées.

Pour pallier cet inconvénient, il faut qu'au journal des ventes on enregistre les ventes au comptant et les ventes à crédit. Pourtant, l'encaissement ne peut être enregistré ailleurs qu'au journal des recettes. Il faut donc trouver un compte qui assure l'équilibre des différents journaux; ce compte s'appellera « Ventes au comptant ». De cette façon, la comptabilisation des ventes au comptant serait:

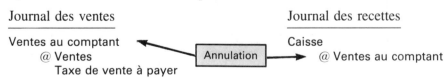

Journal des ventes

Ventes au comptant
@ Ventes
Taxe de vente à payer

Annulation

Journal des recettes

Caisse
@ Ventes au comptant

Bien sûr, ces écritures respecteront la forme des journaux utilisés en fonction des colonnes qu'on y retrouve. Le problème à solution commentée à la fin de ce chapitre illustre le fonctionnement de cette méthode, qu'on appelle habituellement *méthode du double pointage*.

FIGURE 7-17

Journal des débours

Date du débours		Nom des fournisseurs	Réf.	Caisse CT	Fournis-seurs DT	Divers		
						Détails	Réf.	Montant DT
19__1 Novembre	15	M. Ledur		1 000 $		Loyers — Charges	300	1 000 $
	17	M. Legros		2 000		Intérêts — Charges	320	2 000
				3 000 $				

Grand livre général

Caisse

Date	Explications	Réf.	DT	CT	Solde	DT ou CT
19__1 Novembre		J.D.		3 000 $	3 000 $	CT

Loyers — Charges **N 300**

Date	Explications	Réf.	DT	CT	Solde	DT ou CT
19__1 Novembre	17	J.D.	1 000 $		1 000 $	DT

Intérêts — Charges **N 320**

Date	Explications	Réf.	DT	CT	Solde	DT ou CT
19__1 Novembre	17	J.D.	2 000 $		2 000 $	DT

Report du total en fin de période

Report individuel

Report individuel

Les achats au comptant

Le raisonnement qui s'applique au traitement des achats au comptant est semblable à celui qui vaut pour les ventes au comptant. Si on utilise le journal des débours, le compte « Achats » sera débité dans deux journaux différents: celui des achats pour les achats à crédit et celui des débours pour les achats au comptant. Si on veut éviter cette situation, il faudra qu'au journal des achats, on enregistre tous les achats: les achats au comptant et les achats à crédit. Comme le débours ne peut être enregistré ailleurs qu'au journal des débours, il faut trouver un compte qui assure l'équilibre des différents journaux. Ce compte s'appellera « Achats au comptant ». De cette façon, la comptabilisation des achats au comptant serait:

Journal des achats	Journal des débours
Achats	Achats au comptant
@ Achats au comptant	@ Caisse

Il est important de préciser qu'en pratique, il est courant de comptabiliser les ventes au comptant en utilisant le journal des ventes et le journal des recettes. Par contre, très souvent, on utilise seulement le journal des débours pour comptabiliser les achats au comptant. Aussi, dans le problème à solution commentée à la fin de ce chapitre, on n'utilisera que ce dernier journal pour comptabiliser les achats au comptant.

Le journal des salaires

Le salaire net d'un employé, c'est-à-dire la somme qu'il encaisse réellement, est composé du salaire brut moins les retenues salariales. Ces retenues salariales sont principalement l'impôt provincial, l'impôt fédéral, le régime des rentes du Québec et l'assurance-chômage. Les sommes ainsi prélevées par l'employeur à même le salaire des employés doivent être remises aux différents organismes gouvernementaux concernés. Ce sont donc des dettes de l'entreprise envers des tiers. Donc, la comptabilisation d'une charge de salaire se fait comme suit:

Salaire brut — Charge
   @ Impôt provincial à la source à payer
     Impôt fédéral à la source à payer
     Régime des rentes du Québec à la source à payer
     Assurance-chômage à la source à payer
     Salaire net à payer (différence entre le salaire brut et les retenues
     salariales)

Pour éviter l'inscription d'une telle écriture pour chacun des employés d'une entreprise, on utilise habituellement un journal des salaires. Le tableau 7-7 illustre une forme simple d'un journal des salaires.

L'utilité de chaque colonne peut s'expliquer ainsi.

Période terminée le: on y indique la date de la dernière journée payée.

Nom de l'employé: c'est le nom de l'employé pour qui on calcule les salaires brut et net sur cette ligne.

Salaire brut: c'est le montant du salaire avant toute retenue salariale.

Impôt provincial: c'est le montant qui doit être prélevé pour être remis au gouvernement du Québec. On le calcule conformément aux prescriptions légales en cause.

Impôt fédéral: même raisonnement que pour l'impôt provincial. Seul le palier de gouvernement est modifié.

Régime des rentes: encore une fois, ces sommes sont calculées selon les prescriptions légales. Ces retenues sont versées au gouvernement du Québec.

Assurance-chômage: même raisonnement que pour le régime des rentes. Cependant, le gouvernement en question est celui du Canada.

Total: on y indique la somme des quatre colonnes précédentes.

Salaire net: c'est la différence entre la colonne « Salaire brut » et la colonne « Total ».

À la fin de chaque période, on reporte au grand livre général le total de chaque colonne (à l'exception bien sûr de la colonne « Total »), ce qui évite l'inscription d'écritures comptables au journal général.

TABLEAU 7-7

Journal des salaires

Période terminée le	Nom de l'employé	Salaire brut	Retenues salariales				Total	Salaire net
			Impôt provincial	Impôt fédéral	Régime des rentes du Québec	Assurance-chômage		

7.5 LE JOURNAL GÉNÉRAL

Lorsqu'on utilise des registres auxiliaires, le journal n'a plus qu'un rôle supplétif. En effet, les opérations quotidiennes, à caractère répétitif, sont inscrites dans des journaux auxiliaires. Par conséquent, l'utilisation du journal général sera réduite aux seules écritures comptables non répétitives ou exceptionnelles. Ces écritures font référence aux situations suivantes.

Lorsque l'entreprise ouvre ses portes, on y inscrira les valeurs investies, les dettes assumées et la valeur nette.

Par la suite, on y corrigera les erreurs commises au cours de l'année en cours ou des années antérieures. Ces corrections sont étudiées au chapitre 10.

En fin d'exercice, comme nous le verrons au chapitre 9, on régularisera les comptes du grand livre général et on procédera aux écritures de clôture des comptes de résultats.

Au début d'un exercice, on inscrira au journal général les écritures de contre-passation des comptes du grand livre général (sujet également étudié au chapitre 9).

Toutes ces écritures seront évidemment reportées aux comptes du grand livre et, au besoin, aux comptes des grands livres auxiliaires.

RÉSUMÉ

Les figures 7-18 et 7-19 illustrent le lien qui existe entre le journal général et les journaux auxiliaires (7-18), entre le grand livre général et les grands livres auxiliaires (7-19) et entre les journaux et les grands livres (7-18 et 7-19).

FIGURE 7-18

Lien entre le journal général et les journaux auxiliaires

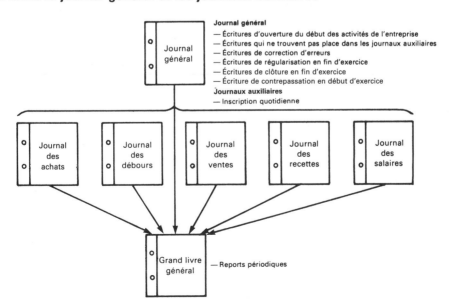

De la figure 7-18, il ressort que des journaux spécialisés ont été créés pour l'inscription des opérations courantes de l'entreprise; ces journaux sont des auxiliaires du journal général qui évitent d'inscrire dans ce dernier les multiples opérations quotidiennes et limitent le rôle de ce journal aux écritures dont l'énumération en souligne le caractère exceptionnel (voir la section précédente).

Les écritures du journal général sont reportées, au fur et à mesure de leur inscription, aux comptes du grand livre général et, occasionnellement, aux comptes des grands livres auxiliaires lorsqu'il faut corriger l'un ou l'autre de ces comptes.

La figure 7-19 montre le lien qui existe entre le grand livre général et les grands livres auxiliaires, ceux-ci étant des subdivisions de comptes du grand livre général; à titre d'exemple, nous avons choisi les grands livres auxiliaires des comptes « Clients » et des comptes « Fournisseurs ».

Les reports sont effectués régulièrement des journaux auxiliaires aux comptes des grands livres auxiliaires et, en fin de période, les opérations de la période sont reportées en totalité dans les comptes contrôle du grand livre général. Les journaux auxiliaires sont le trait d'union entre le grand livre général et les grands livres auxiliaires.

FIGURE 7-19

Lien entre le grand livre général et les grands livres auxiliaires

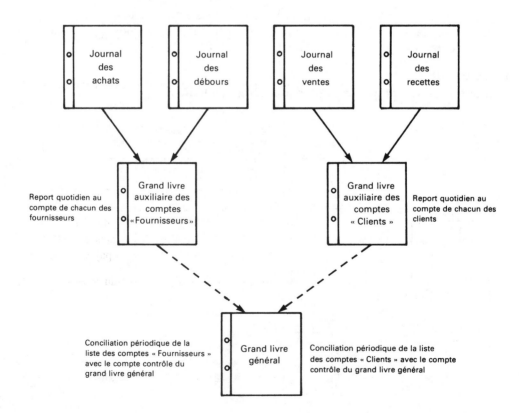

PROBLÈME À SOLUTION COMMENTÉE

PROBLÈME 7-A **L'enregistrement des opérations commerciales à l'aide des registres auxiliaires**

Monsieur René Dubois, propriétaire d'un commerce de bois depuis le 1er avril 19__1, a adopté un système comptable qui comprend les registres suivants:

> Grand livre général
> Grand livre auxiliaire des comptes « Clients »
> Grand livre auxiliaire des comptes « Fournisseurs »
> Journal général
> Journal des recettes
> Journal des débours
> Journal des achats
> Journal des ventes

Voici les opérations commerciales du mois d'avril 19__1.

01-04-19__1 Monsieur Dubois se lance en affaires avec un stock de marchandises de 30 000 $ et une somme de 10 000 $ en argent. C'est son apport initial dans l'entreprise.

Commentaire

Cette opération marque l'ouverture de l'entreprise. On devra donc utiliser le journal général pour l'enregistrer.

05-04-19__1 Monsieur Dubois vend, au comptant, des matériaux de construction pour 1 000 $, plus 9% de taxe à Monsieur Lachance.

Commentaire

Cette vente entraîne une augmentation de l'encaisse. On l'enregistrera donc au journal des recettes en créditant le compte « Ventes au comptant ». Cependant, pour que toutes les ventes soient consignées au journal des ventes, on indiquera en plus au journal des ventes un débit dans la colonne « Ventes au comptant » et des crédits aux colonnes « Ventes » et « Taxe de vente à payer ».

06-04-19__1 Il reçoit une facture de 5 000 $ des Mobiliers Enr., pour du mobilier devant servir dans son magasin.

Commentaire

Les comptes « Fournisseurs » sont augmentés. On enregistrera donc l'opération dans le journal des achats. Le compte qu'on doit débiter est « Mobilier de bureau ». Puisqu'aucune colonne n'est ainsi titrée, on utilisera la colonne « Divers ».

07-04-19__1 Il reçoit les factures suivantes de trois fournisseurs:

Marchand de Fer, Ltée	1 200 $
Marchand de Vitre, Ltée	400 $
Marchand de Marteaux, Ltée	200 $

Commentaire

Pour la même raison que dans le commentaire précédent, on utilisera le journal des achats. Cependant, cette fois, la colonne « Achats » existe. On l'utilisera donc pour la partie débitrice de l'écriture.

08-04-19__1 Il effectue les ventes à crédit suivantes:

Monsieur Boisvert: 600 $, plus 9% de taxe.
Monsieur Leblanc: 400 $, plus 9% de taxe.
Monsieur Pinson: 500 $, plus 9% de taxe.

Commentaire

Les ventes s'effectuent à crédit. Le compte « Caisse » n'est donc pas affecté, et on utilisera donc seulement le journal des ventes.

09-04-19__1 Il acquitte la facture des Mobiliers modernes Enr. par un chèque de 2 000 $ et par un billet à 90 jours portant intérêt au taux de 15% par année, pour la différence.

Commentaire

L'encaisse diminue de 2 000 $. On utilisera donc le journal des débours. De plus, on modifie un compte « Fournisseurs » en billet à payer. Cette opération, qui ne se produit qu'exceptionnellement, doit être enregistrée au journal général.

14-04-19__1 Il fait livrer à sa résidence du bois évalué à 150 $ au prix coûtant.

Commentaire

Ce prélèvement doit être enregistré au journal général. Au crédit, on trouvera le compte « Achats ».

14-04-19__1 Il facture des clients pour les montants suivants:

J.A. Saint-Amour: 1 000 $, plus 9%
Y. Saint-Laurent: 1 200 $, plus 9%

Commentaire

Ces ventes sont à crédit. Seul le journal des ventes doit donc refléter cette transaction. En effet, le journal des recettes n'interviendra qu'au moment de l'encaissement.

18-04-19__1 Il reçoit un chèque de M. Boisvert en paiement de son achat du 8 avril.

Commentaire

Puisqu'il y a augmentation de l'encaisse, c'est le journal des recettes qui permet l'enregistrement de cette opération.

19-04-19___1 Il paie 50 $ pour des timbres et 270 $ pour des réparations.

> *Commentaire*
>
> Il y a diminution de l'encaisse. On utilisera donc le journal des débours. Les comptes « Frais de bureau » et « Entretien et réparation », qui doivent être débités, le seront grâce à la colonne « Divers ».

21-04-19___1 Il reçoit une commande de Babel Construction pour un montant total de 4 000 $. Il remplit et facture cette commande le jour même.

> *Commentaire*
>
> Il s'agit d'une vente à crédit. On l'enregistrera donc au journal des ventes.

22-01-19___1 Il reçoit les factures suivantes:

Marchand de bois en gros, Ltée	3 000 $
Bell Canada	250 $
Hydro-Québec	600 $

> *Commentaire*
>
> Toutes ces factures augmentent les comptes « Fournisseurs ». Elles seront donc enregistrées au journal des achats.

26-04-19___1 Il paie les factures de Bell Canada et d'Hydro-Québec reçues le 22 avril.

> *Commentaire*
>
> Un paiement implique la diminution de l'encaisse. On utilisera donc le journal des débours.

On demande

Pour chacune des opérations commerciales du mois d'avril 19___1:

1) faire l'enregistrement dans les journaux appropriés;

2) effectuer les reports des journaux au grand livre général et aux grands livres auxiliaires;

3) dresser une balance de vérification des comptes du grand livre général à la fin de la période;

4) dresser la liste des comptes « Clients » et des comptes « Fournisseurs » à la fin de la période.

Solution commentée

1) *Enregistrement dans les journaux appropriés*

Journal des ventes

Date des factures		Numéro des factures	Nom du client	Réf.	Vente au comptant DT	Clients DT	Ventes CT	Taxe de vente à payer CT
19__1 Avril	5	1	M. Lachance		1 090 $		1 000 $	90 $
	8	2	M. Boisvert			654 $	600	54
		3	M. Leblanc			436	400	36
		4	M. Pinson			545	500	45
	14	5	J.A. Saint-Amour			1 090	1 000	90
		6	Y. Saint-Laurent			1 308	1 200	108
	21	7	Babel Construction			4 000	4 000	
					1 090 $	8 033 $	8 700 $	423 $

Journal des achats

Date		Nom du fournisseur	Réf.	Achats DT	Fournis- seurs CT	Divers		
						Détails	Réf.	Montant DT
19__1 Avril	6	Mobiliers modernes Enr.			5 000 $	Mobilier de bureau	105	5 000 $
	7	Marchand de Fer, Ltée		1 200 $	1 200			
		Marchand de Vitre, Ltée		400	400			
		Marchand de Marteaux, Ltée		200	200			
	22	Marchand de bois en gros Ltée		3 000	3 000			
		Bell Canada			250	Téléphone	501	250
		Hydro-Québec			600	Électricité	502	600
				4 800 $	10 650 $			5 850 $

Journal des recettes

Date de l'encais-sement			Nom du client	Réf.	Caisse DT	Ventes au comptant CT	Clients CT	Divers		
								Détails	Réf.	Montant CT
19__1 Avril	5		M. Lachance		1 090 $	1 090 $				
	18		M. Boisvert		654		654 $			
					1 744 $	1 090 $	654 $			

Journal des débours

Date du débours			Nom du fournisseur	Réf.	Caisse CT	Fournis-seurs DT	Divers		
							Détails	Réf.	Montant DT
19__1 Avril	9		Mobilier moderne Enr.		2 000 $	2 000 $			
	19				50		Frais de bureau	503	50 $
					270		Entretien et répara-tions	504	270
	26		Bell Canada		250	250			
			Hydro-Québec		600	600			
					3 170 $	2 850 $			320 $

Journal général

Date			Nom des comptes et description	Réf.	Débit	Crédit
19__1 Avril	1		Caisse	100	10 000	
			Stock de marchandises	103	30 000	
			@ Capital — M. Dubois	300		40 000
			(Apport initial du propriétaire)			
	9		Fournisseurs	200	3 000	
			@ Billet à payer	202		3 000
			(Acquittement de la facture des Mobiliers modernes Enr. au moyen d'un billet à 90 jours portant intérêt au taux annuel de 15%)			
	14		Prélèvements	310	150	
			@ Achats	500		150
			(Utilisation aux fins personnelles du propriétaire de marchandises achetées par l'entreprise)			

2) *Report des journaux au grand livre général et aux grands livres auxiliaires*

Grand livre auxiliaire
des comptes « Clients »

Nom du client: M. Boisvert			
Date	Débit	Crédit	Solde
19__1 Avril 8	654 $		654 $
18		654 $	—

Grand livre auxiliaire
des comptes « Clients »

Nom du client: M. Leblanc			
Date	Débit	Crédit	Solde
19__1 Avril 8	436 $		436 $

Nom du client: M. Pinson			
Date	Débit	Crédit	Solde
19__1 Avril 8	545 $		545 $

Nom du client: M. J.A. Saint-Amour			
Date	Débit	Crédit	Solde
19__1 Avril 14	1 090 $		1 090 $

Grand livre auxiliaire
des comptes « Clients »

Nom du client: M. Y. Saint-Laurent

Date	Débit	Crédit	Solde
19__1 Avril 14	1 308 $		1 308 $

Nom du client: Babel Construction

Date	Débit	Crédit	Solde
19__1 Avril 21	4 000 $		4 000 $

Grand livre auxiliaire
des comptes « Fournisseurs »

Nom du fournisseur: Mobiliers modernes Enr.

Date	Débit	Crédit	Solde
19__1 Avril 6		5 000 $	5 000 $
9	2 000 $		3 000
9	3 000		—

**Grand livre auxiliaire
des comptes « Fournisseurs »**

Nom du fournisseur: Marchand de Fer, Ltée			
Date	*Débit*	*Crédit*	*Solde*
19__1 Avril 7		1 200 $	1 200 $

Nom du fournisseur: Marchand de Vitre, Ltée			
Date	*Débit*	*Crédit*	*Solde*
19__1 Avril 7		400 $	400 $

Nom du fournisseur: Marchand de Marteaux, Ltée			
Date	*Débit*	*Crédit*	*Solde*
19__1 Avril 7		200 $	200 $

**Grand livre auxiliaire
des comptes « Fournisseurs »**

Nom du fournisseur: Marchand de bois en gros, Ltée			
Date	*Débit*	*Crédit*	*Solde*
19__1 Avril 22		3 000 $	3 000 $

Nom du fournisseur: Bell Canada			
Date	*Débit*	*Crédit*	*Solde*
19__1 Avril 22		250 $	250 $
26	250 $		0

Nom du fournisseur: Hydro-Québec			
Date	*Débit*	*Crédit*	*Solde*
19__1 Avril 22		600 $	600 $
26	600 $		0

Grand livre général

Caisse							N° 100
Date		Explications	Réf.	Débit	Crédit	Solde	DT ou CT
19__1 Avril	30		J.R.	1 744 $		1 744 $	DT
	30		J.D.		3 170 $	1 442	CT
	30		J.G.	10 000		8 574 $	DT

Clients							N° 101
Date		Explications	Réf.	Débit	Crédit	Solde	DT ou CT
19__1 Avril	30		J.V.	8 033 $		8 033 $	DT
	30		J.R.		654 $	7 379	DT

Stock de marchandises							N° 103
Date		Explications	Réf.	Débit	Crédit	Solde	DT ou CT
19__1 Avril	30		J.G.	30 000 $		30 000 $	DT

Grand livre général

Mobilier de bureau							N° 105
Date		Explications	Réf.	Débit	Crédit	Solde	DT ou CT
19__1 Avril	30		J.A.	5 000 $		5 000 $	DT

Fournisseurs							N° 200
Date		Explications	Réf.	Débit	Crédit	Solde	DT ou CT
19__1 Avril	30		J.A.		10 650 $	10 650 $	CT
	30		J.D.	2 850 $		7 800	CT
	30		J.G.	3 000		4 800	CT

Taxe de vente à payer							N° 201
Date		Explications	Réf.	Débit	Crédit	Solde	DT ou CT
19__1 Avril	30		J.V.		423 $	423 $	CT

Grand livre général

Billet à payer						N° 202
Date	Explications	Réf.	Débit	Crédit	Solde	DT ou CT
19__1 Avril 30		J.G.		3 000 $	3 000 $	CT

Capital — M. Dubois						N° 300
Date	Explications	Réf.	Débit	Crédit	Solde	DT ou CT
19__1 Avril 30		J.G.		40 000 $	40 000 $	CT

Prélèvements						N° 310
Date	Explications	Réf.	Débit	Crédit	Solde	DT ou CT
19__1 Avril 30		J.G.	150 $		150 $	DT

Grand livre général

Ventes							N° 400
Date		Explications	Réf.	Débit	Crédit	Solde	DT ou CT
19__1 Avril	30		J.V.		8 700 $	8 700 $	CT

Achats							N° 500
Date		Explications	Réf.	Débit	Crédit	Solde	DT ou CT
19__1 Avril	30		J.A.	4 800 $		4 800 $	DT
	30		J.G.		150 $	4 650	DT

Téléphone							N° 501
Date		Explications	Réf.	Débit	Crédit	Solde	DT ou CT
19__1 Avril	30		J.A.	250 $		250 $	DT

Grand livre général

Électricité							N° 502
Date		Explications	Réf.	Débit	Crédit	Solde	DT ou CT
19__1 Avril	30		J.A.	600 $		600 $	DT

Frais de bureau							N° 503
Date		Explications	Réf.	Débit	Crédit	Solde	DT ou CT
19__1 Avril	30		J.D.	50 $		50 $	DT

Entretien et réparations							N° 504
Date		Explications	Réf.	Débit	Crédit	Solde	DT ou CT
19__1 Avril	30		J.D.	270 $		270 $	DT

3) Balance de vérification des comptes du grand livre général

M. Dubois Enr.
Balance de vérification
au 30 avril 19 __ 1

	Débits	Crédits
Caisse	8 574 $	
Clients	7 379	
Stock de marchandises	30 000	
Mobilier de bureau	5 000	
Fournisseurs		4 800 $
Taxe de vente à payer		423
Billet à payer		3 000
Capital — M. Dubois		40 000
Prélèvements	150	
Ventes		8 700
Achats	4 650	
Téléphone	250	
Électricité	600	
Frais de bureau	50	
Entretien et réparation	270	
	56 923 $	56 923 $

4) Liste des comptes « Clients » et des comptes « Fournisseurs » au 30-04-19 __ 1

Comptes « Clients »

M. Boisvert	0 $
M. Leblanc	436
M. Pinson	545
J.A. Saint-Amour	1 090
Y. Saint-Laurent	1 308
Babel construction	4 000
	7 379 $

Comptes « Fournisseurs »

Mobiliers modernes Enr.	0 $
Marchand de Fer, Ltée	1 200
Marchand de Vitre, Ltée	400
Marchand de Marteaux, Ltée	200
Marchand de bois en gros, Ltée	3 000
Bell Canada	0
Hydro-Québec	0
	4 800 $

QUESTIONS

Q7-1 Quel est le principal inconvénient du journal général?

Q7-2 Quelle est la définition des *registres auxiliaires*?

Q7-3 Quel est le rôle des registres auxiliaires?

Q7-4 Qu'est-ce que le *journal des ventes*?

Q7-5 Quels sont les avantages des registres auxiliaires?

Q7-6 Que retrouve-t-on dans le grand livre auxiliaire des comptes « Clients »?

Q7-7 Quel est l'avantage principal du grand livre auxiliaire des comptes « Clients »?

Q7-8 Qu'est-ce que le *journal des achats*?

Q7-9 Que retrouve-t-on dans le grand livre auxiliaire des comptes « Fournisseurs »?

Q7-10 Quels sont les avantages du grand livre auxiliaire des comptes « Fournisseurs »?

Q7-11 Quel est le rôle principal du journal des recettes?

Q7-12 Quel est le rôle principal du journal des débours?

Q7-13 Quel est le traitement particulier concernant le report au grand livre général de la colonne « Divers », que l'on retrouve dans presque tous les journaux auxiliaires?

Q7-14 Quels sont les principaux arguments invoqués pour ne pas comptabiliser les ventes au comptant dans le journal des recettes?

Q7-15 Pour pallier les inconvénients mentionnés à la question 14, où doit-on comptabiliser les ventes au comptant?

Q7-16 Avec l'existence des journaux auxiliaires, quelle est l'utilité du journal général?

Q7-17 Les grands livres auxiliaires donnent-ils lieu à des reports au grand livre général?

Q7-18 Dans un journal auxiliaire, quels sont les chiffres qui donnent lieu à des reports au grand livre général?

EXERCICES

E7-19 Une entreprise utilise un journal des ventes, un journal des achats, un journal des recettes, un journal des débours et un journal général. Elle a effectué les opérations suivantes.

a) Achat de marchandises à crédit.
b) Achat de fournitures de bureau à crédit.
c) Achat de matériel de bureau au comptant.
d) Marchandises retournées à un fournisseur.
e) Vente de marchandises au comptant.
f) Vente de marchandises à crédit.
g) Note de crédit émise en faveur d'un client qui avait acheté des marchandises à crédit.
h) Encaissement d'un compte « Clients ».
i) Paiement d'une facture d'achat.
j) Salaires versés aux employés.
k) Inscription des écritures de régularisation et de clôture.

- Indiquer dans quel journal chacune de ces opérations doit être inscrite.

E7-20 Transactions

01-01 Vente de marchandises à crédit à Mme Beauregard: 480 $.

02-01 Vente de marchandises au comptant: 750 $ plus la taxe de vente provinciale de 9%.

03-01 Vente de marchandises à Mme Bellevue: 650 $ plus la taxe de vente provinciale de 9%. Elle a payé 300 $ comptant et paiera le solde dans une semaine.

04-01 Aujourd'hui, M. Beaulieu a téléphoné pour commander de la marchandise dont il veut prendre livraison seulement la semaine prochaine. Le total de la commande se monte à 1 150 $.

05-01 Ventes de marchandises à crédit à Idéfix, Enr.: 2 500 $ plus la taxe de vente provinciale de 9%.

06-01 Ventes de marchandises à M. Bonneau; il a payé 250 $, et le solde de 400 $ fut porté à son compte.

(L'entreprise a pour politique de comptabiliser tous les encaissements d'argent, sans exception, dans le journal des recettes.)

● Reproduire ces opérations dans le journal des ventes, en utilisant le modèle présenté.

Journal des ventes

Date des factures	Numéro des factures	Nom du client	Réf.	Ventes comptant DT	Clients DT	Ventes CT	Taxe de vente à payer CT

E7-21 Soit les opérations suivantes.

01-01 Achat à crédit de marchandises chez Jolicoeur, Enr. pour 2 500 $.

02-01 Achat à crédit de fournitures de bureau à la Librairie Villeneuve, Enr.: 175 $.

03-01 Achat au comptant de marchandises chez Rossco, Ltée: 300 $.

07-01 Réception des factures de Bell Canada et d'Hydro-Québec pour des montants respectifs de 54 $ et 266 $.

10-01 Réception de la facture du journal Le Quotidien pour des annonces publicitaires qui paraîtront pendant le mois de janvier, dans ce journal: 77 $.

11-01 Achat à crédit de marchandises chez Lumber, Ltée: 1 575 $.

● Reproduire ces opérations dans le journal des achats, en utilisant le modèle présenté.

Journal des achats

Date	Nom du fournisseur	Réf.	Achats DT	Fournisseurs CT	Divers		
					Détail	Réf.	Montant DT

E7-22 Soit les opérations suivantes.

01-01 Ventes au comptant à M. Larivière: 690 $.

02-01 Encaissement d'un effet à recevoir de 1 500 $, plus les intérêts de 150 $.

03-01 Réception d'un chèque de 3 200 $ de Larose et Fils, Inc., en paiement de leur compte.

04-01 Réception d'un chèque de 75 $ de la compagnie Durivage, Ltée, à titre de remboursement pour des marchandises retournées.

05-01 Ventes au comptant à Caméo, Enr.: 540 $.

08-01 Encaissement d'un emprunt de 5 000 $ auprès de la Banque Populaire.

09-01 Réception du chèque de Paulin et Cie, à titre d'acompte sur le solde dû: 1 300 $.

- Reproduire ces opérations dans le journal des recettes, en utilisant le modèle présenté.

Journal des recettes

Date	Nom du client	Réf.	Caisse DT	Ventes comptant CT	Clients CT	Divers		
						Détails	Réf.	Montant CT

E7-23 Soit les opérations suivantes.

01-01 Achat au comptant de marchandises, pour la vente, chez Courchesne, Ltée: 3 200 $.

02-01 Réception et paiement du compte de téléphone: 126 $.

03-01 Remboursement à un client pour de la marchandise retournée: 64 $.

04-01 Paiement du solde dû à la compagnie David, Inc.: 650 $.

05-01 Paiement de la facture de frais de transport de Harvey Transport, Ltée, facture qui avait été reçue la semaine dernière: 365 $.

08-01 Achat comptant de marchandises chez Pural, Enr.: 625 $.

09-01 Paiement des salaires nets des employés: 3 254,80 $.

10-01 Paiement de la taxe de vente prélevée par l'entreprise au nom du ministère du Revenu du Québec: 945 $.

- Reproduire ces opérations dans le journal des débours, en utilisant le modèle présenté.

Journal des débours

Date	Nom des fournisseurs	Réf.	Caisse CT	Achats comptant DT	Fournisseurs DT	Divers		
						Détails	Réf.	Montant DT

E7-24 Une entreprise compte quatre employés: Mme Souci, secrétaire de direction, M. Pelletier, contrôleur, Mlle Beaudry, commis comptable, et M. Sansregret, concierge.

	Mme Souci	M. Pelletier	Mlle Beaudry	M. Sansregret
Salaire brut[1]	700,00 $	1 050,00 $	460,00 $	400,00 $
Retenues salariales				
Impôt provincial	105,00 $	157,50 $	50,60 $	40,00 $
Impôt fédéral	84,00 $	126,00 $	41,40 $	32,00 $
Régie des rentes du Québec	8,20 $	8,40 $	8,10 $	7,20 $
Assurance-chômage	7,80 $	7,90 $	6,20 $	5,40 $

[1] Salaires pour la période du 11 au 22 mai 19__1.

- En utilisant le modèle présenté, inscrire individuellement les salaires payés aux quatre employés.

Journal des salaires

Période terminée le	Nom de l'employé	Salaire brut	Retenues salariales				Total	Salaire net
			Impôt provincial	Impôt fédéral	Régime des rentes	Assurance-chômage		

E7-25 Voici les soldes dus par les clients de l'entreprise Multiproduits, Enr. en date du 31 mars.

Draperies de Saint-Jérôme, Ltée	3 480 $
Copak, Ltée	5 020
Kadoch, Enr.	2 000

Les opérations ont été les suivantes.

01-04 Encaissement du solde dû par Kadoch, Enr.

03-04 Ventes à crédit à Nénuphar Enr. pour 5 050 $.

07-04 Réception d'un chèque de 2 500 $ de Copak, Ltée.

08-04 Draperies de Saint-Jérôme, Ltée retourne de la marchandise non conforme à sa réquisition. Le contrôleur expédie immédiatement une note de crédit de 140 $ qui vient diminuer le solde dû par Draperies de Saint-Jérôme, Ltée.

17-04 Vente à crédit à Kadoch, Enr.: 1 600 $.

22-04 Réception d'un chèque de Nénuphar Enr. en paiement de son solde dû. Le chèque est de 5 000 $, car Nénuphar Enr. bénéficie d'un escompte sur vente pour avoir payé rapidement.

- À la suite des opérations effectuées par l'entreprise pendant le mois d'avril, faire les reports qui s'imposent au grand livre auxiliaire du compte « Clients ».

E7-26 Soit les opérations commerciales suivantes.

03-08 Expédition de deux chèques, l'un à l'Imprimerie Copibec pour la somme de 350 $ et l'autre à Fibracan, Inc. pour la somme de 1 200 $.

05-08 Réception d'une note de crédit de Beaupré, Enr. pour corriger une erreur de facturation. Beaupré, Enr. avait surévalué ses expéditions de 55 $.

06-08 Réception d'une note de service du service du crédit du centre de l'Auto, Inc., rappelant qu'à compter du 12 de ce mois, il exigera un intérêt de 2% par mois (taux annuel de 24%) sur le solde dû.

10-08 Expédition d'un chèque de 300 $ au Centre de l'Auto, Inc.

12-08 Réception de fournitures de l'imprimerie Copibec pour 175 $.

14-08 Expédition d'un chèque de 2 300 $ à Beaupré, Enr. en règlement d'une facture de 2 320 $ moins un escompte sur achats de 20 $.

17-08 Réception de marchandises de Fibracan, Inc. pour 1 500 $, dont 500 $ ont été payés immédiatement.

Les soldes dus aux fournisseurs au début du mois, avant l'enregistrement des opérations précédentes, sont les suivants.

Imprimerie Copibec	350 $
Centre de l'Auto, Inc.	600 $
Fibracan, Inc.	2 480 $
Beaupré, Enr.	6 500 $

- Faire les reports appropriés au grand livre auxiliaire des comptes « Fournisseurs », compte tenu des opérations précédentes.

PROBLÈMES À RÉSOUDRE

P7-27 Les informations suivantes ont été tirées des registres comptables de l'entreprise Vadeboncoeur Enr.

01-05 Envoi d'une facture pour de la marchandise vendue à crédit.

04-05 Le propriétaire a apporté chez lui du matériel de bureau pour son usage personnel.

05-05 Achat de marchandises au comptant.

07-05 Réception d'un chèque d'un client pour le règlement de tous ses achats à crédit.

08-05 Le propriétaire a investi du capital additionnel dans l'entreprise.

09-05 Réception d'une facture pour des marchandises achetées à crédit.

11-05 Réception et paiement du compte d'électricité.

12-05 Paiement des salaires des employés.

13-05 Vente de marchandises à crédit.

15-05 Radiation d'un compte « Clients » que l'on ne recouvrera jamais, puisque ce client a fait faillite.

16-05 Achat au comptant de fournitures de bureau.

18-05 Encaissement des intérêts sur un billet que détient l'entreprise.

- Si on suppose que l'entreprise comptabilise ses opérations dans les journaux suivants: journal des ventes, journal des achats, journal des recettes, journal des débours et journal général:

  1) indiquer dans quel journal on devrait passer chacune de ces opérations;

  2) indiquer quelles opérations sont enregistrées dans les grands livres auxiliaires des comptes « Clients » et des comptes « Fournisseurs » (se servir du modèle suggéré).

Grand livre auxiliaire des comptes « Clients »

Nom du client

Date	Débit	Crédit	Solde

Grand livre auxiliaire des comptes « Fournisseurs »

Nom du fournisseur

Date	Débit	Crédit	Solde

P7-28 Le magasin Aux Vraies Aubaines Enr. a effectué les opérations suivantes au cours du mois d'octobre 19__1.

02-10 Achat comptant de 3 000 $ de marchandises.

03-10 Ventes de marchandises pour 1 500 $, plus taxe de vente de 9%, dont 500 $ ont été payés comptant par le client, M. Théophile, et dont le solde a été porté à son compte.

03-10 Paiement du loyer du mois d'octobre: 600 $.

04-10 Emprunt de 2 500 $ à la Banque Populaire contre un billet de 90 jours portant intérêt à 15%.

04-10 Ventes au comptant pour 600 $, plus taxe de vente de 9%.

05-10 Achat à crédit de fournitures de bureau pour 250 $, chez La Papeterie Inc.

06-10 Ventes à crédit pour 1 000 $, plus taxe de vente de 9% à Bijau Ladouceur Enr., et de 450 $, plus taxe de vente de 9%, à Deschênes et Fils.

09-10 Paiement au journal local « Informations des Laurentides » pour des annonces publicitaires devant paraître durant les mois d'octobre et novembre. Le débours a été de 250 $.

10-10 Encaissement d'un chèque de 800 $ de M. Théophile.

10-10 Vente à crédit à Jean Filion pour 250 $, plus taxe de vente de 9%.

11-10 Achat de marchandises à crédit de Trécor, Ltée pour 2 500 $.

12-10 Vente au comptant de 600 $, plus taxe de vente de 9%.

12-10 Ventes à crédit à André Lafond pour 1 200 $, plus taxe de vente de 9%.

13-10 M. Lemire, propriétaire, se prélève un salaire de 800 $.

16-10 Paiement de la facture de 245 $ de La Papeterie Inc. M. Lemire a pu bénéficier d'un escompte sur achats de 5 $ pour avoir payé rapidement.

17-10 Bijau Ladouceur Enr. retourne à M. Lemire pour 100 $ de marchandises défectueuses (ce que M. Lemire appelle un rendu et rabais sur vente). Cet envoi était accompagné d'un chèque de 981 $ représentant le solde dû par Bijau, soit 1 090 $ moins la marchandise retournée.

18-10 Réception de la facture de Bell Canada représentant les frais de téléphone pour septembre, soit 100 $.

18-10 Vente à crédit à M. Théophile pour 200 $ plus taxe de vente de 9%.

19-10 M. Lemire gagne 1 000 $ à la loterie, et il décide d'investir cette somme dans son commerce.

20-10 Réception d'un chèque de 175 $ de M. Filion.

23-10 Ventes au comptant de 600 $ de marchandises, plus taxe de vente de 9%.

24-10 Rénovation du magasin au coût de 450 $.

25-10 Réception d'un chèque de M. Lafond en paiement de son achat fait le 12 octobre.

26-10 Paiement du compte de téléphone reçu le 18 octobre.

27-10 Ventes à crédit à la Boutique Baw Inc. pour 2 000 $ de marchandises, plus la taxe de vente de 9%.

27-10 Prélèvement d'un salaire de 700 $ par M. Lemire.

30-10 Pour terminer la rénovation du magasin, M. Lemire achète comptant une plante pour 25 $.

31-10 Ventes au comptant, pour 1 000 $.

31-10 Envoi d'un chèque de 1 000 $ à Trécor, Ltée.

- En utilisant un journal des ventes, un journal des achats, un journal des recettes, un journal des débours et un journal général semblables à ceux qui ont été présentés dans ce chapitre, inscrire les opérations d'octobre dans ces journaux.

P7-29 La maison Bourgault Enr. a effectué les opérations suivantes au cours de février.

02-02 Achat à crédit de mobilier de bureau de la compagnie Artopex pour la somme de 1 000 $.

03-02 Ventes de marchandises au comptant pour 500 $, plus la taxe de vente de 9%.

04-02 Réception et paiement de la facture d'électricité pour le mois de janvier. Cette facture s'élève à 400 $.

05-02 Un client retourne de la marchandise défectueuse qu'il avait payée comptant 50 $. La propriétaire lui rembourse la somme et avise son comptable de comptabiliser ce paiement comme un rendu et rabais sur ventes.

06-02 Vente à crédit à Vandal Enr. pour la somme de 450 $, plus la taxe de vente de 9%.

Reporter séparément les montants inscrits dans les journaux aux comptes des grands livres auxiliaires des comptes « Clients » et des comptes « Fournisseurs ».

09-02 Achat de marchandises chez Graphisme Inc. pour 2 500 $, dont 700 $ ont été payés comptant et dont le solde sera payé plus tard.

10-02 Ventes au comptant pour 200 $, plus la taxe de vente de 9%.

11-02 Ventes à crédit à M. Joyal: 3 000 $, plus taxe de vente de 9%.

12-02 Paiement d'une facture de transport de 50 $ pour avoir fait livrer les marchandises vendues à M. Joyal.

13-02 Paiement de la facture d'Artopex datée du 2 février: 1 000 $.

13-02 Achat d'un terrain payé comptant 5 000 $, en vue d'un éventuel agrandissement.

Reporter séparément les montants inscrits dans les journaux aux comptes des grand livres auxiliaires des comptes « Clients » et des comptes « Fournisseurs ».

16-02 Réception du chèque de Vandal Enr. pour la vente du 6 février.

17-02 Achat à crédit Chez Alexandra Enr. de 1 500 $ de marchandises.

18-02 Ventes au comptant de 1 000 $, plus la taxe de vente de 9%.

19-02 Envoi d'un chèque à Graphisme Inc. pour 1 000 $ et, pour le solde qui reste dû, Mme Bourgault, la propriétaire, signe un billet payable dans 30 jours avec un intérêt de 10%.

20-02 Achat comptant de fournitures de bureau: 100 $.

Reporter séparément les montants inscrits dans les journaux aux comptes des grands livres auxiliaires des comptes « Clients » et des comptes « Fournisseurs ».

23-02 Paiement d'une facture de restaurant, 60 $. Mme Bourgault dit au comptable d'inscrire cette somme dans le compte « Frais de représentation » puisqu'elle a réalisé une vente grâce à ce dîner.

23-02 Vente à crédit à M. Lafontaine de 1 200 $ de marchandises, plus la taxe de vente de 8%.

24-02 La propriétaire se prélève un salaire de 800 $.

25-02 Ventes au comptant de 150 $, plus la taxe de vente de 9%.

26-02 Achat au comptant de marchandises pour 400 $.

26-02 Réception d'un chèque de 1 240 $ de M. Joyal.

27-02 Ventes à crédit à Vandal Enr. pour 300 $, plus la taxe de vente de 9%.

Reporter séparément les montants inscrits dans les journaux aux comptes des grands livres auxiliaires des comptes « Clients » et des comptes « Fournisseurs ».

- 1) Ouvrir les comptes suivants du grand livre général:
     a) Caisse
     b) Mobilier de bureau
     c) Comptes « Fournisseurs »
     d) Effet à payer
     e) Ventes
     f) Achats
     g) Frais de transport
     h) Frais de représentation
     i) Clients
     j) Terrain
     k) Taxe de vente à payer
     l) Prélèvement
     m) Rendus et rabais sur ventes
     n) Électricité
     o) Fournitures de bureau

  2) Ouvrir les comptes suivants du grand livre auxiliaire des clients:
     a) Vandal Enr.
     b) M. Joyal
     c) M. Lafontaine

3) Ouvrir les comptes suivants du grand livre auxiliaire des fournisseurs:
   a) Artopex,
   b) Graphisme Inc.
   c) Chez Alexandra Enr.

4) Établir un journal des ventes, un journal des achats, un journal des recettes, un journal des débours et un journal général semblables à ceux qui ont été présentés dans ce chapitre. On comptabilisera les ventes au comptant dans le journal des ventes et des recettes et on comptabilisera les achats au comptant dans le journal des débours seulement.

5) Inscrire les opérations de février dans ces journaux et les reporter selon les instructions données les 6, 13, 20 et 27 février.

6) Reporter le solde des journaux auxiliaires dans le grand livre général et dresser une liste des comptes « Clients » et « Fournisseurs » pour s'assurer que les grands livres auxiliaires correspondent aux soldes qu'on retrouve dans le grand livre général.

7-30 Le 31 mai de l'exercice en cours, la société Bristol Enr. engage un commis aux écritures. Son prédécesseur a comptabilisé les opérations des mois précédents comme il se doit, tout en faisant les reports qui s'imposaient. Les opérations suivantes ont été effectuées au cours de mois de juin.

01-06 Marchandises reçues de la société Rouin, Ltée: 1 435 $; conditions 2/10, n/60; date de la facture: 31 mai.

02-06 Chèque n° 401 émis à l'ordre des Galeries du Nord pour acquitter le loyer de juin: 450 $.

03-06 Marchandises vendues à crédit à Richard Fillion: 650 $ (conditions de toutes les ventes à crédit: 2/10, n/30), facture n° 452.

04-06 Note de crédit reçue de la société Rouin, Ltée, de 135 $, pour des marchandises reçues le 1er juin et retournées par la suite parce qu'elles n'étaient pas conformes aux marchandises commandées.

05-06 Marchandises vendues à crédit à la Boutique Trottier Enr.: 1 200 $, facture n° 453.

06-06 Ventes au comptant de la semaine se terminant le 6 juin: 1 245 $.

Reporter séparément les montants inscrits dans les journaux aux comptes des grands livres auxiliaires des comptes « Clients » et des comptes « Fournisseurs », s'il y a lieu.

08-06 Chèque n° 402 émis à l'ordre de la société Rouin, Ltée en règlement de la facture du 31 mai, compte tenu des marchandises retournées et de l'escompte.

09-06 Marchandises vendues à crédit à Nicole Dupuis: 530 $; facture n° 459.

10-06 Achat à crédit de fournitures de bureau à la papeterie Alex Boulanger Enr.: 250 $.

11-06 Note de crédit émise en faveur de Nicole Dupuis pour des marchandises défectueuses qu'elle avait achetées le 9 juin et qu'elle a retournées: 70 $.

13-06 Chèque reçu de Richard Fillion en règlement de la vente du 3 juin, moins l'escompte.

13-06 Ventes au comptant de la semaine terminée le 13 juin: 1 010 $.

Reporter séparément les montants inscrits dans les journaux aux comptes des grands livres auxiliaires des comptes « Clients » et des comptes « Fournisseurs », s'il y a lieu.

15-06   Chèque n° 403 émis à l'ordre d'Hydro-Québec pour payer la facture d'électricité du mois de mai reçue ce jour: 332 $.

15-06   Chèque n° 404 émis à l'ordre de Bell Canada pour payer la facture de téléphone du mois de mai reçue ce jour: 104 $.

16-06   Note de crédit de 35 $ reçue de Alex Boulanger Enr. pour des fournitures en mauvais état achetées le 10 juin et retournées le 11 juin.

17-06   Marchandises reçues de la société Rouin, Ltée: 1 000 $; conditions 2/10, n/60; date de la facture: 15 juin.

18-06   Chèque reçu de Nicole Dupuis en règlement de la vente du 9 juin, compte tenu des marchandises retournées et de l'escompte.

19-06   Marchandises vendues à crédit à Boport Inc.: 1 500 $; facture n° 455.

20-06   Réception de la facture de transport de Parizeau Transport Inc., pour la livraison des marchandises chez Boport Inc.: 55 $.

21-06   Ventes au comptant de la semaine se terminant le 21 juin: 1 120 $.

Reporter séparément les montants inscrits dans les journaux aux comptes des grands livres auxiliaires des comptes « Clients » et des comptes « Fournisseurs », s'il y a lieu.

23-06   Marchandises reçues de Fil du Québec, Ltée: 785 $; conditions: 2/10, n/30; date de la facture: 21 juin.

24-06   Marchandises vendues à crédit à Nicole Dupuis: 435 $; facture n° 456.

26-06   Chèque n° 405 émis à l'ordre de la société Rouin, Ltée en règlement de la facture du 15 juin compte tenu de l'escompte.

27-06   Chèque reçu de Boport Inc. en règlement de la vente du 19 juin, compte tenu de l'escompte.

27-06   Ventes au comptant de la semaine se terminant le 27 juin: 950 $.

Reporter séparément les montants inscrits dans les journaux aux comptes des grands livres auxiliaires des comptes « Clients » et des comptes « Fournisseurs », s'il y a lieu.

29-06   Chèque n° 406 émis à l'ordre de Parizeau Transport Inc. en règlement de la facture du 20 juin.

30-06   Ventes au comptant de 200 $.

30-06   Note de crédit émise en faveur de Nicole Dupuis pour des marchandises endommagées qu'elle avait achetées le 24 juin et qu'elle a conservées quand même: 35 $.

Reporter séparément les montants inscrits dans les journaux aux comptes des grands livres auxiliaires des comptes « Clients » et des comptes « Fournisseurs » ainsi qu'au grand livre général, s'il y a lieu.

Additionner les montants figurant dans chaque colonne des journaux auxiliaires et reporter les résultats au grand livre général.

- 1) Ouvrir les comptes suivants du grand livre général:
    - a) Caisse
    - b) Fournisseurs
    - c) Rendus et rabais sur ventes
    - d) Achats
    - e) Escomptes sur achats
    - f) Loyer
    - g) Téléphone
    - h) Clients
    - i) Ventes
    - j) Escomptes sur ventes
    - k) Rendus et rabais sur achats
    - l) Fournitures de bureau
    - m) Électricité
    - n) Frais de transport

2) Établir un journal des ventes, un journal des achats, un journal des recettes, un journal des débours, un journal général, un grand livre auxiliaire des comptes « Clients » et un grand livre auxiliaire des comptes « Fournisseurs » semblables à ceux qui ont été présentés dans ce chapitre.

3) Inscrire les opérations de juin dans ces journaux et faire les reports qu'on demande à la fin de chaque semaine.

4) Dresser une balance de vérification partielle ainsi que la liste des comptes « Clients » et celle des comptes « Fournisseurs ».

P7-31 La propriétaire de Fil d'Or Enr. engage un commis comptable pour enregistrer une fois par semaine, dans les différents registres comptables, les opérations de son commerce. Il commence à travailler le 1er janvier 19__1. Voici les opérations commerciales du mois de janvier.

01-01 Vente de marchandises à crédit à Décor Plus, Ltée pour 1 300 $.

02-01 Renouvellement de la police d'assurance feu-vol payé par chèque (no 302) de 310 $.

03-01 Ventes au comptant de la première semaine de janvier se terminant le 3 janvier: 200 $.

03-01 Les remboursements faits aux clients, pour des retours de marchandises, totalisent 35 $.

05-01 Remboursement à la propriétaire des factures d'essence, car elle utilise son auto pour son commerce, 30 $ (chèque no 303).

06-01 Achats à crédit de marchandises de chez Phildor Inc. pour 2 500 $.

07-01 Encaissement d'un chèque de Décor Plus, Ltée pour la somme de 800 $ en règlement partiel de sa facture du 1er janvier.

08-01 Chèque émis à l'ordre du Courrier du Nord pour des annonces publicitaires qui doivent paraître en janvier et en février: 50 $ (chèque no 304).

10-01 Ventes au comptant de la semaine se terminant le 10 janvier: 450 $.

10-01 Les remboursements faits aux clients, pour des retours de marchandises, totalisent 30 $.

12-01 Chèque émis à la vendeuse qui a travaillé à temps partiel chez Fil d'Or Enr., entre le 1er janvier et le 10 janvier (chèque no 305).

Salaire brut	270,00 $
Impôt provincial à payer	23,50
Impôt fédéral à payer	18,40
Assurance-chômage à payer	3,65
Régime des rentes à payer	4,85

13-01 Ventes de marchandises à crédit à Artisanat Beaugrand, Ltée pour 850 $.

15-01 Chèque émis à l'ordre du ministère du Revenu du Québec (chèque n° 306) pour remettre les retenues salariales de décembre, soit l'impôt de 60,90 $ et les rentes de 12,60 $. Ce chèque comprend également la cotisation de l'employeur à la régie des rentes, soit 12,60 $.

15-01 Chèque émis à l'ordre du Receveur général du Canada (chèque n° 307), pour remettre au gouvernement les retenues salariales de décembre soit l'impôt de 47,60 $ et l'assurance-chômage de 9,45 $. Ce chèque comprend également la cotisation de l'employeur à l'assurance-chômage, soit 13,25 $.

16-01 Remboursement des factures d'essence de 50 $ (chèque n° 308) remises par la propriétaire le jour même.

17-01 Ventes au comptant de la semaine se terminant le 17 janvier: 800 $.

17-01 Les remboursements faits aux clients pour des retours de marchandises totalisent 65 $.

19-01 Remis une somme de 25 $ à une amie de la propriétaire pour avoir fait le ménage dans le magasin.

21-01 Achats à crédit de marchandises chez Aronelle, Ltée pour 830 $.

22-01 Chèque émis à l'ordre de Phildor Inc. pour 1 000 $ (chèque n° 309) en règlement partiel des achats à crédit.

23-01 Encaissement d'un chèque de Décor Plus, Ltée pour le solde dû sur l'achat du 1er janvier.

24-01 Ventes au comptant de la semaine se terminant le 24 janvier: 575 $.

26-01 Chèque émis à la vendeuse pour la période du 12 janvier au 24 janvier (chèque n° 310).

Salaire brut	350,00 $
Impôt provincial à payer	30,45
Impôt fédéral à payer	23,80
Assurance-chômage à payer	4,75
Régie des rentes à payer	6,30

28-01 Chèque reçu de Artisanat Beaugrand, Ltée en règlement de l'achat du 13 janvier.

29-01 Chèque émis à l'ordre de Phildor Inc.: 1 500 $ (chèque n° 306), en règlement du solde dû.

31-01 Ventes au comptant de la semaine se terminant le 31 janvier: 650 $.

31-01 Remboursements faits aux clients pour des retours de marchandises: 25 $.

- 1) Dresser la lise de tous les registres comptables qui seront utiles au commis pour enregistrer les opérations commerciales précédentes.

  2) En utilisant cette liste et les modèles de registres énumérés dans le présent chapitre, inscrire les opérations dans les journaux appropriés et faire les reports qui s'imposent lors d'une fin de mois.

P7-32 Le 1er mars 19__1, M. D. Fournier, comptable agréé, fournit le solde des comptes suivants.

Caisse	3 900	
Clients	4 000	
Effets à recevoir	2 000	
Stock de fournitures	400	
Mobilier de bureau	2 500	
Matériel roulant	7 500	
Emprunt de banque		5 000
Honoraires à payer		150
Capital — D. Fournier		10 000
Honoraires — Produits		7 000
Fournitures de bureau	140	
Frais de représentation	60	
Frais de déplacement	120	
Frais d'entretien	80	
Électricité	300	
Chauffage	250	
Loyer	900	
	22 150	22 150

Les opérations du mois de mars ont été les suivantes.

02-03 Reçu des clients des honoraires au comptant pour 2 000 $.

03-03 Encaissement de comptes « Clients »: 2 300 $.

05-03 Facturation des honoraires pour les dossiers terminés: 3 400 $.

08-03 Encaissement de l'effet à recevoir, plus l'intérêt de 200 $.

09-02 M. Fournier reçoit un héritage de 10 000 $; il investit 5 000 $ dans son cabinet.

10-03 Paiement au journal local de l'insertion de sa carte d'affaires durant le mois: 62 $.

11-03 Achat d'un micro-ordinateur (classé dans « Équipement d'informatique payé comptant », 6 500 $).

12-03 Achat comptant de fournitures de bureau: 250 $.

15-03 Encaissement de comptes « Clients »: 2 400 $.

16-03 Remboursement des factures d'essence payées par M. Fournier pour l'exercice de sa profession: 30 $.

17-03 M. Fournier retire 800 $ à des fins personnelles.

18-03 Encaissement de comptes « Clients »: 1 800 $.

22-03 Paiement au garagiste pour les réparations de l'auto de M. Fournier (ce paiement est inscrit dans les livres du cabinet: 90 $).

23-03 Un client tarde à payer son compte et M. Fournier obtient un billet de 500 $, soit le montant qui était dû par le client.

24-03 Paiement du loyer de mars, soit 450 $ plus un supplément de 10 $ pour avoir payé en retard.

On inscrira cette charge dans les « Charges diverses ».

26-03 Payé la femme de ménage: 20 $.

29-03 Paiement au notaire de ses honoraires qui étaient dus depuis la fin de février.

30-03 M. Fournier a amené deux de ses clients au restaurant; le débours a été de 85 $. On inscrira cette charge dans les « Frais de représentation ».

31-03 Reçu des clients des honoraires au comptant: 1 200 $.

31-03 Remboursement des factures d'essence payées par M. Fournier pour l'exercice de sa profession: 40 $.

- 1) Établir un journal des honoraires, un journal des recettes, un journal des débours et un journal général semblables à ceux qui ont été présentés dans ce chapitre (on remplacera « Ventes » par « Honoraires »).

  2) Inscrire les opérations de mars dans ces journaux et les reporter à la fin du mois dans le grand livre général.

  3) Dresser une balance de vérification au 31 mars 19__1.

P7-33 La société Beaugranport Enr. est une entreprise d'exportation. Son propriétaire, M. Garant, ne vend qu'à crédit et ses conditions sont net 30 jours et 1% de supplément par journée de retard. Lorsqu'il est payé par les clients, M. Garant classe ce supplément comme un « Produit de financement ». M. Garant exploite son entreprise depuis plusieurs années déjà dans un bâtiment, situé près du port de Montréal, qu'il a hérité de son père.

Les soldes des comptes « Clients » au 30 juin sont:

Mme Fortunato	4 500 $
Chetan-Chopra Inc.	3 300 $
M. Hutchings	980 $

Les soldes des comtes « Fournisseurs » au 30 juin sont:

Les Entreprises Sauriol et Fils, Ltée	3 300 $
Coop Naturelle	1 200 $

Voici les opérations commerciales de la société durant le mois de juillet.

02-07 Achat à crédit d'une camionnette à des fins commerciales chez Les Automobiles Inc. pour 9 000 $. Pour payer le concessionnaire, M. Garant a emprunté à la Banque Populaire, au nom de son entreprise, la somme de 9 000 $.

03-07 Ventes de marchandises à Bonbel, Ltée: 1 700 $.

04-07 Encaissement d'un chèque de 4 590 $ de Mme Fortunato; ce montant inclut le paiement du supplément de 1%, puisque Mme Forutnato a payé en retard le solde dû.

05-07 M. Garant a fait faire le ménage de son immeuble. Il a payé 300 $ (chèque n° 405).

08-07 Encaissement d'un chèque de Chetan-Chopra Inc. pour le solde apparaissant à son compte le 30 juin.

09-07 Expédition des marchandises avec la facture pour répondre à la commande de Chetan-Chopra Inc. reçue la veille: 2 300 $.

10-17 Réception des marchandises commandées la semaine dernière chez Coop naturelle. La facture s'élève à 7 560 $.

11-07 Chèque émis à l'ordre de Les Entreprises Sauriol et Fils, Ltée en règlement du solde dû au 30 juin (chèque n° 406).

12-07 Réception d'une note de crédit de la Coop Naturelle pour des marchandises que M. Garant lui avait retournées parce qu'elles ne correspondaient par à ce qu'il avait commandé: crédit de 300 $.

12-07 Remis le chèque de paie à Arthur Callaven, l'homme à tout faire de la société Beau-granport Enr. (chèque n° 407) pour la période du 1er juillet au 12 juillet.

Salaire brut	576 $
Impôt provincial à payer	51 $
Impôt fédéral à payer	44 $
Assurance-chômage à payer	8 $
Régie des rentes du Québec à payer	8 $

15-07 Chèque émis à l'ordre du ministère du Revenu du Québec (chèque n° 408) de 135 $, pour remettre les retenues salariales de juin, soit l'impôt de 103 $ et les rentes de 16 $. Ce chèque comprend également la cotisation de l'employeur à la R.R.Q. pour 16 $.

15-07 Chèque émis à l'ordre du Receveur général du Canada (chèque n° 409) de 127 $, pour remettre les retenues salariales de juin, soit l'impôt de 89 $ et l'assurance-chômage de 16 $. Ce chèque comprend également la cotisation de l'employeur à l'assurance-chômage pour 22 $.

16-07 Reçu des marchandises retournées par Bonbel, Ltée. M. Garant a payé la facture d'expédition de 75 $ (chèque n° 410) parce qu'il a pour politique de payer pour ses erreurs d'expédition. On a ensuite a envoyé une note de crédit à Bonbel, Ltée au montant de 105 $.

17-07 Encaissement d'un chèque de M. Hutchings, qui aurait dû faire son paiement 5 jours plus tôt pour éviter de payer le supplément de 1%. Toutefois, M. Hutchings s'est conformé à la politique de crédit de M. Garant et son chèque règle en totalité ses dettes avec celui-ci.

18-07 Remboursement des factures d'essence payées par Arthur Callaven (chèque n° 410): 80 $.

19-07 M. Garant achète des obligations d'épargne du Canada au nom de son commerce pour 1 500 $.

22-07 Chèque n° 411 émis à l'ordre de Coop Naturelle en règlement du solde dû le 30 juin moins le crédit accordé le 12 juillet.

23-07 Encaissement d'un chèque de Bonbel, Ltée en paiement de la facture du 3 juillet compte tenu des marchandises retournées.

24-07 Achat au comptant de marchandises (chèque n° 412): 1 700 $.

25-07 Vente de marchandises à Mme Fortunato pour 3 450 $.

26-07 Chèque émis à l'ordre de Arthur Callaven en règlement de son salaire pour la période du 15 au 26 juillet.

Chèque n° 413	
Salaire brut	576 $
Impôt provincial à payer	51 $
Impôt fédéral à payer	44 $
Assurance-chômage à payer	8 $
R.R.Q. à payer	8 $

26-07 M. Garant prélève 600 $ à des fins personnelles (chèque n° 414).

29-07 Chèque émis à l'ordre de Coop Naturelle (chèque n° 415): 2 000 $.

30-07 Vente de marchandises aux Entreprises Phénix, Ltée: 4 500 $.

31-07 La Banque Populaire prélève à même le compte en banque de l'entreprise Beaugranport le premier versement sur l'emprunt contracté le 2 juillet, soit 1 000 $ plus les intérêts de 120 $.

31-07 Remboursement des factures d'essence payées par Arthur Callaven (chèque n° 416): 40 $.

1) Établir un journal des ventes, un journal des achats, un journal des recettes, un journal des débours, un journal général et un journal des salaires semblables à ceux qui ont été présentés dans ce chapitre.

2) Inscrire les opérations de juillet et reporter séparément les montants inscrits dans les journaux aux grands livres auxiliaires des comptes « Clients » et des comptes « Fournisseurs » ainsi qu'aux comptes du grand livre général, s'il y a lieu.

   (Dans ce dernier cas, on parle seulement des montants inscrits dans les colonnes « Divers » des différents journaux.)

3) Additionner les montants figurant dans chaque colonne des journaux auxiliaires et reporter, s'il y a lieu, les résultats obtenus.

4) Concilier la liste des comptes « Clients » et celle des comptes « Fournisseurs » en date du 31 juillet avec les soldes des comptes du même nom que l'on retrouve au grand livre général.

8 | L'informatisation du système comptable

rédigé par
Maurice Lemay

L'importance du traitement par ordinateur dans la production des informations nécessaires à la gestion des entreprises ainsi qu'à la prise de décision par les investisseurs est telle qu'un livre comme celui-ci ne peut se permettre de passer sous silence les notions de systèmes d'information informatisés. Ce chapitre a pour objet d'expliquer le rôle joué par l'ordinateur dans le domaine de l'information comptable, tout en faisant ressortir les principaux impacts de l'informatisation des entreprises.

En premier lieu, on mettra l'accent sur l'ordinateur en tant qu'outil de traitement. Le processus manuel d'enregistrement des données comptables, élaboré dans les premiers chapitres, se trouve transformé pour faire place à l'utilisation de l'ordinateur. Les systèmes d'information informatisés ont cependant des caractéristiques telles que, pour bien comprendre le rôle de l'ordinateur, il faut d'abord mettre en évidence les notions de système d'information.

C'est ainsi que, pour identifier le rôle spécifique joué par l'ordinateur dans le domaine comptable, il importe d'établir une distinction entre la comptabilité et les moyens de traitement utilisés pour atteindre ses objectifs.

Les notions étudiées dans les chapitres précédents nous suffisent comme point de départ de l'établissement de cette distinction. C'est ainsi que la comptabilité, définie comme un système d'information, s'est fixé un cadre de référence (c'est-à-dire les conventions comptables) afin d'atteindre, par la production d'états financiers, un certain nombre d'objectifs auprès de certaines catégories d'utilisateurs. Tout ce système comptable repose sur l'identité fondamentale, qui forme le modèle comptable de base.

Le processus d'enregistrement simple expliqué au chapitre 4 ou le processus plus complexe expliqué au chapitre 7 illustrent une démarche de comptabilisation manuelle des opérations. Nous reprendrons ce processus d'enregistrement en le situant cette fois dans un contexte informatique.

L'informatisation des entreprises exige également que l'on respecte certains préalables, compte tenu de la rigueur et de la rigidité imposées par l'ordinateur. Ce n'est que par un processus adéquat de développement qu'on pourra parvenir à l'élaboration d'un système capable de satisfaire aux attentes des utilisateurs, et ceci au moindre coût. L'informatisation place aussi sous un éclairage nouveau la sécurité liée aux données et aux moyens utilisés pour produire et conserver ces données. L'élaboration des systèmes informatisés impose ses exigences tant aux gestionnaires qu'aux professionnels de la comptabilité. Il ne saurait être question de laisser l'ensemble de l'élaboration et du fonctionnement de ces systèmes entre les seules mains des spécialistes de l'informatique.

Le gestionnaire est le premier responsable du système d'information qu'il utilise. Il doit par conséquent en être l'artisan principal et le maître d'œuvre. Le contrôleur est l'expert en systèmes d'information comptable et, à ce titre, il a la responsabilité d'assurer la disponibilité des informations demandées par les utilisateurs internes et externes, tout en se préoccupant de ce que ce système d'information fasse l'objet de mesures de protection suffisantes et adéquates.

Enfin, nous voudrions inciter le lecteur à devenir le promoteur et l'instigateur de l'informatisation des entreprises plutôt que d'être un spectateur passif devant les transformations qu'elle suscite. De plus, il devra se révéler un utilisateur assidu de l'informatique pour mieux remplir ses fonctions. Le gestionnaire et le professionnel de la comptabilité doivent envisager leur carrière comme devant obligatoirement nécessiter l'utilisation de l'informatique. En particulier, dans le contexte actuel d'une informatisation déjà généralisée dans la grande entreprise, mais qui s'accélère pour toucher bientôt toutes les entreprises, se pose la question du rôle du gestionnaire, du contrôleur ou du vérificateur. Il est peu probable qu'on puisse gérer une entreprise ou se prétendre professionnel de la comptabilité sans s'engager de près ou de loin dans le domaine de l'informatique. Il faut manifester le désir de promouvoir une informatisation ordonnée et bien faite, d'être un catalyseur face à la résistance du personnel, d'inciter à vivre de nouvelles expériences informatiques qui peuvent devenir des éléments avantageux face à la concurrence.

8.1 SYSTÈME D'INFORMATION

Le modèle comptable élaboré dans les chapitres précédents avait pour objectif premier d'expliquer et d'illustrer les fondements théoriques de la comptabilité. Pour ce faire, ce modèle a été situé dans le contexte d'un système manuel de traitement, faisant évoluer ce dernier pour souligner les diverses facettes du modèle. Ce choix se voulait pédagogique. Il ne faudrait cependant pas croire qu'il s'agit là de la seule façon pour une entreprise d'obtenir l'information comptable dont elle a besoin. La façon de s'y prendre pour produire l'information peut varier grandement d'une entreprise à l'autre. Les journaux et les grands livres auxiliaires peuvent être plus ou moins nombreux; la structure de chacun de ces registres peut être fort différente selon les besoins de l'entreprise ou selon le nombre de personnes appelées à y travailler.

Mais il y a plus. On peut aussi faire appel à des moyens électroniques pour répondre à ce besoin d'information comptable. On remplace ainsi des personnes par un ordinateur; on remplace les journaux, et même parfois les documents, par des supports magnétiques.

Il faut bien remarquer que, quels que soient les moyens de traitement employés, les fondements de la comptabilité, par exemple l'identité fondamentale, restent les mêmes. C'est pourquoi il importe de bien distinguer le système d'information comptable, ses fondements, ses objectifs, ses principes, et le système de traitement utilisé, qu'il soit manuel ou informatisé.

Cette distinction entre la comptabilité et le système de traitement comptable étant fondamentale, nous allons développer les notions relatives aux systèmes d'information, ce qui nous permettra ensuite de situer précisément le rôle joué par l'ordinateur.

Notion de système d'information

Définition

Un **système d'information** est *un ensemble de moyens humains, physiques ou électroniques ayant pour objectif d'assurer aux personnes intéressées un approvisionnement en informations*. L'objectif d'un système d'information est la production et la transmission d'informations adéquates et utiles. Cette information est destinée à un ou plusieurs utilisateurs spécifiques, comme c'est le cas de la liste, remise au directeur du service du crédit, des clients ayant dépassé leur limite de crédit ou du rapport remis aux vendeurs, indiquant les campagnes de publicité prévues pour le mois à venir. L'information peut aussi être destinée à un ou plusieurs utilisateurs potentiels, comme c'est le cas des états financiers remis aux investisseurs éventuels.

Un système d'information doit permettre aux utilisateurs de prendre à temps et d'une façon efficace les décisions qui s'imposent étant donné leurs fonctions ou leurs préoccupations.

Distinction entre information et donnée

La caractéristique d'une information est son utilité. Alors que l'information peut être utilisée par une personne pour prendre une décision ou pour réduire son incertitude, la donnée, de son côté, ne constitue qu'une matière première qui ne deviendra information qu'après un traitement.

Tout comme le pétrole doit faire l'objet de plusieurs traitements pour qu'on obtienne toute une gamme de produits des plus diversifiés, la donnée fera l'objet de transformations pour fournir le produit fini qu'est l'information. Celle-ci peut varier selon les regroupements, les calculs effectués ou la période couverte.

Le mot **donnée** a le sens de *constatation, d'observation d'événements qui ont lieu dans un environnement particulier*. Cette représentation des événements par des symboles pourra être transformée par la suite en informations pertinentes.

Au contraire, le mot **information** a le sens de *données organisées selon une structure précise permettant d'en tirer une signification utile*. Il s'agit d'une donnée évaluée, traitée et présentée pour répondre à un besoin spécifique d'une personne bien définie, à un moment précis et afin d'atteindre un but spécifique. L'information doit donc répondre à ces quatre critères. Sinon, elle demeure une donnée et ne peut prétendre être une information.

C'est ainsi que, lorsqu'un client procède à l'achat d'un appareil ménager, plusieurs données pourraient être recueillies, comme le nom, l'adresse, l'âge et le sexe du client, le nom du vendeur, la date de l'opération. Un certain nombre de ces données n'ont aucune utilité si elles ne sont pas, par exemple, regroupées. Ainsi, l'âge ou le sexe n'ont pas d'importance en tant que telles. En revanche, si on regroupe les factures en fonction de l'âge et du sexe, nous pourrons mieux saisir les caractéristiques de la clientèle. Notre clientèle est-elle surtout composée d'hommes ou de femmes? De jeunes ou de personnes âgées? Grâce au regroupement effectué, les données sont devenues des informations pertinentes pour décider par exemple dans quelle revue nous devons annoncer. Pour qu'une donnée devienne information, il faut donc y associer la notion d'utilité.

8.2 SYSTÈMES D'INFORMATION ET COMPTABILITÉ

La comptabilité respecte bien la définition d'un système d'information. Cependant, nous sommes bien obligés de constater que la comptabilité n'est pas le seul système d'information utilisé dans les entreprises. En effet, les besoins d'informations ne peuvent être satisfaits qu'en faisant appel à divers systèmes d'information, chacun étant spécialisé dans un secteur donné, cherchant à satisfaire certains utilisateurs en particulier ou encore à fournir une information d'un type particulier.

Diversité des systèmes d'information

Les besoins d'information qu'on retrouve dans l'entreprise sont variés et nécessitent justement la présence d'informations dont la nature et les caractéristiques peuvent être bien différentes. C'est ainsi que l'on peut classifier les systèmes d'information selon les utilisateurs et selon leurs besoins ou selon la nature de l'information communiquée. Enfin, on peut distinguer les systèmes eux-mêmes selon leurs caractéristiques.

Selon les utilisateurs et selon leurs besoins d'information

Suivant cette optique, on pourrait fort bien imaginer des systèmes d'information conçus à l'intention d'utilisateurs particuliers, comme:
— les gestionnaires;
— les actionnaires;
— les créanciers;
— les gouvernements;
— les employés;
— le public.

On pourrait même envisager d'ajouter à cette liste les systèmes de transmission d'informations entre appareils, comme c'est le cas avec la robotique.

Pour les gestionnaires

Ce système d'information est destiné aux divers responsables de l'entreprise, de l'administrateur au simple responsable d'une équipe de travail. Il s'agit d'un système gérant les informations de tout type et de toute origine pour permettre aux responsables de tous les niveaux hiérarchiques de prendre des décisions plus efficaces et en temps voulu, de contrôler les activités dont ils sont responsables et de prévoir les mesures à prendre. On peut classer dans cette catégorie la comptabilité de gestion.

C'est ainsi qu'un rapport (tableau 8-1) pourra être produit pour le responsable des comptes « Clients », rapport qui indiquerait, pour chaque client, le solde qu'il doit et depuis combien de temps les diverses factures n'ont pas été payées.

Le gestionnaire responsable des comptes « Clients » pourra y constater que non seulement un client, M. Leblanc, a dépassé sa limite de crédit, mais que trois clients, M. Leblanc, Y. Saint-Laurent et Babel Construction, n'ont pas payé leur compte dans le délai de 30 jours habituellement accordé aux clients. Il faudra prendre des décisions pour amener les clients à payer ou pour interdire toute nouvelle vente à crédit à ces clients.

Pour les actionnaires

Il s'agit principalement de la comptabilité générale et de ses rapports financiers, auxquels viennent s'ajouter les communications périodiques des administrateurs ou de la direction. Ces rapports devraient leur permettre d'évaluer par exemple les possibilités d'expansion de l'entreprise, la rentabilité des fonds qu'ils y ont investis et la solvabilité de l'entreprise. Le bilan indiquera quels sont les biens possédés par l'entreprise et l'importance de ses dettes. L'état des résultats indiquera les bénéfices réalisés. On prendra des décisions à l'effet d'augmenter l'investissement ou de vendre l'entreprise. C'est ainsi que le montant des comptes « Clients » apparaîtra au bilan, alors que le total des ventes réalisées au cours de l'exercice permettra à l'investisseur de juger si l'entreprise est en progression par rapport à l'année précédente. Les rapports s'adressent aux propriétaires actuels mais aussi aux investisseurs éventuels.

TABLEAU 8-1

Classement chronologique
des comptes « Clients »
au 31 mai 19__1

Nom client	Numéro facture	Solde dû depuis			Limite de crédit
		30 jours ou moins	Plus de 30 jours	Total	
M. Leblanc					
	3		436,00		
	8	163,50			
	10	408,75			
				1 008,35	500,00
N. Pinson					
	9	517,75		517,75	700,00
Y. Saint-Laurent					
	6		1 308,00	1 308,00	1 500,00
Babel Construction					
	7		4 000,00		
	11	500,00			
				4 500,00	5 000,00
Total		1 590,00	5 744,00	7 334,00	

Pour les employés

Les employés, étant donné leur intérêt et leur engagement au sein de l'entreprise, ont également besoin d'être informés sur l'état de la santé financière de l'entreprise, sur le montant des ventes que chaque vendeur a réalisées par rapport à ce qui avait été prévu ou sur l'ensemble des conditions salariales. On peut aussi remettre au syndicat un rapport indiquant le nom des employés ayant travaillé au cours de la semaine, le nombres d'heures de travail effectuées par chacun et les retenues syndicales à la source.

Pour le public en général

Par « public », nous entendons ici toute personne susceptible de s'intéresser aux diverses activités de l'entreprise. En particulier, on pense aux clients, aux fournisseurs, aux créanciers et aux divers organismes gouvernementaux. Les informations fournies peuvent prendre la forme de publicité ou de rapports spéciaux.

Par exemple, le banquier peut demander à l'entreprise de lui soumettre ses prévisions de ventes pour les mois à venir ou un budget indiquant les encaissements et les débours prévus, permettant ainsi au banquier de constater si l'entreprise sera capable de rembourser l'emprunt qu'elle demande.

Il faut aussi soumettre régulièrement des renseignements aux organismes gouvernementaux: le montant des retenues à la source faites sur les salaires, le prix des produits (pour permettre à Statistique Canada de calculer l'indice des prix à la consommation), le nombre d'employés à temps plein ou à temps partiel (pour permettre le calcul mensuel du nombre de travailleurs, masculins et féminins, selon l'âge).

C'est ainsi qu'on verra apparaître dans l'entreprise plusieurs systèmes d'information qui vont chercher à satisfaire les besoins de l'un ou de plusieurs de ces utilisateurs.

Selon la nature de l'information

La conception des systèmes d'information pourrait également s'articuler autour d'un type précis d'information à fournir. C'est ainsi qu'on développera souvent ces systèmes en référence aux diverses fonctions d'une entreprise.

Pour la fonction personnel

Ce système d'information a pour objectif de rassembler toutes les informations qualitatives ou quantitatives relatives au personnel. On fait alors référence au dossier du personnel dans lequel on retrouve le questionnaire rempli par l'employé lors de sa demande d'emploi, la lettre d'embauche, des détails sur ses études, des informations sur ses emplois antérieurs, sur les promotions obtenues, sur ses augmentations de salaire ou sur ses congés de maladie.

Pour la fonction marketing

Il s'agit de l'ensemble des informations qualitatives et quantitatives (monétaires ou non) concernant les volumes de ventes, les produits les plus rentables, la croissance des ventes, la liste des clients, leur volume d'achat et la nature des produits achetés, les dates des visites faites aux clients par chacun des vendeurs ou les campagnes de publicité réalisées ou à venir.

Pour la fonction production

Ce système sera constitué des informations relatives à la planification des travaux de production, aux composantes nécessaires à la fabrication de chacun des produits, aux quantités produites, aux produits gâchés, aux rapports de qualité, aux bris de machine, aux temps d'arrêt, aux accidents ou au nombre de jours de congé de maladie.

Pour la fonction contrôle

Ce système, expliqué dans les chapitres précédents, s'occupe essentiellement d'informations quantitatives pouvant être exprimées en argent. Ces informations concernent les faits économiques vécus par une entreprise et sont résumées ordinairement sous forme d'états financiers destinés aux propriétaires. Il s'agit de la **comptabilité générale**. Quant aux données recueillies en vue d'informer les gestionnaires, on constate que, par le traitement, les détails fournis et la présentation, elles diffèrent des états financiers traditionnels même si les fondements sont les mêmes. On parle alors de **comptabilité de gestion**.

Selon le système en question, on constate que l'information produite peut être quantitative si elle est constituée de nombres ou qualitative s'il s'agit d'une description narrative. L'information peut être exprimée sous forme monétaire ou sous une autre forme quantitative (poids, mesure, nombre). L'information peut porter sur des faits économiques, géographiques, politiques ou démographiques. Elle peut également être interne ou externe à une entreprise donnée. Elle est interne si elle provient de l'intérieur même de l'entreprise, à savoir que les données sont puisées à même ses activités et que les informations portent essentiellement sur les réalisations de cette entreprise. C'est le cas, par exemple, des ventes et des achats. L'information est externe si elle concerne des événements extérieurs à l'entreprise. Les données prennent alors naissance à l'extérieur de l'entreprise. C'est le cas d'une étude de marché, de la situation économique générale du pays, de l'évolution politique du pays ou du taux d'intérêt sur le marché des capitaux.

Selon les canaux de communication utilisés

L'information peut provenir d'un système structuré qui se préoccupe de l'organisation formelle de l'entreprise, comme c'est le cas de la comptabilité, qui donne des informations sur les diverses fonctions ou activités de l'entreprise. Il peut également s'agir d'une information non structurée qui se transmet chez les employés d'une entreprise et qui, tout en étant nécessaire, se rapporte plutôt aux échanges officieux et à la vie sociale et personnelle des individus. Pensons par exemple aux commentaires de toute nature que suscite l'annonce de l'introduction de l'informatique dans une entreprise.

L'information peut être communiquée sous forme de documents. Elle est alors dite documentaire. Le système d'information peut utiliser des symboles alphabétiques, numériques ou alphanumériques qui sont emmagasinés dans des mémoires comme le papier (par exemple la facture ou les journaux auxiliaires) ou encore dans des mémoires magnétiques (comme les bandes magnétiques). L'information peut également être transmise oralement. Cette information verbale constitue un secteur important de la vie des entreprises. C'est le cas lorsqu'un employé téléphone pour se déclarer absent à cause de maladie.

Le système comptable

Si nous essayons de situer le système comptable dans cet ensemble de possibilités, nous pouvons dire qu'il s'agit essentiellement d'un système d'information interne à l'entreprise. Ses informations peuvent être fournies à des personnes extérieures à l'entreprise ou ses données puisées dans les relations de l'entreprise avec son environnement, mais un seul critère est valable: il faut que l'entreprise soit mise en cause. C'est le principe de la personnalité de l'entreprise. Le système comptable a pour objet de mesurer l'activité économique d'une entité bien précise. Il ne retient que les transactions auxquelles l'entreprise en question a participé.

Le système comptable est un système structuré qui se préoccupe de l'organisation formelle de l'entreprise, et c'est un système documentaire.

Il ne fournit que des informations quantitatives, appuyées par une description narrative. Mais cette information quantitative doit être une information monétaire, puisque la comptabilité a choisi l'unité monétaire comme étalon de mesure.

On pourrait résumer cette partie sur les différents systèmes d'information à l'aide de la figure 8-1. On y retrouve les divers utilisateurs possibles, la nature des informations transmises et les systèmes d'information qu'on peut retrouver dans l'entreprise. C'est ainsi que, pour informer les actionnaires, on transmettra de l'information financière produite par le système de comptabilité générale. Une information de même nature, financière, mais agencée autrement et avec plus de détails, produite par la comptabilité de gestion, servira à informer les gestionnaires.

FIGURE 8-1

Les systèmes d'information et leurs destinataires

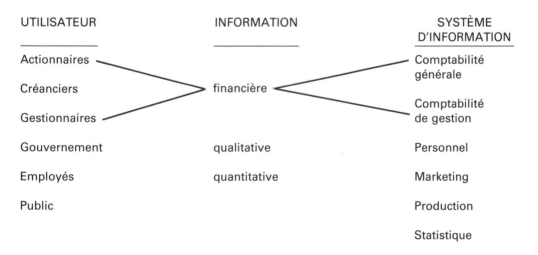

UTILISATEUR	INFORMATION	SYSTÈME D'INFORMATION
Actionnaires		Comptabilité générale
Créanciers	financière	
Gestionnaires		Comptabilité de gestion
Gouvernement	qualitative	Personnel
Employés	quantitative	Marketing
Public		Production
		Statistique

EXEMPLE D'APPLICATION

Pour illustrer quelques-unes de ces facettes des systèmes d'information, prenons le cas de données relatives au personnel.

L'information peut porter sur les aspects financiers impliquant le personnel, comme le total du salaire et les retenues à la source relatives à une paie. Il s'agit d'une information comptable destinée au gestionnaire, à l'employé et, d'une façon sommaire, aux actionnaires.

L'information peut porter sur un dénombrement des heures de travail effectuées au cours d'une semaine. Cette information servira au système comptable pour calculer la paie hebdomadaire. Mais le dénombrement peut porter sur les employés eux-mêmes en fonction de leur âge ou de leur ancienneté. Cette information pourra servir au responsable du personnel, mais elle ne sera pas retenue par la comptabilité.

L'information peut être qualitative. Par exemple, elle peut porter sur l'appréciation des services rendus par un employé ou sur sa compétence. Voilà une donnée qui servira à informer le responsable du personnel mais qui ne sera pas utilisée par le système comptable.

Prenons un deuxième exemple, celui d'une vente réalisée par un vendeur.

L'identification du client servira à lui faire parvenir un état de compte pour percevoir le montant de la vente. Elle pourra servir à préparer certaines statistiques pour d'éventuelles campagnes de publicité. Les quantités vendues serviront à la gestion des marchandises.

Le montant de la vente servira aux gestionnaires, à rémunérer le vendeur, à calculer les taxes, à transmettre des statistiques au gouvernement, et c'est le système comptable qui s'en occupera.

Interrelation des systèmes d'information

On se rend compte que tous ces systèmes sont interreliés, en ce sens qu'ils peuvent utiliser les mêmes données et fournir des informations utilisées par les mêmes personnes.

Cette spécialisation des systèmes d'information a le désavantage d'amener un morcellement, une indépendance de chacun des systèmes d'information et, par conséquent, un certain dédoublement des données qui sont recueillies. Chaque système doit rassembler ses propres données, même si certaines d'entre elles sont identiques à celles qui sont rassemblées par d'autres systèmes. C'est ainsi que le nombre d'heures de travail effectuées par un employé sera noté pour permettre au service du personnel de procéder à l'établissement de statistiques sur les heures de travail effectuées. Ce nombre d'heures sera aussi noté par le personnel comptable afin de lui permettre de calculer la paie.

Le système manuel de traitement a pour caractéristique d'obliger à la retranscription des données dans des registres divers. À partir d'un même document, nous pouvons donc nous contenter de ne retenir que quelques données pertinentes pour le système d'information qui nous préoccupe. Quelqu'un d'autre, à partir du même document, prendra d'autres données, ou parfois les mêmes, pour les traiter d'une façon différente et ainsi satisfaire à d'autres besoins d'information. Les systèmes sont alors forcément indépendants les uns des autres.

Avec l'ordinateur, on peut envisager une **intégration**, c'est-à-dire qu'une donnée est inscrite une seule fois dans les fichiers pour ensuite être utilisée par les systèmes d'information qui en ont besoin. Il suffira d'entrer en mémoire, une seule fois, toutes les données susceptibles d'être utilisées, pour ensuite les traiter de diverses façons et produire les informations demandées.

8.3 COMPOSANTES D'UN SYSTÈME D'INFORMATION

À partir de la définition d'un système d'information, force nous a été de constater la présence de différents systèmes d'information pour satisfaire aux besoins diversifiés des utilisateurs. Mais quel que soit le système, tous possèdent les mêmes composantes.

Tout système d'information a pour fonction la **collecte** de certaines données. Ces données, matière première du système, devront être recueillies et notées, par exemple sur une facture de vente. Elles seront ensuite transformées grâce au processus de traitement établi. Le **traitement** de ces données consiste alors à regrouper les données pour en établir le total. C'est ainsi qu'on prendrait toutes les factures de ventes pour en établir un total par client, un total par catégorie de produits et enfin un total pour la journée. Ces totaux pourraient enfin être comparés aux totaux obtenus le mois passé. On pourrait alors tout aussi bien calculer le pourcentage d'augmentation des ventes. Ce traitement vise à transformer les données en information valable qui sera le produit fini du système d'information. Ces données et ces informations devront sûrement être conservées, du moins temporairement mais parfois d'une façon permanente, afin qu'on puisse un jour s'en servir de nouveau. Il reste ensuite à présenter ces informations, c'est-à-dire à en faire la **communication** sous une forme utile à la prise de décision, à la planification, à la réalisation des mesures à prendre et au contrôle des activités.

Reprenons chacune de ces composantes pour les expliquer plus en détail.

Système d'information

Collecte des données

Un système d'information a besoin de ressources qui devront faire l'objet d'une **collecte**. En d'autres mots, il s'agit de déterminer la matière première du système. Cette matière première dépend directement du but poursuivi par le système, du produit qu'il désire offrir. Pour un système de production d'huile à chauffage, la matière première sera le pétrole. Pour un système d'information, la matière première sera puisée à même les diverses données liées à une opération ou à un événement.

Ce ne sont pas toutes les données ou n'importe lesquelles qui seront recueillies. Compte tenu de sa raison d'être, un système d'information doit choisir sa matière première du point de vue de la nature, de la quantité et de la qualité. Ce choix dépendra en définitive du genre de système d'information: comptable, quantitatif, monétaire, qualitatif, du personnel, de production.

Une fois les données pertinentes identifiées, il faut les collecter, les rassembler, les conserver. On se servira pour ce faire de documents sur lesquels on notera les données pertinentes que l'on veut recueillir. Parfois, plutôt que d'inscrire ces données sur un document, on utilisera des moyens informatisés que nous verrons plus loin.

Classification et codification

Une fois rassemblées, ces données doivent être classées. Par la **classification** des données, on entend *la création de catégories spécifiques à l'intérieur desquelles les données seront regroupées.*

Les catégories seront établies selon les besoins d'information à satisfaire. Les données devront être identifiées individuellement pour en connaître l'appartenance à l'une ou l'autre des catégories. L'enregistrement de ces données se fera donc par catégories, ce qui permettra ainsi de les utiliser à tout moment en vue de satisfaire à un besoin d'information. C'est le rôle des divers journaux comptables.

Selon la volonté du contrôleur et compte tenu des besoins d'information des propriétaires ou des gestionnaires, on établira une liste plus ou moins détaillée des comptes, qui constituera ce qu'il est convenu d'appeler le **plan comptable**. Comme nous l'avons vu dans les chapitres précédents, ces comptes permettront le regroupement des opérations selon leur nature. Par exemple, nous pourrons avoir un compte « Ventes — Produit A » et un compte « Ventes — Produit B » qui rempliraient tous deux un rôle identique au compte « Ventes », sauf que nous disposons maintenant de plus de détails puisque ces comptes permettent de connaître le total des ventes de l'année de chacun des deux produits. Si nous faisons la même chose pour le compte « Achats » en ayant « Achats — Produit A » et « Achats — Produit B » et pour le compte « Stock » en ayant « Stock — Produit A » et « Stock — Produit B », nous pourrions connaître le bénéfice brut par produit plutôt que de nous contenter d'avoir seulement le bénéfice brut global.

Pour ce faire, il faut ouvrir des colonnes supplémentaires dans le journal des ventes et dans celui des achats. Nous aurions une colonne « Ventes — Produit A » et une autre « Ventes — Produit B » dans le journal des ventes. Nous aurions une colonne « Achats — Produit A » et une autre « Achats — Produit B » dans le journal des achats.

La **codification** correspond à *une identification numérique des catégories, comme c'est le cas de la codification décimale du plan comptable.* On numérote chacun des comptes pour en permettre une identification rapide. Cette numérotation peut être arbitraire. Elle peut cependant revêtir une signification précise pour le personnel comptable et pour les gestionnaires. Le numéro attribué peut identifier à quel regroupement chaque compte appartient. Par exemple, tous les comptes appartenant à l'actif à court terme porteront un numéro se situant entre 100 et 199; ceux qui appartiennent à l'actif à long terme pourraient porter un numéro compris entre 200 et 300, et ainsi de suite pour le passif ou pour les produits et les charges. Cette codification simplifie grandement le regroupement des données, que ce traitement soit manuel ou électronique, ou permet une référence rapide comme nous l'avons expliqué au chapitre 4 à la sous-section intitulée « Les références ».

Traitement

Le traitement proprement dit exige plusieurs phases que nous allons identifier brièvement.

On peut procéder à la synthèse des données, par exemple, en faisant le report au grand livre. Cette synthèse implique certaines opérations arithmétiques.

À quelque étape du traitement que ce soit, les données devront à un moment ou l'autre être mises en mémoire. C'est la raison d'être de la présence des journaux ou grands livres comptables, que ces derniers soient sur papier ou sur support magnétique.

Le processus de comparaison des données avec d'autres données ou avec des standards fait partie du traitement des données et constitue une source appréciable d'information. De cette comparaison peuvent découler les **décisions programmées**, c'est-à-dire que, puisque la comparaison se fait selon des règles fixées à l'avance, une action peut être immédiatement entreprise sans qu'il ne soit nécessaire de consulter un responsable supérieur.

Supposons que l'entreprise dispose d'un registre dont chacune des pages représente un produit. Sur cette page, on retrouve les renseignements indiqués au tableau 8-2.

Ce registre est tenu par le magasinier qui, sans même procéder au décompte de la marchandise, peut savoir, en consultant son registre, quelle quantité de marchandises se trouve dans l'entrepôt. Les renseignements qu'il inscrit dans ce registre proviennent des documents de base. Le bon de réception accompagnant les marchandises reçues du fournisseur indique les quantités reçues. Le bon d'expédition rédigé par le préposé à l'expédition indique les quantités expédiées aux clients. On peut alors dire à un magasinier d'avertir l'acheteur dès que la quantité en entrepôt (32) d'un article atteint le point de commande (35) ou est inférieur à celui-ci. L'acheteur passe alors une commande pour une quantité (40) fixe et déterminée au préalable. Ainsi, l'entreprise ne risque ni pénurie ni excédent de marchandises.

TABLEAU 8-2

Fiche de stock

NOM DU PRODUIT   MARTEAU — XL — 18

Quantité minimale à maintenir (point de commande): 35
Quantité à commander (lot économique): 40

Date	Commentaire	Quantité achetée (reçue)	Quantité vendue (expédiée)	Quantité en main
19__1				
Mai				
01	Quantité en main en début de période			60
30	Ventes du 1er au 30 mai		28	32
Juin				
05	Achats	40		72

Ces décisions programmées aident beaucoup les responsables, qui n'ont alors qu'à se préoccuper des cas d'exception.

L'ordinateur peut remplacer ce magasinier dans son rôle de surveillance de la quantité des marchandises en entrepôt. On disposera pour chaque article des informations suivantes inscrites au fichier des stocks et qui permettront à l'ordinateur de déclencher le processus de commande.

Quantité en main

L'ordinateur procédera comme le faisait le magasinier, en additionnant les quantités reçues et en soustrayant les quantités expédiées. Ces données sont transmises à l'ordinateur par le magasinier à l'aide, par exemple, d'un terminal.

Quantité minimale (point de commande)

Cette quantité est inscrite par l'acheteur et demeure en permanence dans le fichier sans être modifiée à moins d'une décision en ce sens de la part de l'acheteur.

Si la quantité en main est égale ou inférieure à la quantité minimale, un rapport sera imprimé, indiquant à l'acheteur de procéder à l'achat de cette marchandise.

L'ordinateur peut aussi remplacer l'acheteur dans certains de ses rôles, en imprimant directement un bon de commande prêt à être expédié au fournisseur et sur lequel seront indiqués l'identification de l'article à commander, la quantité commandée, le nom et l'adresse du fournisseur auprès duquel l'entreprise désire passer sa commande, et ainsi de suite.

Ceci sera rendu possible parce qu'on aura placé dans un fichier accessible à l'ordinateur les renseignements suivants pour chacun des articles en stock:
— quantité en main;
— quantité minimale (point de commande);
— quantité à commander (lot économique);
— nom et adresse du fournisseur auprès duquel la commande doit être passée;
— autres renseignements comme l'adresse de l'entrepôt où la livraison doit être faite, les conditions de prix, de paiement, d'escompte ou de remise.

Une décision peut être programmée dans la mesure où elle est de caractère répétitif et routinier et où une procédure bien définie a pu être établie de façon que la décision soit prise sans qu'il ne soit nécessaire de résoudre de nouveau le même problème chaque fois qu'il survient.

Une décision ne peut être programmée si elle est nouvelle ou non structurée. Il s'agit alors d'un nouveau problème qui survient pour la première fois ou dont la nature est d'une complexité telle ou d'une importance telle qu'il exige une solution sur mesure.

Comme nous l'avons vu, il est nécessaire que le choix des données à recueillir s'effectue compte tenu des informations que l'on se propose de fournir. Ces données doivent ensuite être recueillies, classifiées et analysées. Il faudra enfin qu'elles soient regroupées en fonction des besoins, généralement après avoir subi certaines opérations arithmétiques.

Il arrive parfois que la seule collecte des données, suivie d'une classification, suffise à satisfaire à un besoin d'information. C'est ainsi qu'une facture de vente peut être utilisée pour analyser la nature et la quantité des produits achetés par un client à un moment donné, mais on constate vite que ces renseignements n'ont pas beaucoup de pertinence sinon de permettre de constater le fait accompli.

Les besoins d'informations exigent presque toujours un traitement plus poussé des données. C'est ainsi que l'ensemble des factures de ventes faites à un client au cours d'une période pourrait être utilisé pour analyser la nature et la quantité des produits achetés par ce client au cours de cette même période, permettant ainsi au vendeur de connaître les besoins en produits de ce client et d'orienter en conséquence ses interventions auprès de ce client.

Les données sont, de par leur nature, générales et orientées vers le passé; elles sont la simple constatation d'un fait. Or, les besoins d'information sont spécifiques et tournés vers la prise de décision face à une situation présente ou future aussi bien que vers le passé, pour connaître ce qui s'est produit par rapport à ce qu'on espérait et pour prendre les décisions qui s'imposent afin de corriger la situation. C'est pourquoi il faut transformer ces données en informations susceptibles d'être utilisées.

En résumé, on pourrait dire que, par le traitement des données, on introduit le facteur temps et le facteur spécificité.

Présentation de l'information: communication

La production de l'information implique comme dernière étape que les informations soient communiquées. Les rapports sont les produits du système d'information. Ils devraient fournir des informations utiles à la prise de décision sans qu'il ne soit nécessaire au lecteur de les traiter davantage. Un rapport sera jugé utile s'il ne contient que des informations utiles à la prise de décision, ce qui implique qu'il doit être adapté aux besoins de l'utilisateur.

Système comptable

Au chapitre 1, nous avons défini la comptabilité en référence au processus de transformation des données en information. On a dit qu'il s'agissait d'un « système qui procède à la collecte des données financières, qui les classifie et les codifie, qui les résume et les synthétise, et qui communique une information pertinente ».

Au même chapitre, on propose également de définir la comptabilité comme « un système d'information qui transforme des données financières en informations utiles aux divers groupes et personnes qui forment l'environnement d'une entité économique ».

La comptabilité est ainsi définie en référence au processus de transformation des données en informations, donc en référence au système d'information comptable, puisque tel est l'objectif du livre étant donné que nous mettons l'accent sur le processus d'enregistrement. Nous allons donc maintenant analyser la comptabilité en expliquant ses composantes.

Les données

Quelle est la matière première du système comptable? Puisque l'objectif premier du système comptable est de transmettre de l'information financière, on devra choisir les ressources propres à lui permettre de remplir son rôle. Ces ressources sont les diverses données qui, une fois traitées, serviront à informer les utilisateurs du système. Comme tout autre système d'information, le système comptable n'échappe pas à cette règle du choix de sa matière première.

Pour produire de l'information, il faut une « matière première » bien définie quant à ses caractéristiques et à sa provenance. Elle devra posséder des qualités compatibles avec le produit à livrer. La matière première du système d'information comptable est constituée par les faits économiques que la comptabilité a choisi de retenir. Ces données peuvent provenir de deux sources:
— les activités relatives aux relations de l'entreprise avec des personnes ou des groupes externes à l'entreprise, comme les ventes, les achats;
— les activités internes à l'entreprise, comme la mise en fabrication.

Le champ d'intervention du système comptable est délimité par les principes comptables généralement reconnus, qui déterminent l'étendue de la comptabilité au moyen de définitions, de normes et de postulats. Le système comptable est un système spécialisé d'information et, à ce titre, il doit se définir des limites, des conditions spécifiques à l'intérieur du grand système d'information de l'entreprise.

Le système comptable a choisi d'utiliser comme matière première les données relatives aux faits économiques. Cependant, parmi ces faits économiques, il va lui falloir procéder à une sélection.

Une première sélection se fera parce que le système comptable ne retient que des données quantifiables. En effet, on ne peut comptabiliser (c'est-à-dire procéder à des calculs) que des données quantifiables. Les données qualitatives retenues par le système ne le sont qu'à des fins d'explication, de précision ou de contrôle. Elles y jouent donc un rôle moins important, pour ne pas dire secondaire.

Une seconde sélection est nécessaire. Bien que les données quantitatives puissent être exprimées en termes physiques et en termes monétaires, il est de pratique courante de ne retenir que les données exprimées en termes monétaires. En effet, la comptabilité a choisi de donner des informations sur la valeur des opérations commerciales accomplies par une entreprise. Cette valeur s'exprime par la quantité d'argent reçue ou donnée lors d'une opération. Si certaines données exprimées en termes physiques peuvent parfois être retenues, comme la quantité de marchandises en entrepôt, elles n'ont pas une importance plus grande que les données qualitatives. C'est ainsi qu'on parle d'analyse extra-comptable de ces données.

Traitement

La production d'informations exige la présence d'un processus qui agit sur chaque ressource, au moment approprié, pour atteindre le produit désiré. Ce processus, c'est le **traitement des données**.

Il s'agit de l'outil par lequel la comptabilité prend forme. Pour permettre à la comptabilité d'atteindre son but, il faut mettre en place un système d'information comptable. Celui-ci utilisera un ensemble de moyens particuliers, le papier (documents de base, journaux, grands livres) et/ou des appareils (ordinateur, fichiers).

Communication

La comptabilité est un système d'information spécialisé qui n'informe que sur certains aspects de la vie économique d'une entreprise, orientant son information vers certains utilisateurs. Elle a choisi de communiquer aux actionnaires l'information comptable sous forme d'états financiers, comme nous l'avons vu au chapitre 5. Elle transmet cependant cette information financière aux gestionnaires sous forme de rapports, conçus spécialement pour répondre aux besoins particuliers de ces personnes et qui ne ressemblent pas nécessairement aux états financiers traditionnels.

8.4 MOYENS DE TRAITEMENT

Il est maintenant temps de préciser le rôle spécifique que jouent les méthodes de traitement dans l'ensemble du processus du système comptable.

La figure 8-2 illustre le lien entre les composantes d'un système d'information, le système comptable et les moyens de traitement utilisés.

Le processus de transformation des données en information peut prendre plusieurs formes, chaque entreprise choisissant les moyens qui lui semblent les plus adéquats dans les circonstances. Toutefois, on peut classer ces processus en système comptable **manuel** et en système comptable **informatisé**.

Système comptable manuel

Le lecteur connaît déjà bien ce système manuel, puisque ce dernier faisait l'objet du chapitre précédent. Dans un tel système, on a recours à des personnes qui enregistrent les opérations sur du papier. Les opérations sont notées sur des documents de base, comme la facture de vente. Ces documents de base, sous leur forme originale, peuvent servir immédiatement au traitement. Par exemple, les données inscrites sur une facture de vente peuvent servir à l'enregistrement au journal des ventes. Ces données sont ensuite reportées au grand livre auxiliaire des comptes « Clients ». De même, les données inscrites sur une facture d'achat peuvent être enregistrées au journal des achats, puis être reportées au grand livre auxiliaire des comptes « Fournisseurs ».

Les documents de base peuvent parfois servir à rédiger, sans autre traitement particulier, certains rapports, comme la facture servant à préparer l'état de compte qui sera envoyé au client. Il s'agit alors d'une simple transcription de certaines données sur un autre document.

Quant aux grands livres, ils résumeront les opérations inscrites aux journaux auxiliaires et serviront à rédiger les états financiers ou certains rapports telle l'analyse des comptes « Clients ».

FIGURE 8-2

Système d'information et moyens de traitement

Système d'information	Système comptable	Système de traitement	
		Manuel	Informatisé
Collecte	Opérations commerciales	Document de base	Document de base et/ou terminal
Classification Codification	Plan comptable		
Enregistrement	Identité fondamentale Notion de débit/crédit	Journal général Journaux auxiliaires	Fichier mouvement
Synthèse Mise en mémoire	Notion de compte Registre	Grand livre général Grand livre auxiliaire	Fichier maître
Présentation	États financiers	Rapports sur papier	Rapport sur écran ou sur papier

E N T R É E

T R A I T E M E N T

S O R T I E

Système comptable informatisé

Dans un système informatisé, les données inscrites sur les documents de base sont, avant d'être traitées, retranscrites sur des supports pouvant être lus par une machine. C'est ce qu'on appelle la **saisie**. Par exemple, on utilisera un terminal (appareil à clavier avec écran) pour inscrire sur une bande magnétique ou sur un disque les données provenant des documents.

L'accumulation des données sur un tel support constitue ce qu'il est convenu d'appeler **fichier mouvement** ou **fichier des opérations**. C'est, sous forme d'enregistrements électroniques, l'équivalent du journal des ventes, du journal des achats ou du journal des salaires.

Pour procéder au report de ces opérations aux grands livres auxiliaires, il faut effectuer une mise à jour. Le grand livre auxiliaire constitue le fichier maître dans lequel on retrouve tous les renseignements relatifs, par exemple, aux clients (nom, adresse, numéro du client) ainsi que le solde qui nous est dû par ces clients.

Pour chacun des clients, l'ordinateur prendra le solde dû par le client se trouvant dans le fichier maître du début du mois et y ajoutera toutes les ventes faites à ce client au cours du mois. Ces ventes se trouvent dans le fichier mouvement. Puis il soustraira le montant des encaissements et des notes de crédit accordées à ce client. Ces renseignements sont également pris dans le fichier mouvement. Ayant calculé ainsi le nouveau solde dû par le client à la fin du mois, l'ordinateur ira placer ce nouveau solde dans le fichier maître. C'est ce qu'on appelle une mise à jour du fichier maître.

Quant aux rapports, ils sont produits par l'ordinateur à partir de l'un ou l'autre de ces fichiers (mouvement et maître) ou des deux à la fois. Ils sont imprimés au moyen d'une imprimante ou ils apparaissent à l'écran, selon la demande faite par l'utilisateur.

Si nous prenons une vente à crédit, par exemple, nous aurions les étapes données à la figure 8-3 pour l'inscription d'une facture au grand livre auxiliaire des comptes « Clients » et pour le calcul du nouveau solde dû par le client, selon que le traitement s'effectue manuellement ou par ordinateur.

Contrairement à l'exemple précédent, il arrive parfois qu'on n'utilise aucun document à l'entrée. Les faits économiques sont alors recueillis en transmettant directement à l'ordinateur, à l'aide d'un terminal, les données qui peuvent alors immédiatement être traitées. C'est le cas par exemple lorsqu'une personne téléphone à une société aérienne pour réserver un billet d'avion. Le préposé au terminal entre les divers renseignements nécessaires à la réservation du billet au fur et à mesure qu'ils lui sont donnés par le client. L'ordinateur lui fera alors paraître à l'écran les renseignements comme l'heure, le jour, le prix, les escales. Si le client est d'accord pour réserver, le préposé au terminal donnera ordre à l'ordinateur de procéder à la réservation.

8.5 SYSTÈME INFORMATISÉ

Notions générales

Nous avons vu que le système d'information nécessitait la présence d'un processus de transformation (traitement) comme un de ses éléments constituants, ce processus pouvant être un traitement manuel ou informatisé.

La différence essentielle entre les divers modes de traitement provient du moyen utilisé pour exécuter ce traitement, moyen qui a des répercussions sur le média par lequel les données sont recueillies et les informations communiquées. Dans un système manuel, c'est la personne et le papier qui en constituent les composantes principales. Dans un système informatisé, c'est l'ordinateur et les divers appareils qui l'accompagnent qui, avec les enregistrements magnétiques, constituent les composantes essentielles. C'est ce système informatisé que nous allons maintenant analyser, chaque terme étant défini au besoin.

FIGURE 8-3

Comparaison entre traitement manuel et traitement informatisé

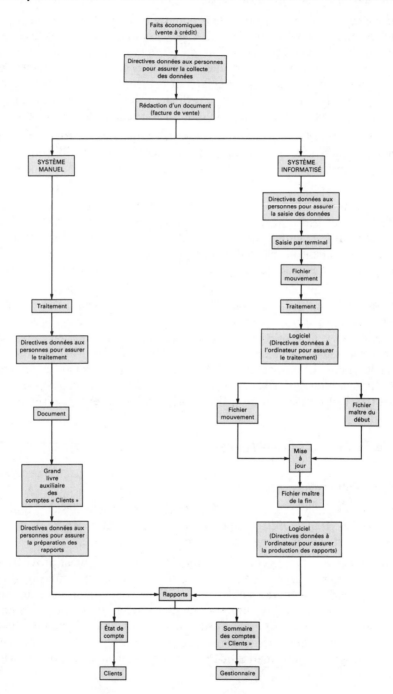

Un système informatique est constitué de divers appareils:
— permettant aux personnes d'entrer certaines données (terminal);
— assurant l'enregistrement ou la lecture (dérouleur de bande magnétique, unité de disque) de ces données sur des supports magnétiques (bande magnétique, disque);
— permettant le traitement (unité centrale de traitement);
— visant à communiquer des informations (terminal, imprimante) aux personnes autorisées à les recevoir.

Historique

L'histoire des ordinateurs est liée à celle du calcul. Cependant, nous nous contenterons de noter les inventions suivantes, qui ont préparé la venue de l'ordinateur:
— la première machine à calculer, inventée par Blaise Pascal en 1642;
— une machine capable d'effectuer des calculs complexes, inventée par Gottfried Leibnitz en 1689;
— la carte perforée, inventée par Jacquard en 1728.

L'histoire des ordinateurs débute avec Babbage en 1801. Il avait conçu la première machine correspondant à l'esprit des ordinateurs modernes. Cette calculatrice automatique recevait ses instructions par l'intermédiaire de cartes perforées. L'idée n'eut pas de suite.

Hollerith, tirant profit des théories et des idées de Babbage, se chargea d'en mettre certaines en pratique. Dès 1890, ce furent les débuts de l'automation: le lancement de la première calculatrice électro-mécanique. Cette découverte eut pour origine la nécessité de compiler plus rapidement les données du recensement de 1890 aux États-Unis, car la compilation du recensement précédent avait duré sept ans.

C'est cependant en 1944 seulement que Aiken construisit à Harvard la toute première machine numérique à partir d'éléments électro-mécaniques à relais. Cette machine semi-automatique faisait le pont entre les calculatrices électro-mécaniques et les ordinateurs.

Le début de l'ère des ordinateurs commence véritablement avec la fabrication, en 1946, de l'appareil de J. W. Mauchly et J. P. Eckert. Il pesait 30 tonnes, occupait 165 mètres carrés de surface et comprenait 1 800 tubes à vide qui dégageaient énormément de chaleur.

Le premier ordinateur commercial, capable de traiter à la fois des données numériques et alphabétiques, fut l'Univac 1, inventé en 1954.

C'est en 1958 qu'on remplaça les tubes à vide par les transistors. Nous voici rendus aujourd'hui à l'ère des circuits imprimés et des rayons laser.

Toutes les transformations ultérieures eurent pour but de réduire le volume et le poids des ordinateurs tout en améliorant leur vitesse et la capacité de leur mémoire.

Composantes

Si on procède par analogie, un système informatisé de traitement est constitué d'un cerveau (logiciel), d'un cœur (unité centrale de traitement) et de membres (périphériques). Quels que soient la grosseur ou le type d'emploi auquel il est destiné (robotique, utilisations ménagères, calculs, traitement des données), on retrouve toujours, sous des formes diverses, ces trois parties essentielles au fonctionnement d'un ordinateur.

Logiciel

Le **logiciel** est une suite d'instructions dictant à l'unité centrale le travail à accomplir pour résoudre un problème ou pour produire l'information demandée.

Il peut s'agir d'un ensemble d'instructions destinées à l'unité centrale de traitement pour lui dicter la manière de fonctionner, les appareils à utiliser et les calculs à exécuter. Il s'agit du **logiciel d'exploitation**. On peut aussi donner à l'unité centrale des directives propres au traitement d'une application particulière, comme la paie. Ce **logiciel d'application** va indiquer à l'unité centrale de traitement comment analyser les données qui lui sont soumises, pour en détecter les erreurs (validation), comment ces données doivent faire l'objet de calculs et quelles informations doivent être produites sur des rapports écrits ou sur un écran.

Le logiciel d'exploitation est fourni habituellement avec l'ordinateur. Le logiciel d'application peut être rédigé par les employés du service informatique (analyste et programmeur) ou encore être acheté pour être utilisé tel quel ou après modifications.

Unité centrale de traitement

L'**unité centrale de traitement** est le maître d'œuvre de toutes les opérations. Ensemble de mécanismes et de circuits, l'unité centrale de traitement interprète les instructions reçues, les exécute ou les fait exécuter par les périphériques. Elle dispose de mécanismes de calcul et d'une mémoire.

On y retrouve une **unité de contrôle** qui gère le fonctionnement de l'ensemble des parties. On y retrouve aussi une **unité logique-arithmétique** qui interprète les instructions reçues et procède aux calculs et aux comparaisons demandées. Il faut enfin une **mémoire interne** dans laquelle vont se retrouver les instructions à exécuter de même que les données à traiter.

Périphériques

Les périphériques sont des appareils servant à faire le lien entre les personnes et l'ordinateur ou à entreposer des données.

Il s'agit d'appareils qui servent à la **saisie** des données (terminal, caisse enregistreuse), c'est-à-dire à enregistrer sur un support lisible par la machine les données déjà inscrites sur un document ou celles qui sont reçues de vive voix par le préposé au terminal. Un **terminal** est un appareil avec clavier et écran. On y frappe les diverses touches comme pour dactylographier. Les données ainsi inscrites peuvent être transmises à l'ordinateur qui les enregistre sur un support magnétique. L'écran permet de voir les données inscrites par le préposé et de recevoir certains messages de l'ordinateur.

Une **caisse enregistreuse** peut être reliée à l'ordinateur. Le caissier y inscrit le numéro et le prix de l'article, et l'opération est alors enregistrée sur support magnétique par l'ordinateur. On peut aussi utiliser un lecteur optique pour saisir les données directement sur l'étiquette du produit et les transmettre à l'ordinateur. Dans un tel cas, l'intervention humaine est réduite à sa plus simple expression.

Il peut aussi s'agir d'appareils permettant de transmettre de l'information à un utilisateur (terminal, imprimante). Un terminal peut être utilisé pour recevoir des messages ou des rapports grâce à l'écran dont il dispose et sur lequel apparaissent les informations transmises par l'ordinateur. Un terminal peut parfois aussi être relié à une imprimante. Le rapport est alors imprimé sur papier.

Parmi les périphériques, on retrouve des appareils dont le rôle est de conserver des données sur des supports magnétiques (unité de disque, dérouleur de bande).

Un **dérouleur de bande** est un appareil servant à écrire ou à lire sur une **bande magnétique**, qui est un ruban, similaire à celui d'une cassette vidéo, sur lequel on enregistre les données qu'on veut conserver. Il est possible d'utiliser (lecture) les renseignements qui s'y trouvent à l'aide d'un dérouleur de bande qui lit les renseignements et les transmet à l'ordinateur. À l'inverse, l'ordinateur peut transmettre au dérouleur de bande certaines données que celui-ci enregistre (écriture) sur la bande.

Une **unité de disque** est un appareil permettant d'utiliser (lecture) les renseignements qui se trouvent sur un disque, de les transmettre à l'ordinateur ou de recevoir de l'ordinateur des renseignements que ce dernier enregistre sur le disque (écriture).

Une simple **lecture** n'efface pas les renseignements se trouvant sur le support magnétique, de la même façon que l'écoute d'une chanson sur une cassette n'a pas pour effet de l'effacer.

Cependant, une **écriture** sur un ruban magnétique ou sur un disque a pour effet d'effacer les renseignements qui y figurent, comme c'est le cas lorsqu'on enregistre une nouvelle chanson sur une cassette: cette dernière chanson efface celle qui s'y trouvait auparavant.

Les données

Chaque donnée à lire ou à traiter doit être bien identifiée pour pouvoir être reconnue et distinguée par l'ordinateur.

Prenons l'exemple (voir le tableau 8-3) des divers renseignements permettant d'identifier un client. L'ensemble des renseignements propres à un client porte le nom d'**enregistrement**. Chacun des renseignements inclus dans cet enregistrement porte le nom de **champ**.

Dans un champ, on retrouve donc divers caractères qui peuvent être alphabétiques (Maurice Leblanc), numériques (0002) ou alphanumériques (106, rue Thomas, Montréal).

Un **fichier maître** est constitué de l'ensemble des renseignements nécessaires pour procéder au traitement d'une application particulière. Il s'agit principalement de données permanentes comme le nom, l'adresse et le numéro de téléphone de chacun des clients d'une entreprise. On y retrouve aussi d'autres données qui, elles, peuvent être modifiées lors du traitement, comme le solde dû par chacun des clients.

TABLEAU 8-3

**Exemple de champs pour
un enregistrement « Client »**

Enregistrement	Champ	Donnée
Client	Code du client	0002
	Nom du client	Maurice Leblanc
	Adresse	106, rue Thomas, Montréal
	Limite de crédit	500 $
	Solde dû	436 $

L'ensemble des renseignements concernant tous les clients de l'entreprise (grand livre auxiliaire des comptes « Clients ») constitue ce qu'on appelle le fichier maître des comptes « Clients ».

On regroupe dans un **fichier mouvement** toutes les opérations survenues pendant une certaine période et concernant une application particulière. S'il s'agissait, par exemple, de l'ensemble des opérations de vente et d'encaissement d'une période, nous aurions là ce qu'on appelle le fichier mouvement du système de ventes à crédit.

Grâce au contenu des deux fichiers précédemment décrits, il est possible de procéder à la **mise à jour**, c'est-à-dire au calcul du nouveau solde de chacun des clients en intégrant le résultat des opérations de la période au solde dû par ces clients au début de la période.

Type de traitement

On peut distinguer deux façons dont le traitement des données peut s'effectuer. Il s'agit du **traitement par lot** et du **traitement en temps réel**.

Traitement par lot

Dans un grand nombre d'applications qu'on retrouve dans l'entreprise, on procède, comme dans le cas des factures de vente, à la rédaction d'un document pour chacune des opérations. Ces documents sont accumulés pendant une certaine période. On en fait des paquets qu'on appelle **lots**. Ces lots sont alors transmis à un opérateur de saisie des données, qui s'occupe d'entrer les données à l'aide d'un terminal. Ces données sont alors enregistrées sur bandes magnétiques ou sur disques pour être ensuite traitées.

Si l'on utilise des bandes magnétiques pour le traitement, il nous faudra au préalable procéder à un tri des opérations afin que celles-ci soient classées dans le même ordre que les enregistrements du fichier maître. Cette exigence est amenée par la nature même de la bande magnétique. Par exemple, pour pouvoir lire un enregistrement, il faut d'abord lire tous les enregistrements précédents. Il serait tout à fait inefficace de dérouler la bande magnétique dans tous les sens pour retrouver l'enregistrement suivant. On qualifiera alors le traitement de **traitement séquentiel**.

Traitement en temps réel

Bien souvent, on ne peut même pas rédiger de document au moment de la transaction. C'est ainsi que si une personne téléphone pour réserver un billet de théâtre, l'employé qui répond entrera directement les données du client à l'aide d'un terminal, ce qui le mettra directement en liaison avec l'ordinateur. L'opérateur peut donc répondre à toutes les questions du client tout en réservant immédiatement sa place pour la représentation demandée.

On traite ainsi individuellement chacune des opérations au fur et à mesure qu'elles surviennent. Ce type de **traitement en temps réel** a l'avantage évident de permettre au gestionnaire d'avoir en tout temps une vue exacte de la situation de son entreprise, puisque chaque opération a pour effet de mettre immédiatement à jour les données et de calculer les nouveaux soldes.

Les qualités d'un bon système

On peut déjà, compte tenu des brèves explications données sur le système informatique, identifier certaines qualités ou avantages de ce système par rapport au système manuel.

Au chapitre 1, nous avons vu quelles étaient les qualités d'une bonne information. Reprenons-les maintenant en faisant le lien entre ces qualités et le mode de traitement ou les moyens retenus.

L'information doit être fiable

Il s'agit de s'assurer que toutes les opérations autorisées ont été enregistrées une seule fois, et ce correctement.

C'est donc la rédaction des documents qui est en cause. Il est facile de reconnaître qu'un tel travail d'inscription des données sur un document est une source inévitable d'erreurs. Il faudra former adéquatement le personnel en vue de l'exécution de ses fonctions et prendre tous les moyens pour détecter et pour découvrir ces erreurs. On peut à cet effet demander à une autre personne de procéder à une révision, ou encore comparer une donnée avec la même donnée apparaissant sur un autre document. On peut aussi songer à réduire ces interventions humaines en ayant des renseignements déjà imprimés sur le document (comme le numéro du document) ou en cherchant à éliminer ce travail d'inscription pour le remplacer par des appareils, comme le lecteur optique capable de lire les données inscrites sur une étiquette.

Cependant, les erreurs peuvent provenir des retranscriptions dans les divers journaux ou grands livres. Des calculs doivent aussi être effectués. Des erreurs humaines causées par la fatigue ou par la distraction sont toujours possibles. Fort heureusement, avec l'ordinateur, si les directives (logiciel) sont claires et sans erreur, le traitement se fera d'une façon uniforme et sans erreur. Notons toutefois que toute cette fiabilité offerte par le traitement par ordinateur dépend de la qualité du logiciel et de celle du matériel utilisé. D'autre part, le résultat ne pourra pas être exact si les données à la saisie sont erronées et que ces erreurs ne sont pas décelées par l'ordinateur.

349

L'information doit être pertinente

La pertinence de l'information résulte d'une étude sérieuse des besoins des utilisateurs. Ceci est vrai quel que soit le système de traitement utilisé.

Avec l'ordinateur, on peut espérer satisfaire plus de besoins d'information, compte tenu de la grande capacité de conservation des données et de la vitesse phénoménale avec laquelle l'ordinateur peut procéder à l'analyse de ces données.

Pour être pertinente, l'information doit être structurée selon le concept de la responsabilité: on informe quelqu'un sur ce qui relève de sa responsabilité ou sur ce dont il a besoin pour assumer cette dernière. Cette information doit être présentée d'une façon intelligible, simple, claire et précise. L'utilisateur doit pouvoir la comprendre et l'utiliser sans difficulté. L'information doit pouvoir être interprétée correctement et facilement. Elle doit enfin inciter à l'action et à la prise de décision.

De plus, les capacités de l'ordinateur d'appliquer les directives des gestionnaires permettent de confier à l'ordinateur certaines prises de décision (décisions programmées) permettant à ces derniers de se préoccuper des cas d'exception.

L'information doit être produite au coût le plus faible possible

Dès qu'on retrouve un nombre élevé d'opérations nécessitant un traitement routinier ou répétitif, l'ordinateur devient le moyen le plus économique de réaliser ce traitement surtout si les calculs sont nombreux ou si les analyses effectuées à partir des mêmes données sont diversifiées.

L'information doit être produite à temps

Grâce à sa vitesse de calcul et de traitement, l'ordinateur est capable de procéder rapidement à ces travaux, mais le problème de la transmission de l'information au moment où l'utilisateur en a besoin demeure malgré tout.

Pour assurer la réalisation de cet objectif et aussi pour accroître la pertinence de l'information produite, il faut faire appel à la gestion par exception. L'information ne devra porter que sur les faits exceptionnels qui nécessiteront une intervention humaine. Tout ce qui peut être confié à l'ordinateur devrait l'être.

Le traitement en temps réel permet une mise à jour continue d'une partie ou de l'ensemble du système comptable.

Autres remarques

L'ordinateur nécessite l'élaboration complexe de systèmes, en particulier la rédaction de logiciels. Si le système n'est pas bien conçu, on ne pourra pas produire certaines informations ou certaines seront erronées.

Le travail humain rend le système manuel plus flexible, car il peut compter sur l'expérience et le jugement des personnes, qui permettent l'adaptation aux circonstances non prévues.

L'implantation de nouveaux systèmes sur ordinateur peut représenter des coûts initiaux importants en matière de rédaction de logiciels, d'essai, de rédaction des procédures et de préparation de fichiers.

On peut assister à une réaction négative de la part des employés qui, craignant pour leur emploi ou pour leurs habitudes de travail, peuvent créer un climat social malsain au sein de l'entreprise.

Un danger subsiste: on peut utiliser l'ordinateur comme une machine à imprimer des rapports plus volumineux les uns que les autres, produisant des amoncellements de papier sans utilité pour les gestionnaires.

EXEMPLE D'APPLICATION

Nous allons illustrer ces diverses notions reliées au système informatisé par un exemple simple, en ne nous attachant qu'aux éléments fondamentaux d'un tel système et en employant un langage et une forme qui permettent d'en saisir facilement les diverses facettes.

Dans le problème à solution commentée 7-A (voir le chapitre 7), nous avons procédé à la comptabilisation des opérations en faisant appel à un système manuel d'enregistrement.

Supposons que, pour le mois de mai, on veuille utiliser un ordinateur pour l'enregistrement des ventes à crédit et des encaissements des comptes « Clients » de Monsieur René Dubois afin de calculer les soldes dus par les clients en date du 31 mai.

Pour faire appel à un ordinateur, compte tenu par exemple du coût d'acquisition de tels appareils, il faudrait bien sûr que le nombre d'opérations mensuelles soit plus élevé que ce qu'il est possible de présenter dans un ouvrage comme celui-ci. En tenant compte de cette restriction, voici les opérations commerciales qui ont eu lieu en mai. Nous allons identifier les opérations par une numérotation des documents utilisés.

07-05-19__1   Monsieur Dubois fait les ventes à crédit suivantes:
                — facture n° 8, M. Leblanc: 150 $ plus 9% de taxe;
                — facture n° 9, M. Pinson: 475 $ plus taxe.

12-05-19__1   Monsieur Dubois reçoit de M. Saint-Amour un chèque de 1 090 $ (pièce justificative n° M-1).

17-05-19__1   Monsieur Dubois reçoit de M. Pinson un chèque de 545 $ (pièce justificative n° M-2).

23-05-19__1   Monsieur Dubois fait une vente à crédit à M. Leblanc pour une somme de 375 $ plus taxe (facture n° 10).

29-05-19__1   Monsieur Dubois fait à Babel Construction une vente à crédit de 500 $ sans taxe (facture n° 11).

Chacune des ventes effectuées en mai a nécessité la collecte de certains renseignements qui ont été consignés sur des factures. Ces factures comportent un numéro préimprimé permettant de les identifier, d'y faire référence et de nous assurer qu'il n'en manque aucune, par une simple vérification de la séquence numérique des factures.

Ces factures vont servir directement à l'inscription de la vente par un teneur de livres dans le journal des ventes, tout comme s'il s'agissait d'un système manuel de traitement. Voilà la façon de faire que nous avons retenue même si nous faisons appel à l'ordinateur pour le traitement des comptes « Clients ».

De même, la réception des encaissements provenant de clients a donné lieu à la rédaction d'une liste des encaissements sur laquelle apparaît le nom du client, son code et le montant reçu, ainsi que la date de l'encaissement. Cette liste sera, elle aussi, prénumérotée à des fins de référence et pour éviter qu'un encaissement ne se perde à notre insu.

Cette liste sert à préparer le dépôt à la banque. Elle permet aussi l'inscription, par un commis, des encaissements dans le journal des recettes, tout comme s'il s'agissait d'un système manuel de traitement.

Enregistrement des opérations sur bandes magnétiques

Puisqu'on fait appel à un ordinateur pour procéder au traitement de ces opérations, ces dernières devront être transcrites sur un support qui soit lisible par les appareils. Les renseignements seront inscrits sur une bande magnétique lors de l'étape de la saisie de données.

Puisque nous avons affaire à deux opérations distinctes dont l'une, la vente, vient augmenter le solde du client et l'autre, l'encaissement, vient diminuer ce solde, il faut penser à les distinguer pour l'ordinateur. Tout comme on peut distinguer pour les personnes deux opérations distinctes en attribuant un numéro différent aux documents utilisés ou en utilisant des documents de formats différents ou de couleurs différentes, de même faut-il trouver moyen d'indiquer à l'ordinateur qu'il s'agit de deux opérations distinctes nécessitant chacune un traitement particulier.

Supposons que cette distinction soit faite en attribuant aux ventes le code « 1 » placé comme renseignement additionnel à chacune des ventes apparaissant au fichier mouvement. Quant aux encaissements, on y ajoutèra le code « 2 ».

Les renseignements retenus pour ces opérations vont constituer les champs d'un enregistrement tel qu'indiqué au tableau 8-4.

TABLEAU 8-4

Description d'un enregistrement au fichier mouvement

Code du client
Code d'opération
  1) pour une facture de vente
  2) pour un encaissement
Numéro du document
Date
Montant

Les factures de vente sont donc remises à un préposé au terminal, qui procède à la saisie de ces opérations. Ce préposé tape sur le clavier du terminal les données pertinentes figurant sur la facture.

Comme le terminal est relié à l'ordinateur, les données sont donc transmises à l'ordinateur. Ce dernier va alors, grâce à un logiciel conçu à cette fin, interpréter ces renseignements puis les transmettre au dérouleur de bande pour que cet appareil les enregistre sur la bande magnétique.

On obtient ainsi le fichier mouvement (tableau 8-5) qui contiendra l'ensemble des opérations de vente à crédit du mois de mai. Ce fichier constitue l'équivalent du journal des ventes. Chaque ligne du tableau représente un enregistrement.

On notera qu'on aurait pu y inscrire plus de renseignements, comme le numéro du vendeur qui a fait la vente, de telle sorte qu'on puisse produire un rapport indiquant le total des ventes effectuées par chacun des vendeurs. On voit ici que les données à recueillir dépendent des besoins d'information du gestionnaire.

De la même façon, les listes des encaissements ont été remises au préposé à la saisie des encaissements qui, à l'aide de son terminal, a enregistré ces opérations sur bande magnétique.

TABLEAU 8-5

Fichier mouvement
des ventes à crédit
mai 19__1

Code du client	Code d'opération	Numéro document	Date	Montant
0002	1	8	070519__1	163,50
0003	1	9	070519__1	517,75
0002	1	10	230519__1	408,75
0006	1	11	290519__1	500,00

On obtient alors le fichier mouvement des encaissements (tableau 8-6) du mois de mai, qui constitue l'équivalent du journal des recettes.

TABLEAU 8-6

Fichier mouvement
des encaissements
mai 19__1

Code du client	Code d'opération	Numéro document	Date	Montant
0004	2	M-1	120519__1	1 090,00
0003	2	M-2	170519__1	545,00

La figure 8-4 résume les étapes accomplies jusqu'à présent.

FIGURE 8-4

Saisie des opérations

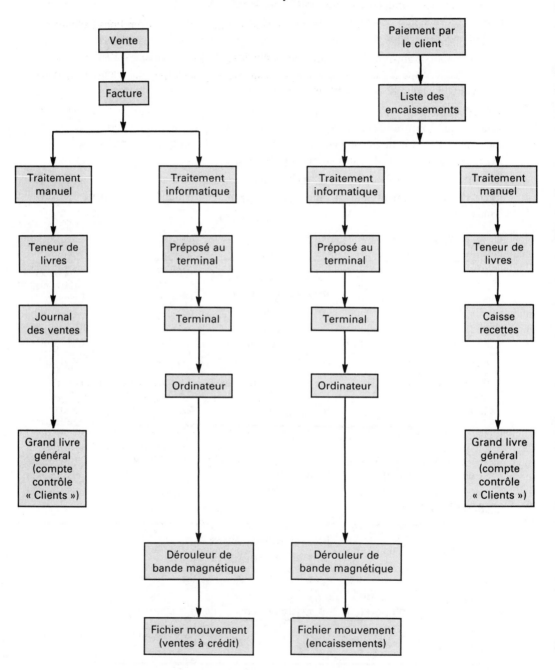

Pour faciliter le déroulement technique du travail effectué par l'ordinateur, il nous faut faire appel à certaines étapes supplémentaires.

1) Nous allons fusionner les données se trouvant sur ces deux bandes magnétiques pour nous permettre de retrouver sur une seule bande magnétique toutes les opérations de ventes à crédit et d'encaissements du mois de mai.

2) Parce que nous utilisons des bandes magnétiques, des considérations techniques nous obligent à trier toutes ces opérations dans un certain ordre. Supposons que toutes les opérations ont été classées selon l'ordre numérique croissant du code des clients.

On obtiendrait alors le fichier mouvement des opérations de mai (tableau 8-7).

TABLEAU 8-7

Fichier mouvement trié
mai 19__1

Code du client	Code d'opération	Numéro document	Date	Montant
0002	1	8	070519__1	163,50
0002	1	10	230519__1	408,75
0003	1	9	070519__1	517,75
0003	2	M-2	170519__1	545,00
0004	2	M-1	120519__1	1 090,00
0006	1	11	290519__1	500,00

Fichier maître des comptes « Clients »

Pour permettre de procéder au calcul des nouveaux soldes dus par les clients (mise à jour), il faut disposer d'une deuxième bande magnétique sur laquelle nous retrouverons des renseignements au sujet de chacun des clients ainsi que le solde qui nous est dû par chacun d'eux. Ce sera notre grand livre auxiliaire des comptes « Clients », que nous nommerons *fichier maître des comptes « Clients »*, et qui contiendra, pour chacun des enregistrements, certains champs tel qu'indiqué au tableau 8-8.

TABLEAU 8-8

Description d'un enregistrement du fichier maître

Code du client
Nom du client
Adresse du client
Limite de crédit
Solde dû

Prenons la liste des comptes « Clients » donnée en réponse à la question 4 du problème à solution commentée 7-A (page 306). Nous avons attribué un numéro à chacun des clients. C'est l'aspect « codification » si important dans un système informatisé. Le tableau 8-9 reproduit la liste des comptes « Clients » en date du 30 avril 19__1, que nous retrouvons dans le grand livre auxiliaire des comptes « Clients » de l'entreprise.

TABLEAU 8-9

Liste des comptes « Clients »
au 30 avril 19__1

0001	M. Boisvert	0 $
0002	M. Leblanc	436
0003	M. Pinson	545
0004	J.A. Saint-Amour	1 090
0005	Y. Saint-Laurent	1 308
0006	Babel Construction	4 000

Nous supposons que, lors d'une étape particulière que nous ne voulons pas illustrer ici, le gestionnaire a dressé la liste de ses clients actuels en y inscrivant tous les renseignements pertinents sur chacun d'eux. Cette liste a été remise au préposé au terminal qui a procédé à la saisie des diverses données. Le gestionnaire s'est ensuite assuré que le contenu du fichier maître était conforme en tous points aux données inscrites sur sa liste. Nous avons donc à notre disposition sur bande magnétique le fichier maître des comptes « Clients » du 30 avril 19__1 (grand livre auxiliaire des comptes « Clients ») que nous retrouvons au tableau 8-10.

TABLEAU 8-10

Fichier maître
des comptes « Clients »
au 30 avril 19__1

Code	Nom	Adresse	Limite de crédit	Solde dû
0001	Boisvert, Arthur	13, Guy, Montréal	700	0,00
0002	Leblanc, Maurice	106, Thomas, Montréal	500	436,00
0003	Pinson, Normand	838, Éric, Montréal	700	545,00
0004	Saint-Amour, J.A.	112, Valois, Montréal	1 500	1 090,00
0005	Saint-Laurent, Y.	335, Décarie, Montréal	1 500	1 308,00
0006	Babel Construction	119, Bourgie, Laval	5 000	4 000,00

Logiciel

Il va nous falloir un logiciel pour donner les directives à l'ordinateur lui permettant de procéder à la mise à jour des comptes « Clients ». Ce logiciel sera placé dans la mémoire interne de l'ordinateur. Nous avons numéroté les instructions afin d'en faciliter le suivi. Il ne s'agit cependant pas, bien sûr, d'un réel langage de programmation.

1) Lire le premier enregistrement du fichier maître et le mettre dans la mémoire interne de l'ordinateur (code du client, nom, adresse, limite de crédit, solde dû). Lire le premier enregistrement du fichier mouvement et le mettre dans la mémoire interne (code du client, code d'opération, numéro du document, date, montant). Puis passer à l'instruction 4.

2) Lire un enregistrement dans le fichier maître des comptes « Clients » et le mettre dans la mémoire interne de l'ordinateur (code du client, nom, adresse, limite de crédit, solde dû). S'agit-il de la fin du fichier maître ? Si oui, arrêter le traitement. Sinon, passer à l'instruction 4.

3) Lire un enregistrement du fichier mouvement et le mettre dans la mémoire interne (code du client, code d'opération, numéro du document, date, montant). S'agit-il de la fin du fichier mouvement ? Si oui, passer à l'instruction 8. Sinon, passer à l'instruction 4.

4) Le code du client obtenu par la lecture du fichier maître est-il égal ou plus petit[1] que le code du client obtenu par la lecture du fichier mouvement ? S'il est égal, l'ordinateur doit exécuter l'instruction 5. S'il est inférieur, l'ordinateur doit exécuter l'instruction 8.

5) S'agit-il d'une facture de vente (code d'opération « 1 »)? Si oui, passer à l'instruction 6. Si ce n'est pas un code « 1 », c'est donc le code « 2 » (ce sont les seules possibilités et on suppose que les erreurs ont été antérieurement éliminées). Dans ce cas, passer à l'instruction 7.

6) Ajouter le montant de la facture au solde dû par le client et conserver le résultat (nouveau solde) en mémoire interne. Puis retourner à l'instruction 3.

7) Soustraire le montant de l'encaissement du solde dû par le client et conserver le résultat (nouveau solde) en mémoire interne. Puis retourner à l'instruction 3.

8) Inscrire le code du client, son nom, son adresse, sa limite de crédit et son nouveau solde sur la bande magnétique qui constituera le nouveau fichier maître. Puis retourner à l'instruction 2.

---

[1] Il n'est pas possible que le code du client obtenu par la lecture du fichier maître soit plus grand que le code du client obtenu par la lecture du fichier mouvement. En effet, cela voudrait dire qu'on a une facture ou un encaissement pour un client au sujet duquel on n'a aucun renseignement inscrit au grand livre auxiliaire. Le traitement n'est donc pas possible. L'ordinateur signalerait une erreur et mettrait cette opération de côté, puis poursuivrait son travail avec l'opération suivante. Il faudrait alors corriger l'erreur en inscrivant dans le fichier maître les renseignements relatifs à ce nouveau client.

Traitement

Il s'agit pour l'ordinateur d'exécuter les instructions du logiciel afin d'accomplir la mise à jour qui lui est demandée. La figure 8-5 représente graphiquement le travail à accomplir.

FIGURE 8-5

Processus de mise à jour des comptes « Clients »

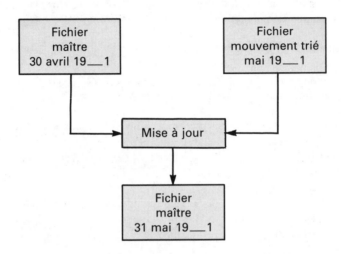

Les opérations exécutées par l'ordinateur sont présentées au tableau 8-11 selon la démarche déterminée par le logiciel présenté précédemment. Les enregistrements lus ne sont représentés que par le code du client, mais ce sont *tous* les champs qui seraient amenés dans la mémoire interne de l'ordinateur ou enregistrés sur le fichier maître du 31 mai 19___1.

Fichier maître du 31 mai 19___1

Le tableau 8-12 présente le contenu du nouveau fichier maître résultant de la mise à jour.

Communication

On pourrait faire imprimer un rapport qui serait la reproduction exacte du contenu du fichier maître. On pourrait faire paraître ce même contenu sur l'écran du terminal du gestionnaire. Le gestionnaire pourrait alors constater que M. Leblanc a dépassé sa limite de crédit. Il devra alors prendre une décision quant à ce client.

On pourrait demander à l'ordinateur de nous produire un rapport qui n'indiquerait que les clients dont le solde serait supérieur à la limite de crédit qui leur a été accordée.

TABLEAU 8-11

Traitement de mise à jour des comptes « Clients »

Numéro instruction	Enregistrement fichier maître 30 avril 19___1 – 1 –	Enregistrement fichier mouvement 1 mai 19___1 – 2 –	Traitement calcul ou comparaison 1 < = > 2	Enregistrement fichier maître 31 mai 19___1	
				Code client	Solde dû
1	0001...	0002...			
4			0001 < 0002		
8				0001...	0,00
2	0002...				
4			0002 = 0002		
5		1			
6			436,00 + 163,50 = 599,50		
3		0002...			
4			0002 = 0002		
5		1			
6			599,50 + 408,75 = 1 008,25		
3		0003...			
4			0002 < 0003		
8				0002...	1 008,25
2	0003...				
4			0003 = 0003		
5		1			
6			545,00 + 517,75 = 1 062,75		
3		0003...			
4			0003 = 0003		
5		2			
7			1 062,75 − 545,00 = 517,75		
3		0004...			
4			0003 < 0004		
8				0003...	517,75
2	0004...				
4			0004 = 0004		
5		2			
7			1 090,00 − 1 090,00 = 0,00		
3		0006...			
4			0004 < 0006		
8				0004...	0,00
2	0005...				
4			0005 < 0006		
8				0005...	1 308,00
2	0006...				
4			0006 = 0006		
5		1			
6			4 000,00 + 500,00 = 4 500,00		
3		fin			
8				0006...	4 500,00
2	fin				
arrêt du traitement					

TABLEAU 8-12

Fichier maître
des comptes « Clients »
au 31 mai 19__1

Code	Nom	Adresse	Limite de crédit	Solde dû
0001	Boisvert, Arthur	13, Guy, Montréal	700	0,00
0002	Leblanc, Maurice	106, Thomas, Montréal	500	1 008,25
0003	Pinson, Normand	838, Éric, Montréal	700	51/,/5
0004	Saint-Amour, J.A.	112, Valois, Montréal	1 500	0,00
0005	Saint-Laurent, Y.	335, Décarie, Montréal	1 500	1 308,00
0006	Babel Construction	119, Bourgie, Laval	5 000	4 500,00

Pour ce faire, l'ordinateur lirait chacun des enregistrements du fichier maître du 31 mai 19__1 et procéderait à la comparaison du solde dû et de la limite de crédit. Si le solde dû est supérieur à la limite de crédit, l'enregistrement serait imprimé sur le rapport. Sinon, l'ordinateur passerait à l'enregistrement suivant. On aurait alors le rapport présenté au tableau 8-13.

Enfin, on aurait évidemment pu penser à faire produire par l'ordinateur l'état de compte de chaque client. Si nous désirons un tel état de compte, nous devons modifier notre logiciel comme suit.

L'instruction 8 serait modifiée pour se lire ainsi:

Inscrire le code du client, son nom, son adresse, sa limite de crédit et son nouveau solde sur la bande magnétique qui constituera le nouveau fichier maître. Puis passer à l'instruction 9.

Une instruction 9 serait ajoutée.

TABLEAU 8-13

Liste des comptes hors limite
au 31 mai 19__1

Code	Nom	Adresse	Limite de crédit	Solde dû
0002	Leblanc, Maurice	106, Thomas, Montréal	500	1 008,25

Procéder à l'impression de l'état de compte de la façon suivante:

    a) imprimer en haut, au centre de l'état de compte:

            M. Dubois Enr.

            33, rue Picasso

            Bois-Franc

            J0K 3P1

            432-1234

    b) imprimer à droite la date de la mise à jour

    c) imprimer à gauche:

        — le nom du client

        — son adresse

    d) imprimer:

        — le solde dû par le client au début du mois

        — chacune des opérations que le client a eues avec l'entreprise

        — le solde dû par le client en fin de mois

    e) imprimer:

        ce compte doit être payé dans les 15 jours qui suivent.

Puis passer à l'instruction 2.

On obtiendrait par exemple, pour le client Pinson, l'état de compte du tableau 8-14.

TABLEAU 8-14

État de compte

M. Dubois Enr.

3J, rue Picasso

Bois-Franc

J0K 3P1

432-1234

                                    31 mai 19_1

Pinson, Normand

838 rue Éric

Montréal

Solde initial	545,00$
0705 19_1 Facture no 9	517,75
1705 19_1 Paiement no M-2	(545,00)
Solde dû	517,75$

Ce compte doit être payé dans
les 15 jours qui suivent.

Pour conclure cet exemple, ajoutons qu'il serait essentiel que, parmi les rapports imprimés, nous puissions avoir le total des soldes du fichier maître des comptes « Clients » au 31 mai 19__1[1].

Cette information nous permettrait de nous assurer que le total du fichier maître correspond au solde du compte contrôle « Clients » du grand livre général. Ainsi, nous serions certains que toutes les opérations ont été traitées correctement par l'informatique. Cela nous assure aussi, évidemment, que l'enregistrement aux journaux auxiliaires et les reports au grand livre général ont été faits correctement.

---

[1] On aura bien compris que, pour obtenir ce total, il faudrait encore une fois modifier notre logiciel. Cela illustre bien que l'ordinateur ne peut exécuter le travail que dans la mesure où on lui dicte les instructions à exécuter. D'où l'importance pour le gestionnaire de bien définir ses besoins d'information **avant** que le système ne soit élaboré.

Lien avec le traitement manuel

À bien y penser, le commis préposé à l'enregistrement manuel des comptes « Clients » dans le grand livre auxiliaire procéderait-il vraiment différemment de l'ordinateur? Chaque enregistrement du fichier maître est remplacé par une page du grand livre auxiliaire. Chaque enregistrement du fichier mouvement est remplacé par le document (facture ou liste des encaissements). Le commis classera ses factures par ordre de client (tri). Il passera en revue chacune des pages du grand livre auxiliaire et fera une comparaison avec le document. S'il existe une opération correspondante pour ce client, il l'inscrira au grand livre auxiliaire et, à l'aide de sa calculatrice, il déterminera le nouveau solde du client en ajoutant le montant de la facture. Il procéderait de la même façon pour les listes d'encaissement, en soustrayant du solde de ce client au grand livre auxiliaire le montant de l'encaissement.

Une fois le travail terminé, il dressera une liste des clients qu'il remettra au gestionnaire responsable ou il rédigera l'état de compte.

Cet exemple d'application ne concernait que les comptes « Clients ». Le traitement des comptes « Fournisseurs » se déroulerait essentiellement de la même façon.

Traitement intégré

Il est possible de combiner différents systèmes en les interreliant, comme c'est le cas des systèmes de comptabilité sur micro-ordinateur utilisant des disquettes. La figure 8-6 représente graphiquement les opérations de vente et d'encaissement, dans le processus de mise à jour par ordinateur.

Une fois la mise à jour terminée, on pourrait faire produire une balance de vérification du fichier maître du grand livre général et une liste des comptes « Clients » du fichier maître des comptes « Clients ».

FIGURE 8-6

Illustration d'un système intégré de comptabilité

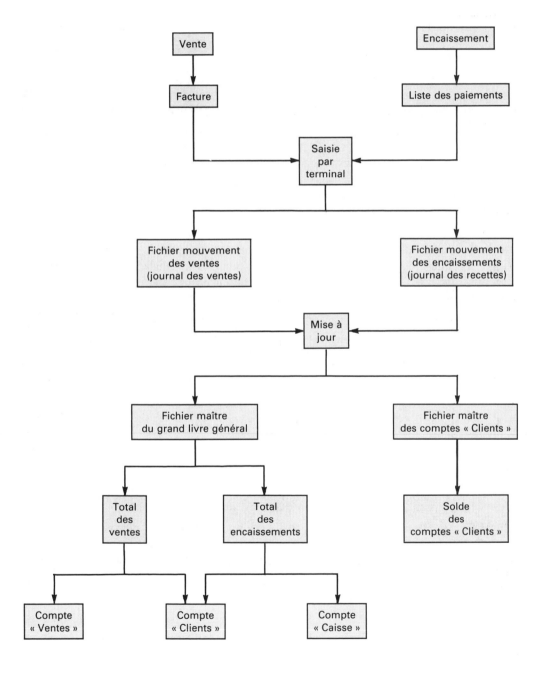

Remarquons ici que si le préposé à la saisie oublie une opération ou fait erreur sur une des données, c'est non seulement le fichier maître des comptes « Clients » qui est erroné, mais aussi le fichier maître du grand livre général. Il serait peu utile de comparer le total du fichier maître des comptes « Clients » avec le compte contrôle « Clients » du grand livre général, puisque les deux fichiers ont été mis à jour par la même opération. Il faut trouver un autre moyen de procéder au rapprochement entre les soldes des fichiers et les données qui ont été transmises, par exemple en s'assurant que le total des encaissements calculé par l'ordinateur correspond au total des sommes déposées à la banque selon le bordereau de dépôt.

8.6 DÉVELOPPEMENT DE SYSTÈMES D'INFORMATION

Qu'est-ce qui peut bien inciter l'entreprise à élaborer un système d'information pour assurer la gestion des marchandises ou un système de paie, ou encore à préférer mettre en place un système d'information relatif aux comptes « Clients »? Comment établit-elle ses priorités? Qui décide de ces priorités? N'importe quel système d'information est-il nécessairement adéquat pour l'entreprise? Comment décider du système dont l'entreprise a besoin?

L'information peut être comparée au sang qui circule dans le corps humain. Toutes les parties de l'organisme doivent être en bonne santé et remplir chacune leur tâche spécifique. Ce n'est que dans ces conditions que le sang viendra appuyer leurs actions et fournir à chacune de ces parties ce dont elle a besoin pour accomplir sa mission propre.

On peut aussi comparer l'information à la fondation sur laquelle repose toute la structure d'un bâtiment. Cette fondation ne peut être conçue et mise en place qu'en fonction du bâtiment lui-même, de ses caractéristiques et de l'utilisation qu'on compte en faire.

8.7 LES PRÉALABLES AU DÉVELOPPEMENT D'UN SYSTÈME D'INFORMATION

De ces comparaisons, il nous faut déduire qu'on ne peut développer un système d'information que si, au préalable:
— on a établi les grandes orientations de l'entreprise et les moyens qu'elle se donne pour atteindre ses objectifs;
— on a déterminé la structure de fonctionnement que l'entreprise juge la plus efficace dans les circonstances pour réaliser le travail à accomplir;
— on a mûri le processus de gestion afin que les bonnes décisions soient prises au bon moment par les gestionnaires.

But à poursuivre

Les gestionnaires doivent d'abord décider du but poursuivi par l'entreprise. Il peut s'agir d'atteindre une partie importante du marché dans un domaine particulier, à l'exemple des brasseurs de bière qui se font concurrence pour augmenter leur part du marché. Ce pourrait être la recherche d'un profit maximum dans un laps de temps relativement court, à l'exemple de la mise sur le marché des gadgets dont la durée de vie est courte mais dont le nombre d'unités vendues peut être phénoménal.

Le but de l'entreprise pourrait être aussi de créer un monopole, d'internationaliser ses activités, d'assurer une sécurité d'emploi ou de maximiser le bien-être des patients d'un hôpital.

Ces buts que se fixent les dirigeants pourront être atteints grâce à la mise en place de stratégies axées sur la qualité, le service, les prix peu élevés, la découverte de nouveaux produits ou l'acquisition d'entreprises existantes.

Le système d'information découle de ces décisions prises par les gestionnaires. Si l'entreprise décide, pour assurer son expansion, de procéder à l'ouverture de succursales, il faudra mettre en place un système d'information capable de calculer la rentabilité de chacune des succursales. Si elle veut améliorer son service à la clientèle par une livraison plus rapide des marchandises, le système d'information devra être modifié pour réduire le temps qui s'écoule entre la réception de la commande et l'impression du bon d'expédition pour les préposés à l'entrepôt.

La mise en place d'un système d'information n'est et ne peut pas être uniquement l'affaire des spécialistes du domaine informatique. Ces derniers ont en effet besoin des gestionnaires responsables de l'entreprise qui, seuls, connaissent et déterminent l'orientation de l'entreprise et de son fonctionnement.

Fonctionnement

L'entreprise est composée de diverses composantes humaines, financières et physiques interreliées afin d'atteindre certains objectifs. En tenant compte des stratégies adoptées, les dirigeants doivent se pencher sur la structure de fonctionnement de leur entreprise. Il s'agit de l'établissement des diverses fonctions à l'intérieur de l'entreprise et du rôle que chacune va y jouer.

Étudier le système d'information d'une entreprise consiste à étudier le réseau de communication qui permet d'interrelier les divers individus, les nombreuses tâches qu'ils ont à accomplir et les objectifs particuliers qui ont été attribués à chacun en vue d'assurer que l'ensemble de l'entreprise atteindra son objectif ultime. C'est ainsi que chaque vendeur se voit fixer un quota de ventes à atteindre pour la période à venir. Pour réaliser cet objectif particulier, on leur fournit des moyens pour rejoindre la clientèle. De son côté, l'équipe de production a pour mission d'assurer une production suffisante et de qualité pour répondre à la demande des clients. Ces deux équipes doivent travailler de concert et se coordonner d'une façon continue si l'entreprise ne veut pas se retrouver avec des surplus ou des manques de certains produits. Le tout est appuyé par l'équipe de marketing, qui cherche à influencer la clientèle en vue de faciliter le travail des vendeurs. Quant au trésorier, il procure à l'entreprise les fonds nécessaires à son fonctionnement. Il ne faut pas oublier l'équipe d'acheteurs, qui s'occupe d'acheter, selon les besoins de la production, toutes les matières premières nécessaires.

Cet ensemble ne peut fonctionner que si un système d'information bien conçu vient informer adéquatement chaque personne sur son rôle et sur la façon dont elle doit l'accomplir en coordination avec le rôle des autres et avec la façon dont ils l'accomplissent.

On comprendra alors assez facilement que, selon l'activité économique de l'entreprise (à savoir une industrie extractive ou manufacturière, un commerce ou un service), les objectifs, les moyens et donc l'information nécessaire ne seront pas les mêmes. C'est cette adaptation de la comptabilité aux formes économiques (et ce sera vrai aussi pour les formes juridiques) que nous étudierons pour adapter le modèle de base de la comptabilité aux différents besoins qui résultent de ces différentes formes.

Si les différents parties du corps sont mal coordonnées par des décisions incomplètes ou erronées, comme lorsque le système nerveux d'une personne est malade, la circulation sanguine ne peut que maintenir la vie sans guérir le corps. C'est ainsi que si l'entreprise est mal structurée, si les personnes ne sont pas appelées à prendre les décisions qui s'imposent, si la coordination entre les divers groupes ne se fait pas ou si les méthodes de travail sont mal conçues, le système d'information ne pourra pas améliorer le sort de l'entreprise, qui demeurera globalement inefficace.

Processus d'administration

Tout le processus de décision des gestionnaires repose sur une manière d'administrer l'entreprise. Cette façon de faire exige la planification, c'est-à-dire l'établissement d'objectifs à atteindre et la concrétisation de ces résultats espérés dans des budgets; elle implique la coordination des opérations; enfin, elle nécessite le contrôle, à savoir la constatation des résultats obtenus par rapport à ceux qu'on espérait et la prise de décision pour maintenir ou corriger la situation. C'est ce qu'on appelle le **contrôle budgétaire**. Un élément important du rôle du système d'information comptable consiste à assurer la transmission de ce type d'information.

On peut conclure qu'une entreprise ne peut survivre sans un système d'information efficace qui colle à sa réalité. Les dirigeants doivent porter beaucoup d'attention au fonctionnement de leur entreprise pour ensuite se questionner sur la nature et la quantité d'informations nécessaires pour permettre à cette entreprise de fonctionner tel que prévu. C'est ce que résume la figure 8-7.

Selon l'orientation qu'ils comptent donner à leur entreprise, selon le secteur particulier à développer compte tenu de la stratégie établie ou selon la fonction qui éprouve le plus de difficultés à cause d'un manque d'information, les dirigeants décideront des priorités à établir dans l'élaboration des systèmes d'information. L'ensemble des gestionnaires, parce que c'est pour eux et par eux qu'on met en place un système d'information, devront alors participer activement pour bien définir leurs besoins d'information.

FIGURE 8-7

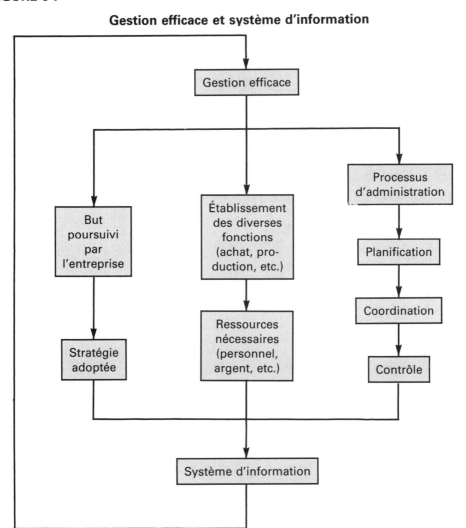

Gestion efficace et système d'information

8.8 LES CONDITIONS À RESPECTER POUR DÉVELOPPER UN SYSTÈME D'INFORMATION

Pour satisfaire aux besoins d'information des gestionnaires (et la démarche serait la même s'il s'agissait de satisfaire aux besoins d'information des actionnaires), il faudra procéder à l'élaboration ordonnée d'un ou plusieurs systèmes d'information. Pour se donner toutes les chances de succès, certaines façons de faire ont été élaborées.

Méthodologie de développement de systèmes

Une première condition à respecter concerne l'adoption d'une méthodologie de développement de systèmes.

Il est évident que la mise en place d'un système d'information n'est pas chose facile. Des besoins mal définis ou oubliés, des erreurs dans le traitement, une mauvaise définition des tâches à accomplir, et voilà que le système ne répondra pas pleinement aux besoins des utilisateurs. Son inefficacité pourra rendre son coût exorbitant, faire perdre des données ou retarder indûment la production d'informations. Dans certains cas, cela peut mettre en danger la survie même de l'entreprise.

On ne pourra penser à élaborer un système d'information adéquat que dans la mesure où on adopte une méthodologie éprouvée et où on en respecte le déroulement.

Il ne saurait être question ici de proposer une méthodologie formelle de développement de systèmes. Nous voulons tout au plus faire référence aux principales étapes qu'on devrait retrouver dans une telle méthodologie pour en faire ressortir les responsabilités de l'utilisateur de l'information.

Le **processus de développement** d'un système d'information consiste:
— à identifier les éléments d'information qui permettront de satisfaire aux besoins d'information des utilisateurs;
— à identifier les données à être recueillies pour assurer la production des informations;
— à imaginer un processus de transformation des données en informations;
— à choisir les moyens physiques ou électroniques qui permettront la collecte des données, leur traitement, leur mise en mémoire et la communication des informations;
— à mettre en place ce nouveau système et à en évaluer les performances.

La première étape à accomplir, lorsqu'un gestionnaire demande de procéder à la production d'un certain type d'information, est de s'assurer de l'adéquation du système d'information et du fonctionnement de l'entreprise. Ceci permet aussi de préciser les besoins du gestionnaire afin d'éviter les désagréments d'un oubli ou d'une mauvaise compréhension de ses besoins.

On en profitera pour faire une analyse du système d'information actuellement en place afin d'en déceler les faiblesses et les causes d'insatisfaction, mais peut-être aussi les points forts qu'on voudrait conserver.

Il apparaît important de noter que, de même que nous avons défini les systèmes d'information par rapport aux besoins de l'utilisateur, il est normal que le point de départ de la mise en place d'un nouveau système commence par l'identification des besoins des utilisateurs. C'est à juste titre que le chapitre 5 portait sur les états financiers définis comme l'information type devant être transmise aux propriétaires de l'entreprise. Ce n'est qu'au chapitre 7 et que dans le présent chapitre que les moyens de traitement ont été étudiés.

Ayant défini ses besoins d'information, l'utilisateur de l'information doit définir les règles de traitement et de regroupement qu'il veut voir respecter par le système. C'est, par exemple, l'identification des principes comptables retenus par l'entreprise ou l'élaboration des règles de décisions programmées.

Une fois les besoins d'information précisés, il faut élaborer concrètement le contenu des rapports à produire pour satisfaire aux besoins. C'est ainsi qu'on rédigerait le modèle et le format du contenu type des états financiers.

Partant de ces informations, selon le degré de détail demandé, on déterminera les données de base à recueillir, ce qui nous amènera à rédiger le plan comptable et à concevoir les documents de base.

Il restera à imaginer la nature des traitements qui devront être effectués pour transformer les données en informations. Par exemple, aurons-nous un grand livre auxiliaire des comptes « Clients » pour garder le détail des sommes qui nous sont dues, ou encore aurons-nous un inventaire périodique ou un inventaire permanent?

Dans un système manuel, on pensera à la conception des différents journaux et grands livres auxiliaires qui vont permettre d'assurer le traitement des données. Dans un système informatisé, il faudra concevoir le logiciel capable d'assurer le traitement des données et la communication des informations. Les divers fichiers devant être utilisés seront élaborés en identifiant les champs qu'on devra y retrouver.

Puis viendra le choix des moyens physiques ou électroniques à utiliser pour la collecte, le traitement et la communication. Dans un système manuel, ce sera l'achat des registres. Dans un système informatisé, il faudra envisager d'acheter ou de rédiger le logiciel capable de procéder aux traitements demandés. Une fois le logiciel choisi, l'acquisition de tous les appareils nécessaires pour la saisie, le traitement, la mise en mémoire et la communication fera l'objet de l'attention des gestionnaires.

Une fois tous les matériaux en main, il faudra mettre en exploitation ce système conçu sur papier et pour lequel on a obtenu registre, logiciel et matériel. Pour ce faire, il faudra préparer les fichiers maîtres en y inscrivant les données permanentes nécessaires à l'identification, par exemple, du client ou du compte du grand livre général, ou pour permettre certains calculs, comme le taux horaire de chaque employé. Il en sera de même pour la préparation du grand livre général ou des grands livres auxiliaires dans un système manuel.

Afin que chacun sache quel travail on attend de lui concernant l'utilisation de ce système, il faudra procéder à la rédaction de directives, de procédures, de documentation, pour tout le personnel participant de près ou de loin soit à la préparation des documents de base, soit à la saisie, au traitement ou à la communication des informations.

Puis ce sera le moment d'utiliser le nouveau système d'information. Il faudra être prudent parce que, malgré tous les efforts, il peut demeurer certaines déficiences qui devront être découvertes et corrigées rapidement. Une façon de découvrir ces déficiences consiste à travailler avec le nouveau système tout en continuant le traitement des opérations avec l'ancien système. En comparant les résultats obtenus des deux systèmes, on est à même de confirmer la qualité du nouveau. De fait, on poursuivra ce **travail en parallèle** aussi longtemps qu'on ne sera pas certain de la qualité optimale du nouveau système.

Participation du gestionnaire

Nous voudrions ici insister sur le rôle essentiel que peut jouer le gestionnaire touché par le nouveau système d'information que l'on veut mettre en place.

Il importe de bien définir ce que le gestionnaire veut obtenir comme information, sous quelle forme (rapport écrit ou sur écran) et à quelle fréquence ce rapport doit être produit (rapport quotidien, hebdomadaire ou mensuel).

Il sera aidé dans cette tâche par une personne spécialisée dans le domaine des systèmes d'information qu'on appelle **analyste**. Le gestionnaire ne doit cependant jamais délaisser sa responsabilité pour permettre à cet analyste de décider seul du système à élaborer et des informations à produire. Tout projet finalisé par l'analyste et indiquant un exemple de rapports produits et des documents de base utilisés, le contenu des fichiers ainsi que les opérations de traitement à effectuer, devra être étudié attentivement par le gestionnaire et approuvé par lui avant qu'on élabore le système en tant que tel.

Une autre phase importante dans l'élaboration d'un système d'information consiste à obtenir un logiciel permettant à l'ordinateur de traiter les données recueillies pour produire les informations.

Si l'entreprise décide de rédiger ce logiciel, elle devra faire appel à un autre type de spécialiste. C'est le **programmeur**, dont le rôle consiste à écrire les instructions, dans un langage particulier pouvant être interprété par l'ordinateur. Plusieurs **langages de programmation** peuvent être utilisés. On les appelle cobol, fortran, basic, pascal, etc. Pour rédiger les instructions, le programmeur se sert du projet élaboré par l'analyste et approuvé par le gestionnaire.

Puisque c'est en fonction de ces instructions que l'ordinateur exécutera toutes les tâches qu'on veut lui confier, le gestionnaire doit absolument s'assurer que le logiciel ne contient aucune erreur et que le programmeur n'a rien oublié. Sinon, les résultats seront erronés et le gestionnaire risque alors de prendre de mauvaises décisions ou encore de verser à un employé une paie erronée, avec toute l'insatisfaction et les réactions qui peuvent en découler.

En nous reportant à l'exemple du logiciel donné plus haut dans ce chapitre, supposons que le programmeur ait fait l'erreur suivante en rédigeant l'instruction 5.

> 5) S'agit-il d'une facture de vente (code d'opération « 1 »)? Si oui, passer à l'instruction 7. Si ce n'est pas un code « 1 », c'est donc le code « 2 » (ce sont les seules possibilités, et on suppose que les erreurs ont été antérieurement éliminées). Dans ce cas, passer à l'instruction 6.

Quelle serait la conséquence d'une telle inversion de chiffres?

L'ordinateur soustrairait du solde dû par le client toutes les factures de vente et additionnerait à ce solde tous les paiements effectués par ce client. Il est évident que les conséquences d'un tel traitement seraient graves, créant beaucoup d'insatisfaction chez les clients ou amenant des pertes importantes pour l'entreprise. Ainsi, le client Maurice Leblanc se retrouverait avec un solde créditeur de 136,25 $. Plutôt que de devoir 1 008,25 $ à l'entreprise, c'est elle qui lui en devrait 136,25 $. Quant au client Saint-Amour, il devrait à l'entreprise 2 180,00 $ au lieu d'avoir un solde nul. La découverte d'une telle erreur obligera l'entreprise à corriger le logiciel et à refaire le traitement, mais les dommages auront néanmoins été faits.

Pour éviter que des erreurs ne persistent, il faut que le gestionnaire teste le fonctionnement de ce logiciel avant qu'on ne l'utilise pour le traitement des opérations de l'entreprise. Le gestionnaire fait traiter quelques opérations par l'ordinateur. Il calcule manuellement les résultats auxquels devrait parvenir l'ordinateur, puis s'assure que les résultats obtenus par l'ordinateur sont conformes en tous points aux résultats qu'il a personnellement obtenus. Par exemple, si nous faisons traiter par l'ordinateur les opérations de la page 351, nous pourrions voir si l'ordinateur obtient les mêmes résultats que nous. Si oui, c'est que le logiciel est correctement rédigé. Voilà ce qu'on appelle un **jeu d'essai**.

Enfin, le gestionnaire doit intervenir dans la préparation des fichiers maîtres. Les erreurs touchant le contenu du fichier maître pourraient être graves, non seulement parce qu'il s'agit d'une erreur, mais aussi parce que la donnée erronée sera utilisée à plusieurs reprises, faussant ainsi plusieurs résultats. Par exemple, dans le fichier maître utilisé pour la paie, on retrouve le taux horaire devant être payé à l'employé. Chaque semaine, on donnera à l'ordinateur le nombre d'heures de travail effectuées et celui-ci, à l'aide du taux horaire, calculera le montant de la paie brute. Si on suppose une erreur dans le taux horaire, la paie brute de chaque semaine de cet employé sera faussée jusqu'à ce qu'on découvre l'erreur et les conséquences qu'elle a pu amener.

Il revient encore une fois au gestionnaire de s'assurer que tous les renseignements inscrits dans le fichier maître sont exacts et qu'ils correspondent à ce qu'il a autorisé. Pour ce faire, il comparera ce qu'il a inscrit sur le document de base avec le rapport résultant de l'impression du fichier maître.

Il reste maintenant à traiter du cas où l'entreprise doit acheter soit du matériel informatique, soit des logiciels.

Plutôt que de faire rédiger le logiciel par son personnel, l'entreprise peut décider d'acheter un logiciel existant vendu sur le marché. C'est particulièrement le cas de la petite entreprise qui désire s'informatiser. Parfois, on peut demander à l'entreprise vendeuse de procéder à certaines modifications du logiciel pour le rendre mieux adapté aux besoins des gestionnaires.

L'achat d'un logiciel nécessite de procéder à une évaluation des qualités du logiciel désiré: facilité de la saisie des données, rapports bien conçus, possibilité de calculs ou d'analyses, compatibilité avec le matériel dont on dispose déjà, documentation complète et clairement expliquée. Puis, il faut tester le logiciel au moyen d'un jeu d'essai pour s'assurer de l'absence d'erreur.

Dans tous les cas, cette acquisition du logiciel doit découler de l'identification et de la spécification des besoins d'information du gestionnaire et, dans tous les cas, elle doit précéder l'acquisition du matériel.

Pour l'acquisition du matériel, il est recommandé de procéder à la rédaction d'un **cahier des charges** dans lequel seront précisées toutes les spécifications du matériel qu'on veut obtenir. Ce cahier sera remis à quelques fournisseurs qui devront remettre leur **soumission** à l'entreprise. C'est en somme la phase de « magasinage » que l'on accomplit lorsqu'on veut se procurer un bien coûteux.

Il sera important de s'assurer que ce matériel est compatible avec le logiciel choisi et avec le matériel qu'on possède déjà. On portera une attention particulière à la qualité, à la garantie et au prix du matériel.

8.9   DÉVELOPPEMENT D'UN SYSTÈME COMPTABLE

Comment toutes ces notions relatives au développement du système d'information s'appliquent-elles à la mise en place d'un système de comptabilité? Nous reprenons au tableau 8-15 les étapes principales d'un tel développement en supposant que l'entreprise veuille élaborer un système de comptabilité générale destiné à renseigner les actionnaires.

8.10   ORGANISATION ADMINISTRATIVE

L'organisation administrative dans le contexte d'un traitement informatisé est forcément différente de celle qu'on peut retrouver pour un traitement manuel.

Dans un système manuel, le travail de préparation des documents de base se trouve réparti entre les différentes fonctions de l'entreprise, chacune notant en quelque sorte, sur des formulaires appropriés, les opérations dont elle a la responsabilité. L'enregistrement dans les journaux et les reports aux grands livres auxiliaires, centralisé au service de la comptabilité sous la responsabilité du contrôleur, se trouve malgré tout morcelé entre plusieurs personnes. Cela s'avère nécessaire à des fins de protection des ressources, pour accélérer le travail et pour minimiser les erreurs grâce à une plus grande spécialisation des personnes.

Dans un système informatisé, le travail de collecte des données demeure la responsabilité des différentes fonctions de l'entreprise. Parfois, on rédige un document de base qui servira plus tard à la saisie de ces données sur terminal, cette saisie pouvant se faire soit par du personnel du service à l'origine de l'opération, soit par du personnel spécialisé du service informatique. Dans d'autres cas, aucun document n'est préparé. La personne à l'origine de l'opération entre elle-même sur terminal les données relatives à l'opération.

Le traitement est centralisé au niveau de l'ordinateur. Dans une petite entreprise, le traitement par ordinateur demeure la responsabilité du contrôleur qui, avec l'aide d'un nombre restreint de personnes, voit à la saisie des données et au fonctionnement de l'ordinateur.

Lorsque le traitement par ordinateur prend beaucoup d'importance à cause du nombre élevé d'applications traitées par l'ordinateur, de leur complexité, de leur diversité ou du volume des opérations, l'entreprise peut songer à mettre sur pied un nouveau service. C'est le **service informatique**. On nomme alors un **directeur** responsable de ce service autonome relevant habituellement de la haute direction.

Ce service compte aussi toute une équipe de personnes spécialisées. On retrouve les **analystes** qui conçoivent, en collaboration soutenue avec les gestionnaires, les divers systèmes d'information à mettre en place. Puis, on y retrouve l'équipe des

TABLEAU 8-15

Développement d'un système comptable

Étapes	Système de comptabilité générale
Analyse de l'entreprise	Personnalité de l'entreprise Forme économique Forme juridique
Identification des utilisateurs	Actionnaires
Identification des besoins	Rendement des sommes investies Décision quant à la vente ou à l'augmentation de leurs investissements dans l'entreprise, etc.
Identification des exigences demandées	Principes comptables
Identification des rapports demandés	États financiers

À cette étape du développement, l'entreprise aura à choisir entre l'élaboration d'un système manuel et l'élaboration d'un système informatisé.

	Système manuel	Système informatisé
Identification des données devant être recueillies	Documents de base	Documents de base
Identification des supports nécessaires au traitement	Journaux	Fichier mouvement
	Grands livres auxiliaires Grand livre général	Fichier maître
Procédures d'enregistrement	Teneur de livres	Logiciel
Acquisition de moyens	Livre Document Formulaire	Terminal Ordinateur Unité de disque Bande magnétique
Préparation des fichiers	Ouverture des comptes du grand livre général et des grands livres auxiliaires	Création des fichiers maîtres

programmeurs chargés de rédiger les nouveaux logiciels ou de modifier ceux qui sont déjà en place mais qui nécessiteront des corrections ou des améliorations.

Il faut penser à la présence d'une personne, ou plus si nécessaire, responsable du fonctionnement quotidien de l'ordinateur et des appareils périphériques. C'est l'**opérateur**, qui supervise le travail des machines, assurant l'ouverture ou la fermeture des appareils, dictant à l'ordinateur certains travaux à exécuter, comme le déclenchement du traitement d'une application, ou résolvant certains problèmes de fonctionnement des appareils. La présence d'un opérateur est requise dans tous les cas, quelle que soit la grosseur de l'ordinateur.

Parfois, lorsque la saisie des données s'effectue au service informatique, une équipe de personnes, les **opérateurs de saisie** des données, s'occupent à l'aide de terminaux d'inscrire les données sur supports magnétiques.

Enfin, il faut disposer d'un endroit, appelé **bibliothèque**, pour conserver les supports magnétiques afin de les protéger contre la détérioration, la perte ou le vol. Il peut s'agir d'un simple classeur tenu sous clé ou d'une chambre forte, selon le nombre et l'importance du contenu de ces supports. Il faut nommer une personne responsable de cette bibliothèque. Cette personne pourra assumer cette responsabilité à plein temps ou partager son temps entre cette responsabilité et un autre travail.

8.11 L'IMPORTANCE DE LA SÉCURITÉ DANS LES SYSTÈMES D'INFORMATION

Nous avons comparé le système d'information d'une entreprise au sang circulant dans le corps d'un humain ou aux fondations d'un bâtiment. Une telle importance névralgique explique facilement l'impact catastrophique qui pourrait résulter de toute défaillance importante du système d'information.

Une entreprise ne peut survivre sans son système d'information. C'est ainsi que la destruction, par exemple à cause d'un incendie, du matériel, des logiciels et des données pourrait créer des pertes financières énormes pouvant s'avérer irrécupérables.

Mais il existe aussi des pertes plus réduites, moins spectaculaires mais tout aussi graves comme le vol de micro-ordinateurs et de disquettes ou encore le vol, lors d'une démonstration, d'une disquette contenant un nouveau logiciel unique en son genre.

On retrouve enfin toutes les erreurs qui peuvent se glisser dans les fichiers, causées par des personnes lors de la préparation des documents de base ou lors de la saisie des données ou encore causées par un logiciel mal conçu ou par un matériel défectueux. Toutes ces erreurs amènent des désagréments de toute nature aux personnes touchées par l'erreur: refus de l'entreprise de vendre à un client ou de lui faire crédit parce qu'une information erronée se trouvant dans son dossier de crédit indique qu'il représente un trop grand risque; erreur dans les bulletins obligeant un étudiant à reprendre un cours qu'il a en fait réussi; compte en banque mis à zéro parce qu'on y a déduit un chèque appartenant à une autre personne; commande d'épicerie coûtant plus cher qu'elle ne le devrait parce que le commis à la caisse enregistreuse a inscrit 15,00 $ au lieu de 1,50 $.

8.12 LA SÉCURITÉ, RESPONSABILITÉ DES GESTIONNAIRES

La direction d'une entreprise se voit confier un ensemble de ressources humaines, financières et physiques qu'elle doit gérer en vue de parvenir à la réalisation des objectifs fixés pour cette entreprise. Les gestionnaires doivent alors tout mettre en œuvre pour assurer le fonctionnement efficace et quotidien de ces ressources. Pour y parvenir, la direction de l'entreprise doit mettre en place une structure administrative adéquate qui, avec l'aide de principes et de pratiques de gestion éprouvées, permettra la maximisation des résultats recherchés. Ceci revient à dire que l'entreprise doit trouver les moyens d'assurer sa rentabilité et la protection de ses ressources, tout en fournissant les informations nécessaires à cette gestion et celles qui sont exigées par la loi.

C'est pourquoi il nous faut parler de **sécurité**, c'est-à-dire de tous les moyens que prend l'entreprise pour protéger son actif et pour assurer la présence continue d'informations exactes, protégées et transmises à temps. Il faudra la collaboration de tout le personnel pour que cette sécurité prenne forme et soit appliquée quotidiennement. Nous ne nous préoccuperons ici que de la sécurité des systèmes d'information.

Sécurité dans les systèmes manuels

Dans un système manuel, il est primordial de morceler le travail entre différentes personnes afin qu'aucune d'entre elles ne puisse perpétrer une fraude ou commettre une erreur qui ne pourraient pas être perçues par un autre employé. On parle alors de **séparation des fonctions** entre, par exemple, la personne qui a la garde de l'encaisse et celle qui procède aux enregistrements dans les journaux ou dans les grands livres.

Il faut aussi établir une distinction entre la personne qui établit les directives ou fixe certains critères, comme le taux de salaire, et celle qui applique ces directives ou ces critères, tel le teneur de livres.

Enfin, on confiera à certaines personnes le rôle d'approuver spécifiquement certaines opérations, comme l'acceptation d'une commande d'un client.

Il faut aussi considérer la protection physique des documents de base et surtout des journaux et des grands livres, qui doivent être conservés sous clé dans un endroit à l'épreuve du vol et du feu. Tous ces documents et ces registres peuvent contenir de l'information confidentielle qui ne peut être dévoilée aux personnes non autorisées à la recevoir. Les rapports confidentiels devront aussi être conservés sous clé et distribués avec parcimonie.

8.13 PARTAGE DES RESPONSABILITÉS RELATIVES À LA SÉCURITÉ DANS LES SYSTÈMES INFORMATISÉS

La sécurité des systèmes informatisés nécessite la collaboration de plusieurs personnes. Plus particulièrement, nous traitons des responsabilités du directeur du service informatique et de celles des gestionnaires. Puisque l'entreprise doit mettre en place un nouveau service avec de l'équipement spécialisé, il est normal de confier au directeur de ce service une part de cette responsabilité relative à la sécurité sans diminuer pour autant celle des gestionnaires. La figure 8-8 illustre ce partage des responsabilités.

FIGURE 8-8

Responsabilité face à la sécurité

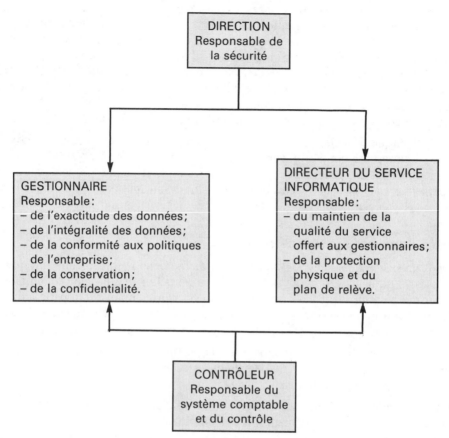

Rôle du directeur du service informatique

Le directeur du service informatique, de part sa fonction, doit voir:
— au bon fonctionnement de son service et à l'optimisation de ses ressources humaines et informatiques;
— à la qualité du travail exécuté par son personnel, que ce soit la conception d'un système, la rédaction ou la modification d'un logiciel ou le traitement des données;
— à la protection de l'actif qui lui est confié, qu'il s'agisse du matériel informatique ou des supports magnétiques sur lesquels se trouvent les données et les logiciels.

Le service informatique est au service de l'ensemble des gestionnaires de l'entreprise. Il doit assurer un service prompt, de qualité, sans erreur ni fraude et d'une façon ininterrompue selon la demande des utilisateurs. La direction de ce service doit apporter une attention particulière à la coordination des ressources humaines et matérielles qui lui sont confiées. À un personnel compétent, expérimenté, bien encadré, cornaissant bien les tâches à accomplir, viendra s'ajouter la disponibilité d'un matériel adéquat, de bonne qualité, répondant bien aux exigences des tâches à effectuer, le tout devant s'effectuer au moindre coût et le plus rapidement possible. Ces qualités sont particulièrement exigées de la part du service informatique étant donné que toute l'entreprise dépend de ce service pour poursuivre ses activités.

Le personnel informatique se compose de nombreux spécialistes. Chacun a un rôle spécifique à jouer et il ne saurait être question, à des fins de contrôle, de permettre à un employé d'occuper, même temporairement, deux rôles différents. Ainsi, le programmeur ne peut ni ne doit participer au rôle d'opérateur de l'ordinateur, et vice versa.

La rédaction ou la modification des logiciels est la tâche probablement la plus importante que doit assumer le service informatique. En effet, la qualité du traitement dépend de la qualité du logiciel, ce qui va obliger la direction de ce service à mettre en place divers moyens pour assurer la plus grande qualité possible des logiciels, dans le respect des exigences de l'utilisateur.

On retrouve au service informatique de nombreux éléments d'actif dont la valeur d'acquisition est importante, mais surtout dont la valeur d'utilisation est encore plus précieuse et qu'aucune assurance ne peut pleinement couvrir. En cas de dommage ou de perte totale, il est généralement possible de remplacer assez rapidement le matériel détruit en faisant appel au fournisseur d'équipement pour acquérir de nouveaux appareils. Il en va tout autrement des logiciels et des données inscrites sur fichier. La présence de disquettes facilite le vol, mais cela est vrai de tout support magnétique. La destruction volontaire ou accidentelle d'un fichier peut faire perdre beaucoup d'argent et de temps à l'entreprise. Il est donc prioritaire de disposer d'une bibliothèque (chambre forte ou simple classeur) protégeant du vol et du feu. Des erreurs sont aussi à craindre qui amèneraient le mélange des supports. La recherche du fichier des comptes « Clients » parmi un ensemble de bandes magnétiques qui se ressemblent toutes n'est pas une mince tâche. Une identification précise et minutieuse de tous les supports magnétiques s'impose. Un des moyens pour sauvegarder ces éléments d'actif consiste en la protection même du local dans lequel ils se retrouvent. On pensera à un local à l'épreuve du feu et protégé des intrus par un contrôle serré à la porte d'entrée.

Puisque, malgré tous les efforts, un incendie peut malgré tout détruire le bâtiment où se trouve le service informatique, il est essentiel de se doter d'un moyen de protection supplémentaire en prévoyant l'accès à un autre local situé dans un autre bâtiment, local dans lequel on pourra placer de nouveaux appareils. De plus, puisque les appareils sont insuffisants par eux-mêmes, il faudra aussi conserver dans un autre bâtiment des copies des logiciels et des fichiers qui, avec la documentation et les formulaires en blanc, permettront de poursuivre le traitement des opérations avec le moins d'effets négatifs possible. Ces procédures font partie de ce qu'on appelle un **plan de relève**.

Il faut aussi assurer l'entretien périodique des appareils et le nettoyage des supports magnétiques. Il vaut mieux remplacer une pièce d'un appareil avant qu'elle ne devienne défectueuse plutôt que de se retrouver avec des erreurs difficilement repérées ou avec un arrêt prolongé d'utilisation des appareils. Quant aux supports magnétiques, ils nécessitent, pour assurer une qualité maximale de lecture et d'écriture, un nettoyage fréquent pour enlever la poussière qui s'y serait déposée.

Rôle du gestionnaire

Le gestionnaire, premier intéressé à son système d'information, doit assumer ses responsabilités relativement aux aspects suivants:

— exactitude et intégralité des données inscrites sur les documents de base et transmises pour traitement à l'informatique;

— exactitude et intégralité des données inscrites sur les fichiers (autant les données permanentes que les opérations courantes) et des résultats qui ont été obtenus;

— conformité du traitement aux politiques de l'entreprise, aux conventions comptables retenues et aux décisions programmées formulées et, d'une façon générale, à la qualité des logiciels utilisés pour le traitement;

— fixation des périodes de conservation des données et du degré de confidentialité à assurer pour les informations.

Pour atteindre ces objectifs, le gestionnaire doit maintenir un bon fonctionnement de son propre service par une organisation administrative adéquate et une séparation des fonctions suffisante.

Le gestionnaire, responsable ou membre d'un service qui a pour tâche de préparer des données doit tout mettre en œuvre pour que les données, inscrites sur des documents de base ou transmises directement par terminal, soient exemptes de toute erreur et correspondent en tous points aux opérations réellement effectuées. Il faut, pour certaines de ces opérations, obtenir la permission spécifique d'une personne autorisée. En ce qui concerne les données, on peut demander à une deuxième personne d'en vérifier l'exactitude en les comparant à un autre document. Même le service informatique peut nous aider à détecter les erreurs. En effet, il sera possible de placer dans le logiciel certaines instructions permettant de déceler les erreurs. Nous y reviendrons.

Le gestionnaire doit instaurer un ensemble de contrôles lui permettant de s'assurer que le traitement effectué par le service informatique est conforme à ce qui devrait être fait. Il faut que les opérations transmises par le service utilisateur se retrouvent inscrites d'une façon exacte et intégrale dans les fichiers. Par exemple, si le service utilisateur a transmis 100 factures de vente totalisant 5 000 $, il faut que l'ordinateur ait enregistré sur le fichier mouvement des ventes un nombre et un montant identique. Pour s'en assurer, on peut établir un **total de contrôle**, c'est-à-dire un total (100 factures et 5 000 $) calculé par le service utilisateur à des fins de contrôle et qui sera comparé au total calculé par l'ordinateur.

Une autre façon de procéder, particulièrement utile pour s'assurer de l'exactitude des données permanentes, consiste à imprimer périodiquement le contenu du fichier maître pour en permettre la révision par une personne du service utilisateur. De plus, chaque fois qu'une donnée permanente est modifiée, un rapport sera produit, indiquant le changement effectué. Ce rapport permet à la personne responsable de s'assurer du bien-fondé et de l'exactitude du changement.

Le gestionnaire se voit attribuer une part de responsabilité, qu'il ne pourra ni abandonner ni prendre à la légère, concernant la qualité des logiciels. Étant donné le rôle joué par le logiciel dans le traitement des données, l'entreprise ne peut se permettre d'avoir un logiciel déficient pas plus qu'elle ne peut accepter un employé incompétent ou négligent.

Plus particulièrement, le gestionnaire doit vérifier:

— que le logiciel contient des instructions capables de déceler des erreurs dans les données saisies (par exemple si le code d'opération dans l'instruction 5 de l'exemple d'application est différent de 1 ou de 2, l'erreur doit être signalée par le logiciel à l'opérateur de saisie);

— que les calculs se font selon les directives du gestionnaire et selon les principes comptables adoptés, comme le calcul correct du coût des marchandises selon la méthode de l'épuisement successif;

— que la production des rapports se fasse sous la forme désirée et avec un contenu exact et complet.

Pour le gestionnaire, la façon de parvenir à utiliser un logiciel de qualité et satisfaisant qui ne nécessite pas de multiples modifications subséquentes consiste à bien préciser ses demandes d'information, ses directives et ses exigences. Il lui faut aussi tester le logiciel à l'aide d'un jeu d'essai et en faisant appel au travail en parallèle.

Une fois le logiciel accepté, les analystes et les programmeurs ne devront jamais pouvoir le modifier à moins qu'on ne leur en fasse spécifiquement la demande. Et si une telle demande était faite, il faudrait apporter à cette modification du logiciel la même attention que celle qu'on doit apporter à la rédaction d'un nouveau logiciel. Pour éviter toute modification non autorisée du logiciel, il faut empêcher que les gens puissent lire et modifier ces logiciels. Ce sera le rôle des **mots de passe**, entre autres moyens, qui consistent à interdire l'accès au système informatique aux personnes non autorisées ou à limiter le travail qu'une personne peut effectuer avec l'ordinateur. Il en sera de même de l'accès aux différents fichiers de l'entreprise. Chaque employé se verra attribuer un code définissant à quel fichier il peut accéder et les tâches qu'il peut y exécuter: la simple lecture des renseignements s'y trouvant, l'enregistrement ou la modification de certaines données ou le déclenchement de certains traitements. Par exemple, si un employé ne possède pas le code pour accéder au fichier maître des comptes « Clients », il ne pourra pas, en utilisant un terminal, accéder à ce fichier. Et pour s'assurer que seuls les employés autorisés puissent utiliser ces codes, on donne en plus un mot de passe à chacun d'eux. L'employé, après avoir entré sur terminal son code qui indique à l'ordinateur ce qu'il est autorisé à faire, entre son mot de passe, confirmant à l'ordinateur qu'il est la bonne personne, autorisée à utiliser ce code. Ainsi, on s'assure que seules les personnes autorisées utilisent les codes qui leur sont destinés. C'est là la procédure utilisée pour les guichets bancaires automatiques. Pour retirer une certaine somme d'argent, il faut non seulement que le client possède une carte et, bien entendu, connaisse son numéro de compte, mais aussi qu'il ait un mot de passe que lui seul est censé connaître.

Enfin, un dernier aspect concerne la conservation des données et la confidentialité à maintenir au sujet de certaines informations. Seul le gestionnaire est à même de connaître l'importance de conserver pendant une certaine période les données susceptibles d'être utilisées de nouveau et le degré de confidentialité qu'on doit apporter à ces informations, par exemple en assurant la distribution des rapports sous enveloppes scellées.

On peut résumer le partage des responsabilités entre le gestionnaire et le directeur du service informatique, sous l'impulsion et avec la collaboration du contrôleur, à l'aide de la figure 8-9.

FIGURE 8-9

Partage des responsabilités

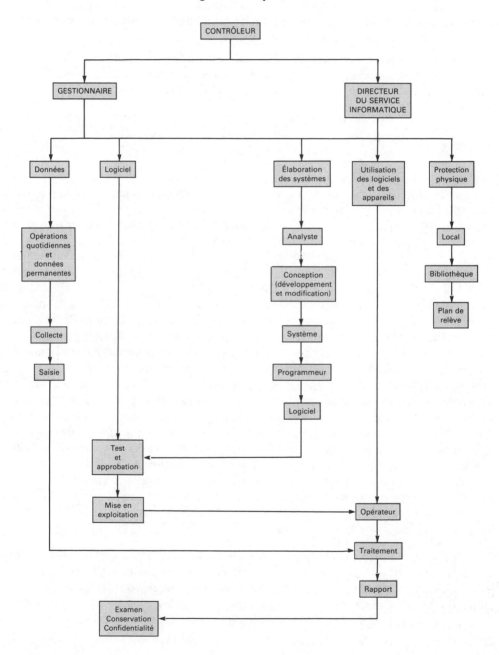

8.14 LE PROFESSIONNEL DE LA COMPTABILITÉ ET L'INFORMATISATION

Nous sommes à l'ère de l'information. Les moyens d'améliorer cette information en qualité et en quantité se multiplient à un rythme effarant que rien ne semble vouloir arrêter. L'informatisation, réservée antérieurement aux grandes entreprises, se répand actuellement dans tous les milieux, grâce à une réduction phénoménale des prix alliée à une croissance soutenue des capacités et de la rapidité d'exécution de ces appareils.

La petite entreprise est actuellement en mesure de disposer de micro-ordinateurs puissants, capables de traiter très rapidement un nombre impressionnant de données. Cette informatisation touche même les individus qui acquièrent du matériel informatique pour gérer leurs finances personnelles ou pour réaliser certaines tâches liées ou non à leur travail.

Le système comptable est certainement le plus important de tous les systèmes d'information. Qu'il s'agisse des individus, des entreprises ou des gouvernements, tous utilisent de l'information financière. C'est pourquoi le professionnel de la comptabilité a un rôle unique, essentiel et stimulant à jouer.

Le chapitre 1 a présenté le contrôleur comme un expert en systèmes d'information comptable et comme un utilisateur de l'information comptable.

Il faut donc le considérer comme un gestionnaire, devant coordonner des ressources humaines pour interpréter l'information financière, pour élaborer des systèmes capables de satisfaire aux besoins d'information des actionnaires et des autres gestionnaires et pour mettre en place des contrôles suffisants afin d'assurer la protection des éléments d'actif et une qualité maximale de l'information produite.

Lorsqu'il y a un service informatique autonome, le contrôleur n'est plus responsable de la collecte et du traitement de l'information, mais il demeure le responsable de la comptabilité. Peu importe l'endroit où l'information est produite, peu importe par qui ou par quoi cette information est produite, il faut un responsable de la comptabilité capable de préciser les besoins d'information (des actionnaires, par exemple), de définir les principes et les pratiques comptables à utiliser, d'interpréter cette information pour permettre aux autres gestionnaires de mieux gérer leur service et d'être le conseiller principal auprès des gestionnaires pour tout ce qui concerne les moyens de contrôle.

8.15 LE CONTRÔLEUR ET L'ÉVOLUTION DES BESOINS

Le contrôleur doit être le grand spécialiste de l'information financière et de la théorie comptable pour présenter aux actionnaires une information qui soit de plus en plus significative et pertinente.

Or, les besoins d'information des actionnaires évoluent rapidement et les exigences se diversifient. En effet, le nombre de personnes et de sociétés qui investissent dans les entreprises augmente et ces investisseurs ont des préoccupations différentes: prise de contrôle des entreprises, recherche d'un revenu d'appoint, investissement dans un fonds de pension. Il ressort de tout cela que les décisions prises sont basées sur des critères, des raisons, des objectifs différents. Il faut donc améliorer les informations qui leur sont transmises afin de satisfaire au plus grand nombre de besoins du plus grand nombre possible d'investisseurs. Cette évolution des besoins crée une pression sur la théorie comptable qui doit alors rechercher de nouveaux critères d'évaluation. Il est alors normal de constater que même les états financiers publiés pour les actionnaires évoluent dans leur forme et dans leur contenu.

On retrouve aussi les systèmes d'information destinés aus gestionnaires. Les besoins d'information de ces derniers deviennent plus sophistiqués face à la complexité et à l'évolution rapide du monde des affaires. Le gestionnaire doit être informé davantage, avec plus de détails et plus rapidement. En tant que spécialiste de la comptabilité, le contrôleur doit chercher à maximiser la satisfaction des besoins d'information de ceux et celles qui utilisent l'information comptable, en jouant le rôle de conseiller auprès des gestionnaires pour les aider à mieux préciser leurs besoins d'information. Il devra être prêt à rendre le système comptable mieux adapté à ces nouveaux besoins.

8.16 LE CONTRÔLEUR ET L'ÉVOLUTION DES ENTREPRISES

L'information est devenue, au fil des années, une ressource utilisée par l'entreprise au même titre que les ressources financières, physiques et humaines. Le gestionnaire doit donc apprendre à gérer cette nouvelle ressource. C'était un peu l'objet de ce chapitre que de le préparer à cette tâche particulière.

Mais plus encore, l'information est devenue un produit, un moyen de concurrencer les autres entreprises. Par exemple, dans le but d'accroître le service à la clientèle, certaines entreprises permettent à leurs clients de transmettre eux-mêmes par terminal leur commande, qui est reçue par l'ordinateur. Ce dernier est à même de leur confirmer immédiatement la présence en quantité suffisante des articles en entrepôt. Si cette commande est transmise par le client le soir, les préposés à l'expédition prépareront le lendemain matin la commande qui sera aussitôt expédiée.

Enfin, les possibilités actuelles, accessibles grâce à l'informatisation, permettent également d'améliorer la gestion des entreprises. L'ordinateur permet une analyse diversifiée des données en un temps très court. Il permet une mise à jour continue et immédiate des opérations, fournissant ainsi une information plus pertinente.

La présence des micro-ordinateurs risque fort de modifier en profondeur les conditions de travail. Que l'on pense à la bureautique et plus particulièrement au traitement de texte, qui est en train de déclasser définitivement les machines à dactylographier, à l'utilisation d'appareils de transmission de l'information qui amènera rapidement l'abandon des services du courrier pour la transmission de certains documents, au dépôt automatique des paies des employés dans leur compte en banque, au paiement automatique de certaines factures, et ainsi de suite. Les micro-ordinateurs peuvent être reliés les uns aux autres, permettant l'échange de données, la transmission des messages ou l'accès à d'autres bases de données.

Le contrôleur aura un rôle, particulièrement dans la petite entreprise, d'incitateur, de promoteur d'une informatisation ordonnée des entreprises. Il doit être capable de faire ressortir les avantages qui peuvent en découler. Il doit être au courant des développements informatiques et être assez perspicace pour déceler ceux qui sont susceptibles de pouvoir aider l'entreprise. C'est souvent une question de survie pour l'entreprise.

8.17 LE CONTRÔLEUR ET LA SÉCURITÉ

Cependant, au-delà de tous ces avantages, il faut reconnaître que l'entreprise devient dépendante du système informatique sur lequel elle s'appuie de plus en plus. Une catastrophe, un arrêt prolongé de ce matériel, la perte de certains fichiers, et voilà l'entreprise en grande difficulté.

De par sa fonction, le contrôleur doit être le grand spécialiste de la sécurité. Il doit se préoccuper de tous les contrôles nécessaires pour assurer une sécurité suffisante au bon fonctionnement de l'entreprise, à la conservation de ses éléments d'actif ainsi qu'à l'exactitude et à l'intégralité de ses informations.

8.18 L'INFORMATIQUE, UN OUTIL NÉCESSAIRE AU GESTIONNAIRE

Il n'est plus pensable d'envisager une carrière professionnelle sans l'utilisation de l'informatique ou sans référence à ce domaine. On peut déjà constater que le travail des gestionnaires est influencé par l'informatique. Dans la mesure où toutes les entreprises posséderont un ordinateur, les gestionnaires de ces entreprises se verront attribuer des responsabilités particulières que nous avons signalées dans les sections précédentes. Ces gestionnaires devront transmettre des données à l'informatique; ils recevront de l'informatique leurs différents rapports.

Mais plutôt que de voir cette informatisation avec peur et difficulté, le gestionnaire doit voir l'informatique avec enthousiasme. Considérant la vitesse et les capacités de calcul et d'analyse de l'ordinateur, il est bien évident qu'il s'agit d'un moyen, d'un outil puissant dont les gestionnaires ne peuvent se passer. L'avenir du gestionnaire et du contrôleur ne peut se vivre sans l'informatique.

RÉSUMÉ

La notion de système d'information est fondamentale pour une compréhension du rôle joué par la comptabilité dans l'entreprise. L'analyse des composantes d'un système d'information permet de situer les moyens de traitement dans une perspective plus juste où l'ordinateur devient un simple outil possible qui permet à la comptabilité de donner sa pleine mesure.

La mise en place des divers moyens assurant la production de l'information doit se faire selon une méthodologie éprouvée et nécessite un engagement constant des gestionnaires. Il en est de même de la sécurité relative aux systèmes d'information. C'est la responsabilité du gestionnaire d'assurer une qualité maximale de l'information et sa conservation.

Enfin, nous pouvons dire que la comptabilité est un système d'information en pleine transformation offrant des défis intéressants aux spécialistes de la comptabilité.

PROBLÈMES À SOLUTION COMMENTÉE

PROBLÈME 8-A

L'entreprise Place du Rasoir Inc. se spécialise dans la vente et la réparation de rasoirs électriques. L'entreprise ne possède qu'un magasin. Le propriétaire désire être informé:
— des ventes réalisées;
— des ventes par catégorie de produits;
— des ventes faites au comptant;
— des ventes faites à l'aide de cartes de crédit.

On demande

1) Concevoir le rapport que le contrôleur devra remettre au propriétaire.

2) Identifier les données qui devront être notées sur les documents de base.

3) Concevoir le journal des recettes nécessaire pour assurer la disponibilité des informations demandées.

Solution commentée

1) Conception du rapport

L'identification des besoins d'information est le point de départ de l'élaboration de tout système d'information. Le propriétaire doit préciser la période que couvrira le rapport. Supposons qu'il désire un rapport hebdomadaire.

Il faudra procéder à une double classification: par catégorie de produits et selon le mode de la vente (au comptant ou avec une carte de crédit).

On peut alors imaginer le rapport qui pourrait être produit afin de satisfaire le propriétaire (tableau 8-16).

2) Identification des données

Si on se limite aux seuls besoins d'information du propriétaire, les données à recueillir devront être:
— le prix de vente;
— l'identification de la catégorie de produit:
        pièces;
        rasoirs;
        réparations;
— l'identification du mode de paiement:
        comptant;
        avec carte de crédit.

TABLEAU 8-16

Place du Rasoir Inc.
Rapport de ventes et réparations

Période: du 19 au 24 mars 19__1   (Semaine n° 12)

Ventes

Rasoirs	1 500,00 $		
Pièces	533,00		
		2 033,00 $	
Réparations		175,00	
			2 208,00
Ventes et réparations			
Au comptant		1 375,00	
Avec carte de crédit		833,00	
			2 208,00

Ces informations devront être notées sur une facture de vente, sur laquelle se retrouveront en plus la date et le numéro de la facture, ces deux derniers renseignements permettant d'assurer la référence au document. Ou bien, on pourra enregistrer tous ces renseignements sur la caisse enregistreuse qui, en fin de journée, nous donnerait:

— le total de chaque catégorie de produit;
— le total de chaque mode de paiement.

Nous voici maintenant rendus à l'étape de l'élaboration du plan comptable, où on retrouvera:

— Ventes au comptant
— Ventes carte de crédit
— Ventes rasoirs
— Ventes pièces
— Réparations

3) *Conception du journal des recettes*

Si l'entreprise utilise des factures, on aura le journal des recettes illustré au tableau 8-17.

TABLEAU 8-17

Place du Rasoir Inc.
Journal des recettes

Date	N° de facture	Banque	Carte de crédit	Réparation	Ventes rasoirs	Ventes pièces	Taxe de vente à payer	Divers	
19__1								$	Expli-cation
	—	—	—	—	—	—	—	—	—
	—	—	—	—	—	—	—	—	—
22 mars	19606	109,00			100,00		9,00		
	—	—	—	—	—	—	—	—	—
	—	—	—	—	—	—	—	—	—
24 mars	19703		42,25	15,00		25,00	2,25		
	—	—	—	—	—	—	—	—	—
	—	—	—	—	—	—	—	—	—

On remarquera qu'il a fallu ajouter une colonne pour la taxe de vente à payer. Le propriétaire n'a pas demandé une telle information, mais il s'agit d'une exigence gouvernementale. Enfin, on a prévu une colonne « Divers » pour les autres cas non prévus. La conception du journal des recettes nous oblige à tenir compte de besoins d'information additionnels provenant d'autres utilisateurs de l'information.

Si on utilisait une caisse enregistreuse, l'inscription au journal des recettes serait modifiée. On y retrouverait une inscription par jour plutôt qu'une inscription par facture. De plus la colonne « numéro de facture » serait inutile.

La totalisation du journal des recettes devra se faire toutes les semaines puisqu'un rapport hebdomadaire doit être présenté. Ces totaux serviront au report au grand livre général et à la rédaction du rapport.

PROBLÈME 8-B

L'entreprise Place du Rasoir Inc. prend de l'expansion. Elle ouvre un deuxième magasin. Il y a maintenant trois vendeurs par magasin.

Le propriétaire désire être informé toutes les semaines de la répartition des opérations par magasin, par produit et par mode de paiement.

On demande

1) Concevoir le rapport demandé par le propriétaire.

2) Identifier les comptes du grand livre général nécessaires à la production de ce rapport.

3) Identifier l'impact sur la collecte et sur le traitement d'une telle expansion de l'entreprise par rapport à la situation décrite au problème 8-A.

Solution commentée

1) Conception du rapport

Le tableau 8-18 présente un exemple de rapport qui satisferait aux exigences du propriétaire.

2) Identification des comptes du grand livre général

Il faut procéder à un dédoublement des comptes utilisés. On aurait:
— Ventes au comptant magasin 1
— Ventes carte de crédit magasin 1
— Ventes pièces magasin 1
— Ventes rasoirs magasin 1
— Réparations magasin 1
— Taxe de vente à payer magasin 1
— Ventes au comptant magasin 2
— Ventes carte de crédit magasin 2
— Ventes pièces magasin 2
— Ventes rasoirs magasin 2
— Réparations magasin 2
— Taxe de vente à payer magasin 2

TABLEAU 8-18

Place du Rasoir Inc.
Rapport de ventes et réparations

Période: du 19 au 24 mars 19__1   (Semaine n° 12)

	Magasin A	Magasin B	Total
Ventes			
Rasoirs	1 500,25	900,00	2 400,25
Pièces	700,25	600,00	1 300,25
	2 200,50	1 500,00	3 700,50
Réparations	175,00	500,00	675,00
Total	2 375,50	2 000,00	4 375,50
Ventes et réparations			
Au comptant	1 000,00	1 200,00	2 200,00
Avec carte de crédit	1 375,50	800,00	2 175,50
Total	2 375,50	2 000,00	4 375,50

3) Impact sur la collecte et sur le traitement

Si on décide de continuer à utiliser la facture pour recueillir les données résultant des opérations, il faudra alors ajouter le numéro du magasin sur la facture.

Si on utilise une caisse enregistreuse dans chacun des magasins, l'identification du magasin devrait paraître sur le ruban de la caisse enregistreuse pour bien le distinguer.

Quant au traitement, il va falloir disposer d'un journal des recettes par magasin.

On remarquera qu'un tel système de traitement pourrait suffire pour un nombre plus élevé de succursales. Cependant, on fera face rapidement à une croissance trop grande du volume des données à enregistrer si le nombre de magasins augmente et si le volume des activités s'accroît. L'enregistrement par facture peut devenir lourd et être une source de lenteur. L'enregistrement au journal des recettes fait à l'aide des résultats fournis par la caisse enregistreuse présente moins d'inconvénients puisqu'on n'a qu'une écriture par jour et par magasin à inscrire plutôt que de se trouver avec des centaines de factures qui nécessitent chacune une écriture au journal. Le danger d'erreur lors de l'inscription au journal est également moins grand puisque le nombre d'enregistrements est beaucoup plus petit.

PROBLÈME 8-C

Le propriétaire de la Place du Rasoir Inc., s'étant rendu compte qu'une simple analyse des ventes totales et des réparations n'avait qu'une signification limitée, vous demande de satisfaire aux besoins d'information suivants, tout en conservant les informations fournies au problème 8-B:
— évaluation du rendement des vendeurs, l'entreprise ayant établi une rémunération des vendeurs en fonction d'une commission à raison de 2% pour les ventes et de 1% pour les réparations;
— rentabilité des opérations par produit.

On demande

1) Identifier ce qui serait nécessaire pour évaluer le rendement des vendeurs, calculer leur commission et produire le rapport de vente désiré.

2) Identifier ce qui serait nécessaire pour évaluer la rentabilité par produit.

Solution commentée

1) Évaluation du rendement des vendeurs et calcul des commissions aux vendeurs

On peut imaginer de bien des façons le déroulement du traitement. Nous en suggérons une, mais d'autres pourraient s'avérer tout aussi adéquates.

a) Enregistrement au journal des recettes

Lorsque les factures de vente sont remises au teneur de livres, ce dernier s'en sert pour l'inscription au journal des recettes. Chacun des magasins aura une page distincte dans ce journal, de façon à bien séparer les analyses par magasin, mais la conception sera la même qu'au tableau 8-17.

b) Enregistrement au journal des commissions

Dans une deuxième étape, le teneur de livres reprendra toutes les factures une seconde fois et inscrira les données dans le journal des commissions. On prendra soin de distinguer entre ventes et réparations, puisque la commission payée sur les unes et sur les autres n'est pas la même. À chaque vendeur correspondra une feuille au journal des commissions, sur laquelle seront enregistrées les ventes et les réparations effectuées par chacun. Ce journal servira à calculer les commissions inscrites dans la dernière colonne (tableau 8-19).

TABLEAU 8-19

Place du Rasoir Inc.
Journal des commissions

Magasin: 1
Vendeur: 02

Date	N° fact.	Réparations	Rasoirs	Pièces	Commission
19__1	—	—	—	—	—
	—	—	—	—	—
22 mars	19606	—	100,00	—	2,00
	—	—	—	—	—
24 mars	19703	15,00	—	25,00	0,65

c) Rapports de ventes par vendeur

Les différents rapports seront les sommaires des divers registres. Dans le journal des recettes, on pourra constituer l'analyse des ventes par catégorie de produits et par mode de paiement en faisant le report au grand livre général dans les comptes correspondants, ce qui donne le rapport du tableau 8-18.

Quant à l'évaluation du rendement des vendeurs, on pourra procéder à cette analyse à l'aide du journal des commissions en totalisant les opérations chaque semaine. On obtiendra alors le rapport des ventes par vendeur (tableau 8-20).

TABLEAU 8-20

Place du Rasoir Inc.
Rapport de ventes par vendeur

Période: du 19 au 24 mars 19__1   (Semaine n° 12)

Magasins	Vendeurs	Ventes rasoirs	Ventes pièces	Total des ventes	Répa- rations	Total V. + R.	Commis- sion
1	1	500,00	100,25	600,25	100,00	700,25	13,00
	2	600,00	200,00	800,00	75,00	875,00	16,75
	3	400,25	400,00	800,25	—	800,25	16,01
TOTAL 1		1 500,25	700,25	2 200,50	175,00	2 375,50	45,76
2	1	400,00	125,00	525,00	100,00	625,00	11,50
	2	400,00	75,00	475,00	150,00	625,00	11,00
	3	100,00	400,00	500,00	250,00	750,00	12,50
TOTAL 2		900,00	600,00	1 500,00	500,00	2 000,00	35,00
	Total 1 et 2	2 400,25	1 300,25	3 700,50	675,00	4 375,50	80,76

Il aurait été tout à fait de mise de ne pas indiquer les cents et de tout simplement présenter les montants au dollar près. Il ne faut pas trop surcharger le rapport, sinon la lecture en devient difficile.

2) *Rentabilité par produit*

Pour procéder au calcul de la rentabilité par produit, il nous faut faire appel à un autre registre. C'est le registre de stock dans lequel on notera, pour chacun des articles en magasin, le nombre d'unités en stock et le prix d'achat de ces unités. On pense ici au maintien d'un inventaire permanent.

Il faudra reprendre toutes les factures une troisième fois et inscrire dans ce registre chacune des ventes mais, cette fois, par article. On aura autant de pages qu'il y a d'articles différents en magasin.

On s'aperçoit vite du travail colossal qu'on aurait à faire, compte tenu du nombre de factures et d'autant plus qu'il peut y avoir plus d'un article par facture.

Le tableau 8-21 présente un exemple d'une telle fiche de stock. Avec ce nouveau registre, on pourra alors évaluer le niveau de ventes en quantité de chacun des articles pris isolément. Pour calculer le coût des marchandises vendues, il faudra multiplier les quantités vendues par leur prix d'achat correspondant.

TABLEAU 8-21

FICHE DE STOCK

N° 1522

Produit: Rasoir R.B.P., modèle X

Fournisseur: _____

Délai de livraison: _____

Commentaires: _____

_____

_____

Date	N° de fact.	ACHATS		VENTES			Unités en stock
		Coût unitaire	Quantité	Magasin	Quantité	Coût des ventes	
19__1 20 mars 22 mars	F0433 19606	70,00	10	1	1	70,00	10 9

L'examen de ces fiches permettrait d'identifier les articles qui se vendent le plus ou le moins, ceux pour lesquels on possède un surplus de marchandises et ceux qui doivent nécessiter de nouveaux achats.

À l'aide de ces différents journaux, on est à même de calculer la rentabilité par produit. Nous disposons du montant des ventes par produit, cette donnée nous étant fournie par le grand livre général. Nous disposons aussi du coût des marchandises vendues par article, calculé à l'aide des fiches de stock. Il suffit de totaliser les fiches relatives aux rasoirs et les fiches relatives aux pièces.

La différence entre le montant des ventes et le coût des marchandises vendues nous donne le bénéfice brut réalisé par catégorie de produit.

S'il fallait de la même manière calculer la rentabilité par magasin, le travail deviendrait à ce point fastidieux qu'il faudrait penser à modifier le traitement pour en accélérer le processus, puisque le coût des marchandises vendues devrait être calculé par article en distinguant les unités vendues par magasin. Pour chaque article, on aurait donc le coût des marchandises pour les unités vendues dans le magasin 1 et le coût des marchandises pour les unités vendues dans le magasin 2. Ensuite, pour chacun des magasins, il faut totaliser les fiches relatives aux rasoirs et les fiches relatives aux pièces.

PROBLÈME 8-D

Place du Rasoir Inc. a maintenant 10 magasins et 28 vendeurs. Elle décide de vendre, en plus des rasoirs, de petits appareils ménagers.

Le propriétaire a toujours besoin d'information. Il veut être renseigné sur la rentabilité des diverses catégories d'articles vendus, sur la rentabilité de chaque magasin, sur le volume des réparations ainsi que sur le volume des opérations effectuées par chacun des vendeurs.

On demande

1) Identifier les éléments d'information pouvant satisfaire les besoins du propriétaire.

2) Suggérer deux façons distinctes de recueillir ces données.

3) Suggérer un système de traitement des données en spécifiant les étapes de traitement qui seraient nécessaires.

Solution commentée

1) *Éléments d'information*

Voilà l'étape la plus cruciale. Il faut préciser le besoin du propriétaire avec soin et détails. De quelles informations a-t-on besoin pour l'informer sur la rentabilité d'un produit? Ce pourrait être:

— la comparaison des ventes de ce produit pour une période donnée avec les ventes de ce même article pour la période correspondante l'an dernier;

— la comparaison des ventes de ce produit avec le budget établi;

— l'établissement du bénéfice brut réalisé au cours de la période, en soustrayant le coût des marchandises vendues du montant des ventes.

Il est évident que l'information transmise ne sera pas la même dans les trois situations décrites ci-dessus. En forçant le propriétaire à préciser ses besoins, on pourrait obtenir la liste des éléments d'information nécessaires. Supposons que nous avons obtenu la liste suivante des besoins d'information du propriétaire. Nous mettons en parallèle les éléments d'information correspondants.

Besoins d'information	Éléments d'information
1) Rentabilité par catégorie de produit	
— Total des ventes par catégorie de produit	Ventes rasoirs Ventes pièces Ventes appareils ménagers
— Total du coût des ventes par catégorie de produit	Coût des ventes rasoirs Coût des ventes pièces Coût des ventes appareils ménagers
— Total du bénéfice brut par catégorie de produit	Bénéfice découlant de la différence entre ventes et coût des ventes
— Volume des réparations	Réparations

— Comparaison avec la même période l'an dernier	Chiffres correspondants à ceux indiqués ci-dessus mais pour l'an dernier
— Besoins de rapports hebdomadaires	Nécessité de faire appel à la méthode de l'inventaire permanent
2) Rentabilité par magasin Les besoins d'information ci-dessus doivent s'appliquer à chacun des magasins	Rapport identique pour chacun des magasins
3) Volume des opérations par vendeur	Analyse des ventes et des réparations par vendeur

2) *Collecte des données*

Une première façon de procéder consisterait à rédiger une facture sur laquelle on identifierait la catégorie de produit, le numéro de l'article vendu, le montant de la vente ou de la réparation, le numéro du magasin où a eu lieu la vente et celui du vendeur. Une autre façon de procéder consisterait à utiliser une caisse enregistreuse qui servirait à inscrire les données suivantes:

— numéro du vendeur;
— catégorie du produit;
— numéro de l'article vendu;
— montant de la vente ou de la réparation.

On se servirait ensuite du ruban de la caisse enregistreuse pour inscrire les opérations dans les journaux.

Compte tenu des analyses demandées et du nombre de magasins et de produits différents, l'utilisation du traitement manuel avec l'une ou l'autre de ces méthodes pour l'enregistrement dans les journaux sera très longue et inefficace. Il vaut donc mieux utiliser l'ordinateur.

Procédons à la codification appropriée des articles en magasin, afin de faciliter le traitement des opérations. Supposons que le code retenu nécessite 4 chiffres. On aurait:

— une lettre pour la catégorie du produit:
    R pour rasoir;
    P pour pièce;
    A pour appareil ménager;
    E pour réparation (entretien);
— trois chiffres pour le numéro spécifique de l'article. Dans le cas d'une réparation, le numéro est 001.

Ce code pourrait être placé sur une étiquette qui accompagne chacun des articles en magasin. Lors d'une vente, le vendeur entre sur la caisse enregistreuse le numéro du magasin, son numéro de vendeur et le code de l'article indiqué sur l'étiquette ou, dans le cas d'une réparation, le code E001. Il entre de plus le montant de l'opération.

Si on suppose que la caisse enregistreuse est reliée à l'ordinateur, ces renseignements viendraient s'inscrire dans un fichier mouvement.

3) Traitement

On pourrait représenter ainsi les étapes du traitement nécessaire pour produire les rapports demandés.

Étapes	Les données en question et le contenu des fichiers
Vente	
Caisse enregistreuse	Le vendeur y entre: — le numéro du magasin — le numéro du vendeur — le code de l'article — le montant de l'opération
Transmission à l'ordinateur	
Création du fichier mouvement des ventes	Enregistrement type: — numéro du magasin — numéro du vendeur — code de l'article — montant de l'opération

Tri des opérations:
— par magasin
— par vendeur
— par code
   • par catégorie de produit (premier caractère du code)
   • par numéro d'article (trois derniers chiffres du code)	

Fichier mouvement des ventes trié	Ce fichier contiendrait les mêmes champs que ci-dessus sauf que les enregistrements seraient triés dans cet ordre.
Pour chacun des articles, l'ordinateur va consulter le fichier maître des stocks pour y déduire la quantité vendue et ainsi maintenir l'inventaire permanent.	

Pour chacun des articles, l'ordinateur lira dans le fichier maître des stocks le prix coûtant de l'article qu'il inscrira dans le fichier mouvement.

Un enregistrement du fichier mouvement contiendra maintenant les champs suivants:

— numéro du magasin

— numéro du vendeur

— code de l'article

— montant de l'opération

— coût de l'article

(dans le cas d'une réparation, le coût sera 0,00)

Calcul du total des ventes et du coût des ventes par article. L'ordinateur fait ici pour chacun des vendeurs la somme des ventes par article ou la somme des réparations.

On obtient un fichier résultats dans lequel on va retrouver les champs suivants:

— numéro du magasin

— numéro du vendeur

— code de l'article

— total des ventes de cet article (ou des réparations) faites par ce vendeur

— total du coût des ventes de cet article par ce vendeur

— total, en quantité, du nombre d'unités de cet article ou du nombre de réparations faites par ce vendeur

Impression du rapport

Le tableau 8-22 montre, par article, la quantité vendue et le montant total des ventes ainsi que le coût des ventes et le bénéfice brut. Les renseignements sont fournis non seulement par article, mais aussi par catégorie de produits et par vendeur. On aurait ainsi une feuille détaillant le résultat des opérations effectuées par chacun des 28 vendeurs.

On pourrait aussi avoir une feuille sommaire par magasin, comme au tableau 8-23.

TABLEAU 8-22

Place du Rasoir Inc.
Rapport des ventes et des réparations
par vendeur

Période du 19 au 24 mars 19_1   (Semaine no 12)

	Nombre vendu	Ventes $	Coût des ventes	Bénéfice brut
	---------	---------	-----------	---------

Magasin numéro 1

 Vendeur numéro 1

   Rasoirs
     article R001
     article R002
       :   :
       :   :
     article R999
   Total

   Pièces
     article P001
       :   :
       :   :
     article P999
   Total

   Appareils ménagers
     article A001
       :   :
       :   :
     article A999
   Total

   Réparations E001
     Total vendeur numéro 1

Si on voulait savoir combien de rasoirs n° R876 ont été vendus pendant cette période pour l'ensemble des magasins (voir le tableau 8-24), il suffirait de reprendre le fichier mouvement des ventes et de le trier cette fois en fonction du numéro de l'article plutôt que par magasin et par vendeur, travail autrement plus facile et plus rapide que dans un système manuel.

TABLEAU 8-23

Place du Rasoir Inc.
Rapport des ventes et des réparations
par magasin

Période du 19 au 24 mars 19_1   (Semaine no 12)

	Réparations $	Ventes $	Coût des ventes	Bénéfice brut
Magasin numéro 1				
Magasin numéro 2				
: :				
: :				
Magasin numéro 10				
Total				

TABLEAU 8-24

Place du Rasoir Inc.
Rapport des ventes et des réparations
par article

Période du 19 au 24 mars 19_1   (Semaine no 12)

	Nombre vendu	Ventes $	Coût des ventes	Bénéfice brut
Rasoirs				
R001				
R002				
:				
:				
R999				
Pièces				
P001				
P002				
:				
:				
P999				
Appareils ménagers				
A001				
A002				
:				
:				
A999				
Réparations F001				

QUESTIONS

Q8-1 Comment peut-on définir un système d'information?

Q8-2 Quelle distinction peut-on faire entre donnée et information?

Q8-3 Quels sont les divers systèmes d'information qui peuvent exister dans une entreprise selon les utilisateurs et leurs besoins?

Q8-4 Et quels sont-ils selon la nature de l'information?

Q8-5 Quelles caractéristiques distinguent le système comptable des autres systèmes d'information?

Q8-6 Que signifie le mot *intégration*?

Q8-7 Quelles sont les composantes d'un système d'information?

Q8-8 Que signifie la *collecte des données*?

Q8-9 Quelle est la distinction entre classification et codification?

Q8-10 Qu'entend-on par *plan comptable*?

Q8-11 Quelles phases constituent le traitement?

Q8-12 Qu'entend-on par *décision programmée*?

Q8-13 Quelle est la matière première du système comptable?

Q8-14 Quel lien peut-on faire entre les composantes d'un système d'information, le système comptable et les moyens manuels et informatisés de traitement?

Q8-15 Que signifient les mots suivants: *saisie, fichier maître, fichier mouvement, mise à jour*?

Q8-16 Que signifie le mot *logiciel* et quelles catégories de logiciel peut-on retrouver?

Q8-17 Qu'entend-on par *unité centrale de traitement*?

Q8-18 Quels sont les divers appareils périphériques auxquels on peut faire appel?

Q8-19 Quelles distinctions peut-on faire entre *enregistrement* et *champ*?

8-20   Quelles distinctions peut-on faire entre *traitement par lot* et *traitement en temps réel*?

8-21   Quels liens peut-on faire entre les qualités d'un bon système et le mode de traitement retenu?

8-22   Quels sont les préalables au développement d'un système d'information?

8-23   En quoi consiste le processus de développement d'un système d'information?

8-24   Quelles sont les principales étapes du développement de systèmes?

8-25   Quel rôle peut jouer un gestionnaire dans l'élaboration et la mise en place d'un système d'information?

8-26   Quel est le rôle joué par l'analyste? Par le programmeur?

8-27   Qu'entend-on par *jeu d'essai*? Par *cahier des charges*?

8-28   Quelles seraient les étapes à franchir pour développer un système d'information financière?

8-29   Quels sont les dangers liés aux systèmes d'information?

8-30   Quel partage de responsabilités peut-on faire entre le gestionnaire et le directeur du service informatique, en ce qui concerne la sécurité?

8-31   Quel rôle le contrôleur peut-il jouer dans le domaine de la sécurité?

8-32   Quel rôle le contrôleur peut-il jouer dans le domaine de l'informatisation des entreprises?

PROBLÈMES À RÉSOUDRE

8-33   M. Lemieux est le nouveau propriétaire d'un dépanneur. Il gère personnellement cette entreprise. Trois autres employés travaillent dans ce dépanneur.

Étant donné qu'il cherche à réduire les coûts le plus possible, il réfléchit à l'utilité et, partant, à la valeur du système d'information comptable qu'il aimerait avoir pour son entreprise. Il décide alors de faire appel à un comptable. M. Lemieux se pose les questions suivantes.

- 1) Quels pourraient être les utilisateurs éventuels des informations produites par le système comptable?
- 2) Si des personnes sont intéressées à recevoir des informations concernant l'entreprise de M. Lemieux, identifier la nature des besoins d'information de chacune d'elles?
- 3) Le bilan et l'état des résultats semblent-ils suffisants pour répondre aux besoins d'information de M. Lemieux et à ceux des personnes intéressées? Si tel n'est pas le cas, de quelles autres informations non fournies par le bilan et l'état des résultats ces derniers pourraient-ils avoir besoin?

P8-34 Louise Marchand est une spécialiste de la comptabilité nouvellement établie. Un client, qui vient tout juste d'ouvrir un magasin de meubles, lui demande de mettre en place un système comptable approprié à ce genre de commerce.

- 1) Quelles questions Louise Marchand devrait-elle lui poser pour chercher à déterminer ses besoins d'information comptable?
- 2) Si vous aviez été le propriétaire de cette entreprise, quelle réponse plausible et pertinente auriez-vous pu donner à chacune des questions de Louise Marchand?
- 3) Identifier les registres que Louise Marchand devrait utiliser pour assurer la comptabilisation des opérations de cette entreprise.

P8-35 Madame Ducharme possède un micro-ordinateur. Elle décide de s'en servir pour tenir la comptabilité de son salon de coiffure pour hommes et femmes. Deux coiffeuses, un coiffeur et deux aides travaillent dans ce salon.

- 1) Quelles seraient les étapes à franchir pour mettre en place un système de comptabilité approprié au salon de coiffure? Supposons que le logiciel sera acheté auprès d'un fournisseur de logiciels.
- 2) Expliquer brièvement le contenu de chacun des rapports que Madame Ducharme aimerait produire avec son logiciel.
- 3) Indiquer quels champs de données constitueraient un enregistrement type du fichier maître du grand livre général.
- 4) Quelles données faudrait-il recueillir pour assurer la production des informations souhaitées, et par quels moyens ces données seront-elles recueillies?
- 5) Indiquer quels champs de données constitueraient un enregistrement type du fichier mouvement.

9 | Le travail de fin d'exercice

9.1 INTRODUCTION

Au cours des chapitres 3 à 8, nous avons décrit et expliqué le fonctionnement du modèle comptable, et nous l'avons présenté comme un système très bien adapté à l'enregistrement des opérations et ce, tant en contexte manuel qu'informatique. Nous avons ainsi démontré que le modèle comptable permet d'enregistrer chaque opération commerciale dans un journal de telle façon qu'il soit possible, par la suite, de procéder à une classification dans le grand livre général. On peut ainsi préparer les rapports comptables, dont les états financiers. En ce sens, le fonctionnement du modèle comptable est sans reproche et il semble que le travail à faire en fin d'exercice se limiterait à préparer des états financiers à partir des renseignements contenus dans le grand livre général.

En pratique, ce dernier travail n'est pas aussi simple qu'on peut le croire. En effet, il existe des situations où, à cause de son mode de fonctionnement, le modèle comptable ne permet pas de noter efficacement l'activité économique de l'entreprise.

Par exemple, si une entreprise paie à l'avance une charge d'assurances, nous avons vu que l'enregistrement comptable doit être le suivant:

Assurances	XX	
@ Caisse		XX

Par cet enregistrement, on considère que ce paiement d'assurances constitue une charge qu'on doit présenter à l'état des résultats lors de la préparation des états financiers. Toutefois, si ce paiement d'assurances donne une protection pour une période de deux ans, il faudrait, en vertu du principe du rapprochement des produits et des charges, répartir ce paiement sur les deux années pour lesquelles l'assurance a été payée. Donc, dans ce cas, si on prépare des états financiers sans procéder à un ajustement des soldes du grand livre général, on peut en arriver à surestimer la charge d'assurances l'année où elle est payée et à la sous-estimer l'année suivante.

Le modèle comptable enregistre incorrectement l'activité économique dans un autre cas, soit lors de l'acquisition de biens sujets à une dépréciation. Ainsi, dans le cas de l'acquisition d'un actif immobilisé, le modèle comptable enregistre la totalité du coût d'acquisition à un poste d'actif, ce qui laisse supposer que la valeur de cet actif est toujours égale à sa valeur d'acquisition. Pourtant, on sait très bien que ces immobilisations perdent graduellement leur utilité parce qu'elles sont utilisées et que, par conséquent, leur valeur économique devient presque nulle. Dans ce cas-ci, encore une fois, si on ne procède pas périodiquement à un ajustement des soldes de ces comptes au grand livre général, les rapports comptables seront en partie erronés.

On effectue ce processus d'ajustement des comptes en fin d'exercice dans le but de préparer des états financiers qui respectent les principes comptables. Ce n'est toutefois pas la seule tâche à exécuter en fin d'exercice. Il faut également procéder à la préparation des états financiers et aussi faire en sorte que les registres comptables, au début de l'exercice suivant, permettent de continuer l'enregistrement des opérations. C'est ainsi qu'il faudra procéder à la clôture des comptes de résultats et en intégrer les soldes au compte « Capital », afin d'en retrouver le solde de fin d'exercice. Nous verrons aussi que certaines de ces écritures de régularisation ont entraîné la création de comptes de valeurs, uniquement pour préparer correctement les états financiers. Comme ces comptes n'ont aucune utilité au cours de l'exercice, il faudra donc annuler ces écritures de régularisation à l'aide d'écritures de contrepassation.

Nous verrons donc dans ce chapitre en quoi consistent les principales étapes du travail de fin d'exercice, c'est-à-dire dans l'ordre:

1) la préparation et l'inscription des écritures de régularisation;

2) la préparation des états financiers;

3) l'inscription des écritures de clôture;

4) l'inscription des écritures de contrepassation

9.2 LES ÉCRITURES DE RÉGULARISATION

Définition

Les **écritures de régularisation** sont *les écritures, passées au journal général, dont l'objet est de redresser le solde des comptes du grand livre général, en vue de préparer des états financiers conformes aux principes comptables.*

Une écriture de régularisation sera nécessaire chaque fois qu'une opération n'aura pas été enregistrée convenablement aux registres comptables.

Identification des écritures de régularisation

Pour déterminer s'il y a lieu de passer ou non une écriture de régularisation, il faut vérifier si les soldes des comptes du grand livre général coïncident avec ceux qu'on devrait retrouver lors de l'inventaire des biens et dettes de l'entreprise. S'ils coïncident, il n'y a pas lieu de passer une écriture de régularisation. Dans le cas contraire, on devra en passer une. La figure 9-1 illustre ce processus.

FIGURE 9-1

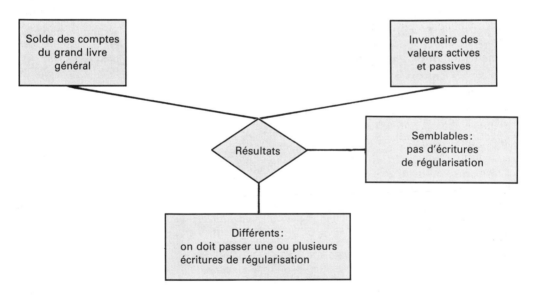

À la fin de chaque exercice financier, ce processus mène à l'identification de plusieurs écritures de régularisation. Il en existe deux catégories principales: celles qui sont relatives à l'*inscription des produits et des charges qui n'ont pas encore été notés aux registres comptables* et celles dont l'objet est la *répartition d'un produit ou d'une charge sur plusieurs exercices financiers.*

Les écritures de régularisation relatives aux produits et charges courus

Les écritures de régularisation relatives aux produits et charges courus sont nécessaires lorsque le modèle comptable n'a pas enregistré un produit gagné ou une charge encourue.

Le produit couru

Un **produit couru** est un *produit gagné et non perçu qui n'a pas encore fait l'objet d'un enregistrement aux registres comptables.*

Comme nous sommes dans une situation où l'entreprise a gagné un produit sans qu'il n'y ait eu d'inscription aux registres comptables, les produits seront sous-évalués, en l'absence de toute écriture de régularisation. L'écriture de régularisation qui s'impose doit donc avoir pour effet d'augmenter les produits. De même, comme le produit dont il est ici question n'a pas été perçu, il faut reconnaître l'existence d'une créance à recevoir et donc augmenter ce poste d'actif. Une écriture de régularisation relative à un produit couru consistera donc toujours à augmenter un poste d'actif et à augmenter un poste de produit.

EXEMPLE D'APPLICATION

Intérêts courus à recevoir

Le 31 décembre 19＿1, lors de l'examen des documents contenus dans le coffre-fort de l'entreprise Alpha, le contrôleur trouve un billet à recevoir de 2 000 $ signé par un client le 31 mai 19＿1. Au taux annuel de 15%, ce billet est payable, capital et intérêt, le 31 mai 19＿2.

Comme le client ne remboursera ce billet et l'intérêt y afférent que le 31 mai 19＿2, l'entreprise n'a donc reçu aucune somme d'argent sur cette créance du 31 mai au 31 décembre 19＿1, et elle n'est pas en droit de réclamer quelque montant que ce soit avant le 31 mai 19＿2. Par conséquent, aucune inscription n'a été passée aux registres comptables. Toutefois, il n'en demeure pas moins qu'au cours de ces sept mois, un produit d'intérêt a été gagné par l'entreprise. Ce produit se calcule comme suit:

$$2\ 000\ \$ \ \times\ 15\%\ \times\ \frac{7 \text{ mois}}{12 \text{ mois}}\ =\ 175\ \$$$

Comme un produit d'intérêt n'est enregistré que lorsqu'il est perçu, nous sommes ici en présence d'un produit gagné en 19＿1 qui, s'il ne fait pas l'objet d'une écriture de régularisation au 31 décembre 19＿1, ne sera noté qu'en 19＿2. Pour satisfaire au principe comptable de l'indépendance des exercices, il faut donc enregistrer ce produit au moyen de l'écriture de régularisation qui suit:

Intérêts à recevoir	175 $	
@ Intérêts — Produits		175 $

Le crédit au compte « Intérêts — Produits » a pour effet d'augmenter les produits d'intérêt déjà comptabilisés. Au moment de la préparation des états financiers, ces produits seront présentés à l'état des résultats. Quant au débit au compte « Intérêts à recevoir », on reconnaît par là que l'intérêt gagné et non facturé est un actif pour l'entreprise. On doit également remarquer que cet actif doit être présenté à la section « Actif à court terme » du bilan, puisque l'entreprise percevra cette créance dans un délai inférieur à 12 mois.

EXEMPLE D'APPLICATION

Revenus non facturés

Au 31 décembre 19__1, à la suite d'une analyse des produits de loyers perçus en 19__1, un propriétaire d'immeubles constate qu'un locataire n'a pas encore payé le loyer du mois de décembre 19__1. Ce loyer s'élève à 450 $.

Nous sommes encore une fois en présence d'un produit couru, car il s'agit bien d'un produit gagné et non perçu et, comme l'inscription d'un produit de loyer se fait lors de la perception de l'encaisse, car c'est à ce moment qu'on dispose d'une pièce justificative de ce produit, aucune écriture n'a encore été passée aux registres comptables relativement à ce produit de 450 $. Il faut donc rectifier les registres comptables en présentant ce produit comme un produit de l'année 19__1. De même, il faut montrer qu'au 31 décembre 19__1, l'entreprise possède le droit de percevoir cette somme. On atteint ces deux objectifs par l'écriture de régularisation suivante:

Loyer à recevoir	450 $	
@ Loyer — Produit		450 $

Par le crédit au compte « Loyer — Produit », on augmente le solde de ce compte au grand livre général. Quant au débit au compte « Loyer à recevoir », on reconnaît par là que l'entreprise a le droit de recevoir 450 $ en date du 31 décembre 19__1. Aux états financiers, on présentera le total des produits de loyers à l'état des résultats, alors que le compte « Loyers à recevoir » sera classé, comme actif à court terme, au bilan.

La charge courue

Une **charge courue** est *une charge encourue et non payée qui n'a pas encore fait l'objet d'un enregistrement aux registres comptables.*

Il s'agit d'une situation où une entreprise a encouru une charge sans l'avoir notée de quelque façon que ce soit. Elle ne l'a en effet ni payée, ni enregistrée comme un passif. Toutefois, il n'en demeure pas moins qu'au moment de la préparation du bilan, on doit reconnaître une dette envers l'organisation ou envers la personne qui a ainsi fourni un service ou un bien à l'entreprise. De même, à l'état des résultats, il faut augmenter le solde de la charge en question afin de reconnaître ce montant encouru. Par conséquent, l'écriture de régularisation relative à une charge courue consistera toujours à augmenter une charge en la débitant et à augmenter un passif d'autant par un crédit.

EXEMPLE D'APPLICATION

Salaires courus à payer

Le contrôleur de Alpha Enr. constate le mercredi 31 décembre 19__1, date de la fin de l'exercice de l'entreprise, que les salaires du 29 au 31 décembre 19__1 ne seront payés que le vendredi 2 janvier 19__2. Afin d'en déterminer le montant, il a donc procédé à une étude des fiches de présence des employés, et il a découvert que les salaires de ces trois journées s'élèvent à 1 500 $.

Dans cette entreprise, la politique de paiement des salaires consiste donc à payer le vendredi les salaires de la semaine courante. Elle conduit par conséquent à l'enregistrement des salaires, ce même jour, au journal des salaires. Toutefois, cette politique de paiement ne change rien au fait que ces salaires sont encourus au fur et à mesure que les employés travaillent dans l'entreprise. Il faut donc reconnaître, à l'état des résultats, la totalité des salaires encourus durant l'exercice, qu'ils aient été payés ou non et qu'ils aient été enregistrés aux registres comptables ou non. Comme la charge de 1 500 $, qui représente les salaires des trois dernières journées de l'exercice, n'a fait l'objet ni d'un paiement (on précise que ces salaires n'ont pas été payés), ni d'un enregistrement (l'enregistrement se fait normalement au moment de la préparation de la paie, le vendredi), elle doit faire l'objet d'une écriture de régularisation qui consiste à augmenter la charge de salaire et à identifier une dette envers les employés. Il s'agira donc de l'écriture suivante:

Salaires	1 500 $	
@ Salaires à payer		1 500 $

Le débit au compte « Salaires » augmente cette charge alors que le crédit au compte « Salaires à payer » identifie la dette de l'entreprise envers ses employés. Comme ce passif sera normalement payé au début de l'exercice suivant, il s'agit d'un passif à court terme qui devra être présenté au bilan.

EXEMPLE D'APPLICATION

Intérêts courus à payer

En passant en revue les comptes du grand livre général, on constate qu'au 30 septembre 19__1, la même entreprise a emprunté 50 000 $ sur hypothèque. L'examen de la copie du contrat d'hypothèque révèle que cette hypothèque est remboursable en entier le 30 septembre 19__6 et que l'intérêt au taux annuel de 14% est payable deux fois l'an, le 31 mars et le 30 septembre.

On constate qu'au 31 décembre 19__1, l'entreprise a bénéficié des sommes empruntées sur hypothèque depuis le 30 septembre 19__1, soit pour une période de trois mois. Elle n'a toutefois payé aucune charge d'intérêt, car le premier versement n'est payable que le 31 mars 19__2. Comme une charge d'intérêt n'est enregistrée qu'au moment du paiement, au 31 décembre 19__1, l'entreprise doit donc au créancier hypothécaire les intérêts suivants, en plus du montant emprunté:

$$50\ 000\ \$ \ \times \ 14\% \ \times \ \frac{3\ \text{mois}}{12\ \text{mois}} \ = \ 1\ 750\ \$$$

Il y a donc lieu de redresser le solde du compte « Intérêts sur hypothèque » en l'augmentant de 1 750 $ et de reconnaître également un passif correspondant à cette somme. C'est ce que permet l'écriture suivante:

Intérêts sur hypothèque	1 750 $	
@ Intérêts à payer		1 750 $

Notons que le passif qui est identifié par cette écriture de régularisation est un passif à court terme non exigible au 31 décembre 19__1 par le créancier hypothécaire. Ce passif ne sera exigible que le 31 mars 19__1; à ce moment, le débours relatif à l'intérêt correspondra à une charge de six mois, soit trois mois de 19__1 et trois mois de 19__2.

On constate par ces exemples que toute écriture de régularisation relative à un produit ou à une charge courue vient du fait qu'une opération n'a pas été enregistrée convenablement non pas parce qu'une erreur a été commise, mais parce qu'on doit attendre que toute opération soit sanctionnée par une pièce justificative comme un chèque émis, une facture expédiée, etc. Nous allons maintenant examiner le cas contraire, soit celui où une écriture de régularisation est nécessaire parce qu'une opération a été enregistrée à l'avance.

Les écritures de régularisation de répartition

Une **écriture de régularisation de répartition** a pour objet de *rectifier les soldes du grand livre général lorsqu'une opération de produit ou de charge a été enregistrée avant que cette opération ait été entièrement terminée*. On procède ainsi, car dans certaines circonstances, il arrive qu'une entreprise reçoive à l'avance un produit ou paie à l'avance une charge, ce qui signifie que le flux d'encaisse précède alors l'opération à laquelle il se rapporte. De même, une entreprise pourra recevoir une facture ou en expédier une avant qu'une charge soit encourue ou qu'un produit soit gagné. Encore ici, l'enregistrement comptable basé sur les pièces justificatives que sont ces factures précédera l'opération. Nous allons d'abord examiner comment s'effectue alors la rectification des comptes de produit et, par la suite, faire de même pour celles des charges.

La répartition des produits

La **répartition d'un produit** consiste à *partager entre plusieurs exercices un produit qui, tout en se rapportant à plus d'un exercice, a été enregistré en bloc, soit comme un produit, soit comme un passif.*

Prenons le cas où, au moment de l'enregistrement comptable, on a porté à un poste de produit la totalité de la somme reçue ou facturée. Dans ce cas, en l'absence d'une écriture de régularisation, les produits se trouveraient surévalués. En effet, comme il s'agit d'un produit qui affecte plusieurs exercices financiers, il faut, en vertu du principe de l'indépendance des exercices, attribuer à chacun des exercices une juste part de ce produit. Une partie de cette somme correspondra à un produit de l'année en cours, tandis que le solde doit être considéré comme une dette. Cette dette correspondra à la partie des services qui n'a pas encore été rendue. Il s'agira donc d'un produit perçu d'avance qui ne sera réalisé qu'au cours d'un ou plusieurs exercices subséquents. L'écriture de régularisation qu'on devra alors passer consistera à diminuer le poste de produit en question en le débitant et à créditer un poste de passif.

EXEMPLE D'APPLICATION

Le 1er décembre 19__1, Jacques Francoeur a conclu avec un client une entente selon laquelle il assurera le déblaiement de la neige pour les mois de décembre 19__1 à avril 19__2 inclusivement. L'entente prévoit un coût forfaitaire de 80 $ pour chacun des mois, payable ainsi: 200 $ le 1er décembre 19__1 et 200 $ le 30 avril 19__2. L'encaissement du premier versement, le 1er décembre 19__1, a donné lieu à l'inscription suivante:

Caisse	200 $	
@ Produits de déblaiement		200 $

Si l'exercice financier de l'entreprise prend fin le 31 décembre 19__1, le fait de ne pas passer une écriture de régularisation mènerait à une surestimation des produits de 120 $, comme on le voit ici:

Produit actuellement comptabilisé	200 $
Produit de 19__1 — mois de décembre seulement	80
Surestimation du produit	120 $

Il y a donc lieu de réduire le produit de 120 $ pour le ramener au niveau correspondant aux produits gagnés. Pour ce faire, il faut débiter le poste « Produits de déblaiement » de 120 $. D'autre part, si l'entreprise a reçu à l'avance une somme d'argent pour un service qui, à la fin de l'exercice, n'a pas encore été rendu, elle doit un service au client qui l'a ainsi payée à l'avance. Cette dette correspondant au produit perçu et non gagné portera le nom de *produit perçu d'avance*. Il faut donc créditer ce poste de passif pour que les registres reconnaissent cette dette. L'écriture de régularisation qu'on devra alors passer sera:

Produits de déblaiement	120 $	
@ Produits perçus d'avance		120 $

Par le débit au compte « Produits de déblaiement », on en réduit le solde, d'où une réduction équivalente du bénéfice. Quant à la dette identifiée par le crédit au compte « Produits perçus d'avance », c'est un passif à court terme qu'on doit présenter comme tel au bilan. En effet, puisque ce service sera rendu en 19__2, à l'intérieur d'une période de douze mois, il correspond à la définition d'un passif à court terme.

L'exemple précédent décrit la façon de régulariser les comptes lorsqu'un produit perçu à l'avance a été considéré en entier comme un produit. Il arrive toutefois qu'au moment de l'encaissement de l'argent, on crédite non pas un poste de produit, mais un poste de passif qui représente un produit perçu d'avance. Si tel était le cas, la situation serait l'inverse de celle que nous venons d'illustrer. En effet, si un produit partiellement gagné au cours d'un exercice est entièrement considéré comme un passif, ce passif sera alors surévalué et les produits seront sous-évalués d'un montant correspondant à la valeur des produits gagnés durant l'exercice. C'est pourquoi, dans ce cas, il y a lieu de corriger les registres comptables par une écriture de régularisation qui réduit le poste de passif et augmente le poste de produit.

EXEMPLE D'APPLICATION

Prenons le cas des produits de déblaiement que nous avons vu à l'exemple d'application précédent et supposons qu'au moment de la réception de l'encaisse, le 1er décembre 19__1, on a passé l'écriture suivante:

Caisse	200 $	
@ Produits perçus d'avance		200 $

Comme la totalité de la somme perçue a été considérée comme un passif, ce dernier est surévalué d'un montant qui correspond au produit gagné pendant l'exercice 19__1, c'est-à-dire 80 $. De même, parce qu'aucun crédit n'a été porté au compte « Produits de déblaiement », celui-ci est sous-évalué du même montant (80 $). L'écriture de régularisation propre à ajuster les comptes sera donc:

Produits perçus d'avance	80 $	
@ Produits de déblaiement		80 $

Par un débit de 80 $ au compte « Produits perçus d'avance », on en réduit le solde à 120 $, ce qui correspond à la dette envers le client. Cette dette sera alors présentée dans le bilan au passif à court terme. Le crédit au compte « Produits de déblaiement » en augmente le solde d'autant, ce qui permet de présenter un produit qui respecte le principe de l'indépendance des exercices.

409

En résumé, une écriture de répartition relative à un produit dépend de la façon dont les produits ont été comptabilisés au cours de l'exercice. S'ils ont été comptabilisés aux produits, il faut les réduire et augmenter le passif correspondant. S'ils ont été comptabilisés à un compte de passif, il faut réduire ce compte et augmenter le produit correspondant. Dans les deux cas, on obtiendra le même résultat final, soit un produit qui correspond au produit gagné pendant l'exercice et un passif qui correspond au produit comptabilisé, mais non gagné pendant l'exercice. Ainsi, dans l'exemple précédent, on peut vérifier à l'aide des comptes en T que, quelle que soit la façon dont les sommes perçues ont été comptabilisées, les produits de déblaiement et le passif « Produit perçu d'avance » donneraient le même solde aux états financiers, soit 80 $ aux produits et 120 $ aux produits perçus d'avance.

Encaissement comptabilisé aux produits

Produits de déblaiement		Produits perçus d'avance	
	200 $ 01-12-19__1		120 $ Rég.
			31-12-19__1
Rég. 120 $			
31-12-19__1			
	80 $		120 $

Encaissement comptabilisé au passif

Produits de déblaiement		Produits perçus d'avance	
	80 $ Rég.	Rég. 80 $	200 $ 01-12-19__1
	31-12-19__1	31-12-19__1	
	80 $		120 $

La répartition des charges

La **répartition d'une charge** consiste à *partager entre plusieurs exercices une charge qui, tout en se rapportant à plus d'un exercice, a été enregistrée en bloc, soit comme une charge, soit comme un actif.*

Prenons le cas où une charge, qui procure un service ou un produit à plus d'un exercice, a été entièrement comptabilisée comme charge, au cours de l'exercice. On sait qu'en vertu du principe comptable du rapprochement des produits et des charges, on doit distinguer dans ce cas la partie qui correspond aux services rendus pendant l'exercice de la partie qui correspond aux services rendus à une période ultérieure. Cela signifie qu'au moment de la présentation des états financiers, il faudra distinguer la charge de l'exercice de celle qui correspondra à un ou plusieurs exercices ultérieurs. Dans le premier cas, il s'agira d'une charge qu'on doit présenter à l'état des résultats, alors que dans le deuxième cas, il s'agira d'un actif à présenter au bilan. Comme nous avons ici supposé le cas où la totalité de la somme a été inscrite comme charge, l'écriture de régularisation qui s'impose consiste donc à diminuer cette charge par un crédit et à augmenter un actif, appelé « Charge payée d'avance », par un débit.

EXEMPLE D'APPLICATION

Le 1er avril 19__1, Nautilex Enr. a payé une facture d'assurance de 900 $ pour la période de mars 19__1 à février 19__2 inclusivement. Ce paiement a alors été comptabilisé comme suit:

Assurances	900 $	
@ Caisse		900 $

Si Nautilex désire présenter des états financiers en date du 31 décembre 19__1, il lui faudra donc distinguer la partie du montant payé qui constitue une charge de 19__1 de celle qui est attribuable à 19__2. Cette répartition doit s'effectuer comme suit:

Coût de la couverture d'assurances pour 19__1 (10 mois)

$$\frac{10 \text{ mois}}{12 \text{ mois}} \times 900 \text{ \$} \qquad 750 \text{ \$}$$

Coût de la couverture d'assurances pour 19__2 (2 mois)

$$\frac{2 \text{ mois}}{12 \text{ mois}} \times 900 \text{ \$} \qquad \frac{150}{900 \text{ \$}}$$

La charge d'assurances à reconnaître en 19__1 n'est donc que de 750 $. Les 150 $ résiduels ne seront considérés comme une charge qu'en 19__2. Il s'agit donc, au 31 décembre 19__1, d'un actif appelé « Assurances constatées d'avance ». L'écriture de régularisation qu'on doit passer à cette date serait donc:

Assurances constatées d'avance	150 $	
@ Assurances		150 $

Le compte « Assurances constatées d'avance » serait présenté à l'actif court terme du bilan, alors que le crédit au compte « Assurances » diminuerait cette charge de 150 $.

Comme pour la comptabilisation des produits, la comptabilisation des charges sujettes à une écriture de régularisation de répartition peut donner lieu à l'affectation d'un compte de valeurs au lieu de celle d'un compte de résultats au moment de l'enregistrement comptable. Dans ce cas, la totalité des sommes versées serait portée à un poste d'actif, ce qui signifie qu'au moment de la présentation des états financiers, celui-ci serait surévalué alors que le poste de charge serait sous-évalué. Il faudrait donc rectifier les registres comptables au moyen d'une écriture de régularisation dont l'effet serait d'augmenter la charge en la débitant et de diminuer le poste d'actif par un crédit.

EXEMPLE D'APPLICATION

Supposons que, dans l'exemple précédent, Nautilex Enr. avait enregistré le paiement de la charge d'assurances comme suit, le 1er avril 19___1.

Assurances constatées d'avance	900 $	
@ Caisse		900 $

Dans ce cas, au 31 décembre 19___1, la charge d'assurances serait sous-évaluée de 750 $ et l'actif « Assurances payées d'avance » surévalué d'autant. L'écriture de régularisation qui s'impose serait alors:

Assurances	750 $	
@ Assurances constatées d'avance		750 $

On augmenterait ainsi la charge d'assurances de 750 $ et on réduirait le solde du compte d'actif à court terme « Assurances constatées d'avance » du même montant.

On constate que, quelle que soit la façon dont le paiement de la charge a été enregistré à l'origine, l'écriture de régularisation mène toujours au même résultat final, soit une charge de 750 $ et un actif de 150 $. C'est normal, car elle fait en quelque sorte le pont entre ce qui est enregistré et ce qui doit paraître aux états financiers. Comme l'information qui doit paraître aux états financiers doit respecter les principes comptables et ne doit donc pas être affectée par ce qui est enregistré, l'écriture de régularisation doit rectifier les comptes de manière à atteindre cet objectif.

Ce dernier exemple termine l'étude des régularisations de répartition. La suite de l'exposé portera maintenant sur trois cas précis d'écritures de régularisation: le cas de la dotation à l'amortissement, celui des créances douteuses et celui des stocks de marchandises.

La dotation à l'amortissement

La **dotation à l'amortissement** est l'expression comptable de *la charge résultant de la dépréciation d'un actif immobilisé.*

Sauf pour le cas d'un terrain, tout actif immobilisé perd graduellement sa valeur sous l'effet du temps, de l'usage et des éléments naturels. C'est ainsi qu'au terme d'une certaine période, qui peut varier selon l'actif et l'usage qui en est fait, cet actif en arrive à n'avoir pratiquement plus de valeur économique. La **dépréciation** est *cette* *perte graduelle de la valeur économique.* Dans ces conditions, l'acquisition d'un actif immobilisé peut être considérée comme équivalente à un paiement à l'avance d'une charge, sauf qu'au lieu de porter sur un ou deux exercices financiers, ce paiement à l'avance en affecte un plus grand nombre. Par exemple, l'acquisition d'un camion que l'entreprise prévoit utiliser pendant une période de 5 ans équivaut au paiement à l'avance d'une charge pour 5 ans. Il est donc nécessaire, à la fin de chaque exercice financier, de rectifier les comptes de l'entreprise pour faire en sorte que le coût de la dépréciation subie au cours de cet exercice figure à l'état des résultats et qu'au bilan, on retrouve cet actif présenté à sa valeur comptable, c'est-à-dire à la valeur d'acquisition diminuée de la totalité de la dépréciation subie depuis son acquisition jusqu'à la date du bilan. En effet, en vertu du principe comptable du rapprochement des produits et des charges, il serait inapproprié de considérer le coût d'acquisition comme une charge uniquement pour l'année où l'actif est acquis ou encore uniquement pour l'année où il n'a plus aucune valeur économique.

La comptabilisation des opérations relatives aux immobilisations se fait donc comme suit:

1) à l'achat, on porte au débit de l'actif en question son coût d'acquisition;

2) à la fin de chaque exercice ou au moment où on dispose de l'actif, une écriture de régularisation de répartition porte aux charges le coût de la dépréciation de l'actif pour la période visée et, en contrepartie, diminue sa valeur comptable.

Le problème consiste donc à définir une méthode qui permette de répartir adéquatement le coût d'une immobilisation. Pour ce faire, il faut connaître les paramètres de calcul suivant:

1) le coût d'acquisition de l'actif,

2) sa valeur résiduelle,

3) sa durée de vie économique,

4) son rythme de dépréciation.

Examinons brièvement en quoi consiste chacun de ces paramètres.

Le coût d'acquisition de l'actif

Le **coût d'acquisition de l'actif** est *le coût de l'actif prêt à être utilisé par l'entreprise.* Il comprend, en plus du prix payé au fournisseur, tous les frais inhérents à sa mise en état de service pour l'entreprise. Généralement, ces coûts se limitent toutefois aux frais de transport et aux coûts d'installation.

La valeur résiduelle

La **valeur résiduelle** correspond au *montant estimatif que l'entreprise pourra réaliser lorsque l'actif n'aura plus de valeur économique pour elle.* Il peut s'agir d'une valeur d'échange si l'entreprise prévoit changer le vieil actif pour un neuf au terme de la durée de vie économique de cet actif. Il peut également s'agir d'une valeur de récupération si l'entreprise prévoit le vendre à une tierce personne qui l'utilisera à d'autres fins, ou encore d'une valeur de rebut si c'est la valeur obtenue au moment de sa mise au rancart. Cette valeur doit être estimée au moment de l'acquisition de l'actif. Ainsi, on peut obtenir le montant estimatif de la perte de valeur subie par l'actif au cours de la période où l'entreprise prévoit l'utiliser. Cette perte de valeur se calcule comme suit:

Coût d'acquisition	XX
Moins: Valeur résiduelle	XX
Perte de valeur en cours d'utilisation	XX

La durée de vie économique

La **durée de vie économique** est la *période pendant laquelle l'actif sera utilisé par l'entreprise*. Habituellement, elle est exprimée en mois ou en année. Cependant, dans certains cas, on peut exprimer cette durée d'après une autre base, comme le nombre d'heures d'utilisation (pour une machine), la distance parcourue (pour un véhicule automobile), etc. Il n'y a pas de recette pour déterminer avec une précision parfaite la durée de vie d'un actif. Chaque cas est particulier et doit être étudié selon la nature de l'actif et selon les politiques de l'entreprise en matière d'entretien et de renouvellement des immobilisations.

Le rythme de dépréciation

Est-ce qu'un actif se déprécie plus rapidement lorsqu'il est neuf que lorsqu'il a été utilisé pendant une certaine période, ou est-ce le contraire? Par exemple, est-ce que la dépréciation d'une automobile est plus grande pendant la première année d'utilisation que pendant les années suivantes? Selon la nature de l'actif et la nature des activités de l'entreprise, la réponse peut varier. Dans certains cas, on dira que le rythme de dépréciation est croissant alors que dans d'autres, il sera décroissant. Comme la dotation à l'amortissement doit être à l'image de la dépréciation subie par un actif pendant une période, la diversité des rythmes de dépréciation explique pourquoi il existe plusieurs méthodes pour déterminer cette charge. Certaines affectent, pendant le premier exercice financier où un actif est utilisé, une dotation à l'amortissement supérieure à celle des années suivantes. Par contre, d'autres mèneront à l'établissement d'une charge croissante avec le temps. Enfin, une méthode appelée méthode de l'amortissement linéaire vise à affecter à chaque unité de temps un coût de dépréciation uniforme.

Au Canada, on utilise surtout deux méthodes: celle de l'amortissement linéaire et celle de l'amortissement dégressif à taux constant.

La **méthode de l'amortissement linéaire** détermine *la dotation à l'amortissement d'une période par l'application de la formule* $A = \dfrac{C - R}{T}$,

où A = dotation à l'amortissement
C = coût de l'actif à amortir
R = valeur résiduelle
T = durée de vie économique de l'actif

Par exemple, si un actif qui a coûté 15 000 $ possède une durée de vie économique de 10 ans et une valeur résiduelle de 1 600 $, la dotation à l'amortissement sera, selon la méthode de l'amortissement linéaire:

$$\frac{15\ 000\ \$ - 1\ 600\ \$}{10\ ans} = 1\ 340\ \$ \text{ par an}$$

Chacune des dix années se verra attribuer une charge de dotation à l'amortissement de 1 340 $, soit un total de 13 400 $ au terme de cette période. Le solde de 1 600 $ qui demeurera correspondra à la valeur résiduelle que l'entreprise prévoit réaliser à la vente de l'actif. Le tableau 9-1 illustre l'évolution de la valeur comptable de cet actif.

TABLEAU 9-1

	Illustration de l'amortissement linéaire	
Année	Dotation à l'amortissement annuelle	Valeur comptable
Lors de l'achat	—	15 000 $
1	1 340 $	13 660
2	1 340	12 320
3	1 340	10 980
4	1 340	9 640
5	1 340	8 300
6	1 340	6 960
7	1 340	5 620
8	1 340	4 280
9	1 340	2 940
10	1 340	1 600

On constate dans ce tableau que la valeur comptable, c'est-à-dire le coût de l'actif diminué de la dotation à l'amortissement, diminue d'un montant identique pendant chaque période pour atteindre la valeur résiduelle, au terme de la durée de vie économique de l'actif.

La **méthode de l'amortissement dégressif à taux constant** est *une méthode par laquelle on détermine la dotation à l'amortissement par l'application d'un taux constant sur la valeur comptable d'un actif.* Ainsi, un actif ayant un coût de 10 000 $ et amorti au taux de 20% selon cette méthode mènerait à une charge dotation à l'amortissement qui se calculerait comme suit pour chacune des cinq premières années:

1re année	20% × 10 000 $	= 2 000 $
2e année	20% × (10 000 $ − 2 000 $)	= 1 600 $
3e année	20% × [10 000 − (2 000 + 1 600)]	= 1 280 $
4e année	20% × [10 000 − (2 000 + 1 600 + 1 280)]	= 1 024 $
5e année	20% × [10 000 − (2 000 + 1 600 + 1 280 + 1 024)]	= 819 $

La dotation à l'amortissement est donc ici beaucoup plus grande pendant les premières années et diminue graduellement pour ne plus avoir beaucoup d'importance. Ainsi, la cinquième année, on aurait une charge de 819 $ seulement, soit environ 1 200 $ de moins que la première année. Remarquons que l'utilisation de cette méthode d'amortissement décroissant ne permettra jamais d'amortir complètement le coût d'un actif immobilisé, puisque la valeur résiduelle aux livres aura toujours un solde positif.

Doit-on utiliser la méthode de l'amortissement linéaire ou celle de l'amortissement dégressif? Généralement, on préférera opter pour l'amortissement linéaire, car cette méthode est plus facile à appliquer. Toutefois, lorsqu'un actif est utilisé davantage pendant les premières années ou encore s'il s'agit d'un bien dont on ne connaît pas exactement la durée de vie économique, il est préférable d'utiliser la méthode de l'amortissement dégressif.

Revenons maintenant à notre préoccupation de départ et examinons, grâce à l'exemple suivant, comment on doit inscrire une écriture de régularisation relative à la dotation à l'amortissement.

EXEMPLE D'APPLICATION

Le 1er janvier 19__1, Nautilex Enr. a acquis au coût de 10 000 $ un camion dont la durée d'utilisation estimée est de 5 ans et la valeur résiduelle de 1 000 $. Nautilex amortit tout actif immobilisé selon la méthode linéaire. Ici, la charge annuelle de dotation à l'amortissement sera estimée comme suit:

$$\frac{10\ 000\ \$ - 1\ 000\ \$}{5\ ans} = 1\ 800\ \$ \text{ par année}$$

Si l'exercice financier de Nautilex se termine le 31 décembre 19__1, l'écriture de régularisation qu'on doit alors passer serait la suivante:

```
Dotation à l'amortissement — Camion   1 800 $
    @ Amortissement cumulé
        — Camion                               1 800 $
```

Cette écriture débite à un compte de charge appelé « Dotation à l'amortissement — Camion » un coût correspondant à la dotation à l'amortissement annuelle. Cette charge apparaîtra, parmi les charges d'exploitation, à l'état des résultats. Le crédit au compte « Amortissement cumulé — Camion » semble a priori bizarre. En effet, si on reconnaît que le camion a subi une usure de 1 800 $, pourquoi ne pas en réduire le solde d'autant et le ramener ainsi à 8 200 $? On ne peut pas procéder ainsi, car la dotation à l'amortissement repose sur des estimations. De plus, la comparaison entre la valeur d'acquisition d'un actif et le montant inscrit à l'amortissement cumulé donne un renseignement sur l'âge d'un actif. Si le montant de l'amortissement cumulé est près de la valeur d'acquisition de l'actif, on a là une indication que l'entreprise a acquis l'actif depuis longtemps. Dans le cas contraire, on aura un indice que l'actif a été acquis depuis peu de temps. C'est pourquoi il est préférable de toujours garder aux registres comptables la valeur d'acquisition de l'actif, ici de 10 000 $, et d'inscrire dans un compte en contrepartie le montant de la dépréciation subie depuis que l'entreprise a fait l'acquisition de l'actif. Le compte « Amortissement cumulé — Camion » est donc un compte lié au compte « Camion » et doit, de ce fait, apparaître avec celui-ci au bilan. On le retrouvera donc présenté comme suit à l'actif immobilisé du bilan au 31 décembre 19__1.

Camion	10 000 $	
Moins:	1 800	8 200 $

Lorsqu'un actif est sujet à une dépréciation, on retrouve donc au bilan trois valeurs: le coût (ici de 10 000 $), l'amortissement cumulé (ici de 1 800 $) et la valeur comptable (ici de 8 200 $).

Poursuivons notre exemple et supposons qu'au 31 décembre 19__2, Nautilex possède encore ce camion. On devra alors passer l'écriture de régularisation suivante:

Dotation à l'amortissement — Camion	1 800 $
@ Amortissement cumulé	
— Camion	1 800 $

Sauf pour la date, cette écriture est la même que celle qu'on a passée le 31 décembre 19__1. C'est normal, puisque l'entreprise utilise ici la méthode de l'amortissement linéaire, ce qui mène à l'inscription d'une charge de dotation à l'amortissement identique lors de chaque période. Le compte « Dotation à l'amortissement — Camion » sera présenté aux charges d'exploitation de l'état des résultats de 19__2 et, au bilan du 31 décembre 19__2, le poste « Camion » serait présenté comme suit:

Camion	10 000 $	
Moins: Amortissement cumulé — Camion	3 600	6 400 $

Remarquons que l'amortissement cumulé est passé de 1 800 $ au 31 décembre 19__1 à 3 600 $ au 31 décembre 19__2. Ce montant d'amortissement cumulé, comme son nom l'indique, représente le total de la dotation à l'amortissement affecté aux charges depuis que l'entreprise a acquis le camion.

Les créances douteuses

Chaque fois qu'une entreprise vend à crédit, elle court le risque de ne pas recevoir la totalité de la somme convenue au moment de la vente. Ainsi, régulièrement, les entreprises se retrouvent dans une situation où un client est dans l'impossibilité de rembourser sa créance. On reconnaît alors que l'entreprise a subi une perte sur mauvaises créances.

Théoriquement, ces pertes sur mauvaises créances ne devraient pas poser de problèmes de comptabilisation. En effet, au moment où la perte est connue, il suffit d'effacer des livres le compte du client qui ne peut rembourser sa dette et de débiter une charge de mauvaises créances. Ce traitement comptable donnerait alors lieu à l'écriture suivante:

Mauvaises créances	XX	
@ Clients		XX

Il peut, cependant, s'écouler plusieurs mois entre le moment de la vente et celui où on reconnaît qu'un client ne peut rembourser sa dette. Par exemple, il se peut fort bien que les mauvaises créances qui ont pour origine des ventes de l'exercice 19__1 ne soient connues qu'en 19__2, au moment où on s'apercevra que tel ou tel client ne peut rembourser l'entreprise. Si on attend à 19__2 avant de reconnaître la perte sur mauvaises créances, on irait à l'encontre de la convention du rapprochement des produits et des charges, puisque le coût du risque des ventes à crédit de 19__1 serait affecté à l'exercice 19__2. Par contre, le fait d'avoir assumé le risque du crédit en 19__1 a permis d'augmenter les produits de 19__1 et non ceux de 19__2. De même, lors de la présentation du compte « Clients » au bilan, on doit montrer non pas la valeur nominale de ces comptes mais le montant qui sera encaissable. Donc, il faudra enlever de la valeur nominale du compte « Clients » l'estimation de ce que l'entreprise ne pourra percevoir. L'estimation de ces créances douteuses permet donc, d'une part, d'attribuer à l'exercice qui a bénéficié des ventes à crédit le coût de ces créances douteuses et, d'autre part, d'assurer une présentation adéquate du poste « Clients » au bilan.

Généralement, cette estimation ne permet pas d'identifier le client qui ne paiera pas. Elle mène plutôt à l'estimation, à partir d'indices basés sur le volume des affaires ou sur le montant du compte « Clients », d'une somme que l'entreprise ne recevra probablement pas. La comptabilisation du phénomène des créances douteuses est illustrée par l'exemple d'application suivant.

EXEMPLE D'APPLICATION

Au 31 décembre 19__1, le solde au grand livre général du compte « Clients » de Nautilex, Enr. s'élève à 60 000 $. Par expérience, le contrôleur sait qu'en moyenne 5% de ces comptes se révèlent irrécouvrables au cours des exercices subséquents.

L'entreprise prévoit donc ne pas être en mesure de percevoir 3 000 $ sur l'ensemble de ses comptes « Clients » au 31 décembre 19__1. Il faut donc attribuer à l'exercice 19__1 le coût de ces créances douteuses afin d'atteindre un juste rapprochement des produits et des charges. Cette affectation aux charges ne peut se faire que par une écriture de régularisation parce que, pendant l'exercice 19__1, aucun événement économique n'a permis de découvrir qu'un client plutôt qu'un autre ne paiera pas sa créance. La régularisation consistera alors en un débit à une charge appelée « Créances douteuses ». Mais, quel compte créditer? Il est hors de question de passer un crédit au compte « Clients », car on ne sait pas quel client ne paiera pas sa créance. C'est pourquoi on créditera un compte de contrepartie d'actif appelé « Provision pour créances douteuses ». C'est ainsi que la régularisation qui permet de tenir compte des créances douteuses de Nautilex au 31 décembre 19__1 donne lieu à l'écriture suivante:

Créances douteuses	3 000 $	
@ Provision pour créances douteuses		3 000 $

La charge « Créances douteuses » sera présentée aux charges d'exploitation dans l'état des résultats de l'exercice 19__1, et le compte « Provision pour créances douteuses » sera présenté à l'actif à court terme du bilan du 31 décembre 19__1 en diminution du compte « Clients »:

Clients	60 000 $	
Moins: Provisions pour créances douteuses	3 000	57 000 $

Par cette présentation au bilan, on montre la valeur nominale du compte « Clients » diminuée de l'estimation de la provision pour créances douteuses. Naturellement, c'est le montant net (57 000 $) qui s'ajoutera aux autres éléments de l'actif à court terme.

Revenons maintenant aux données de l'exemple et supposons qu'au 31 décembre 19__1, le solde au grand livre général du compte « Provision pour créances douteuses » est de 2 000 $ au crédit. Dans cette situation, la provision pour créances douteuses requise est donc de 3 000 $, alors que 2 000 $ sont déjà inscrits aux registres. Il suffit, pour régulariser la situation, d'augmenter comme suit le compte « Provision pour créances douteuses »:

Créances douteuses	1 000 $	
@ Provision pour créances douteuses		1 000 $

Il n'y aurait dans ce cas qu'une charge de 1 000 $. Cependant, au bilan, la provision pour créances douteuses s'élèverait à 3 000 $. L'écart entre ces deux données s'explique par le fait que les 2 000 $ déjà inscrits avant l'écriture de régularisation proviennent d'une régularisation précédente et ont donné lieu à l'affectation d'une charge pour des exercices antérieurs à 19__1. L'exercice 19__1 ne supporte donc que l'accroissement des créances douteuses dont il est responsable.

Examinons maintenant deux opérations reliées aux pertes sur mauvaises créances: la radiation d'un compte « Clients » et l'encaissement postérieur à la radiation.

La radiation d'un compte

Si, au cours d'un exercice, une entreprise s'aperçoit qu'un de ses comptes devient irrécouvrable, elle doit ramener le solde de ce compte à zéro en le créditant. En effet, si le client ne peut le payer, ce compte n'a aucune valeur et doit être présenté tel quel aux registres comptables. Comme on a pu identifier ici un client qui ne peut rembourser sa créance, on doit également réduire, en le débitant, le compte « Provision pour créances douteuses », compte qui, on s'en souvient, représente le montant estimatif de créances qui ne pourront être perçues. Par conséquent, si Nautilex s'aperçoit le 31 mars 19__2 qu'un client, qui lui doit 750 $ par exemple, ne peut rembourser sa créance, on doit alors passer l'écriture suivante:

Provision pour créances douteuses	750 $	
@ Clients		750 $

Cette écriture, *qui n'est pas une écriture de régularisation*, a pour effet d'éliminer des registres le compte « Clients » perdu et de réduire de ce montant la provision pour créances douteuses.

L'encaissement postérieur à la radiation

Enfin, lorsqu'on enregistre la perception d'un compte qui a déjà fait l'objet d'une radiation, on doit procéder en deux étapes.

La première consiste à réinscrire dans les registres le compte du client pour une somme équivalente à ce qui est encaissé. Par exemple, si Nautilex reçoit 400 $ du compte qu'elle avait radié le 31 mars 19__2, cet encaissement donnerait lieu à l'écriture suivante:

Clients	400 $	
@ Provision pour créances douteuses		400 $

Cette écriture annule donc en partie ou en totalité la radiation qui avait été passée. Ici, il s'agit d'une annulation partielle (400 $ sur 750 $).

La deuxième étape consiste à enregistrer cet encaissement au journal des recettes:

Caisse	400 $	
@ Clients		400 $

On doit remarquer que les deux écritures précédentes ne sont pas des écritures de régularisation, mais des écritures d'enregistrement d'opérations. L'écriture de régularisation reliée aux créances douteuses est toujours préparée en fin d'exercice à partir de l'estimation des créances douteuses.

Le stock de marchandises

Au chapitre 6, nous avons vu que les opérations reliées au stock de marchandises sont résumées aux états financiers par les deux renseignements suivants:

1) le coût des marchandises vendues qui paraît à l'état des résultats;

2) le stock de marchandises qui paraît au bilan.

Au moment de la préparation des états financiers, il faudra donc retrouver au grand livre général le solde de ces deux comptes. La nature de l'ajustement nécessaire pour obtenir le solde de ces deux comptes dépendra en partie de la méthode de comptabilisation des stocks retenue par l'entreprise. Examinons donc comment il faut procéder à la détermination de l'écriture de régularisation qui s'impose, selon que l'entreprise utilise la méthode de l'inventaire permanent ou celle de l'inventaire périodique.

La méthode de l'inventaire permanent

En principe, avec la méthode de l'inventaire permanent, aucune écriture de régularisation n'est nécessaire, car l'utilisation de cette méthode assure qu'on tient à jour les postes « Stock de marchandises » et « Coût des marchandises vendues ». Toutefois, si des erreurs se sont produites lors de l'enregistrement des opérations ou encore si des marchandises ont été perdues ou volées, par exemple, l'évaluation des marchandises identifiées lors du dénombrement des articles présentera une différence avec le solde au grand livre général. Dans ces conditions, il convient d'ajuster le solde au grand livre général en l'augmentant ou en le diminuant selon le cas. Par exemple, si l'évaluation des stocks excède de 3 000 $ le solde au grand livre général, il faudra augmenter le solde de ce compte. Également, comme le coût des marchandises vendues serait alors surévalué de 3 000 $, on devra le corriger en portant cette somme au crédit de ce compte. L'écriture de régularisation alors à passer serait:

Stock de marchandises	3 000 $	
@ Coût des marchandises vendues		3 000 $

Au contraire, dans le cas où le stock de marchandises serait surévalué, cela signifierait qu'au cours de l'exercice, on n'a pas porté suffisamment de charges au coût des marchandises vendues, qui se trouve alors sous-évalué. Il faudrait donc rectifier le solde des comptes par l'écriture suivante:

Coût des marchandises vendues.	XX	
@ Stock de marchandises		XX

La méthode de l'inventaire périodique

Contrairement à la méthode de l'inventaire permanent, la méthode de l'inventaire périodique ne permet pas de tenir à jour les postes « Stock de marchandises » et « Coût des marchandises vendues ». En effet, si on utilise cette méthode, les comptes relatifs aux opérations reliées au stock de marchandises se rapportent uniquement à l'acquisition des marchandises. On retrouve ainsi les comptes « Achats », « Fret à l'achat », « Rendus et rabais sur achats », etc., de même que le solde d'ouverture des stocks de marchandises. Comme l'écriture de régularisation doit faire en sorte qu'on retrouve au grand livre général le stock de clôture ainsi que le coût des marchandises vendues de l'exercice, il faut donc passer une ou plusieurs écritures de régularisation qui effaceront des registres les comptes de résultats reliés à l'acquisition des marchandises et qui mèneront à la détermination du solde de ces deux comptes. On y parvient par deux écritures de régularisation.

La première écriture consiste à créditer tous les comptes de résultats à solde débiteur relatifs à l'acquisition des marchandises, de même que le compte « Stock de marchandises » (qui représente le stock d'ouverture), d'un montant propre à les ramener à zéro. Le montant total ainsi déterminé sera porté au débit du compte « Coût des marchandises vendues ». Par cette écriture, on porte à ce dernier compte le coût total des marchandises qui auraient pu être vendues au cours de l'exercice s'il n'y avait eu aucun rendu et rabais sur achat et aucun stock de clôture.

La deuxième écriture consiste à débiter les comptes de résultats à solde créditeur relatifs à l'acquisition des marchandises et à débiter le compte « Stock de marchandises » d'un montant propre:

1) à ramener à zéro le ou les comptes de résultat ainsi débités;

2) à inscrire au compte « Stock de marchandises » l'évaluation obtenue lors du dénombrement des marchandises.

Le total de ces débits est porté au crédit du compte « Coût des marchandises vendues » qui se trouve alors réduit soit parce que des marchandises ont été retournées au fournisseur durant l'exercice, soit parce que l'entreprise possède encore des marchandises en fin de période.

Observons à l'aide de l'exemple suivant l'effet de ces deux écritures sur le solde des comptes du grand livre général.

EXEMPLE D'APPLICATION

Le contrôleur de Nautilex, Enr. (qui utilise la méthode de l'inventaire périodique) présente un extrait partiel de la balance de vérification de son entreprise au 31 décembre 19__1.

	Débit	Crédit
Stock de marchandises	3 000 $	
Achats	140 000	
Fret à l'achat	10 000	
Rendus et rabais sur achats		4 000 $

Il indique également qu'au 31 décembre 19__1 le stock de clôture est de 5800 $.

Les comptes « Achats », « Fret à l'achat » et « Rendus et rabais sur achats » sont liés à l'acquisition des marchandises. Quant au solde de 3 000 $ au compte « Stock de marchandises », il s'agit là du stock d'ouverture, puisque l'entreprise utilise l'inventaire périodique. On doit alors passer les écritures de régularisation suivantes:

① Coût des marchandises vendues   153 000 $
    @ Stock de marchandises   3 000 $
       Achats   140 000 $
       Fret à l'achat   10 000 $

② Stock de marchandises   5 800 $
   Rendus et rabais sur achats   4 000 $
    @ Coût des marchandises
       vendues   9 800 $

Examinons l'effet de ces écritures sur les comptes du grand livre général qui se rapportent soit au stock de marchandises, soit au coût des marchandises vendues.

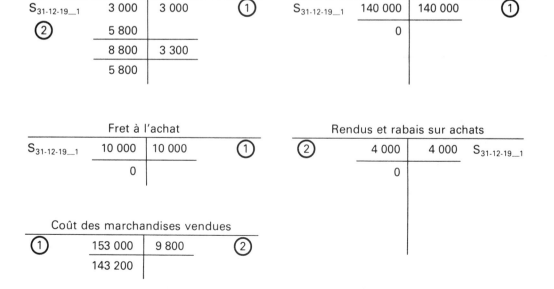

On constate qu'à la suite du report de ces deux écritures, il ne reste plus, au grand livre général, que le montant du coût des marchandises vendues de l'exercice et, au compte « Stock de marchandises », un montant qui correspond au stock de clôture.

Nous savons en quoi consiste une écriture de régularisation. Nous allons maintenant aborder une autre phase du travail de fin d'exercice, soit la préparation des états financiers.

9.3 LA BALANCE DE VÉRIFICATION RÉGULARISÉE ET LA PRÉPARATION DES ÉTATS FINANCIERS

La préparation et l'enregistrement des écritures de régularisation s'inscrivent, on s'en souvient, dans un processus dont l'objectif ultime est de présenter des états financiers en conformité avec les exigences des principes comptables. Comme les autres écritures de journal, les écritures de régularisation doivent être reportées au grand livre général, et leurs soldes serviront alors de base à la préparation des états financiers. Avant de préparer ces états financiers, on s'assurera toutefois de l'exactitude du travail comptable par la préparation d'une balance de vérification immédiatement après avoir effectué ce report. Ce document, la *balance de vérification régularisée*, se caractérise par le fait que les soldes des comptes qui y apparaissent correspondent en tous points à ceux qui doivent apparaître aux états financiers. C'est donc ce document qui servira de base à la préparation de ces états.

Le travail de fin d'exercice propre à la préparation des états financiers correspond donc, dans l'ordre:

1) à la préparation et à l'inscription au journal général des écritures de régularisation;

2) au report de ces écritures au grand livre général;

3) à la préparation d'une balance de vérification régularisée;

4) à la préparation des états financiers.

Si le mécanisme du travail de fin d'exercice ressemble à l'enregistrement des opérations, la nature des ajustements effectués par les écritures de régularisation le rend cependant beaucoup plus difficile. Ainsi, il arrive souvent qu'en examinant les états financiers, on constate qu'on a oublié une ou plusieurs écritures de régularisation ou encore que quelques-unes sont erronées. Voilà pourquoi il faut souvent soit reprendre certaines écritures de régularisation, soit inscrire celles qui auraient été omises.

Pour éviter d'inscrire une écriture qui risque de se révéler fausse et pour éviter de reprendre souvent les quatre étapes du processus décrit plus haut, on utilise un outil de travail qui permet de préparer des états financiers sans inscrire quoi que ce soit dans les registres comptables. Cet outil de travail est le *chiffrier*.

Examinons donc comment on doit procéder à la préparation d'un chiffrier à l'aide du cas de l'entreprise Mobilex, Enr.

EXEMPLE D'APPLICATION

Le cas Mobilex

Le comptable de Mobilex, Enr. vient de dresser la balance de vérification au 31 décembre 19__1 à partir des soldes non régularisés du grand livre général (voir la page suivante).

Il a par ailleurs effectué une étude des pièces justificatives des opérations de l'année 19__1, desquelles il a tiré les renseignements suivants.

1) Le 1er mai 19__1, dans le but de retarder le paiement de sa créance, un client a signé un effet à recevoir de 2 000 $. Celui-ci porte un taux d'intérêt de 15% et est remboursable en entier le 30 avril 19__2. Les intérêts sont payables le 31 octobre 19__1 et le 30 avril 19__2. Le premier versement d'intérêt a été perçu conformément aux stipulations du billet.

2) Le 1er janvier 19__1, Mobilex a loué une partie de son bâtiment, pour une période de cinq ans, à raison de 250 $ par mois.

3) L'analyse des comptes « Clients » révèle que 5% de ces derniers ne seront probablement pas perçus.

4) Au 31 décembre 19__1, les salaires courus à payer s'élèvent à 350 $.

5) Une prime d'assurances de 900 $ a été payée le 1er octobre 19__1. Cette prime assure une protection en cas de vol et d'incendie pour une période de 12 mois à compter du 1er septembre 19__1. L'entreprise n'est couverte que par cette police.

Le comptable a également consulté ses dossiers relatifs aux politiques de dotation à l'amortissement. Ceux-ci révélaient que les taux d'amortissement suivants doivent être appliqués (méthode de l'amortissement linéaire):

Mobilier de bureau	10%
Bâtiment	5%

Mobilex, Enr.
Balance de vérification préliminaire
Au 31 décembre 19__1

	Débit	Crédit
Caisse	7 950 $	
Clients	40 000	
Provision pour créances douteuses		900 $
Effets à recevoir	2 000	
Assurances constatées d'avance	1 000	
Stock de marchandises	25 000	
Mobilier de bureau	4 000	
Amortissement cumulé — Mobilier de bureau		1 000
Bâtiment	150 000	
Amortissement cumulé — Bâtiment		25 000
Terrain	8 000	
Fournisseurs		20 000
Hypothèque à payer		70 000
Capital		51 050
Prélèvements	15 000	
Ventes		250 000
Achats	115 000	
Fret à l'achat	7 500	
Rendus et rabais sur achats		2 000
Salaires	35 000	
Frais de livraison	4 000	
Charges diverses	2 600	
Intérêts sur hypothèque	6 300	
Produits de loyer		3 250
Produits d'intérêts		150
	423 350 $	423 350 $

Il a aussi examiné une copie de l'entente contractuelle relative à l'emprunt hypothécaire. Celle-ci a été conclue le 30 juin de l'année précédente pour une période de 25 ans. L'intérêt au taux annuel de 12% est payable tous les trois mois, le dernier jour des mois de mars, juin, septembre et décembre de chaque année. Par omission, le paiement du 31 décembre 19__1 n'a pas encore été effectué.

Enfin, l'évaluation des marchandises inventoriées au 31 décembre 19__1 est de 28 000 $.

Pour préparer les états financiers de Mobilex, le contrôleur a choisi d'utiliser la technique du chiffrier.

Les quatre étapes suivantes montrent comment préparer un chiffrier lorsqu'on désire y intégrer les écritures de régularisation.

1re étape: inscription de la balance de vérification

Au tableau 9-2, qui présente le chiffrier de Mobilex, on retrouve une reproduction de la balance de vérification de l'entreprise, balance de vérification qualifiée de préliminaire. On la qualifie ainsi pour mettre en évidence le fait que les soldes qui y apparaissent seront peut-être modifiés par les écritures de régularisation. Ici, nous avons repris la balance de vérification que le contrôleur avait préparée. En pratique, on prendra directment les soldes du grand livre général pour la dresser.

2e étape: inscription des écritures de régularisation

L'inscription des écritures de régularisation consiste à ajouter dans la section « Écritures de régularisation » chacune des écritures qui ont été nécessaires pour ajuster les comptes au 31 décembre 19__1. Celles-ci sont présentées au tableau 9-3. On remarque qu'elles ont été numérotées, ce qui permet un contrôle du report au chiffrier. Également, on note au chiffrier du tableau 9-4 que lorsqu'une écriture de régularisation affecte un compte qui n'apparaissait pas à la balance de vérification, on l'ajoute immédiatement à la suite de celle-ci. Enfin, on s'assure de l'exactitude de ce report au chiffrier par l'addition des colonnes débit et crédit de la section « Écritures de régularisation ». Le total de ces deux colonnes doit être le même.

3e étape: établissement de la balance de vérification régularisée

Au tableau 9-5, on procède au report à la section « Balance de vérification régularisée » des soldes des comptes tels que modifiés par les écritures de régularisation. Pour illustrer le fonctionnement de ce report, prenons le cas du compte « Stock de marchandises ». Le solde débiteur de 25 000 $ à la balance de vérification préliminaire est augmenté de 28 000 $ par le débit de l'écriture ⑩ et diminué de 25 000 $ par le crédit de l'écriture ⑨, ce qui donne un solde à reporter de 28 000 $. Lorsque chacun des soldes est reporté à la balance de vérification régularisée, on s'assure de l'exactitude de ce report par l'addition des colonnes « Débit » et « Crédit ». Il faut que le total des deux soit le même.

4e étape: report aux états financiers et addition des colonnes du chiffrier

Après s'être assuré de l'équilibre entre le total des débits et le total des crédits de la balance de vérification régularisée, on en reporte le solde des comptes aux états financiers (c'est-à-dire aux trois dernières sections du chiffrier, tableau 9-6) et on procède à l'addition des diverses colonnes, comme nous l'avons déjà vu au chapitre 5.

Il ne reste plus maintenant qu'à préparer les états financiers, à partir des renseignements tirés du chiffrier. Nous présentons donc au tableau 9-7 l'état des résultats, au tableau 9-8, l'état des variations de la valeur nette et au tableau 9-9, le bilan.

TABLEAU 9-2

Mobilex, Enr.
Chiffrier de l'exercice terminé le 31 décembre 19__1

Nom des comptes	Balance de vérification préliminaire		Écritures de régularisation		Balance de vérification régularisée		État des résultats		État des variations de la valeur nette		Bilan	
	Débit	Crédit	Débit	Crédit	Débit	Crédit	Débit	Crédit	Débit	Crédit	Débit	Crédit
Caisse	7 950 $											
Clients	40 000											
Provision pour créances douteuses		900 $										
Effets à recevoir	2 000											
Assurances constatées d'avance	1 000											
Stock de marchandises	25 000											
Mobilier de bureau	4 000											
Amortissement cumulé — Mobilier de bureau		1 000										
Bâtiment	150 000											
Amortissement cumulé — Bâtiment		25 000										

	Débit	Crédit
Terrain	8 000	
Fournisseurs		20 000
Hypothèques à payer		70 000
Capital		51 050
Prélèvements	15 000	
Ventes		250 000
Achats	115 000	
Fret à l'achat	7 500	
Rendus et rabais sur achats		2 000
Salaires	35 000	
Frais de livraison	4 000	
Charges diverses	2 600	
Intérêts sur hypothèque	6 300	
Produits de loyer		3 250
Produits d'intérêts		150
	423 350 $	423 350 $

TABLEAU 9-3

Mobilex, Enr.
Écritures de régularisation
au 31 décembre 19__1

	Débit	Crédit
① Intérêts à recevoir	50 $	
@ Produits d'intérêt		50 $

$(15\% \times 2\ 000\ \$ \times 2/12 = 50\ \$)$

	Débit	Crédit
② Produits de loyer		250 $	

	Débit	Crédit
② Produits de loyer		250 $	
@ Loyer perçu d'avance			250 $

(Loyer encaissé   3 250 $
Loyer annuel (12 × 250 $)   3 000
                              250 $)

	Débit	Crédit
③ Créances douteuses	1 100 $	
@ Provisions pour créances		
douteuses		1 100 $

(Provision requise (5% × 40 000 $)   2 000 $
Solde au 31 décembre 19__1   900
Augmentation requise   1 100 $)

	Débit	Crédit
④ Salaires	350 $	
@ Salaires à payer		350 $

	Débit	Crédit
⑤ Assurances	400 $	
@ Assurances constatées d'avance		400 $

(Assurances constatées d'avance inscrites
    aux livres   1 000 $
Assurances constatées d'avance au 31

décembre 19__1: $900\ \$ \times \dfrac{8\ \text{mois}}{12\ \text{mois}}$ 600

Charge d'assurances   400 $)

⑥ Dotation à l'amortissement — Mobilier de bureau   400 $
     @ Amortissement cumulé
         — Mobilier de bureau   400 $

     (10% × 4 000 $ = 400 $)

⑦ Dotation à l'amortissement — Bâtiment   7 500 $
     @ Amortissement cumulé
         — Bâtiment   7 500 $

     (5% × 150 000 $ = 7 500 $)

⑧ Intérêts sur hypothèque   2 100 $
     @ Intérêts à payer   2 100 $

     (12% × 70 000 $ × 3/12 = 2 100 $)

⑨ Coût des marchandises vendues   147 500 $
     @ Stock de marchandises   25 000 $
         Achats   115 000 $
         Fret à l'achat   7 500 $

⑩ Stock de marchandises   28 000 $
     Rendus et rabais sur achats   2 000 $
         @ Coût des marchandises vendues   30 000 $
     (Les écritures ⑨ et ⑩ ont pour objet
     de clôturer les comptes de résultats rela-
     tifs à l'acquisition des marchandises et
     d'établir le coût des marchandises ven-
     dues ainsi que le stock de clôture)

TABLEAU 9-4

Mobilex, Enr.
Chiffrier de l'exercice terminé le 31 décembre 19__1

Nom des comptes	Balance de vérification préliminaire		Écritures de régularisation		Balance de vérification régularisée		État des résultats		État des variations de la valeur nette		Bilan	
	Débit	Crédit	Débit	Crédit	Débit	Crédit	Débit	Crédit	Débit	Crédit	Débit	Crédit
Caisse	7 950 $											
Clients	40 000											
Provision pour créances douteuses		900 $		③ 1 100 $								
Effets à recevoir	2 000											
Assurances constatées d'avance	1 000			⑤ 400								
Stock de marchandises	25 000		⑩ 28 000 $	⑨ 25 000								
Mobilier de bureau	4 000											
Amortissement cumulé — Mobilier de bureau		1 000		⑥ 400								
Bâtiment	150 000											
Amortissement cumulé — Bâtiment		25 000		⑦ 7 500								
Terrain	8 000											
Fournisseurs		20 000										
Hypothèques à payer		70 000										
Capital		51 050										

Compte	Débit	Crédit	Régul. Débit	Régul. Crédit
Prélèvements	15 000			
Ventes		250 000		
Achats	115 000			(9) 115 000
Fret à l'achat	7 500			(9) 7 500
Rendus et rabais sur achats		2 000	(10) 2 000	
Salaires	35 000		(4) 350	
Frais de livraison	4 000			
Charges diverses	2 600			
Intérêts sur hypothèque	6 300		(8) 2 100	
Produits de loyer		3 250	(2) 250	
Produits d'intérêts		150		(1) 50
	423 350 $	423 350 $		
Intérêts à recevoir			(1) 50	
Loyers perçus d'avance				(2) 250
Créances douteuses			(3) 1 100	
Salaires courus à payer				(4) 350
Assurances			(5) 400	
Dotation à l'amortissement — Mobilier de bureau			(6) 400	
Dotation à l'amortissement — Bâtiment			(7) 7 500	
Intérêts à payer				(8) 2 100
Coût des marchandises vendues			(9) 147 500	(10) 30 000
			189 650 $	189 650 $

TABLEAU 9-5

Mobilex, Enr.
Chiffrier de l'exercice terminé le 31 décembre 19__1

Nom des comptes	Balance de vérification préliminaire Débit	Crédit	Écritures de régularisation Débit	Crédit	Balance de vérification régularisée Débit	Crédit	État des résultats Débit	Crédit	État des variations de la valeur nette Débit	Crédit	Bilan Débit	Crédit
Caisse	7 950 $				7 950 $							
Clients	40 000				40 000							
Provision pour créances douteuses		900 $		③ 1 100 $		2 000 $						
Effets à recevoir	2 000				2 000							
Assurances constatées d'avance	1 000			⑤ 400	600							
Stock de marchandises	25 000		⑩ 28 000 $	⑨ 25 000	28 000							
Mobilier de bureau	4 000				4 000							
Amortissement cumulé — Mobilier de bureau		1 000		⑥ 400		1 400						
Bâtiment	150 000				150 000							
Amortissement cumulé — Bâtiment		25 000		⑦ 7 500		32 500						
Terrain	8 000				8 000							
Fournisseurs		20 000				20 000						
Hypothèques à payer		70 000				70 000						
Capital		51 050				51 050						
Prélèvements	15 000				15 000							

Compte												
Ventes			250 000									250 000
Achats	115 000						⑨	115 000				
Fret à l'achat	7 500						⑨	7 500				
Rendus et rabais sur achats			2 000	⑩	2 000							
Salaires	35 000			④	350				35 350			
Frais de livraison	4 000								4 000			
Charges diverses	2 600								2 600			
Intérêts sur hypothèque	6 300			⑧	2 100				8 400			
Produits de loyer			3 250	②	250		①	50				3 000
Produits d'intérêts			150									200
	423 350 $		423 350 $									
Intérêts à recevoir				①	50				50			
Loyers perçus d'avance							②	250				250
Créances douteuses				③	1 100				1 100			
Salaires à payer							④	350				350
Assurances				⑤	400				400			
Dotation à l'amortissement — Mobilier de bureau				⑥	400				400			
Dotation à l'amortissement — Bâtiment				⑦	7 500				7 500			
Intérêts à payer							⑧	2 100				2 100
Coût des marchandises vendues				⑨	147 500		⑩	30 000	117 500			
				189 650 $			189 650 $		432 850 $			432 850 $

TABLEAU 9-6

Mobilex, Enr.

Chiffrier de l'exercice terminé le 31 décembre 19__1

Nom des comptes	Balance de vérification préliminaire Débit	Crédit	Écritures de régularisation Débit	Crédit	Balance de vérification régularisée Débit	Crédit	État des résultats Débit	Crédit	État des variations de la valeur nette Débit	Crédit	Bilan Débit	Crédit
Caisse	7 950 $				7 950 $						7 950 $	
Clients	40 000				40 000						40 000	
Provision pour créances douteuses		900 $		(3) 1 100 $		2 000 $						2 000 $
Effets à recevoir	2 000				2 000						2 000	
Assurances constatées d'avance	1 000			(5) 400	600						600	
Stock de marchandises	25 000		(10) 28 000 $	(9) 25 000	28 000						28 000	
Mobilier de bureau	4 000				4 000						4 000	
Amortissement cumulé — Mobilier de bureau		1 000		(6) 400		1 400						1 400
Bâtiment	150 000				150 000						150 000	
Amortissement cumulé — Bâtiment		25 000		(7) 7 500		32 500						32 500
Terrain	8 000				8 000						8 000	
Fournisseurs		20 000				20 000						20 000
Hypothèques à payer		70 000				70 000						70 000
Capital		51 050				51 050				51 050 $		
Prélèvements	15 000				15 000				15 000 $			
Ventes		250 000				250 000		250 000				
Achats	115 000			(9) 115 000								

Compte	Balance de vérification Débit	Crédit	Régularisations Débit	Crédit	Balance régularisée Débit	Crédit	État des résultats Débit	Crédit	Bilan Débit	Crédit
Fret à l'achat	7 500			(9) 7 500						
Rendus et rabais sur achats		2 000	(10) 2 000							
Salaires	35 000		(4) 350		35 350		35 350			
Frais de livraison	4 000				4 000		4 000			
Charges diverses	2 600				2 600		2 600			
Intérêts sur hypothèque	6 300		(8) 2 100		8 400		8 400			
Produits de loyer		3 250	(2) 250			3 000		3 000		
Produits d'intérêts		150		(1) 50		200		200		
	423 350 $	423 350 $								
Intérêts à recevoir			(1) 50		50				50	
Loyers perçus d'avance				(2) 250		250				250
Créances douteuses			(3) 1 100		1 100		1 100			
Salaires à payer				(4) 350		350				350
Assurances			(5) 400		400		400			
Dotation à l'amortissement — Mobilier de bureau			(6) 400		400		400			
Dotation à l'amortissement — Bâtiment			(7) 7 500		7 500		7 500			
Intérêts à payer				(8) 2 100		2 100				2 100
Coût des marchandises vendues			(9) 147 500 (10) 30 000		117 500		117 500			
			189 650 $	189 650 $	432 850 $	432 850 $	177 250	253 200		
Bénéfice net							75 950			75 950
							253 200 $	253 200 $		
Capital										112 000
									15 000	127 000
									127 000 $	127 000 $
									112 000	
									240 600 $	240 600 $

437

TABLEAU 9-7

Mobilex, Enr.
État des résultats
pour l'exercice terminé le 31 décembre 19__1

Chiffre d'affaires			250 000 $
Coût des marchandises vendues			
Stock de marchandises au 1er janvier 19__1		25 000 $	
Plus: Achat	115 000 $		
Fret à l'achat	7 500	122 500	
		147 500	
Moins: Rendus et rabais sur achats		2 000	
Marchandises disponibles à la vente		145 500	
Moins: Stock de marchandises au 31 décembre 19__1		28 000	117 500 $
Bénéfice brut			132 500
Charges d'exploitation			
Salaires		35 350 $	
Frais de livraison		4 000	
Charges diverses		2 600	
Assurances		400	
Créances douteuses		1 100	
Dotation à l'amortissement — Mobilier de bureau		400	
Dotation à l'amortissement — Bâtiment		7 500	51 350
Bénéfice net d'exploitation			81 150
Autres charges et autres revenus			
Autres charges			
Intérêts sur. hypothèque		8 400 $	
Autres produits			
Produits de loyers	3 000 $		
Produits d'intérêts	200	3 200	5 200
Bénéfice net			75 950 $

TABLEAU 9-8

Mobilex, Enr.
État des variations de la valeur nette
pour l'exercice terminé le 31 décembre 19__1

Capital au 1er janvier 19__1	51 050 $
Plus: Bénéfice net	75 950
	127 000
Moins: Prélèvements	15 000
Capital au 31 décembre 19__1	112 000 $

TABLEAU 9-9

Mobilex, Enr.
Bilan
au 31 décembre 19__1

Actif

Actif à court terme			
Caisse			7 950 $
Clients		40 000 $	
Moins: Provision pour créances douteuses		2 000	38 000
Effets à recevoir			2 000
Assurances constatées d'avance			600
Stock de marchandises			28 000
Intérêts à recevoir			50
Total de l'actif à court terme			76 600
Immobilisations			
Terrain		8 000	
Bâtiment	150 000		
Moins: Amortissement cumulé — Bâtiment	32 500	117 500	
Mobilier de bureau	4 000		
Moins: Amortissement cumulé — Mobilier de bureau	1 400	2 600	128 100
Total de l'actif			204 700 $

Passif et capital

Passif à court terme
Fournisseurs	20 000 $
Loyer perçu d'avance	250
Salaires à payer	350
Intérêts à payer	2 100
Total du passif à court terme	22 700

Passif à long terme
Hypothèque à payer — 12%	70 000
Total du passif	92 700 $
Capital	112 000
Total du passif et du capital	204 700 $

On remarque que les états financiers qui sont présentés aux tableaux 9-7, 9-8 et 9-9 montrent globalement les mêmes informations que celles qui sont présentées au chiffrier. Par exemple, le bénéfice net de l'exercice et le capital de fin d'exercice sont identiques. Toutefois, ils sont présentés de façon à être plus faciles à interpréter, surtout grâce aux divisions que contiennent l'état des résultats et le bilan. De plus, on a ajouté certains détails et regroupements:

1) à l'état des résultats, on retrouve le coût des marchandises vendues présentées en détail, contrairement au chiffrier, où on n'en retrouve que le solde;

2) au bilan, la présentation du poste « Clients » met en évidence le fait que la provision pour créances douteuses vient en réduction de la valeur nominale du compte « Clients », contrairement au chiffrier, où elle est simplement présentée au crédit;

3) de même, au bilan, on détermine la valeur comptable des immobilisations en présentant l'amortissement cumulé en diminution de l'immobilisation à laquelle il se rapporte, contrairement au chiffrier, où l'amortissement cumulé est présenté au crédit.

Dans ces trois différences entre le bilan et le chiffrier, seule la présentation détaillée du coût des marchandises vendues pose un problème. En effet, alors que pour l'amortissement cumulé et la provision pour créances douteuses, il suffit d'en reporter les soldes en diminution des comptes de valeurs actives dont ils sont la contrepartie, le détail du coût des marchandises vendues n'apparaît pas tel quel au chiffrier. Pour le présenter, il faut examiner la balance de vérification préliminaire et en obtenir le solde du stock d'ouverture et ceux des comptes reliés au coût d'acquisition des marchandises. Quant au stock de clôture, il apparaît au bilan du chiffrier. C'est en vérifiant la concordance entre le total du coût des marchandises vendues ainsi trouvé et le total inscrit au chiffrier qu'on s'assure de l'exactitude de ce travail.

Le chiffrier sert donc de base à la présentation des états financiers, mais il ne saurait les remplacer. C'est une feuille de travail, fort utile surtout par le fait qu'elle est auto-équilibrée, mais une feuille de travail seulement. Aussi, il faudra passer les écritures de régularisation au journal général et les reporter au grand livre général, puisque le chiffrier ne permet que de les visualiser sur une feuille de travail et non de les inscrires dans les registres comptables.

9.4 LES ÉCRITURES DE CLÔTURE

Les **écritures de clôture** sont des *écritures passées au journal général en date de fin d'exercice, dont l'objet est la clôture des comptes de résultats et l'obtention du capital de fin d'exercice.*

Lorsqu'on a reporté les écritures de régularisation au grand livre général, celui-ci contient:

1) les comptes de valeurs qu'on doit présenter au bilan, exception faite du compte « Capital », qui correspond au capital du début de l'exercice;

2) les comptes de résultats qu'on doit présenter à l'état des résultats;

3) les comptes de résultats qu'on doit présenter à l'état des variations de la valeur nette.

On sait que les comptes de résultats ont pour objet d'expliquer l'augmentation ou la diminution du capital en mettant en évidence les résultats des opérations entre l'entreprise et son environnement. Après qu'on a présenté les états financiers, ces comptes n'ont plus d'utilité puisque l'évolution du capital a été expliquée. Il faut alors passer des écritures qui en intègrent le solde au compte « Capital », afin de retrouver au grand livre général le solde du capital de fin d'exercice. Ces écritures s'appellent écritures de clôture. Les écritures de clôture sont également nécessaires parce qu'en ramenant à zéro chaque compte de résultats, elles permettent d'accumuler les résultats par période.

La technique d'écritures de clôture la plus appropriée consiste à clôturer dans un premier temps les comptes de produits et de charges et à inscrire aux livres le bénéfice ou la perte de l'année dans un compte appelé « Sommaire des résultats ». Après cette première série d'écritures de clôture, le solde du compte « Sommaire des résultats » devra correspondre au bénéfice net tel qu'il apparaît à l'état des résultats. Il s'agira d'un compte à solde créditeur s'il s'agit d'un bénéfice et d'un compte à solde débiteur s'il s'agit d'une perte.

Ensuite, dans un deuxième temps, on procède à la clôture des comptes de résultats de l'état des variations de la valeur nette. Il s'agit des comptes « Sommaire des résultats », « Apports » et « Prélèvements ». On augmentera ou on diminuera le compte « Capital » selon que ses facteurs d'augmentation (bénéfice et apports) sont supérieurs ou inférieurs à ses facteurs de diminution (perte et prélèvements).

Pour illustrer le fonctionnement de ces écritures, procédons à la clôture des comptes de résultats de Mobilex, enr.

EXEMPLE D'APPLICATION

Clôture des comptes de l'état des résultats

On retrouve la liste des comptes de l'état des résultats de Mobilex à la section de l'état des résultats du chiffrier présenté au tableau 9-6. La clôture des comptes de produits se fait en portant à leur débit un montant suffisant pour les rendre nuls et en créditant le compte « Sommaire des résultats ». On obtient l'écriture suivante:

Ventes	250 000 $	
Produits de loyer	3 000 $	
Produits d'intérêts	200 $	
@ Sommaire des résultats		253 200 $

À l'inverse, les comptes de charge seront clôturés par un crédit, et on débitera d'autant le compte « Sommaire des résultats »:

Sommaire des résultats	177 250 $	
@ Salaires		35 350 $
Frais de livraison		4 000 $
Charges diverses		2 600 $
Intérêts sur hypothèque		8 400 $
Créances douteuses		1 100 $
Assurances		400 $
Dotation à l'amortissement — Mobilier de bureau		400 $
Dotation à l'amortissement — Bâtiment		7 500 $
Coût des marchandises vendues		117 500 $

Par les deux écritures précédentes, tous les comptes de l'état des résultats ont été ramenés à un solde nul. Il ne reste plus que le compte « Sommaire des résultats » dont le solde créditeur est de 75 950 $, soit un solde qui correspond au bénéfice net de l'exercice.

EXEMPLE D'APPLICATION

Clôture des comptes de l'état des variations de la valeur nette

Au chiffrier du tableau 9-6, on trouve à la section « État des variations de la valeur nette » deux comptes de résultats seulement: le compte « Prélèvements » et le bénéfice net. Ce dernier poste est, on le rappelle, représenté au grand livre général par le compte « Sommaire des résultats ». La clôture du compte « Prélèvements » se fait par l'écriture suivante:

Capital	15 000 $	
@ Prélèvements		15 000 $

On constate qu'en clôturant ce compte, on réduit le capital. C'est normal, parce qu'un prélèvement est un facteur de diminution du capital. La clôture du compte « Sommaire des résultats » produit toutefois l'effet contraire:

Sommaire des résultats 75 950 $
@ Capital 75 950 $

Le capital est en effet augmenté de 75 950 $, ce qui correspond à l'augmentation attribuable au bénéfice net de l'exercice. Cette dernière écriture, qui complète les écritures de clôture de Mobilex, porte le solde du compte « Capital » à 112 000 $, soit un solde correspondant au capital de fin d'année.

On doit remarquer que, dans le cas de Mobilex, s'il y avait eu un compte « Apports », il aurait fallu passer l'écriture suivante:

Apports XX
@ Capital XX

TABLEAU 9-10

Mobilex, Enr.
Balance de vérification après clôture
au 31 décembre 19__1

	Débit	Crédit
Caisse	7 950 $	
Clients	40 000	
Provision pour créances douteuses		2 000 $
Effet à recevoir	2 000	
Assurances constatées d'avance	600	
Stock de marchandises	28 000	
Mobilier de bureau	4 000	
Amortissement cumulé — Mobilier de bureau		1 400
Bâtiment	150 000	
Amortissement cumulé — Bâtiment		32 500
Terrain	8 000	
Fournisseurs		20 000
Hypothèque à payer		70 000
Capital		112 000
Intérêts à recevoir	50	
Loyer perçu d'avance		250
Salaires courus à payer		350
Salaires à payer		2 100
	240 600 $	240 600 $

Le montant inscrit à l'écriture aurait alors dû correspondre au solde du compte « Apports ».

Il ne reste plus maintenant qu'à reporter ces écritures de clôture au grand livre général et à s'assurer de l'équilibre entre les débits et les crédits en dressant une balance de vérification (voir le tableau 9-10). Celle-ci ne contiendra maintenant que les comptes de valeurs, c'est-à-dire ceux qui apparaissent au bilan.

9.5 LES ÉCRITURES DE CONTREPASSATION

Nous venons de constater que les écritures de clôture permettent d'intégrer le solde de tous les comptes de résultats au compte « Capital ». Il ne reste donc plus au grand livre général que les comptes de valeurs, c'est-à-dire ceux qui doivent apparaître au bilan. L'entreprise peut donc procéder à l'enregistrement des opérations de l'année suivante sans crainte de mêler les résultats de la nouvelle année à ceux de l'année précédente.

Par contre, certains comptes de valeurs paraissent au grand livre général uniquement parce qu'il y a eu des écritures de régularisation. C'est notamment le cas des produits courus à recevoir et des charges courues à payer, par exemple. Ces comptes de valeurs n'ont toutefois aucune utilité pour l'enregistrement quotidien des opérations. Au contraire, leur présence impose au teneur de livre un travail supplémentaire d'analyse et de vérification comptable, comme on le voit dans l'exemple suivant.

EXEMPLE D'APPLICATION

Prenons le cas du poste « Intérêts à recevoir » de 50 $ qui paraît au grand livre général de Mobilex, Enr. en date du 31 décembre 19__1. On sait que ce poste apparaît uniquement parce qu'on a procédé à une écriture de régularisation par laquelle on a débité ce compte et crédité les produits d'intérêts. Cela signifie que le 30 avril 19__2, au moment où le prochain versement d'intérêt sera perçu, le teneur de livre devra procéder à l'analyse suivante:

Encaissement d'intérêts $15\% \times 2\,000\ \$ \times \dfrac{6\ \text{mois}}{12\ \text{mois}}$	150 $
Moins: Intérêts à recevoir au 31 décembre 19__1 (2 mois d'intérêts)	50
Produits d'intérêts en 19__2 (4 mois d'intérêts)	100 $

Il devra donc passer l'écriture suivante:

Caisse	150 $	
@ Intérêts à recevoir		50 $
Produits d'intérêts		100 $

Ce faisant, il ramènera à zéro le solde du compte « Intérêts à recevoir » et inscrira correctement le produit d'intérêts qui se rapporte à l'année 19__2. Toutefois, on constate que l'analyse qui a mené à cette écriture est beaucoup plus longue que celle qui mène à l'inscription traditionnelle de l'encaissement d'un produit d'intérêt. On retrouve, dans ce dernier cas, l'écriture suivante pour le montant qui correspond à l'encaissement.

Caisse	XX	
@ Produits d'intérêt		XX

Pour éviter de procéder en cours d'exercice à l'analyse de ce qui est perçu et de ce qui est payé, on préférera passer, au début de l'exercice, une série d'écritures dont l'objet est d'ajuster les soldes du grand livre général de telle sorte que toute opération soit enregistrée comme s'il n'y avait eu aucun ajustement à la fin de l'exercice précédent. Ces écritures s'appellent écritures de contrepassation.

Définition

Une **écriture de contrepassation** est *une écriture, passée en date du premier jour de l'exercice au journal général, dont l'objet est le renversement d'une écriture de régularisation qui a eu pour effet d'inscrire au grand livre général un compte de valeurs à caractère temporaire.*

L'écriture de contrepassation qui aurait pour effet de renverser l'écriture de régularisation (qui a conduit à l'inscription au grand livre général des intérêts à recevoir de 50 $) serait la suivante en date du 1er janvier 19__2.

Intérêts — Produits	50 $	
@ Intérêts à recevoir		50 $

Les comptes en T suivants montrent l'effet de cette écriture sur le solde des comptes du grand livre général:

Intérêts à recevoir				Produits d'intérêt	
$S_{31\text{-}12\text{-}19\_1}$	50	50	01-01-19__2	$S_{31\text{-}12\text{-}19\_1}$	0
S	0			01-01-19__2	50
				S	50

Par cette écriture, le compte « Intérêts à recevoir » retombe à zéro et les produits d'intérêt ont un solde débiteur de 50 $. Bien que ces soldes ne représentent pas la valeur de ces deux postes au 1er janvier 19__2, cela correspond au fait qu'une partie des produits d'intérêts qui seront perçus en 19__2 se rapporte à des produits de 19__1. Ainsi, lors de l'encaissement de produits d'intérêt de 150 $ le 30 avril 19__2, il suffira de passer l'écriture traditionnelle de l'encaissement d'un produit d'intérêt pour que le compte « Produits d'intérêts » soit au solde juste. L'écriture suivante, de même que son report au grand livre général, en donne un exemple.

Écriture pour enregistrer l'encaissement d'intérêts

Caisse	150 $	
@ Produits d'intérêts		150 $

Report au grand livre général du crédit porté au compte « Produits d'intérêts »

Produits d'intérêts

S	50	150	30-04-19__2
		100	

Les écritures de régularisation qui sont sujettes à une écriture de contrepassation ont les deux caractéristiques suivantes:

1) elles ont créé un nouveau compte de valeurs;

2) ce compte de valeurs a un caractère temporaire.

En l'absence d'une de ces caractéristiques, il n'y a pas lieu d'inscrire une écriture de contrepassation. En effet, d'une part, s'il n'y a pas un nouveau compte de valeurs, la question de passer ou non une écriture de contrepassation ne se pose même pas. D'autre part, si le compte ainsi créé a un caractère permanent (c'est le cas par exemple de l'amortissement cumulé), il doit demeurer au grand livre général.

En pratique, toutes les écritures de régularisation relatives aux produits ou aux charges courues doivent faire l'objet d'une écriture de contrepassation, car chacune d'entre elles a créé un compte de valeurs à caractère temporaire. Quant aux écritures de régularisation de répartition, elles devront être renversées seulement si elles ont créé un compte de valeurs à caractère temporaire. Enfin, les régularisations relatives à la dotation à l'amortissement, aux stocks de marchandises et à la provision pour créances douteuses ont permis de modifier le solde de comptes de valeurs à caractère permanent ou d'en créer un, selon le cas. Elles ne doivent donc pas être renversées par une écriture de contrepassation.

Pour illustrer le fonctionnement pratique des écritures de contrepassation, on présente plus loin les écritures de contrepassation à passer le 1er janvier 19__2 dans le cas de Mobilex, Enr.

Comme toute écriture de contrepassation est l'inverse d'une écriture de régularisation, c'est par l'examen de chacune de ces dernières (voir le tableau 9-3) qu'on peut les identifier.

Régularisation ①

Cette première écriture de régularisation porte sur un produit couru à recevoir. Elle a permis la création du compte de valeurs temporaire « Intérêts à recevoir ». Elle doit donc être renversée par l'écriture de contrepassation suivante:

Produits d'intérêts	50 $	
@ Intérêts à recevoir		50 $

Régularisation ②

Il s'agit d'une régularisation de répartition qui a créé le compte de valeurs temporaire « Loyer perçu d'avance ». L'écriture de contrepassation suivante s'impose donc :

Loyer perçu d'avance	250 $	
@ Produits de loyers		250 $

Régularisation ③

Cette régularisation a permis d'identifier la provision pour créances douteuses au 31 décembre 19__1. Il s'agit là d'un compte de valeurs à caractère permanent, et il n'y a donc pas lieu de passer une écriture de contrepassation.

Régularisation ④

C'est une régularisation relative à une charge courue qui a mené à la création du compte de valeurs temporaire « Salaires à payer ». On doit donc passer l'écriture de contrepassation suivante :

Salaires à payer	350 $	
@ Salaires		350 $

Régularisation ⑤

Cette régularisation de répartition n'a pas créé de compte de valeurs. Par conséquent, aucune écriture de contrepassation ne s'impose.

Régularisations ⑥ *et* ⑦

Ces deux régularisations ont modifié le solde des comptes de valeurs « Amortissement cumulé — Mobilier de bureau » et « Amortissement cumulé — Bâtiment ». Ces deux comptes ayant un caractère permanent, aucune écriture de contrepassation ne s'impose.

Régularisation ⑧

On a créé le compte « Intérêts à payer » par cette régularisation relative à une charge courue. Il s'agit donc d'un compte de valeurs à caractère temporaire et, de ce fait, l'écriture de régularisation doit être renversée comme suit :

Intérêts à payer	2 100 $	
@ Intérêts sur hypothèque		2 100 $

Régularisations ⑨ *et* ⑩

Ces deux écritures ont permis d'inscrire le stock de clôture au grand livre général. Ce compte étant à caractère permanent, aucune écriture de contrepassation n'est nécessaire.

Caractère facultatif des écritures de contrepassation

Les écritures de contrepassation ne sont pas absolument nécessaires pour bien enregistrer les opérations. Elles permettent plutôt de les enregistrer plus facilement au cours de l'année, mais leur absence ne pose aucun problème de fond. Au contraire, on peut les remplacer soit par des inscriptions appropriées au cours de l'année, soit par un travail additionnel au moment de l'inscription des écritures de régularisation en fin d'exercice. C'est l'entreprise qui doit décider de quelle façon elle inscrira aux registres les écritures de contrepassation, directement (au début de l'exercice) ou indirectement (plus tard).

RÉSUMÉ

Nous avons vu que le travail de fin d'exercice consiste, en plus de la préparation des états financiers que nous avons déjà étudiée au chapitre 5, à préparer et inscrire les écritures de régularisation, les écritures de clôture et les écritures de contrepassation. Les écritures de régularisation ont pour objet d'ajuster le solde des comptes du grand livre général afin de pouvoir présenter les états financiers qui respectent les principes comptables. Les écritures de clôture intègrent le solde net de tous les comptes de résultats au compte « Capital ». Elles sont nécessaires afin d'éviter l'accumulation, d'une année à l'autre, des résultats de plusieurs exercices financiers dans ces comptes de résultats. Quant aux écritures de contrepassation, il s'agit d'écritures facultatives qui facilitent l'enregistrement quotidien des opérations.

PROBLÈME À SOLUTION COMMENTÉE

PROBLÈME 9-A   Travail de fin d'exercice

Le 10 avril 19__2, M. Serge Bonneville, propriétaire de Menhir, Enr., entreprise de ventes au détail de matériaux de construction, doit présenter à son banquier les états financiers de son entreprise pour l'exercice qui a pris fin le 31 mars 19__2. Il demande donc à un ami expert-comptable de procéder aux travaux préliminaires d'ajustement des comptes afin que ceux-ci reflètent la situation financière de l'entreprise au 31 mars 19__2. Ce dernier obtient alors la balance de vérification présentée au tableau 9-11.

Il obtient également les renseignements suivants.

1) M. Bonneville lui indique qu'il tente d'amener les clients qui ne peuvent payer leurs achats dans un délai de trente jours à signer un billet à demande portant un intérêt au taux de 12%. Au 31 mars 19__2, grâce à ces billets, Menhir, Enr. avait alors droit à 125 $ de revenus d'intérêts non encore encaissés.

2) L'analyse des comptes « Clients » et des « Effets à recevoir » montre que la provision pour créances douteuses doit être établie à la somme de 5% des comptes « Clients » au 31 mars 19__2 et de 10% des effets à recevoir au 31 mars 19__2.

TABLEAU 9-11

Menhir, Enr.
Balance de vérification préliminaire
au 31 mars 19__2

	Débit	Crédit
Caisse	3 500 $	
Clients	15 000	
Effets à recevoir	4 000	
Provision pour créances douteuses	200	
Stock de fournitures	1 500	
Stock de marchandises	80 000	
Mobilier et agencement	10 000	
Amortissement cumulé — Mobilier et agencement		2 500 $
Matériel roulant	15 000	
Bâtiment	75 000	
Amortissement cumulé — Bâtiment		15 000
Terrain	12 000	
Emprunt de banque		35 000
Fournisseurs		12 000
Hypothèque à payer		40 000
Capital		36 200
Apports		7 000
Prélèvements	15 000	
Ventes		365 000
Rendus et rabais sur ventes	2 000	
Coût des marchandises vendues	213 000	
Frais de livraison	4 000	
Salaires	55 000	
Publicité	5 000	
Assurances	1 500	
Intérêt sur emprunt de banque	3 500	
Intérêt sur hypothèque	1 000	
Produits de loyers		3 000
Produits d'intérêts		500
	516 200 $	516 200 $

3) Le dénombrement des articles en magasin révèle qu'au 31 mars 19__2, il y avait en stock 79 500 $ de marchandises et 400 $ de fournitures.

4) L'entreprise utilise la méthode de l'amortissement linéaire pour répartir le coût de ses immobilisations. Les taux de dotation à l'amortissement ont été établis à 10% pour le mobilier et l'agencement et à 4% pour le bâtiment. Quant au matériel roulant, il a été acquis le 1er juillet 19__1 au coût de 15 000 $. Sa durée de vie économique a alors été estimée à 5 ans et sa valeur résiduelle à 2 000 $. Auparavant, l'entreprise n'avait pas de matériel roulant. Elle utilisait plutôt les services de sociétés de transport.

5) M. Bonneville indique d'autre part qu'en date du 4 avril 19__2, il a reçu de la banque une note de débit, datée du 1er avril 19__2, relativement à l'intérêt sur emprunt de banque du mois de mars 19__2. Le montant inscrit à cette note est de 400 $.

6) L'emprunt hypothécaire est payable dans 10 ans. Les intérêts sont payables le 30 juin de chaque année. Il s'agit d'une hypothèque à taux d'intérêt fixe de 10%.

7) Au 31 mars 19__2, les 3 derniers jours de paie n'avaient pas été versés. Ils l'ont été lors de la paie du 2 avril 19__2, paie qui s'élevait à 1 200 $.

8) Le 31 octobre 19__1, Menhir, Enr. a renouvelé sa police d'assurances pour une durée d'un an. Elle a alors dû débourser 1 200 $.

9) Enfin, M. Bonneville précise que, le 1er mai 19__1, il a loué une partie du bâtiment au coût de 300 $ par mois.

On demande

1) Présenter les écritures de régularisation que devra préparer l'expert-comptable en date du 31 mars 19__2.

2) Dresser la balance de vérification régularisée à la même date.

3) Présenter les écritures de clôture en date du 31 mars 19__2.

4) Présenter les écritures de contrepassation en date du 1er avril 19__2.

Solution commentée

1) *Écritures de régularisation*

Pour identifier les écritures de régularisation, il faut analyser les renseignements complémentaires qui tiennent lieu ici d'inventaire des biens et dettes de l'entreprise.

Renseignement n° 1

Ce renseignement basé sur une analyse des effets à recevoir montre qu'il y a 125 $ d'intérêts courus à recevoir au 31 mars 19__2. Comme il n'y a aucun compte d'intérêts à recevoir, il faut donc procéder à une régularisation qui a pour effet d'augmenter un poste d'actif (intérêts à recevoir) et d'augmenter un poste de produits (produits d'intérêts) de 125 $. Il faut donc passer l'écriture de régularisation suivante:

Régularisation ①		
Intérêts à recevoir	125 $	
@ Produits d'intérêts		125 $

Renseignement n° 2

Ce renseignement permet de déterminer comme suit la provision pour créances douteuses qui devra paraître au bilan du 31 mars 19__2.

5% × 15 000 $	750 $
10% × 4 000 $	400
	1150 $

Comme le solde actuel de la provision pour créances douteuses est débiteur de 200 $, il faudra donc le créditer d'un total de 1 350 $.

Régularisation ②
  Créances douteuses   1 350 $
    @ Provision pour créances douteuses   1 350 $

On doit remarquer que même si le solde du compte « Provision pour créances douteuses » était débiteur de 200 $, ce n'est pas une indication qu'il y a eu une erreur mais simplement que la somme des comptes radiés au cours de l'année a excédé le montant de la provision établie en date du 31 mars 19__1.

Renseignement n° 3

Ici, on obtient le résultat du dénombrement des articles en magasin en date du 31 mars 19__2.

Le stock de marchandises étant évalué à 79 500 $, il devra paraître à ce montant au bilan alors qu'actuellement, il est inscrit à la balance de vérification à 80 000 $. D'autre part, on constate que Menhir, Enr. utilise la méthode de l'inventaire permanent pour enregistrer les opérations reliées au stock de marchandises. En effet, à la balance de vérification, il n'y a en rapport à ces opérations aucun compte lié à l'acquisition des marchandises, mais seulement le compte « Coût des marchandises vendues ». La régularisation devra donc diminuer le stock de marchandises de 500 $ et augmenter le coût des marchandises vendues d'autant.

Régularisation ③
  Coût des marchandises vendues   500 $
    @ Stock de marchandises   500 $

Quant au stock de fournitures, on peut vérifier qu'il n'y a aucune charge de fournitures actuellement inscrite à la balance de vérification, mais plutôt un compte d'actif, « Stock de fournitures », dont le solde avant régularisation est de 1 500 $. Il faut donc réduire ce compte de 1 100 $ de telle sorte qu'il soit présenté à 400 $ au bilan, et identifier une charge de fournitures de 1 100 $, correspondant aux fournitures utilisées au cours de l'exercice.

Régularisation ④
  Fournitures   1 100 $
    @ Stock de fournitures   1 100 $

Renseignement n° 4

On donne ici l'information relative à la politique de dotation à l'amortissement de l'entreprise. On peut, grâce à ce renseignement, passer directement l'écriture de régularisation relative à la dotation à l'amortissement du mobilier et de l'agencement et à la dotation à l'amortissement du bâtiment. Cela donne lieu aux régularisations ⑤ et ⑥ .

Régularisation ⑤

Dotation à l'amortissement — Mobilier et agencement	1 000 $	
@ Amortissement cumulé — Mobilier et agencement		1 000 $
(10 000 $ × 10% = 1 000 $)		

Régularisation ⑥

Dotation à l'amortissement — Bâtiment	3 000 $	
@ Amortissement cumulé — Bâtiment		3 000 $
(75 000 $ × 4% = 3 000 $)		

Pour le matériel roulant, on n'indique pas directement le taux annuel à utiliser, mais on précise plutôt que son coût est de 15 000 $, que sa durée de vie économique est de cinq ans et que sa valeur résiduelle est de 2 000 $. La dotation à l'amortissement annuelle sera donc:

$$\frac{15\ 000\ \$ - 2\ 000\ \$}{5\ \text{ans}} = 2\ 600\ \$ \text{ par année}$$

Comme cet actif n'a été acquis que le 1er juillet 19__1, il n'a donc été utilisé que pendant 9 mois au cours de l'exercice. La charge à inscrire sera alors la suivante:

$$\frac{9\ \text{mois}}{12\ \text{mois}} \times 2\ 600\ \$ = 1\ 950\ \$$$

C'est ainsi qu'on obtient la régularisation ⑦ .

Régularisation ⑦

Dotation à l'amortissement — Matériel roulant	1 950 $	
@ Amortissement cumulé — Matériel roulant		1 950 $

Renseignement nº 5

On indique ici que Menhir a reçu un avis de débit de la banque. Cela signifie que, dans ses registres, la banque a débité le compte de Menhir, donc l'a réduit. Comme il n'a été diminué que le 1er avril 19__2, cela signifie qu'au 31 mars 19__2, Menhir devait 400 $ d'intérêts à la banque. On doit donc corriger les livres par l'augmentation de la charge d'intérêt sur emprunt de banque et par l'identification du passif correspondant:

Régularisation ⑧

Intérêt sur emprunt de banque	400 $	
@ Intérêts à payer		400 $

Renseignement nº 6

On sait par cette information que l'intérêt sur hypothèque est payé une fois l'an, le 30 juin. Au 31 mars, il y a donc 9 mois d'intérêts courus à payer, qu'il faut reconnaître par l'écriture de régularisation suivante:

Régularisation ⑨

Intérêt sur hypothèque	3 000 $	
@ Intérêts à payer		3 000 $
(40 000 $ × 10% × 9/12 = 3 000 $)		

Renseignement n° 7

Ce renseignement précise que les trois derniers jours de salaires de l'exercice qui se termine le 31 mars 19__2 n'ont pas été payés. Bien qu'on ne nous indique pas le montant exact du salaire de ces trois journées, on sait que, pour la semaine complète, il a été de 1 200 $. On peut donc estimer comme suit les salaires courus à payer:

$$\frac{3 \text{ jours}}{5 \text{ jours}} \times 1\ 200\ \$ = 720\ \$$$

Régularisation ⑩
    Salaires   720 $
        @ Salaires à payer   720 $

Renseignement n° 8

Le fait que la police d'assurances annuelle ait été renouvelée le 31 octobre 19__1 signifie qu'au 31 mars 19__2, on a l'équivalent de 7 mois d'assurances constatées d'avance. En dollars, cela donne:

$$\frac{7 \text{ mois}}{12 \text{ mois}} \times 1\ 200\ \$ = 700\ \$$$

Comme la balance de vérification préliminaire fait ressortir qu'il n'y a aucune somme actuellement inscrite au poste « Assurances constatées d'avance », l'écriture de régularisation suivante s'impose:

Régularisation ⑪
    Assurances constatées d'avance   700 $
        @ Assurances   700 $

Renseignement n° 9

Le fait qu'une partie du bâtiment ait été louée au coût de 300 $ par mois en date du 1er mai 19__1 signifie que le produit de loyer de l'exercice devrait être de:

$$11 \text{ mois} \times 300\ \$ = 3\ 300\ \$$$

Comme il n'est que de 3 000 $, on doit inscrire comme suit 300 $ de loyer à recevoir:

Régularisation ⑫
    Loyer à recevoir   300 $
        @ Produits de loyer   300 $

Cette dernière écriture complète les écritures de régularisation. En effet, parce qu'on a procédé systématiquement à l'examen de chacun des renseignements fournis, on a pu identifier la totalilté des régularisations à passer.

2) La balance de vérification régularisée

La balance de vérification régularisée peut s'obtenir de deux sources: soit du grand livre général après le report des écritures de régularisation, soit du chiffrier. Nous avons ici retenu le chiffrier, qu'on trouve au tableau 9-12.

TABLEAU 9-12

Menhir, Enr.
Chiffrier
pour l'exercice terminé le 31 mars 19__2

Nom des comptes	Balance de vérification préliminaire		Écritures de régularisation		Balance de vérification régularisée		État des résultats		État des variations de la valeur nette		Bilan	
	Débit	Crédit	Débit	Crédit	Débit	Crédit	Débit	Crédit	Débit	Crédit	Débit	Crédit
Caisse	3 500 $				3 500 $						3 500 $	
Clients	15 000				15 000						15 000	
Effets à recevoir	4 000				4 000						4 000	
Provision pour créances douteuses	200			② 1 350 $		1 150 $						1 150 $
Stock de fournitures	1 500			④ 1 100	400						400	
Stock de marchandises	80 000			③ 500	79 500						79 500	
Mobilier et agencement	10 000				10 000						10 000	
Amortissement cumulé — Mobilier et agencement		2 500 $		⑤ 1 000		3 500						3 500
Matériel roulant	15 000				15 000						15 000	
Bâtiment	75 000				75 000						75 000	
Amortissement cumulé — Bâtiment		15 000		⑥ 3 000		18 000						18 000
Terrain	12 000				12 000						12 000	
Emprunt de banque		35 000				35 000						35 000
Fournisseurs		12 000				12 000						12 000
Hypothèque à payer		40 000				40 000						40 000
Capital		36 200				36 200				36 200 $		
Apports		7 000				7 000				7 000		
Prélèvements	15 000				15 000				15 000 $			
Ventes		365 000				365 000		365 000 $				
	365 000	365 000			365 000	365 000						

Compte	Bal. de vérif. Dt	Bal. de vérif. Ct	Régularisations Dt	Régularisations Ct	Bal. régularisée Dt	Bal. régularisée Ct	État des résultats Dt	État des résultats Ct	Capitaux propres Dt	Capitaux propres Ct	Bilan Dt	Bilan Ct
Rendus et rabais sur ventes	2 000				2 000		2 000 $					
Coût des marchandises vendues	213 000		500 ③		213 500		213 500					
Frais de livraison	4 000				4 000		4 000					
Salaires	55 000		720 ⑩		55 720		55 720					
Publicité	5 000				5 000		5 000					
Assurances	1 500			700 ⑪	800		800					
Intérêt sur emprunt de banque	3 500		400 ⑧		3 900		3 900					
Intérêt sur hypothèque	1 000		3 000 ⑨		4 000		4 000					
Produits de loyer		3 000		300 ⑫		3 300		3 300				
Produits d'intérêts		500		125 ①		625		625				
	516 200 $	516 200 $										
Intérêts à recevoir			125 ①		125						125	
Créances douteuses			1 350 ②		1 350		1 350					
Fournitures			1 100 ④		1 100		1 100					
Dotation à l'amortissement — Mobilier et agencement			1 000 ⑤		1 000		1 000					
Dotation à l'amortissement — Bâtiment			3 000 ⑥		3 000		3 000					
Dotation à l'amortissement — Matériel roulant			1 950 ⑦		1 950		1 950					
Amortissement cumulé — Matériel roulant				1 950 ⑦		1 950						1 950
Intérêts à payer				3 000 ⑨ / 400 ⑧		3 400						3 400
Salaires à payer				720 ⑩		720						720
Assurances constatées d'avance			700 ⑪		700						700	
Loyer à recevoir			300 ⑫		300						300	
			14 145 $	14 145 $	527 845 $	527 845 $	297 320	368 925				
Bénéfice net de l'exercice							71 605			71 605		
							368 925 $	368 925 $	15 000			
Capital au 31 mars 19__2									99 805			99 805
									114 805 $	114 805 $	215 525 $	215 525 $

Les écritures de clôture

Le chiffrier permet d'identifier facilement les écritures de clôture. Il suffit en effet de fermer les comptes de résultats qui se trouvent dans les sections « État des résultats » et « État des variations de la valeur nette » du chiffrier.

Clôture des comptes de produits

Ventes	365 000 $	
Produits de loyer	3 300 $	
Produits d'intérêts	625 $	
@ Sommaire des résultats		368 925 $

Clôture des comptes de charges

Sommaire des résultats	297 320 $	
@ Rendus et rabais sur ventes		2 000 $
Coût des marchandises vendues		213 500
Frais de livraison		4 000
Salaires		55 720
Publicité		5 000
Assurances		800
Intérêts sur emprunt de banque		3 900
Intérêts sur hypothèque		4 000
Créances douteuses		1 350
Fournitures		1 100
Dotation à l'amortissement — Mobilier et agencement		1 000
Dotation à l'amortissement — Bâtiment		3 000
Dotation à l'amortissement — Matériel roulant		1 950

Clôture du compte « Sommaire des résultats »

Le solde de ce compte correspond au bénéfice net de l'exercice qu'on retrouve au chiffrier.

Sommaire des résultats	71 605 $	
@ Capital		71 605 $

Clôture du compte « Apports »

Apports	7 000 $	
@ Capital		7 000 $

Clôture du compte « Prélèvements »

Capital	15 000 $	
@ Prélèvements		15 000 $

Cette série d'écritures de clôture permet d'établir aux registres le solde du capital de fin d'exercice, soit 99 805 $.

4) *Écritures de contrepassation*

On doit renverser toute écriture de régularisation qui a mené à la création d'un compte de valeurs à caractère temporaire. À l'aide du chiffrier, on peut rapidement identifier les comptes de valeurs créés par les écritures de régularisation. Il s'agit de ceux qui paraissent à la section « Bilan » du chiffrier et qui correspondent aux postes qui ont dû être ajoutés après la balance de vérification préliminaire. Il s'agit donc des postes suivants:

> Intérêts à recevoir
> Amortissement cumulé — Matériel roulant
> Intérêts à payer
> Salaires à payer
> Assurances constatées d'avance
> Loyer à recevoir

On constate que seul le compte « Amortissement cumulé — Matériel roulant » est à caractère permanent. Les écritures de régularisation qui ont mené à la création des autres comptes devront donc être renversées. Il s'agit, comme on peut le vérifier à la section des écritures de régularisation, des régularisations ①, ⑧, ⑨, ⑩, ⑪ et ⑫. Les écritures de contrepassation seront donc les suivantes:

①	Produits d'intérêts	125 $	
	@ Intérêts à recevoir		125 $
②	Intérêts à payer	400 $	
	@ Intérêts sur emprunt de banque		400 $
③	Intérêts à payer	3 000 $	
	@ Intérêts sur hypothèque		3 000 $
④	Salaires à payer	720 $	
	@ Salaires		720 $
⑤	Assurances	700 $	
	@ Assurances constatées d'avance		700 $
⑥	Produits de loyer	300 $	
	@ Loyer à recevoir		300 $

QUESTIONS

Q9-1 Quelles sont les principales étapes du travail de fin d'exercice?

Q9-2 En vertu de quels principes comptables procède-t-on à la régularisation des comptes en fin d'exercice?

Q9-3 Quelle est la différence entre les régularisations relatives aux produits et charges courus et les régularisations de répartition?

Q9-4 Est-il nécessaire de reporter les écritures de régularisation au grand livre général lorsqu'on utilise le chiffrier? Expliquer.

Q9-5 Est-il vrai que, selon la méthode de l'inventaire permanent, aucune écriture de régularisation n'est nécessaire pour présenter correctement le stock de clôture?

Q9-6 Selon la méthode de l'inventaire périodique, l'écriture de régularisation relative au stock de marchandises est aussi une écriture de clôture. Commenter.

Q9-7 Pourquoi une écriture de régularisation affecte-t-elle toujours au moins un compte de valeurs et un compte de résultats?

Q9-8 À quoi servent les écritures de clôture?

Q9-9 Comment le chiffrier peut-il aider à identifier les écritures de clôture?

Q9-10 Est-ce que la préparation d'un chiffrier dispense de la préparation des états financiers?

Q9-11 À quoi servent les écritures de contrepassation?

Q9-12 Est-ce que toutes les écritures de régularisation de répartition doivent faire l'objet d'une écriture de contrepassation?

Q9-13 Comment le chiffrier aide-t-il à identifier les écritures de régularisation qui sont sujettes à une écriture de contrepassation?

Q9-14 Le total de l'actif au bilan correspond-t-il toujours au total de la colonne « Débit » de la section bilan du chiffrier? En est-il de même pour la colonne « Crédit » avec le total du passif et du capital?

Q9-15 Que représente la dotation à l'amortissement?

Q9-16 Nommer et définir deux méthodes de calcul de la dotation à l'amortissement.

Q9-17 Est-il nécessaire de passer des écritures de contrepassation?

Q9-18 Pourquoi doit-on obligatoirement inscrire les écritures de régularisation au journal général?

Q9-19 Qu'arriverait-il si on n'inscrivait pas les écritures de clôture?

Q9-20 Aux fins de calcul de la dotation à l'amortissement d'une immobilisation, la durée de vie utile à retenir doit-elle être basée sur la durée de vie économique de cette immobilisation ou sur sa durée physique? Expliquer.

EXERCICES

E9-21 Le 30 avril 19__2, Gesco Enr. a emprunté sur hypothèque la somme de 40 000 $ au taux annuel de 15%. L'intérêt est payable semestriellement le 30 avril et le 31 octobre de chaque année et l'hypothèque est remboursable, à raison de 2 000 $, le 30 avril de chaque année.

● Présenter, pour l'exercice terminé le 31 décembre 19__2, toutes les écritures reliées à cet emprunt sur hypothèque y compris, au besoin, les écritures de régularisation.

E9-22 En 19__2, Patro Enr. a acquis au comptant les deux polices d'assurance suivantes:

1) le 31 mars 19__2, une police d'assurance-responsabilité au coût de 240 $, pour une période de 1 an; c'est la première fois que Patro Enr. acquiert une telle police d'assurance;

2) le 1er juin 19__2, une police d'assurance-incendie au coût de 300 $. Il s'agit du renouvellement pour un an d'une police d'assurance déjà en vigueur. La prime payée en 19__2 excède de 60 $ celle de 19__1.

● Établir:

1) la valeur à attribuer au poste « Assurances constatées d'avance » qu'on doit présenter au bilan du 31 décembre 19__2;

2) la charge d'assurances de l'exercice de 12 mois terminé le 31 décembre 19__2.

E9-23 Le 31 mars 19__4, Miro Enr. vend 6 000 $ comptant un camion acquis au coût de 10 000 $ le 1er janvier 19__2. La valeur résiduelle de ce camion avait alors été établie à 2 000 $ et sa durée de vie économique, à 5 ans.

● Enregistrer, au moyen d'écritures de journal général, la vente de ce camion.

E9-24 Le mercredi 30 décembre 19__2, Goberge Enr. paie à ses employés le salaire de la semaine de 5 jours terminée le vendredi 1er janvier 19__3, au montant total de 1 500 $.

● Présenter l'écriture qu'on doit enregistrer:

1) lors du paiement des salaires, le 30 décembre 19__2;

2) lors de la régularisation des comptes, le 31 décembre 19__2;

3) lors de l'inscription des écritures de contrepassation en date du 1er janvier 19__3.

E9-25 Au 31 mars 19__2, le bilan de Taro Enr., révèle que le solde du compte « Provision pour créances douteuses » était de 1 000 $. Au cours de l'exercice, un client a déclaré faillite, ce qui a entraîné une perte de 300 $ sur mauvaises créances, et un autre client, dont le solde du compte avait été radié en 19__1, a remis la somme de 75 $.

● Sachant que la provision pour créances douteuses requise au 31 mars 19__3 est de 1 100 $, établir la charge de créances douteuses de l'exercice terminé à cette date et inscrire toute écriture de régularisation qui s'impose.

PROBLÈMES À RÉSOUDRE

P9-26 Voici comment s'analysent les salaires payés par Grabas, Enr. depuis sa fondation le 2 janvier 19__1.

Salaires encourus et payés du mercredi 2 janvier au vendredi 27 décembre 19__1 inclusivement	262 000 $
Salaires encourus du lundi 30 décembre 19__1 au vendredi 3 janvier 19__2 et payés à cette dernière date	5 200
Salaires encourus et payés du lundi 6 janvier au vendredi 26 décembre 19__2 inclusivement	296 000
Salaires encourus du lundi 29 décembre 19__2 au vendredi 2 janvier 19__3 et payés à cette même date	5 800

• Sachant que pour une samaine donnée, les salaires se répartissent uniformément sur 5 jours ouvrables:

1) présenter toutes les écritures de journal permettant d'inscrire le paiement de ces salaires en cours d'année, les régularisations de fin d'exercice, la clôture et la contrepassation des comptes et ce, pour les exercices 19__1 et 19__2;

2) indiquer comment ces opérations se sont reflétées aux états financiers de 19__1 et 19__2 en présentant les comptes relatifs aux salaires qu'on a dû y inscrire;

3) faire ressortir à l'aide de cet exemple la nécessité et l'objet des écritures de:
   a) régularisation;
   b) clôture;
   c) contrepassation.

P9-27 Voici une liste partielle de comptes non régularisés provenant du grand livre général de Michel Héroux, arpenteur-géomètre, ainsi que certains renseignements supplémentaires.

Michel Héroux
Comptes du grand livre général
au 30 septembre 19__2

	Débit	Crédit
Honoraires à recevoir	10 000 $	
Provision pour créances douteuses		300 $
Stock de petits outils	1 000	
Assurances constatées d'avance	1 200	
Effets à recevoir	2 000	
Matériel et outillage	6 000	
Mobilier et agencement	4 000	
Petits outils (achats)	1 200	
Assurances	1 500	

Renseignements supplémentaires

1) La provision pour créances douteuses doit être égale à 10% des honoraires à recevoir au 30 septembre 19___2.

2) Le stock de petits outils, inventorié le 30 septembre 19___2, était de 1 200 $.

3) Les effets à recevoir datés du 1er juillet 19___2 portent intérêt au taux de 12%, payable annuellement le 30 juin.

4) La dotation à l'amortissement annuelle est calculée sur le coût d'acquisition des immobilisations, aux taux suivants.

Matériel et outillage	20%
Mobilier et agencement	10%

Aucun achat ou vente d'immobilisation n'a été effectué au cours de l'exercice terminé le 30 septembre 19___2.

5) La seule police d'assurances en vigueur au 30 septembre 19___2 a été payée 1 500 $, le 31 juillet 19___2, pour une période d'une année.

- 1) Présenter les écritures de régularisation nécessaires pour rectifier les comptes au 30 septembre 19___2.

  2) Présenter les écritures de contrepassation au 1er octobre 19___2.

9-28 Monsieur Léopold Latendresse, marchand de meubles, retient les services d'un expert-comptable pour préparer ses états financiers en date du 31 décembre 19___1. Il lui remet à cette fin la balance de vérification préliminaire suivante:

Léopold Latendresse
Balance de vérification préliminaire
au 31 décembre 19___1

	Débit	Crédit
Caisse	2 500 $	
Clients	45 000	
Provision pour créances douteuses		1 725 $
Stock de marchandises	29 300	
Stock de fournitures de bureau	250	
Placement — Obligations	10 000	
Mobilier et agencement	20 000	
Amortissement cumulé — Mobilier et agencement		3 000
Bâtiment	100 000	
Amortissement cumulé — Bâtiment		12 000
Terrain	15 000	
Emprunt de banque		25 000
Taxes à payer		1 500
Fournisseurs		18 000

Hypothèques à payer		48 000
Capital		62 525
Prélèvements	20 000	
Ventes		400 000
Achats	225 000	
Fret à l'achat	12 000	
Rendus et rabais sur achats		2 400
Fournitures de bureau	1 700	
Fournitures d'emballage	1 500	
Téléphone	500	
Électricité	700	
Chauffage	1 500	
Entretien et réparations	1 200	
Assurances	1 000	
Salaires	80 000	
Taxes	3 000	
Intérêts — Produits		600
Loyers — Produits		5 200
Intérêts sur emprunt de banque	3 200	
Intérêts sur hypothèque	6 600	
	579 950 $	579 950 $

L'inventaire des biens et dettes de l'entreprise ainsi que l'examen des pièces justificatives ont permis à l'expert-comptable d'obtenir les renseignements suivants.

1) Au décembre 19___1, les stocks de marchandises et de fournitures étaient les suivants.

Stock de marchandises	24 800 $
Stock de fournitures de bureau	225 $
Stock de fournitures d'emballage	400 $

2) Deux polices d'assurances étaient en vigueur au 31 décembre 19___1. En voici les caractéristiques.

Objet	Date d'émission	Durée	Prime
Feu et vol	1er octobre 19___1	1 an	500 $
Responsabilité	1er octobre 19___1	6 mois	250 $

3) Les salaires sont payés le vendredi pour la semaine de 5 jours du lundi au vendredi inclusivement. Les salaires payés le vendredi 2 janvier 19___2 étaient les suivants.

Salaire de bureau	600 $
Salaire des vendeurs	1 000 $

4) La provision pour créances douteuses doit être portée à 5% du solde du compte « Clients ».

5) Les taux annuels de dotation à l'amortissement à utiliser sont:

Mobilier et agencement	15%
Bâtiment	5%

6) Depuis deux ans, l'étage supérieur du bâtiment est loué à raison de 400 $ par mois.

7) Le 1er mai 19__1, on a payé les taxes foncières pour l'année se terminant le 30 avril 19__2.

8) Les obligations ont été achetées le 1er mai 19__1. Les intérêts au taux de 12% l'an sont payables les 1er mai et 1er novembre.

9) L'hypothèque devra être remboursée en entier dans 20 ans. Les intérêts, au taux mensuel de 1,25%, sont payables le premier jour ouvrable de chaque mois.

- Présenter les écritures de régularisation qui s'imposent au 31 décembre 19__1.

9-29 Monsieur Jacques Lachance exploite depuis quelques années un commerce de vente en gros de produits diététiques. Le 31 décembre 19__2, il a préparé la balance de vérification préliminaire suivante:

Jacques Lachance
Balance de vérification préliminaire
au 31 décembre 19__2

	Débit	Crédit
Caisse	10 825 $	
Clients	15 000	
Provision pour créances douteuses		915 $
Effets à recevoir	5 000	
Stock de marchandises	15 800	
Stock de fournitures d'emballage	840	
Assurances constatées d'avance	715	
Mobilier et agencement	8 200	
Amortissement cumulé — Mobilier et agencement		2 952
Bâtiment	80 000	
Amortissement cumulé — Bâtiment		11 410
Matériel roulant	12 830	
Amortissement cumulé — Matériel roulant		3 210
Terrain	12 000	
Achalandage	24 000	
Fournisseurs		15 850
Hypothèque à payer		48 000
Capital		47 258

Prélèvements	2 200	
Ventes		203 545
Rendus et rabais sur ventes	510	
Escomptes sur ventes	835	
Coût des marchandises vendues	120 630	
Téléphone	720	
Chauffage	825	
Éclairage	1 205	
Fournitures de bureau	560	
Frais de livraison	730	
Salaires	25 000	
Taxes	2 500	
Intérêt sur hypothèque	5 400	
Loyer — Produits		12 800
Intérêts — Produits		385
	346 325 $	346 325 $

Il a également noté les renseignements suivants.

1) Effets à recevoir

Les billets suivants sont inscrits à ce compte:

a) billet de 3 000 $ émis le 1er juin 19__1, échéant le 31 mai 19__3. Les intérêts au taux de 14% sont payables les 1er juin et 1er décembre;

b) billet de 2 000 $ signé le 1er mars 19__2, échéant le 28 février 19__3 et portant intérêt au taux de 12,5% payable à l'échéance.

4) Assurances constatées d'avance

Les polices qui concernent en totalité ou en partie l'année 19__2 sont les suivantes.

N° de la police	Date d'émission	Durée	Prime payée
31 826	31 mai 19__2	1 an	300 $
53 210	1er mai 19__1	3 ans	270 $
3 798	30 avril 19__1	1 an	75 $
10 812	1er février 19__2	3 ans	180 $

3) Les données du dénombrement des articles du 31 décembre 19__2 fournissent les renseignements suivants. Stock de marchandises:

	Coût	Prix de vente	Coût de remplacement
Produit A	7 200 $	13 900 $	8 100 $
Produit B	3 700 $	5 300 $	3 500 $
Produit C	4 500 $	8 900 $	4 200 $

Fournitures de bureau: 225 $.

Fournitures d'emballage: 300 $.

4) Loyer

Monsieur Lachance loue la partie supérieure de son bâtiment aux conditions suivantes.

Locataire A: bail signé le 1er avril 19__2. Loyer mensuel: 400 $. Montant reçu de ce locataire en 19__2: 4 000 $.

Locataire B: bail signé le 1er février 19__2. Loyer mensuel: 500 $. Montant reçu de ce locataire en 19__2: 6 000 $.

Locataire C: bail signé le 1er mai 19__2. Loyer mensuel: 400 $. Montant reçu de ce locataire en 19__2: 2 800 $.

5) La provision pour créances douteuses au 31 décembre 19__2 devra correspondre à 8% du compte « Clients » en date du 31 décembre 19__2.

6) Hypothèque à payer

L'hypothèque porte intérêt au taux de 15% payable les 1er avril et 1er octobre de chaque année.

7) Salaires

Les salaires pour une semaine de 5 jours se terminant le vendredi s'établissent à 600 $. Le 31 décembre 19__2 était un mercredi.

8) Taxes

Les taxes couvrent l'année commençant le 1er mai. En 19__1, ces taxes s'établissaient à 1 800 $. Les écritures de contrepassation nécessaires ont été comptabilisées le 1er janvier 19__2. Le 1er mai 19__2, on a payé les taxes pour l'année se terminant le 30 avril 19__3.

9) Renseignements divers

a) Les taux annuels de dotation à l'amortissement à utiliser sont (amortissement linéaire):

Bâtiment	5%
Mobilier et agencement	20%
Matériel roulant	30%

b) La facture de téléphone pour le mois de décembre, qui n'est pas encore payée, n'a pas été inscrite aux livres. Cette facture est de 55 $.

● 1) Inscrire les écritures de régularisation au 31 décembre 19__2.

2) Inscrire les écritures de clôture au 31 décembre 19__2.

3) Inscrire les écritures de contrepassation au 1er janvier 19__3.

P9-30 On retrouve ci-dessous la liste des comptes du grand livre général au 30 juin 19__3 de Rimex, Enr., détaillant de musique en feuilles.

Achats	975 700 $
Amortissement cumulé — Immeuble	18 000
Amortissement cumulé — Mobilier	20 160
Assurances	1 020
Assurances constatées d'avance — 1er juillet 19__2	845
Caisse	4 185
Capital — Rimex	150 523
Chauffage et éclairage	3 100
Clients	76 000
Effets à payer	30 000

Effets à recevoir	16 000
Entretien et réparation de l'immeuble	7 950
Fournisseurs	39 000
Frais de banque et intérêts	470
Frais d'emballage et de livraison	29 640
Frais d'administration divers	1 695
Fret à l'achat	37 600
Hypothèque à payer	30 000
Immeuble	90 000
Intérêts — Charges	1 200
Mobilier	43 600
Papeterie et impression	740
Prélèvements	12 050
Provision pour créances douteuses	1 260
Publicité	21 765
Rendus et rabais sur ventes	24 600
Produits de loyer	5 450
Produits perçus d'avance — 1er juillet 19__2	310
Salaires à payer — 1er juillet 19__2	352
Salaire de bureau	29 455
Salaire de livraison	10 110
Salaires et commission des vendeurs	93 940
Stock de marchandises — 1er juillet 19__2	114 000
Taxes et permis	3 760
Téléphone et télécommunications	2 130
Terrain	12 000
Ventes	1 318 500

On présente également les renseignements suivants, qui résultent d'une vérification de ces comptes.

Dotation à l'amortissement

Les renseignements nécessaires au calcul de la dotation à l'amortissement sont les suivants.

	Valeur d'acquisition	Durée prévue	Valeur résiduelle prévue
Immeuble	90 000 $	40 ans	10 000 $
Mobilier	43 600 $	10 ans	10 000 $

De plus, on précise qu'au cours du dernier exercice, Rimex n'a procédé à aucun achat d'immobilisation.

Assurances

Voici l'analyse des contrats d'assurances en vigueur le 1er juillet 19__2.

Objet	Date d'émission	Durée	Prime
Incendie — Immeuble	1er avril 19__2	3 ans	720 $
Incendie — Mobilier	1er novembre 19__1	1 an	60 $
Incendie — Marchandises	1er septembre 19__1	1 an	450 $
Responsabilité	1er octobre 19__1	1 an	360 $

Tous les contrats échéant au cours de l'exercice 19__2 et 19__3 ont été renouvelés aux mêmes conditions, sauf l'assurance relative aux marchandises, qu'on a accrue à l'occasion du renouvellement. La prime s'est alors élevée à 600 $.

Stocks

Les relevés du dénombrement des articles établissent le stock de marchandises au 30 juin 19__3 à 119 300 $ et celui des fournitures d'emballage à 2 600 $.

Provision pour créances douteuses

Ce compte doit se maintenir, selon l'expérience, à 5% des comptes « Clients » et « Effets à recevoir » en fin d'exercice.

Effets à payer

Ce compte représente les trois billets suivants.

	Date d'émission	Montant initial	Taux annuel d'intérêt
No 1	1er avril 19__3	8 000 $	16,25%
No 2	1er novembre 19__2	15 000 $	16,00%
No 3	1er juin 19__3	10 000 $	15,00%

Le 1er mai, on a versé un acompte de 3 000 $ sur le billet no 2 et on a payé l'intérêt accumulé à cette date: c'est le seul débours qu'on ait fait relativement à ces billets.

Hypothèque à payer

Émise en 19__1, l'hypothèque porte intérêt à 15% par année payable le 1er juillet de chaque année.

Produits de loyer

Au 30 juin 19__3, l'entreprise avait encaissé 275 $ de loyers relatifs au mois de juillet 19__3.

Salaires

Les salaires sont payés à la semaine le vendredi soir. La semaine de travail compte 5 jours. Les feuilles de paie au début de juillet 19__2 et 19__3 s'analysaient ainsi:

	Vendredi 4 juillet 19__2	Vendredi 3 juillet 19__3
Salaire de bureau	490 $	675 $
Salaire de livraison	190	180
Salaires des vendeurs	1 080	1 210
	1 760 $	2 065 $

Commissions

Depuis le 1er septembre 19__2, l'entreprise paie aux vendeurs une commission de 2,5% sur leurs ventes, le 10 du mois suivant la vente. Au cours de juin 19__3, les ventes sujettes à commission s'établissaient à 83 000 $.

Téléphone et télécommunications

Le compte de téléphone du mois de juin 19__3, s'élevant à 175 $, n'est parvenu à l'entreprise que le 20 juillet 19__3.

• Présenter les écritures nécessaires pour régulariser les livres au 30 juin 19__3.

P9-31 Monsieur Robert Juneau, courtier d'assurances, demande d'effectuer le travail de fin d'exercice de son entreprise.

Du grand livre général de l'entreprise, on extrait la balance de vérification préliminaire suivante.

Robert Juneau
Balance de vérification préliminaire
au 31 décembre 19__2

	Débit	Crédit
Caisse	12 000 $	
Clients	6 600	
Effets à recevoir	3 000	
Provision pour créances douteuses		100 $
Placements — Obligations	1 000	
Stock de fournitures de bureau — au 31 décembre 19__1	200	
Assurances constatées d'avance	480	
Mobilier de bureau	3 600	
Amortissement cumulé — Mobilier de bureau		540
Automobile	10 500	
Fournisseurs		2 000
Salaires à payer au 31 décembre 19__1		90
Effets à payer		2 000
Prélèvements	4 700	
Capital		29 068
Produits — Commissions		65 000
Produits — Loyers		1 950
Produits — Intérêts		207
Salaires de bureau	14 526	
Commissions — Vendeurs	27 600	
Loyer	11 700	
Fournitures de bureau	500	
Charges d'automobile	2 895	
Publicité	525	
Entretien et réparations	235	

Téléphone	240	
Électricité	474	
Charges d'intérêt	180	
	100 955 $	100 955 $

L'examen des livres, des registres, des documents, ainsi que les renseignements fournis par Monsieur Juneau, permettent d'établir les faits suivants.

2) Clients

En novembre 19__2, un client de M. Juneau a fait faillite et son compte de 200 $ est une perte complète. Aucune écriture n'a encore été passée aux livres à ce sujet.

De plus, l'examen des comptes et des effets à recevoir montre que la provision pour créances douteuses au 31 décembre 19__2 doit égaler 2% du compte « Clients » et des effets à recevoir à cette date.

2) Placements — Obligations

Ce compte représente une obligation d'épargne du Canada achetée le 1er novembre 19__2, portant intérêt au taux de 13,5% l'an, payable annuellement le 1er novembre.

3) Fournitures de bureau

Au 31 décembre 19__2, le dénombrement révèle 150 $ de fournitures de bureau.

4) Mobilier de bureau

Le taux d'amortissement est de 15% par année (méthode de l'amortissement linéaire).

5) Automobile

Cette automobile de modèle 19__2 a été achetée le 1er juillet 19__2. À cette date, Monsieur Juneau prévoyait l'utiliser pendant 4 ans et il estimait qu'après cette période, elle aurait une valeur résiduelle de 1 000 $. La dotation à l'amortissement doit être calculée selon la méthode de l'amortissement linéaire.

6) Assurances constatées d'avance

Les polices d'assurances en vigueur le 31 décembre 19__2 sont les suivantes.

Nº de la police	Date d'émission	Prime	Durée
H-4340	1er octobre 19__2	360 $	3 ans
L-639	1er juin 19__2	120 $	1 an

7) Salaires de bureau

Les salaires courus à payer s'élèvent à 100 $.

8) Effets à payer

Ce compte représente un billet sur lequel il y a 180 $ d'intérêts courus au 31 décembre 19__2.

9) Loyers

Le loyer mensuel que paie M. Juneau pour le local qu'il occupe est de 900 $. Par contre, il sous-loue une partie de ce local à raison de 150 $ par mois. Le 1er décembre 19__2, M. Juneau a payé le loyer des mois de décembre et janvier et son locataire a fait de même.

• Présenter le chiffrier permettant de préparer les états financiers en date du 31 décembre 19__2.

P9-32 Monsieur Jean Lapointe, architecte, présente sa balance de vérification préliminaire en date du 31 décembre 19__3.

Jean Lapointe
Balance de vérification préliminaire
au 31 décembre 19__3

	Débit	Crédit
Clients	24 000 $	
Caisse	2 000	
Effets à recevoir	2 500	
Assurances constatées d'avance	900	
Placements	5 000	
Terrain	10 000	
Immeuble	60 000	
Mobilier et agencement	12 000	
Matériel roulant	12 000	
Fournisseurs		8 000 $
Provision pour créances douteuses		600
Effets à payer		4 000
Hypothèque à payer		40 000
Amortissement cumulé — Immeuble		3 000
Amortissement cumulé — Mobilier et agencement		1 200
Amortissement cumulé — Matériel roulant		3 000
Capital		29 420
Honoraires		110 000
Intérêts — Obligations		300
Loyers — Produits		9 200
Salaires de bureau	38 000	
Téléphone et télécommunications	3 000	
Fournitures de bureau	13 000	
Assurances	1 320	
Taxes et licences	5 100	
Chauffage et électricité	5 150	
Publicité	750	
Prélèvements	12 000	
Intérêts sur hypothèque	2 000	
	208 720 $	208 720 $

L'examen des documents commerciaux et des registres comptables fournit par ailleurs les renseignements suivants.

1) Clients

Au 31 décembre 19__3, la provision pour créances douteuses doit égaler 3% des comptes « Clients » à cette date.

2) Taxes et licences

Le dernier compte de taxes s'élevait à 4 200 $. Les comptes de taxes sont payables le 1er octobre de chaque année et couvrent la période du 1er mai au 30 avril.

3) Assurances constatées d'avance

Voici le détail des polices d'assurances en vigueur au 31 décembre 19__3.

N° de la police	Durée	Date d'expiration	Prime
1	1 an	30 novembre 19__4	120 $
2	3 ans	1er juillet 19__4	1 800 $
3	2 ans	31 décembre 19__5	1 200 $

4) Placements

Ce poste représente des obligations de la Compagnie Baille, Ltée, achetées le 1er mars 19__3. Les intérêts sont payables semi-annuellement le 1er mars et le 1er septembre de chaque année, au taux de 12% l'an. Le coupon du 1er septembre 19__3 fut encaissé et crédité au compte « Intérêts — Obligations ».

5) Immobilisations

L'amortissement dégressif à taux constant doit être appliqué aux taux suivants:

Immeuble	10%
Mobilier et agencement	20%
Matériel roulant	30%

6) Salaires

Le mercredi 31 décembre, M. Lapointe a payé les salaires s'élevant à 750 $ pour la semaine se terminant le 2 janvier 19__4.

7) Intérêts sur hypothèque

L'hypothèque fut contractée le 1er février 19__3 et les intérêts sont payables semestriellement, le 1er août et le 1er février, au taux de 10% l'an.

8) Loyers — Produits

Cette année, un locataire a payé son loyer pour décembre 19__3 à février 19__4 inclusivement, à raison de 400 $ par mois.

9) Fournitures de bureau

Au 31 décembre 19__3, le stock de fournitures de bureau s'élève à 1 500 $.

- 1) Passer les écritures propres à régulariser les livres au 31 décembre 19__3.

  2) Préparer la balance de vérification régularisée.

  3) Présenter:
     a) le bilan au 31 décembre 19__3;
     b) l'état des résultats de l'exercice 19__3;
     c) l'état de la variation de la valeur nette de l'exercice 19__3.

P9-33 Monsieur L. M. D'Amour exploite, depuis quelques années déjà, un service de nettoyage de linge dont la raison sociale est « Le Maître Nettoyeur, Enr. » Ses clients sont des entreprises de tous genres et aucun ne transige au comptant. Le 30 novembre 19___2, il fait appel à un expert-comptable afin de s'assurer que ses registres sont exacts. La balance de vérification non régularisée était la suivante, à cette date.

Le Maître Nettoyeur, Enr.
Balance de vérification préliminaire
au 30 novembre 19___2

	Débit	Crédit
Caisse	2 250 $	
Clients	8 450	
Provision pour créances douteuses		20 $
Intérêts à recevoir	175	
Effets à recevoir	2 000	
Stocks de fournitures de bureau	860	
Assurances constatées d'avance	345	
Placements — Obligations	5 000	
Matériel roulant	8 000	
Amortissement cumulé — Matériel roulant		4 950
Équipement	15 400	
Amortissement cumulé — Équipement		6 000
Fournisseurs		2 450
Effets à payer		10 000
Capital		10 525
Revenus de service		43 550
Intérêts — Produits		605
Loyer — Produits		2 100
Salaires	13 500	
Prélèvements	6 000	
Loyer — Charge	6 600	
Assurances	810	
Entretien et réparations — Matériel roulant	4 455	
Publicité	770	
Entretien et réparations — Outillage	2 000	
Fournitures d'emballage	1 300	
Téléphone	185	
Éclairage et chauffage	1 300	
Taxes et licences	800	
	80 200 $	80 200 $

L'examen des postes de la balance de vérification, ainsi que les réponses de M. L. M. D'Amour aux questions posées par l'expert-comptable, révèlent les faits suivants.

1) Clients

En juin dernier, Le Maître Nettoyeur, Enr. recouvre 100 $ d'un de ses clients. Ce montant avait été rayé des livres l'année précédente à cause de l'insolvabilité de ce client. M. D'Amour a alors passé les écritures suivantes:

Caisse	100 $	
@ Clients		100 $
Clients	100 $	
@ Provision pour créances douteuses		100 $

Le 29 novembre 19__2, un de ses clients a fait faillite. M. D'Amour estime que la perte du compte (200 $) est totale. Aucune écriture n'a été passée à ce sujet.

Cette année encore, M. D'Amour estime à 10% du solde du compte « Clients » la provision pour créances douteuses requises.

2) Placements — Obligations

Les obligations furent achetées le 1er mars 19__2. Des intérêts de 350 $ sont payables les 28 février et 31 août de chaque année. Le 30 novembre 19__2, M. D'Amour a passé l'écriture suivante au journal général:

Intérêts à recevoir	175 $	
@ Intérêts — Produits		175 $

3) Effet à recevoir

Le 1er février dernier, Le Maître Nettoyeur, Enr. a prêté 2 000 $ sur billet au frère de M. D'Amour. Ce dernier doit verser 20 $ d'intérêts chaque mois. Le compte « Intérêts — Produits » ne comprend que les intérêts — produits provenant des placements — obligations et de l'effet à recevoir que nous venons de mentionner.

4) Stocks de fournitures

Au 30 novembre 19__2, Le Maître Nettoyeur, Enr. avait en main:
- a) un stock de fournitures de bureau évalué à 300 $;
- b) un stock de fournitures d'emballage valant 500 $.

5) Assurances constatées d'avance

Au 30 novembre 19__2, il y avait pour 425 $ d'assurances constatées d'avance.

6) Immobilisations

Les taux de dotation à l'amortissement à utiliser sont les suivants (amortissement linéaire):

Matériel roulant	20%
Équipement	10%

7) Effet à payer

Le 30 septembre 19__2, Le Maître Nettoyeur, Enr. a emprunté sur billet 10 000 $. Le billet porte un intérêt de 10% payable trimestriellement les 31 décembre, 31 mars, 30 juin et 30 septembre. De plus, lors de chacun des versements d'intérêts, il doit remettre 500 $.

8) Loyer

Depuis 19__1, M. D'Amour sous-loue une partie de son local 150 $ par mois. D'autre part, son loyer s'élève à 600 $ par mois.

9) Au cours du mois d'avril 19__2, Monsieur L. M. D'Amour a fait réparer son automobile personnelle et a fait payer par son entreprise la facture qui s'élevait à 455 $. M. D'Amour a passé l'écriture suivante au journal des débours pour enregistrer ce paiement.

Entretien et réparations — Matériel
roulant   455 $
      @ Caisse   455 $

- Passer les écritures de régularisation nécessaires au 30 novembre 19__2.

P9-34 Le propriétaire de Tendinite, Enr., magasin d'articles de sport, doit compléter le travail comptable de fin d'exercice. Il prépare donc la balance de vérification suivante au 31 décembre 19__3, date de la fin de l'exercice financier.

Tendinite, Enr.
Balance de vérification préliminaire
au 31 décembre 19__3

	Débit	Crédit
Caisse	11 700 $	
Clients	65 500	
Provision pour créances douteuses		1 000 $
Stock de marchandises	15 000	
Stock de fournitures	2 400	
Assurances constatées d'avance	1 200	
Matériel roulant	14 000	
Amortissement cumulé — Matériel roulant		3 800
Matériel et outillage	25 000	
Amortissement cumulé — Matériel et outillage		2 000
Terrain	10 000	
Bâtiment	50 000	
Amortissement cumulé — Bâtiment		12 500
Fournisseurs		28 000
Emprunt de banque		30 000
Ventes		299 500
Autres revenus		1 200
Rendus et rabais sur achats		2 000
Achats	105 000	
Fret à l'achat	5 000	
Commission des vendeurs	27 950	
Publicité	13 800	

Téléphone et électricité	3 510	
Salaire de bureau	17 640	
Loyer	5 500	
Intérêts — Charges	1 800	
Capital		20 000
Prélèvements	25 000	
	400 000 $	400 000 $

Il recueille également les renseignements suivants.

1) Clients
   a) Une machine achetée le 1er mai 19__3 a été comptabilisée par erreur dans le compte « Clients » par l'écriture suivante:

Clients	3 500 $	
@ Caisse		3 500 $

   b) Un compte « Clients » de 4 500 $ qui avait été radié des livres en 19__2 a été reçu au complet le 1er avril 19__3. Le teneur de livres a passé à cette occasion l'écriture suivante:

Caisse	4 500 $	
@ Clients		4 500 $

2) Stocks
   a) Le stock de marchandises au 31 décembre 19__3 a été évalué à 33 000 $.
   b) Le stock de fournitures au 31 décembre 19__3 s'élevait à 800 $.

3) Assurances constatées d'avance
   Voici les polices d'assurances en vigueur le 31 décembre 19__3.

N° de la police	Montant	Date d'émission	Durée
A-10	1 080 $	1er mars 19__1	3 ans
B-20	360 $	1er janvier 19__2	2 ans
D-40	600 $	1er août 19__3	2 ans

4) Dotation à l'amortissement
   Les taux d'amortissement linéaire à utiliser sont les suivants:

Matériel roulant	20%
Matériel et outillage	12%
Bâtiment	5%

5) Ventes
   Les factures de ventes à crédit des deux derniers jours de décembre 19__3 n'ont pas encore été inscrites aux livres. Le propriétaire affirme qu'il a maintenu tout au long de l'année une marge de bénéfice brut de 70%.

6) Provision pour créances douteuses
   La provision pour créances douteuses doit s'établir à 10% des comptes « Clients » de la fin de l'année.

7) Commission du vendeur

Le magasin n'emploie qu'un seul vendeur. La rémunération du vendeur consiste en une commission calculée à raison de 10% des ventes. Cette commission est payable le 10 du mois suivant.

9) Téléphone et électricité

Les charges de décembre 19___3, qui totalisent 360 $, n'ont pas été comptabilisées.

10) Salaire couru

Le salaire de bureau couru à payer le 31 décembre 19___3 totalise 350 $.

11) Intérêts — Charges

L'emprunt qui figure aux livres le 31 décembre 19___3 a été contracté le 1er février 19___3 au taux de 12% payable semestriellement le 1er février et le 1er août.

12) Loyer — Charges

Le loyer, selon le bail, est de 500 $ par mois.

- 1) Préparer les écritures de régularisation au 31 décembre 19___3.
  2) Dresser le chiffrier nécessaire à la préparation des états financiers de l'exercice 19___3.

10 Les corrections d'erreurs

10.1 L'AUTO-ÉQUILIBRE DES COMPTES ET L'ABSENCE D'ERREURS

Les chapitres précédents montraient comment fonctionne le modèle comptable, de l'enregistrement des opérations à la présentation des états financiers. Nous avons vu, entre autres, que son fonctionnement assure l'auto-équilibre des comptes par la constance de l'égalité qui doit exister entre la somme des débits et la somme des crédits, auto-équilibre constaté par la balance de vérification. Toute erreur qui briserait cette égalité entre le total des débits et le total des crédits sera donc identifiée et corrigée avant de préparer des états financiers. La constatation de cet équilibre, soit dans les comptes, soit dans les états financiers, ne veut toutefois pas dire que les renseignements fournis par le modèle comptable sont exempts d'erreurs. C'est ainsi qui si on omet l'enregistrement d'une opération ou si on n'enregistre pas correctement une opération, ce mécanisme d'auto-équilibre ne permettra pas de le déceler. Ainsi, il est possible que, dans le cas où de telles erreurs se sont produites, le grand livre général et les états et rapports financiers qui en sont tirés soient en partie faussés. Même si les entreprises tentent le plus possible de limiter le nombre de ces erreurs, il en subsiste toujours. L'objectif de ce chapitre est de montrer comment on doit procéder à la correction de ces erreurs.

10.2 LES ERREURS D'OMISSION ET LES ERREURS D'INSCRIPTION

Les erreurs d'omission

On parlera d'une **erreur d'omission** *lorsqu'on aura omis de procéder à l'enregistrement au journal d'une opération ou encore lorsqu'on aura omis de reporter au grand livre général une écriture de journal dûment enregistrée.*

Prenons le cas du non-enregistrement d'une opération au journal. Cela signifie que le modèle comptable n'a pas réussi à effectuer correctement son processus de cueillette des données. Puisque, dans ce cas, on aura omis d'inscrire un débit et un crédit du même montant, cela signifie que, du point de vue du mécanisme comptable, l'équilibre entre les débits et les crédits sera maintenu, en dépit de cette erreur. Pourtant, l'erreur n'en existe pas moins.

On peut aussi omettre de reporter une écriture au grand livre général. Dans ce cas, la cueillette des données aura été effectuée correctement puisque l'opération aura été dûment enregistrée au journal, mais l'omission du report en aura empêché la classification. Puisqu'à cause de cette erreur, on omet de reporter un débit et un crédit du même montant, l'égalité entre les débits et les crédits ne sera toutefois pas altérée. Pourtant, à cause de cette erreur, le grand livre général ne reflète pas l'opération en question.

L'omission d'effectuer une partie du travail d'enregistrement comptable est donc la source d'erreurs que la balance de vérification ne peut déceler. On peut également commettre d'autres erreurs qui, dans la mesure où elles n'affectent pas l'auto-équilibre des comptes, ne peuvent être décelées par la balance de vérification. Il s'agit alors d'erreurs d'inscription.

Les erreurs d'inscription

Une **erreur d'inscription** est *une erreur commise par l'enregistrement incorrect d'une opération.* On classe ces erreurs en deux catégories.

Les erreurs dues à l'enregistrement ou au report d'une opération à un montant inexact

Ici, une opération est dûment notée aux registres, mais à un montant différent du montant réel de l'opération.

EXEMPLE D'APPLICATION

Une vente à crédit de 250 $ est enregistrée comme suit:

Clients	520 $	
@ Ventes		520 $

On a donc inversé les chiffres et, de ce fait, débité le poste « Clients » et crédité le poste « Ventes » d'une somme de 520 $, soit 270 $ de plus que l'on aurait dû. Comme on reportera au grand livre général 520 $, cela signifie que le compte « Clients » et le compte « Ventes » seront surévalués du même montant, soit de 270 $. Puisqu'il s'agit dans un cas (le compte « Clients ») d'un compte à solde débiteur et dans l'autre cas (le compte « Ventes ») d'un compte à solde créditeur, l'équilibre entre les débits et les crédits sera maintenu.

On doit noter que, si on avait enregistré l'opération correctement à 250 $ et si on en avait reporté le débit et le crédit à 520 $, l'effet aurait été le même, à savoir une surévaluation de 270 $ des deux comptes en cause et le maintien de l'équilibre comptable.

L'enregistrement ou le report d'une opération à un compte inexact

Ici, l'opération est enregistrée au journal et reportée correctement au grand livre général au montant exact, mais il y a erreur sur la nature des comptes qui sont affectés.

EXEMPLE D'APPLICATION

Un paiement de 1 500 $ pour les impôts fonciers a été enregistré au journal comme suit:

Publicité	1 500 $	
@ Caisse		1 500 $

Il y a donc un équilibre entre les débits et les crédits, sauf qu'au lieu d'avoir augmenté la charge d'impôts fonciers, on a augmenté la charge de publicité. Après le report au grand livre général, la charge de publicité sera surévaluée de 1 500 $ et celle des impôts fonciers sera sous-évaluée d'autant.

C'est ainsi que bon nombre d'erreurs peuvent être commises dans l'enregistrement des opérations sans qu'elles ne puissent être détectées par le mécanisme d'auto-équilibre des comptes. Il est donc nécessaire, afin d'assurer que les soldes aux comptes projettent l'image la plus fidèle possible de la réalité économique, de pouvoir compter sur un certain nombre de procédés de rechange susceptibles de révéler ces erreurs. Ce sont ces procédés que nous qualifierons de *méthodes extra-comptables de détection des erreurs*.

10.3 LES MÉTHODES EXTRA-COMPTABLES DE DÉTECTION DES ERREURS

Il n'existe pour l'heure aucun moyen infaillible de s'assurer de la précision des soldes des comptes du grand livre général. Toutefois, une ferme volonté d'y parvenir associée à une vigilance de tous les instants et à une connaissance intime de l'entreprise au sujet de laquelle on doit rendre compte sont autant de facteurs qui contribueront à l'exactitude de l'information financière produite. Ce sont ces attitudes qui nous permettront 1) de bénéficier pleinement d'une information que le hasard se serait chargé de nous obtenir ou encore 2) de repérer rapidement les raisons pour lesquelles une opération qui se produirait après l'enregistrement ne correspondrait pas à l'information contenue dans cet enregistrement et, enfin, 3) de comprendre pourquoi le dénombrement des articles ne correspondrait pas à ce que nous indiquent les soldes aux livres.

Le hasard, l'opération subséquente de même que la comparaison entre la réalité physique et celle représentée par les registres comptables comptent tous trois parmi les principaux procédés de rechange pour détecter les erreurs.

Le hasard

Une feuille de dénombrement des articles oubliée et que l'on découvre en faisant le ménage de son bureau, une facture dont le total est inexact et que l'on additionne machinalement de nouveau en la classant, voilà deux exemples de situations où seul le hasard aura permis de révéler des erreurs qui devront être corrigées. Certes, le procédé est loin d'être systématique, mais on ne peut négliger les informations qu'il révèle.

Les opérations subséquentes

Il arrivera régulièrement qu'une erreur soit mise en évidence par une opération subséquente ou encore par l'intervention d'un tiers. Si on a par exemple omis d'inscrire un achat de marchandises à crédit, le fournisseur, lui, ne manquera pas de demander à être payé, ce qui mettra cette erreur en évidence. Le même genre de phénomène se produirait si l'on avait facturé un client pour un montant différent de celui qu'on a inscrit au livre. Le paiement du client constituerait, cette fois, l'indice qui nous conduirait à la recherche de l'erreur. Il s'agit là, encore une fois, d'un procédé peu systématique, mais qui engendre des résultats qu'on ne peut ignorer.

La comparaison entre le solde aux livres et la réalité physique

On réalisera l'objectif poursuivi (la recherche d'erreurs) en cherchant d'abord à comprendre la composition d'un solde au grand livre général. Il s'agit d'identifier les éléments qui le composent et, ensuite, de les comparer avec la réalité qu'on peut observer dans l'entreprise. Ce faisant, on s'assurera que le solde de chaque compte du grand livre général constitue une représentation fidèle de la réalité qu'il doit reproduire.

C'est ainsi, par exemple, qu'on comparera le solde du compte « Client » au grand livre général avec son solde au grand livre auxiliaire des comptes « Clients ». C'est ainsi également qu'on comparera le résultat du dénombrement des articles en stock avec le solde du compte « Stock » au grand livre général, de même qu'on comparera le solde du compte « Banque » au grand livre général avec le solde du compte en banque tel qu'affiché sur l'état de compte produit par la banque.

Voilà donc un procédé tout à fait systématique dont l'application peut fort bien se généraliser à l'ensemble des postes d'actif et de passif. Il est tout aussi utile à l'identification des corrections à apporter aux comptes qu'à la préparation du travail de fin d'exercice et à la vérification des livres de l'entreprise par l'expert-comptable.

Si l'analyse poussée des modèles permettant la comparaison entre soldes aux livres et réalité physique relève davantage des préoccupations d'un ouvrage préparant au métier de vérificateur, nous demeurons persuadés qu'un minimum de connaissance de ce type d'analyse s'impose pour quiconque souhaite aborder autant la correction d'erreurs que le travail de fin d'exercice.

Puisque la conciliation bancaire compte parmi les procédés les plus répandus et les plus fréquemment utilisés par le teneur de livre au moment de vérifier l'exactitude de ses enregistrements, nous avons choisi de conclure notre réflexion sur la détection d'erreurs par un court exposé sur la conciliation bancaire. Notre choix, en contexte de détection d'erreurs, nous paraît d'autant plus justifié qu'à elle seule, la conciliation bancaire permet de valider la fidélité d'enregistrement de la grande majorité des opérations d'une entreprise. En effet, celles-ci, tôt ou tard, finiront par avoir un impact sur l'encaisse.

La conciliation bancaire

La conciliation bancaire constitue l'un des principaux mécanismes de contrôle de l'exactitude d'enregistrement des opérations touchant l'encaisse. Pratiquée dans la plupart des entreprises, elle consiste à rechercher les causes d'écarts entre le solde du compte « Caisse » au grand livre général et le solde du compte de banque de l'entreprise tel qu'il apparaît sur l'état de compte produit par la banque.

Les sources d'écarts entre le solde au grand livre général et le solde à l'état de banque

La nature du compte

Le solde au grand livre général du compte « Caisse » s'établit par différence entre le solde d'ouverture de ce compte, de nature débitrice, les recettes portées au début de ce compte à partir du journal des recettes et les débours portés à son crédit à partir du journal des débours. Le solde à l'état de banque, quant à lui, se mesure par la différence entre le solde d'ouverture de ce état, cette fois de nature créditrice, les recettes déposées et portées par la banque au crédit de ce compte et les débours portés au débit de ce compte.

Puisque les montants déposés à la banque par l'entreprise constituent en quelque sorte des sommes à recevoir de la banque, il s'agira de toute évidence d'éléments d'actif pour l'entreprise. On en constatera dans les registres de l'entreprise l'augmentation au débit et la diminution au crédit. Au contraire, les sommes reçues de l'entreprise par la banque constitueront pour elle des éléments de passif à l'égard du déposant. Elle en constatera donc l'augmentation au crédit et la diminution au débit. Par conséquent, c'est au crédit de l'état de banque que nous retracerons les inscriptions portées au débit du grand livre général, et c'est au débit de ce même état de banque que l'on trouvera les enregistrements portés au crédit du grand livre général de l'entreprise.

Le tableau 10-1 illustre le contenu de l'état de banque classique.

TABLEAU 10-1

Banque populaire du Canada					
Client: Populo Ltée 306, rue du Peuple Populoville		Compte n°: 00001-01 Date du relevé: 21-12-19___1			
Débits	Retraits	Crédits Dépôts	Date	Solde	
			30,11	8 651,23	CT
100,21	227,92		1,12		
350,76			1,12	7 972,34	CT
627,80			2,12	7 344,54	CT
		1 800,57	6,12	9 145,11	CT
4 700,28			10,12	4 444,83	CT
		6 000,00	11,12	10 444,83	CT
6,00 FA	160,75 IN		15,12	10 278,08	CT
2 000,00			17,12	8 278,08	CT
67,28 PI			20,12	8 210,80	CT
658,20	340,28		24,12	7 212,32	CT
		276,15	30,12	7 488,47	CT
5 000,00 RE				2 488,47	CT
FA: frais d'administration PI: provision insuffisante IN: intérêt RE: remboursement d'emprunt					

Les écarts temporaires

Nous entendons par écarts temporaires entre le solde à l'état de banque et le solde du compte « Banque » du grand livre général les écarts qui sont strictement liés au décalage entre le moment où l'opération est consignée aux registres de l'entreprise et le moment où elle est consignée aux registres de la banque. Il s'agira principalement de chèques enregistrés au journal des débours mais non encore encaissés par le client et que l'on qualifie de chèques en circulation, ou encore de dépôts enregistrés aux livres de l'entreprise mais qui, pour des questions pratiques, n'ont pas encore été déposés à la banque. On qualifiera ces derniers de dépôts en circulation. Dans ces deux cas, l'écart se compensera de lui-même lorsque l'opération se terminera. Les écarts temporaires ne nécessiteront donc aucun ajustement de la part du teneur de livres.

Les écarts permanents

Ces écarts, au contraire des écarts temporaires, ne pourront se compenser sans intervention du comptable. Diverses causes peuvent en être à l'origine. Ainsi, la banque pourrait avoir effectué certaines opérations touchant le compte du client sans ne l'en avoir encore averti. Les intérêts sur emprunt de même que les remboursements d'emprunts prélevés directement par la banque et qui ne seront souvent communiqués que par l'état de banque ou les documents qui l'accompagnent en constituent des exemples.

Les frais d'administration exigés par la banque de même que certains chèques sans provision ou encore les intérêts versés au client sur ses dépôts illustrent aussi certaines situations où le client n'est informé d'une opération touchant son compte que par la voie de l'état de banque.

Dans la plupart des cas évoqués plus haut, l'information contenue sur l'état de banque ou sur les documents qui l'accompagnent servira de justification à l'écriture comptable qui devra être portée aux livres pour régulariser la situation.

S'il arrivait qu'après avoir éliminé l'effet des écarts temporaires et procédé aux enregistrements nécessaires à l'inscription du type d'opération décrit dans cette section, le solde du compte « Caisse » aux livres ne corresponde toujours pas au solde produit par la banque, nous devrons nous résigner à la recherche d'erreurs d'enregistrements. Ces erreurs peuvent tout autant être le fait de la banque que de l'entreprise elle-même.

La démarche suivante permettra dans l'ordre de réduire au minimum le temps consacré à la recherche de ces erreurs.

— On s'assurera que les données contenues dans l'état de banque sont compatibles avec les données contenues dans les documents qui ont justifié les entrées à l'état de banque. Pour ce faire, on comparera les inscriptions à l'état de banque avec les chèques retournés par la banque, les avis de débit, les bordereaux de dépôt et les avis de crédit. Si une erreur avait été commise par la banque, c'est habituellement à ce moment qu'on la découvrira.

— Les chèques retournés seront classés par ordre numérique et repérés au journal des débours. On parviendra ainsi à repérer les différences possibles entre le chèque et l'enregistrement, de même qu'à identifier les chèques encore en circulation au moment où l'état de banque a été rédigé.

— Les inscriptions aux bordereaux de dépôt seront comparées aux enregistrements au livre des recettes, et les dépôts non encore consignés à l'état de banque seront identifiés comme dépôts en circulation.

— Les additions tant aux livres des recettes et des débours qu'à l'état de banque seront vérifiés.

— On résumera sur un document synthèse que l'on intitulera « État de la conciliation bancaire » les informations que notre travail de vérification nous aura permis de recueillir. Le tableau 10-2 propose un type de présentation de l'état de la conciliation bancaire.

TABLEAU 10-2

Epsilon Ltée
État de la conciliation bancaire
au 31 décembre 19__1

Solde du compte « Caisse » au grand livre général au 31 décembre 19__1	XX
Plus ou (moins): Opérations non enregistrées	XX
	XX
Plus ou (moins): Erreurs repérées aux livres	XX
Solde redressé du compte « Caisse »	XX
Plus: Chèques en circulation (liste en annexe)	XX
Moins: Dépôts en circulation (liste en annexe)	(XX)
Solde théorique à l'état de banque	XX
Plus ou moins: Erreurs repérées à l'état de banque	(XX)
Solde à l'état de banque au 31 décembre 19__1	XX

EXEMPLE D'APPLICATION

La société Populo Ltée, dont l'état de banque est présenté au tableau 10-1, avait inscrit à sa conciliation bancaire du 30 novembre 19__1, comme chèques en circulation, deux chèques datés du 27 novembre. L'un s'élevait à 100,21 $ et l'autre, à 394,22 $. À cette date, cette même conciliation ne laissait voir aucun dépôt en circulation.

Après examen des pièces soumises par la banque avec l'état de compte du 31 décembre et revue des registres de caisse de Populo Ltée, on constate les faits suivants.

1. Les 4 chèques s'élevant respectivement à 276,25 $, 382,60 $, 500,76 $ et 103,00 $ préparés, enregistrés et expédiés le 23 décembre 19__1 n'apparaissent pas sur l'état de banque du 31 décembre.

2. Un dépôt de 1 000,00 $ effectué le 31 décembre à 14 h 00 n'apparaît pas non plus sur l'état de banque du 31 décembre. La banque avait décidé de clôturer la journée du 31 décembre à 13 h 00.

3. Le chèque de taxes foncières de 340,28 $ débité par la banque le 24 décembre a été crédité par erreur au registre des débours à 328,40 $.

4. Aucune des opérations autres que les chèques et les dépôts consignées sur l'état de banque n'avait été portée aux registres de l'entreprise au moment où elle recevait l'état de banque en question.

5. Le solde du compte « Caisse » tel qu'il apparaissait au grand livre général au 31 décembre avant régularisation et correction d'erreurs se situait à 7 077,55 $.

L'état de la conciliation bancaire présenté au tableau 10-3 organise les données produites par le texte précédent de même que par l'état de banque du tableau 10-1 de façon à nous permettre, s'il y a lieu, de repérer les ajustements à apporter aux registres tant de l'entreprise que de la banque.

TABLEAU 10-3

Populo Ltée
État de la conciliation bancaire
au 31 décembre 19__1

Solde du compte caisse au grand livre général au 31 décembre 19__1		7 077,55 $
Opérations non enregistrées		
Frais d'administration	6,00 $	
Frais d'intérêt	160,75	
Chèque retourné	67,28	
Remboursement d'emprunt	5000,00	(5 234,03)
		1 843,52
Erreur d'enregistrement (340,28 $ − 328,40 $)		(11,88)
Solde redressé du compte « Caisse »		1 831,64
Plus: Chèques en circulation		
27,11	394,22 $[1]	
23,12	276,25	
23,12	382,60	
23,12	500,76	
23,12	103,00	1 656,83
Moins: Dépôt en circulation		1 000,00
Solde à l'état de banque au 31 décembre 19__1		2 488,47 $

[1] Suivant les renseignements fournis par l'état de banque du mois précédent.

On constate au tableau 10-3 que quatre comptes devront être régularisés pour reconnaître l'effet des opérations non enregistrées et qu'une erreur devra être corrigée. Voici la régularisation.

Intérêt et frais de banque	166,75 $	
Client	67,28 $	
Emprunt de banque	5000,00 $	
@ Caisse		5 234,03 $

Et voici la correction d'erreur:

Taxes	11,88 $	
@ Caisse		11,88 $

Bien que, selon le poste analysé, les mécanismes de conciliation entre le solde aux livres et la réalité économique puissent différer sensiblement, il n'en demeure pas moins que les principes illustrés par la conciliation bancaire, eux, demeurent généralisables à l'ensemble des postes du bilan et que leur application demeure un moyen efficace de repérer les erreurs qui devront faire l'objet d'une correction.

10.4 LA CORRECTION DES ERREURS

Si une erreur a affecté les soldes des comptes du grand livre général, il est toujours nécessaire de les corriger, car ces soldes constituent la base de tout rapport financier. Tant qu'ils ne sont pas corrigés, les rapports financiers qui en seront tirés seront erronés. La nécessité de corriger ces erreurs est donc évidente. Nous verrons que selon la nature de l'erreur et le moment où elle est découverte, les modalités de correction différeront. Ainsi, les modalités de correction seront différentes selon qu'une erreur commise lors de l'enregistrement au journal est découverte avant ou après le report au grand livre général. De même, si elle est découverte après le report au grand livre général, la correction sera peut-être différente selon que l'on a procédé ou non aux écritures de clôture des comptes de résultats de l'exercice pendant lequel l'erreur a été commise. Enfin, nous verrons que certaines erreurs s'annulent sur une période de deux exercices alors que d'autres demeurent au grand livre général et peuvent même s'accentuer avec le temps.

La correction des erreurs découvertes avant le report au grand livre général

Ici, il ne s'agit pas de corriger le solde des comptes du grand livre général puisque le report des écritures n'y a pas encore été fait. Il suffit donc de rectifier les inscriptions au journal pour corriger les registres.

En ce qui concerne la correction des erreurs d'omission, il suffit d'inscrire l'écriture qui aurait dû être passée au moment où l'opération a été effectuée.

EXEMPLE D'APPLICATION

Le 28 mars 19__1, Dodo Enr., qui utilise la méthode de l'inventaire périodique pour enregistrer ses opérations reliées au stock de marchandises, reçoit une note de rappel d'un fournisseur concernant une facture impayée s'élevant à 200 $. Cette facture correspond à des marchandises reçues par Dodo le 23 février 19__1, mais elle n'a pas été enregistrée au journal des fournisseurs.

Puisqu'on a omis ici l'enregistrement d'un achat, il faut, pour corriger cette erreur, passer l'écriture suivante en date du 28 mars 19__1:

Achats	200 $	
@ Fournisseurs		200 $
(Pour inscrire un achat en date du 23 février 19__1 qui, par erreur, n'a pas été comptabilisé à cette date.)		

On remarque que cette écriture de correction correpond à l'écriture de journal qui aurait dû normalement être passée en date du 23 février 19__1. En fait, cette correction correspond à l'enregistrement en retard de cette opération. On doit également remarquer l'explication ajoutée à la suite de cette écriture. Elle sert à montrer que cette écriture en date du 28 mars 19__1 corrige l'erreur consistant à avoir omis une écriture en date du 23 février 19__1. Enfin, notons que la nécessité d'annexer des explications à une écriture de correction de même que son caractère exceptionnel obligent à passer toute écriture de correction au journal général.

Cet exemple montre que la correction d'une erreur d'omission, si le report au grand livre général n'a pas été effectué, n'est pas plus difficile que l'inscription d'une écriture de journal au moment où l'opération est conclue. Toutefois, il n'en va pas de même pour la correction d'une erreur d'inscription. Dans ce cas, une écriture a déjà été passée et il faut la corriger. Pour ce faire, il faut comparer l'écriture qu'on aurait dû passer à celle qui est inscrite et apporter les corrections qui s'imposent. Examinons donc comment on doit corriger une erreur d'inscription par la résolution de deux exemples, l'un concernant une erreur de montant, l'autre une erreur sur la nature d'un compte.

EXEMPLE D'APPLICATION

Correction d'une erreur dans l'inscription du montant

Le 1er avril 19__1, on a enregistré comme suit le paiement au comptant du compte d'impôts fonciers s'élevant à 1 140 $.

Impôts fonciers	1 410 $	
@ Caisse		1 410 $

Le 14 avril 19__1, au moment de la réception de l'état de banque, on s'est aperçu de cette erreur.

Ici, au lieu d'enregistrer le paiement des impôts fonciers à 1 140 $, conformément à ce qui a été payé, on l'a inscrit à 1 410 $. Ce faisant, la charge d'impôts fonciers est surévaluée de 270 $ et l'encaisse est sous-évaluée du même montant. Comme on n'a pas encore reporté cette écriture au grand livre général, on peut corriger cette erreur de deux façons.

Une première possibilité serait de corriger directement l'enregistrement passé au 1er avril 19__1 en y inscrivant le montant correct. On retrouverait alors, en date du 1er avril 19__1, l'écriture suivante:

```
                                        14
Impôts fonciers                    1 4̷1̷0 $
                                               14
    @ Caisse                               1 4̷1̷0 $
```

On doit remarquer qu'on a raturé les chiffres erronés sans toutefois les dissimuler. Il ne saurait être également question de les effacer. En effet, afin que les registres comptables aient le plus de crédibilité possible, il ne faut pas dissimuler de quelque façon que ce soit une inscription qui a été passée. Si on a commis une erreur, on doit la corriger sans cacher complètement l'inscription d'origine.

Après cette correction, on obtient une écriture qui représente bien un paiement de 1 140 $ et qui sera reportée telle quelle au grand livre général. On a donc corrigé de façon appropriée l'erreur commise le 1er avril 19__1.

Au lieu de corriger l'écriture du 1er avril 19__1 comme nous venons de le faire, nous pourrions également passer, en date du 14 avril 19__1, une écriture de correction. Elle consisterait alors en l'écriture de journal général suivante:

```
Caisse                               270 $
    @ Impôts fonciers                        270 $
(Pour corriger l'inscription du paiement
des impôts fonciers en date du 1er avril
19__1. Un paiement de 1 140 $ avait
alors été inscrit à 1 410 $.)
```

Cette écriture, comme on le constate, réduit de 270 $ la charge d'impôts fonciers et augmente l'encaisse de 270 $, ce qui ramène à 1 140 $ l'inscription de ce paiement d'impôts fonciers. On doit remarquer les explications de l'écriture de correction du 14 avril 19__1. On y montre clairement qu'il s'agit d'une écriture de correction d'erreur, quelle écriture de journal est corrigée et pourquoi on a fait la correction.

Cette erreur dans l'inscription du montant peut donc être corrigée de deux façons: en corrigeant directement l'écriture (première méthode) ou en passant une écriture de correction (seconde méthode). Quoique les deux méthodes permettent d'atteindre le même objectif, soit de ramener l'enregistrement au montant correct (dans ce cas-ci, 1 140 $), nous préférons la seconde méthode, car elle a le mérite de montrer plus clairement pourquoi on a effectué cette correction.

EXEMPLE D'APPLICATION

Correction d'une erreur portant sur la nature d'un compte

Le 4 mai 19__1, un achat de mobilier de bureau s'élevant à 4 000 $ a été enregistré comme suit au journal des débours.

Matériel roulant	4 000 $	
@ Caisse		4 000 $

Par erreur, on a débité le compte « Matériel roulant » au lieu du compte « Mobilier de bureau ». Si l'erreur est découverte avant le report au grand livre général, par exemple le 18 mai 19__1, on peut, comme précédemment, la corriger de deux façons:

1) en rectifiant l'écriture du 4 mai 19__1;

2) en passant une écriture de correction en date du 18 mai 19__1.

Si on choisit de rectifier directement l'écriture du 4 mai 19__1, il suffit de raturer le compte « Matériel roulant » et d'inscrire au-dessus « Mobilier de bureau ». Au moment du report, ce sera ce dernier compte qui sera affecté. L'écriture du 4 mai 19__1 se lirait donc comme suit:

Mobilier de bureau		
~~Matériel roulant~~	4 000 $	
@ Caisse		4 000 $

On peut également passer une écriture de correction en date du 18 mai 19__1. Cette écriture devrait alors créditer le compte « Matériel roulant » de 4 000 $ afin d'annuler le débit de 4 000 $ passé le 4 mai 19__1 et débiter le compte « Mobilier de bureau » de 4 000 $ pour y inscrire l'acquisition. L'écriture de correction du 18 mai 19__1 se lirait donc comme suit:

Mobilier de bureau	4 000 $	
@ Matériel roulant		4 000 $
(Pour corriger l'écriture du 4 mai 19__1 où une acquisition de mobilier de bureau de 4 000 $ a été par erreur débitée au compte « Matériel roulant »).		

Encore ici, nous préférons la deuxième méthode de correction à la première, car elle permet de mieux comprendre pourquoi on a effectué la correction.

Examinons maintenant comment on doit corriger les erreurs découvertes après le report au grand livre général.

La correction des erreurs découvertes après le report au grand livre général

Les erreurs découvertes après le report au grand livre général peuvent l'être avant ou après la clôture des comptes de résultats de l'exercice. De même, elles peuvent résulter soit du report au grand livre général d'une écriture de journal erronée ou encore d'une erreur de report. Examinons donc chacune de ces possibilités.

La correction des erreurs découvertes avant la clôture des comptes de résultats

Si des erreurs, quel que soit le moment où elles ont été commises, sont découvertes après le report au grand livre général, mais avant la clôture des comptes de résultats, cela signifie qu'un ou plusieurs comptes du grand livre général sont erronés et qu'il faut apporter des correctifs. La correction de ces erreurs sera toutefois différente s'il s'agit d'une erreur d'omission ou d'une erreur d'inscription. De même, la correction pourra être différente selon que l'erreur a été commise au moment de passer les écritures de journal ou au moment d'effectuer le report.

Les erreurs d'omission

Dans le cas où on a omis de passer une écriture de journal, la correction qui s'impose consiste à passer cette écriture et à la reporter par la suite au grand livre général. En effet, parce qu'on a omis d'enregistrer une opération, les comptes du grand livre général ne peuvent la refléter. Cela signifie que la correction correspondra toujours à une écriture identique à celle qui aurait dû être passée à l'origine, au moment où l'opération a eu lieu.

EXEMPLE D'APPLICATION

Le 30 novembre 19__1, après le report au grand livre général des écritures de ce mois, on s'aperçoit qu'en date du 4 novembre, un paiement de fournitures de 400 $ n'a pas été enregistré au journal des débours.

Comme il n'y a eu aucun enregistrement, la charge de fourniture au grand livre général est sous-évaluée de 400 $ et l'encaisse est surévaluée de 400 $. Il faut donc corriger ces soldes par une écriture de journal, datée du 30 novembre 19__1, où on augmente la charge de fournitures de 400 $ et on diminue l'encaisse de 400 $. On doit donc passer l'écriture suivante qu'on devra par la suite reporter au grand livre général.

Fournitures	400 $	
@ Caisse		400 $
(Pour comptabiliser un paiement de fournitures de 400 $ en date du 4 novembre 19__1 dont l'enregistrement au journal des débours avait alors été omis.)		

Si, au lieu d'avoir omis de passer une écriture de journal, on a omis de reporter une écriture au grand livre général, l'effet sur le solde des comptes du grand livre général est le même que l'effet occasionné par l'omission de l'enregistrement d'une opération au journal, car encore ici, il n'y a aucune information transmise au grand livre général. Pour corriger une telle erreur de report, il suffit d'effectuer comme il se doit ce report au grand livre général.

En fait, dans le cas d'une erreur d'omission, on doit effectuer le travail qui a été omis. Si on a omis une écriture, il faut effectuer le travail d'écriture et de report, car l'omission d'une écriture suppose nécessairement qu'on n'a pas pu faire le report. Si on a oublié de reporter une écriture, on n'a qu'à effectuer ce dernier travail.

Les erreurs d'inscription

Si, au lieu d'avoir omis une écriture de journal, on a commis une erreur lors d'une inscription au journal, le grand livre général sera également erroné. Comme le report a été effectué, il faut nécessairement passer une écriture de correction qu'on devra ensuite reporter au grand livre général.

EXEMPLE D'APPLICATION

Le 30 novembre 19__1, après avoir reporté au grand livre général les écritures de ce mois, on s'aperçoit qu'en date du 15 novembre, une charge de publicité de 500 $ a été inscrite comme suit.

Publicité	50 $	
@ Caisse		50 $

Ainsi, la charge de publicité est sous-évaluée de 450 $ et l'encaisse est surévaluée du même montant. Comme il est trop tard pour corriger directement l'écriture du 15 novembre 19__1, il ne reste plus qu'à passer, en date du 30 novembre 19__1, l'écriture suivante qu'on devra par la suite reporter au grand livre général:

Publicité	450 $	
@ Caisse		450 $
(Pour corriger l'écriture du 15 novembre 19__1 où un paiement d'une charge de publicité de 500 $ a été inscrit par erreur à 50 $.)		

On peut également commettre une erreur lors du report au grand livre général. Comme seul le grand livre général est à ce moment erroné, on peut y corriger directement l'erreur en raturant le report erroné et en inscrivant le report correct. On évite ainsi de passer une écriture de correction. Cependant, nous suggérons de passer quand même une écriture de correction qui permet de donner toutes les explications qui motivent cette correction.

EXEMPLE D'APPLICATION

Le 15 décembre 19__1, on s'aperçoit que, lors du report des écritures de novembre 19__1 effectué en date du 30 novembre 19__1, on a par erreur reporté au débit du compte « Fournitures » un montant de 400 $ qui aurait dû être reporté au débit du compte « Impôts fonciers ». Il s'agit d'une erreur de report d'une écriture datée du 10 novembre 19__1 qui enregistre un paiement d'impôts fonciers de 400 $. Pour corriger cette erreur, on peut raturer le débit de 400 $ au compte « Fournitures » et l'inscrire au débit du compte « Impôts fonciers ». On diminuerait ainsi le solde du compte « Fournitures » de 400 $ et on augmenterait celui du compte « Impôts fonciers » d'autant.

Il existe une autre façon de corriger cette erreur: on passe l'écriture de correction suivante en date du 15 décembre 19__1.

Impôts fonciers	400 $	
@ Fournitures		400 $

(Pour corriger le report d'une écriture de journal du 10 novembre 19__1 où, par erreur, on a reporté 400 $ au débit du compte « Fournitures » au lieu de le porter au débit du compte « Impôts fonciers ».)

Si on choisit de passer une écriture de correction pour corriger une erreur effectuée lors du report, cela signifie que, sauf dans le cas où on aurait omis un report, toute erreur découverte après le report au grand livre général et avant la clôture des comptes se corrige au moyen d'une écriture de correction d'erreur (voir la figure 10-1).

FIGURE 10-1

Technique de correction d'erreurs
lorsqu'une erreur est découverte après le report au grand livre
général mais avant la clôture des résultats

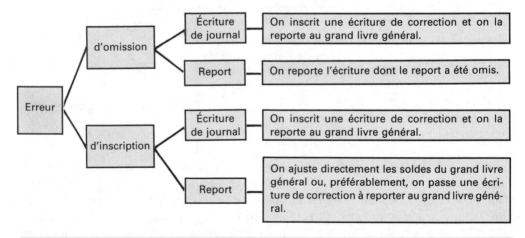

La correction des erreurs découvertes après la clôture des comptes de résultats

Si une erreur est découverte après la clôture des comptes de résultats plutôt qu'avant, il y aura une différence dans le traitement à apporter pour la corriger dans le cas où cette erreur affecterait un compte de résultats. En effet, après les écritures de clôture, les comptes de résultats ont tous un solde nul puisque ces écritures en ont ramené les soldes à zéro pour les intégrer au compte « Capital ». Toute erreur qui aurait affecté un compte de résultats a donc été transmise au compte « Capital », qui est alors peut-être erroné. Au lieu de corriger les comptes de résultats, on doit alors corriger le compte « Capital ». Quant aux erreurs qui n'affectent que des comptes de valeurs, elles seront corrigées de la même façon, qu'elles soient découvertes avant ou après la clôture des comptes, car les écritures de clôture ne les affectent en rien.

Les modalités de correction d'erreurs applicables à des erreurs découvertes après la clôture des comptes de résultats varieront selon que l'erreur:

1) n'affecte que des comptes de valeurs;

2) n'affecte que des comptes de résultats;

3) affecte simultanément un compte de valeurs et un compte de résultats.

Les erreurs qui n'affectent que des comptes de valeurs

Examinons, à l'aide de l'exemple suivant, pourquoi une erreur qui n'affecte que des comptes de valeurs doit se corriger de la même façon, qu'il y ait eu ou non clôture des comptes.

EXEMPLE D'APPLICATION

Le 4 janvier 19＿2, le comptable de Nitro Enr., entreprise dont l'exercice se termine le 31 décembre, découvre qu'il a omis, en date du 15 décembre 19＿1, d'inscrire le remboursement d'un compte « Fournisseurs » de 500 $.

Cette erreur n'affecte que des comptes de valeurs. Le compte « Fournisseurs » est surévalué de 500 $, de même que le compte « Caisse ». Comme ces deux comptes n'ont pas été affectés par les écritures de clôture, l'écriture de correction est la même qu'on aurait passée s'il n'y avait pas eu d'écriture de clôture, soit:

| Fournisseurs | 500 $ | |
| @ Caisse | | 500 $ |

(Pour inscrire le paiement, en date du 15 décembre 19＿1, de 500 $ de comptes « Fournisseurs », paiement dont l'enregistrement avait omis à cette date.)

Les erreurs qui n'affectent que des comptes de résultats

Parce que tous les soldes des comptes de résultats sont intégrés au compte « Capital », toute erreur qui n'affecte que des comptes de résultats sera annulée par les écritures de clôture. C'est pourquoi *aucune écriture de correction n'est nécessaire* si de telles erreurs sont découvertes après la clôture des comptes.

Pour comprendre pourquoi aucune écriture n'est nécessaire, nous analyserons trois exemples. Pour ces trois exemples, la fin de l'exercice financier est le 31 décembre 19__1 et, à cette date, à moins d'indications contraires, le travail de fin d'exercice a été effectué correctement.

EXEMPLE D'APPLICATION

La confusion entre deux comptes de charge

Le 4 janvier 19__2, on découvre que le 5 mai 19__1, un paiement de fournitures de 500 $ a été débité par erreur au compte « Salaires » au lieu du compte « Fournitures ».

Cette erreur a eu comme conséquence de sous-évaluer la charge de fournitures de 500 $ et de surévaluer celle des salaires d'autant. Ces deux comptes auront donc été présentés à l'état des résultats de l'exercice 19__1 à un montant erroné. Toutefois, en ce qui concerne le bénéfice net, l'effet de cette erreur est nul, car la surévaluation de la charge de salaires est compensée par la sous-évaluation de la charge de fournitures. Pour la même raison, après la clôture des comptes de résultats, le capital ne sera pas affecté par cette erreur commise le 5 mai 19__1. En effet, le total des charges qui a été porté au débit de ce compte a été le même que s'il n'y avait pas eu d'erreur. Donc, après la clôture des comptes de résultats, les soldes du grand livre général sont les mêmes que s'il n'y avait pas eu d'erreur. C'est pourquoi aucune écriture de correction n'est nécessaire.

EXEMPLE D'APPLICATION

La confusion entre un compte de charge et un compte de produit

Le 6 janvier 19__2, on découvre qu'une écriture de régularisation passée en date du 31 décembre 19__1 a enregistré comme suit des intérêts courus à recevoir de 200 $:

Intérêts à recevoir	200 $	
@ Charges d'intérêts		200 $

On a donc, par erreur, crédité le poste « Charges d'intérêts » au lieu du poste « Produits d'intérêts ». Ce faisant, on a sous-évalué la charge d'intérêts de 200 $ et on a sous-évalué du même montant les produits d'intérêts. Examinons donc les effets de cette erreur sur les états financiers présentés en date du 31 décembre 19__1 et sur les soldes du grand livre général en date du 6 janvier 19__2.

1) À l'état des résultats, les postes « Produits d'intérêts » et « Charges d'intérêts » sont erronés, comme nous venons de l'indiquer.

2) Le bénéfice net qu'on y retrouve est toutefois le même que celui qu'on aurait obtenu si on n'avait pas commis cette erreur, car si on diminue une charge ou si on augmente un produit, l'effet sur le bénéfice net est le même.

3) Après les écritures de clôture, le capital n'est pas affecté par cette erreur car, si le total des charges qu'on a porté à son débit est sous-évalué de 200 $, les produits qu'on a portés à son crédit sont sous-évalués du même montant, d'où un effet conjugué nul. Cela signifie donc que le bilan du 31 décembre 19__1 n'est pas affecté par cette erreur. Cela signifie également que les soldes des comptes du grand livre général en date du 6 janvier 19__2 n'ont pas à être corrigés après la découverte de cette erreur.

Donc, puisque cette erreur a été découverte après les écritures de clôture, elle ne nécessite aucune écriture de correction.

EXEMPLE D'APPLICATION

La confusion entre un compte de charge et un compte de prélèvements

Le 3 février 19__2, on s'aperçoit que le 4 novembre 19__1, un prélèvement de 450 $ a été inscrit par erreur au compte « Salaires ».

D'une part, cette erreur a surévalué la charge de salaires de 450 $ et sous-évalué le bénéfice net du même montant. D'autre part, les prélèvements ont été sous-évalués de 450 $. On doit donc conclure que les effets de cette erreur ont été les suivants.

1) L'état des résultats de l'exercice 19__1 montre une charge de salaires surévaluée de 450 $ et un bénéfice net sous-évalué du même montant.

2) L'état des variations de la valeur nette présente deux montants erronés: le bénéfice net, sous-évalué de 450 $, et les prélèvements, sous-évalués du même montant. On constate toutefois que ces deux effets se compensent et que l'effet net sur le capital de fin d'exercice est nul.

3) Puisque les écritures de clôture ont été passées, les soldes du grand livre général ne sont pas affectés par cette erreur. En effet, la charge excédentaire de 450 $ portée au débit du compte « Capital » lorsque l'on a procédé à la clôture du compte « Salaires » a été compensée par la clôture du compte « Prélèvements » dont le solde au 31 décembre 19__1, date des écritures de clôture, était sous-évalué de 450 $. Voilà pourquoi aucune écriture de correction n'est nécessaire en date du 3 février 19__2.

Ces trois exemples d'application montrent que, quels que soient les comptes de résultats en cause, toute erreur qui n'affecte que des comptes de résultats n'affectera pas le solde des comptes du grand livre général après qu'on y aura reporté les écritures de clôture, d'où l'absence d'écritures de correction dans ce cas. On doit toutefois noter que si de telles erreurs sont découvertes avant qu'on ait inscrit les écritures de clôture, une écriture de correction sera nécessaire. Ainsi, dans le cas des trois exemples précédents, si au lieu d'avoir découvert ces erreurs après le 31 décembre 19__1, on les avait découvertes après avoir passé les écritures de régularisation mais avant d'avoir passé les écritures de clôture, il aurait fallu passer les écritures de corrections suivantes:

Exemple 1

Fournitures	500 $	
@ Salaires		500 $

Exemple 2

Charges d'intérêts	200 $	
@ Produits d'intérêts		200 $

Exemple 3

Prélèvements	450 $	
@ Salaires		450 $

Examinons maintenant le cas d'erreurs qui affectent à la fois un compte de valeurs et un compte de résultats.

Les erreurs qui affectent un compte de valeurs et un compte de résultats

Dans le cas où une erreur qui affecte un compte de valeurs et un compte de résultats est découverte après la clôture des comptes de résultats, on est en présence de la situation suivante:

1) le compte de valeurs qui a été affecté est toujours à un montant erroné;

2) comme les écritures de clôture ont été passées, l'effet de l'erreur sur le compte de résultats a été transmis au compte « Capital » dont le solde est alors erroné.

L'écriture de correction consistera donc à corriger le compte de valeur en cause et le compte « Capital ».

EXEMPLE D'APPLICATION

Le 5 février 19__2, on découvre qu'en date du 4 décembre 19__1, on a omis d'enregistrer au journal une charge d'entretien de 500 $ payée comptant. Cette erreur n'a pas été décelée lors du travail de fin d'exercice effectué le 31 décembre 19__1.

Examinons les effets de cette erreur sur les états financiers de l'exercice 19__1 et sur les soldes des comptes du grand livre général en date du 5 février 19__2:

1) la charge d'entretien de 500 $ n'ayant pas été inscrite, elle est sous-évaluée de ce montant à l'état des résultats;

2) cette sous-évaluation d'une charge a surévalué de 500 $ le bénéfice net de l'exercice, tel que présenté à l'état des résultats;

3) de même, à l'état des variations de la valeur nette, ce bénéfice net surévalué a conduit à surévaluer de 500 $ le capital de fin d'exercice;

4) quant au bilan du 31 décembre 19___1, on y trouve deux postes surévalués de 500 $: le capital et l'encaisse;

5) enfin, au grand livre général, en date du 5 février 19___2, le poste « Caisse » est surévalué de 500 $, de même que le poste « Capital ». En effet, pour ce dernier, au moment où on a passé les écritures de clôture, les montants portés à son débit ont été sous-évalués de 500 $ à cause de la sous-évaluation du poste « Charge d'entretien ».

On doit donc corriger le grand livre général par une écriture qui diminue le poste « Capital » de 500 $ et le poste « Caisse » de 500 $. Cette écriture, passée en date du 5 février 19___2, est la suivante:

Capital	500 $	
@ Caisse		500 $
(Pour corriger l'omission d'enregistrer une charge d'entretien de 500 $ encourue et payée le 4 décembre 19___1.)		

On doit remarquer que la même erreur découverte avant d'avoir passé les écritures de clôture aurait donné lieu à l'écriture de correction suivante:

Charge d'entretien	500 $	
@ Caisse		500 $

La figure 10-2 présente les modalités de correction d'erreurs découvertes après la clôture des comptes de résultats. On y constate qu'il y aura une correction seulement si un ou plusieurs comptes de valeurs ont été affectés. C'est normal, car le report des écritures de clôture a transmis tous les soldes des comptes de résultats au compte « Capital », qui représente alors le capital de fin d'exercice.

Les erreurs qui s'annulent sur une période de deux exercices

Nous avons déjà examiné le cas d'erreurs qui s'annulent du fait de l'inscription et du report des écritures de clôture. D'autres s'annuleront sur une période de deux exercices financiers. Leur caractéristique est qu'on les a commises lors de la préparation des écritures de régularisation. En fait, nous verrons qu'à l'exception des régularisations relatives à la dotation à l'amortissement, toute erreur commise lors de la préparation d'une écriture de régularisation s'annulera lors du travail de fin d'exercice de l'exercice suivant. Quant aux erreurs relatives à la dotation à l'amortissement, nous verrons que non seulement elles ne s'annulent pas, mais qu'elles s'accentuent avec le temps.

FIGURE 10-2

Correction d'erreurs
lorsqu'une erreur est découverte après la clôture des
comptes de résultats

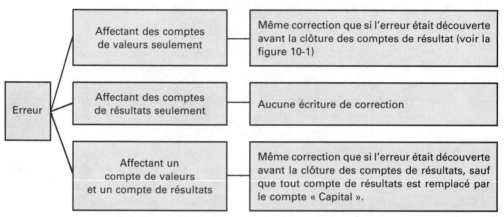

Les erreurs commises lors de la régularisation des comptes s'annulent sur une période de deux années, car ce travail consiste à passer des écritures qui assurent la concordance des soldes du grand livre général avec l'inventaire des biens et dettes de l'entreprise à cette date et avec les produits et charges réalisés au cours de l'exercice. Si une erreur est commise à la fin d'un exercice, par exemple le 31 décembre 19__1, elle faussera alors les soldes du grand livre général. Cependant, à la fin de l'exercice suivant, le 31 décembre 19__2, on devra reprendre un autre inventaire des biens et dettes de l'entreprise ainsi que de ce qu'elle a réalisé. Si cet inventaire n'est pas erroné, il conduira à passer des écritures de régularisation propres à ramener chacun des soldes du grand livre général au bon montant en ce qui a trait aux comptes de valeurs. Quant aux comptes de résultats, on y retrouvera alors un effet correspondant à celui du complément de l'erreur commise l'année précédente. Si ces comptes ont été surévalués, ils seront alors sous-évalués. S'ils ont été sous-évalués, ils seront surévalués. Toutefois, après le report au grand livre général des écritures de clôture, le compte « Capital » sera au bon montant. Donc, tous les soldes des comptes du grand livre général s'élèveront au bon montant. En résumé, les conséquences d'une erreur commise lors de la réularisation des comptes seront les suivantes.

1) Les soldes des comptes du grand livre général à la fin de l'exercice (ici au 31 décembre 19__1, après les écritures de régularisation) ainsi qu'au cours de l'exercice suivant (ici, l'exercice 19__2) seront erronés.

2) Après les écritures de clôture de l'exercice suivant (ici, à la fin de l'exercice 19__2), les soldes du grand livre général seront conformes avec la réalité.

3) Parce que les soldes du grand livre général sont erronés au cours de deux périodes, les états financiers de ces deux périodes contiendront des erreurs.

Comme une écriture de régularisation affecte toujours un compte de valeurs et un compte de résultats, les erreurs commises au cours de la régularisation des comptes peuvent être ramenées à deux catégories: les erreurs commises dans l'évaluation des produits et les erreurs commises dans l'évaluation des charges. Nous examinerons donc l'effet de chacune de ces catégories d'erreurs et pourquoi elles s'annulent sur deux exercices. De plus, à cause du caractère particulier du stock de marchandises, nous examinerons l'effet d'une erreur dans l'évaluation des stocks.

Les erreurs dans l'évaluation des produits

Une erreur dans l'évaluation des produits peut avoir pour origine une erreur dans l'estimation soit des produits courus à recevoir, soit des produits perçus d'avance.

Prenons le cas d'une sous-évaluation d'un produit attribuable à une sous-évaluation d'un produit couru à recevoir. Cette erreur aura pour effet de sous-évaluer les produits à l'état des résultats et de sous-évaluer l'actif de même que le capital, au bilan. Cependant, lorsque ce produit couru à recevoir sera perçu au cours de l'exercice suivant, il sera alors considéré non pas comme la perception d'une créance à recevoir, comme s'il n'y avait pas eu d'erreur, mais comme un produit. Par conséquent, les produits de l'exercice suivant seront surévalués. Dans la mesure où le travail de fin d'exercice de l'exercice suivant est effectué correctement, on retrouvera au grand livre général les soldes exacts pour les comptes de valeurs, ce qui signifie que le bilan ne contiendra aucune erreur. Quant à l'état des résultats, on y retrouvera des produits présentés au montant exact plus une surévaluation correspondant à la sous-évaluation de l'année précédente.

EXEMPLE D'APPLICATION

Le 31 décembre 19__1, on omet, au cours de l'inscription des écritures de régularisation, de comptabiliser 200 $ d'intérêts courus à recevoir.

L'effet immédiat de cette erreur a donc été de sous-évaluer les produits d'intérêts de 200 $ et de sous-évaluer le poste d'actif « Intérêts produits à recevoir » de 200 $. De même, après les écritures de clôture, le capital sera sous-évalué de 200 $. Cependant, parce qu'on a omis cette écriture de régularisation, on omettra, en date du 1er janvier 19__2, l'écriture de contrepassation suivante:

Produits d'intérêts	200 $	
@ Intérêts à recevoir		200 $

La totalité des produits d'intérêts perçus au cours de l'exercice 19__2 seront considérés comme des produits de 19__2, ce qui conduira à les surévaluer de 200 $. Cette surévaluation des produits conduira à porter 200 $ de plus au crédit du compte « Capital » lors des écritures de clôture, ce qui le ramènera au montant juste. L'effet de cette erreur sur les soldes des comptes du grand livre général au 31 décembre 19__2, après le report des écritures de clôture, sera donc nul, ce qui signifie qu'après deux exercices, l'erreur s'est annulée d'elle-même. Donc, si l'erreur est découverte après cette date, aucune écriture de correction n'est nécessaire. Toutefois, si elle est découverte avant l'inscription des écritures de clôture du 31 décembre 19__2, l'écriture de correction suivante sera nécessaire:

Produits d'intérêts	200 $	
@ Capital		200 $

On doit remarquer que si, au lieu d'avoir une sous-évaluation d'un produit, nous avions présenté une surévaluation, l'effet de l'erreur sur les états financiers et sur les soldes des comptes du grand livre général aurait été l'inverse, soit:

1) en 19__1, une surévaluation des produits à l'état des résultats et une suréva-luation des produits à recevoir et du capital au bilan;

2) en 19__2, une sous-évaluation des produits à l'état des résultats et aucun effet sur le bilan du 31 décembre 19__2;

3) après les écritures de clôture du 31 décembre 19__2, aucun solde des comptes du grand livre général ne sera affecté par cette erreur.

Les conséquences d'une mauvaise estimation des produits attribuables à une erreur dans l'estimation des produits perçus d'avance auront des effets similaires, à l'exception de l'effet sur le bilan de l'année où l'erreur a été commise. Dans ce cas, au lieu de retrouver un poste d'actif à un montant erroné, ce sera un passif qui sera présenté à un montant erroné.

EXEMPLE D'APPLICATION

Au 31 décembre 19__1, les loyers perçus d'avance ont été sous-évalués de 350 $. Cette sous-évaluation des produits perçus d'avance aura donc les effets suivants:

1) les produits de 19__1 seront surévalués de 350 $ à l'état des résultats;

2) au bilan du 31 décembre 19__1, le passif sera sous-évalué de 350 $ et le capital sera surévalué du même montant;

3) après le report des écritures de clôture, le solde au grand livre général du compte « Capital » sera surévalué de 350 $ et celui du compte « Loyer perçu d'avance » sera sous-évalué de 350 $.

Par contre, parce qu'on a sous-estimé les loyers perçus d'avance, on n'inscrira pas l'écriture de contrepassation suivante en date du 1er janvier 19__2:

Loyer perçu d'avance	350 $	
@ Loyer — Produit		350 $

Ce faisant, on sous-estimera de 350 $ les produits de loyer de l'exercice 19__2 et donc, on faussera de même l'état des résultats de l'année 19__2. Cependant, après les écritures de clôture de l'année 19__2, les soldes des comptes du grand livre général, y compris celui du compte « Capital », seront au bon montant. De même, le bilan du 31 décembre 19__2 sera en tous points correct. Aucune écriture de correction ne serait alors nécessaire. Toutefois, si l'erreur était découverte en 19__2, l'écriture de correction suivante s'imposerait:

Capital	350 $	
@ Loyer — Produit		350 $

Examinons maintenant l'incidence d'une erreur commise lors de l'évaluation d'une charge.

Les erreurs dans l'évaluation des charges

On peut commettre une erreur lors de l'évaluation d'une charge par une mauvaise évaluation des charges courues à payer ou des charges payées d'avance.

Dans le cas où une charge courue à payer est mal évaluée, les conséquences de l'erreur sont les suivantes.

1) Le montant des charges à l'état des résultats de l'exercice courant et à celui de l'exercice suivant sera faussé. Cependant, si on le considère globalement sur une période de deux exercices, le montant total des charges n'aura pas été affecté. Ainsi, une surévaluation des charges au cours de la première année sera compensée par une sous-évaluation au cours de l'année suivante, et vice versa.

2) Au bilan en date de la fin de l'exercice courant, le passif et le capital seront mal évalués. Il s'agira d'une des deux combinaisons suivantes:
   a) une sous-évaluation du passif et une surévaluation du capital, ce qui correspond, à l'état des résultats, à une charge sous-évaluée au cours de l'exercice courant;
   b) une surévaluation du passif et une sous-évaluation du capital, ce qui correspond, à l'état des résultats, à une charge surévaluée au cours de l'exercice courant.

3) Les soldes des comptes du grand livre général seront faussés jusqu'à ce qu'on ait passé les écritures de clôture à la fin de l'exercice suivant. Dès lors, l'effet de l'erreur se sera annulé de lui-même.

EXEMPLE D'APPLICATION

Au 31 décembre 19__1, on a par erreur surestimé de 225 $ les salaires courus à payer.

Si, à la fin d'un exercice, on surestime les salaires courus à payer, cela a pour effet de surestimer la charge de salaires, ici de 225 $. Les effets de cette erreur s'analysent comme suit.

1) À l'état des résultats de l'exercice 19__1, la charge de salaires est surévaluée de 225 $ et le bénéfice net est sous-évalué du même montant.

2) Au bilan du 31 décembre 19__1, le passif est surévalué de 225 $ et le capital est sous-évalué de 225 $. Dans ce premier cas, le capital est sous-évalué de 225 $, car le bénéfice net de l'exercice 19__1 est sous-évalué de ce montant.

3) Après les écritures de clôture du 31 décembre 19__1, on retrouve au grand livre général un passif « Salaires à payer » surévalué de 225 $ et le compte « Capital » sous-évalué de ce montant.

Toutefois, au 1er janvier 19___2, on passera l'écriture de contrepassation suivante, écriture qui n'aurait pas été passée si on n'avait pas commis d'erreur lors des régularisations du 31 décembre 19___1.

Salaires à payer	225 $	
@ Salaires		225 $

Par cette écriture, on sous-évalue la charge de salaires de l'exercice 19___2, ce qui signifie que le total des charges de l'état des résultats de cet exercice sera sous-évalué de ce montant et que le bénéfice net sera surévalué de 225 $.

Cette surévaluation du bénéfice net viendra corriger la sous-évaluation du capital, sous-évaluation qui a pour origine l'erreur commise en 19___1. Le bilan au 31 décembre 19___2 ne sera donc pas affecté par cette erreur de 19___1.

Après l'inscription des écritures de clôture de 19___2, les comptes du grand livre général ne seront pas affectés, ce qui explique pourquoi aucune écriture de correction ne sera nécessaire. Toutefois, si l'erreur était découverte avant la clôture des comptes de 19___2, l'écriture de correction suivante s'imposerait :

Salaires	225 $	
@ Capital		225 $

On peut également fausser l'évaluation des charges par une mauvaise évaluation des charges constatées d'avance. Dans ces circonstances, l'effet de l'erreur serait le même que l'effet provoqué par une mauvaise évaluation des charges courues à payer, sauf qu'au lieu d'une mauvaise évaluation d'un passif, on se trouverait face à une mauvaise évaluation d'un actif. Un actif sous-évalué correspondrait à une surévaluation des charges de l'année courante, et un actif surévalué correspondrait à une sous-évaluation des charges de l'année courante. Les états des résultats de deux exercices seraient faussés et les soldes du grand livre général seraient faussés jusqu'à ce qu'on ait passé les écritures de clôture du deuxième exercice. Dès lors, tous les soldes des comptes du grand livre général seraient conformes à la réalité et aucune écriture de correction ne serait nécessaire.

Les erreurs dans l'évaluation du stock de marchandises

Parce que les stocks de marchandises sont caractérisés par un grand nombre d'opérations et que souvent, à un moment donné, une entreprise doit en posséder une grande quantité, il est facile de se tromper lors du dénombrement et d'en fausser ainsi l'évaluation. Une erreur dans l'évaluation des stocks aurait un effet non seulement sur la présentation du bilan, où le poste « Stock » et le poste « Capital » seraient erronés, mais aussi sur la présentation de l'état des résultats puisque le coût des marchandises vendues de même que le bénéfice net seront affectés. Ainsi, une sous-évaluation du stock en fin d'exercice surestimerait le montant du coût des marchandises vendues et sous-estimerait le bénéfice net. Inversement, une surévaluation du stock en fin d'exercice sous-estimerait le coût des marchandises vendues et surestimerait le bénéfice net.

EXEMPLE D'APPLICATION

La Papeterie Jasmin, dont le stock d'ouverture est de 2 500 $, a encouru au cours de l'exercice 19__1 les charges suivantes, pour l'acquisition de marchandises.

Achats auprès des fournisseurs	55 000 $
Fret à l'achat	5 000 $
Douanes	1 000 $

Au 31 décembre 19__1, date de fin d'exercice, simulons une évaluation des stocks à des montants respectifs de 3 000 $ et 5 000 $ au lieu de l'évaluation correcte de 4 000 $. On retrouve au tableau 10-4 le coût des marchandises vendues selon chacune de ces hypothèses.

TABLEAU 10-4

Évaluation du coût des marchandises vendues
en fonction des stocks de fermeture suivants

	3 000 $	4 000 $	5 000 $
Stock de marchandises au 1er janvier 19__1	2 500 $	2 500 $	2 500 $
Plus: Achats	55 000	55 000	55 000
Fret à l'achat	5 000	5 000	5 000
Douanes	1 000	1 000	1 000
	63 500	63 500	63 500
Moins: Stock de marchandises au 31 décembre 19__1	3 000	4 000	5 000
Coût des marchandises vendues	60 500 $	59 500 $	58 500 $

On constate que plus le stock de clôture est élevé, moins le coût des marchandises vendues est élevé, car la valeur du stock de clôture est mise en diminution du coût des marchandises vendues. Ce lien vient du fait que le calcul du coût des marchandises vendues pose l'hypothèse qu'à moins d'être en magasin, les marchandises ont été vendues. Plus les stocks de fin d'exercice seront élevés, moins la quantité de stocks vendus sera élevée et plus le coût des marchandises vendues sera faible.

L'effet sur le bénéfice net sera toutefois contraire, c'est-à-dire qu'il ira dans le même sens que l'évaluation des stocks. Ainsi, dans le cas qui nous intéresse actuellement, le bénéfice net sera le plus élevé pour l'évaluation des stocks à 5 000 $, le moins élevé pour l'évaluation à 3 000 $ et moyen pour l'évaluation à 4 000 $. Le tableau suivant, qui pose l'hypothèse de ventes de 100 000 $ et de frais d'exploitation de 30 500 $, en fait la démonstration.

	Calcul du bénéfice net en fonction de trois stocks de fermeture		
Stock de clôture	3 000 $	4 000 $	5 000 $
Chiffre d'affaires	100 000 $	100 000 $	100 000 $
Coût des marchandises vendues	60 500	59 500	58 500
Bénéfice brut	39 500	40 500	41 500
Frais d'exploitation	30 500	30 500	30 500
Bénéfice net	9 000 $	10 000 $	11 000 $

Cette variation inverse du bénéfice net par rapport au coût des marchandises vendues est normale, parce que le coût des marchandises vendues est une charge. Toutes choses étant égales par ailleurs, plus une charge est élevée, moins le bénéfice net le sera et, inversement, moins une charge est élevée, plus le bénéfice net le sera.

Jusqu'à présent, nous n'avons pris en considération que le cas d'une erreur affectant le stock de clôture. En effet, à la fin d'une année, c'est le seul qu'on évalue, le stock d'ouverture étant connu depuis la fin de l'année précédente puisqu'il est le même que celui de la fin de l'exercice précédent. L'évaluation du stock d'ouverture peut toutefois avoir été faussée par une erreur commise, le cas échéant, lors de l'identification du stock à la fin de l'exercice précédent. Quel serait l'effet de cette erreur? Étudions l'exemple suivant, qui traite de l'exploitation de la Papeterie Jasmin pour l'exercice 19__2.

EXEMPLE D'APPLICATION

Supposons qu'en 19__2, les opérations de la Papeterie Jasmin ont été les suivantes.

Chiffre d'affaires	120 000 $
Achats	65 000 $
Fret à l'achat	7 000 $
Douanes	1 200 $
Frais d'exploitation	35 000 $

Enfin, on précise que le stock de clôture, au 31 décembre 19__2, a été évalué à 8 000 $.

Le calcul du bénéfice net selon l'évaluation des stocks de clôture au 31 décembre 19__1 est présenté au tableau 10-5.

On constate qu'une erreur dans le stock d'ouverture produit l'effet contraire d'une erreur dans le stock de clôture. S'il est sous-évalué, le coût des marchandises vendues sera sous-évalué et le bénéfice net sera surévalué. S'il est surévalué, le coût des marchandises vendues sera surévalué et le bénéfice net sera sous-évalué.

TABLEAU 10-5

Évaluation du bénéfice net
en fonction du stock
au 31 décembre 19__1

	3 000 $	4 000 $	5 000 $
Chiffres d'affaires	120 000 $	120 000 $	120 000 $
Coût des marchandises vendues			
Stock de marchandises au 31 décembre 19__1	3 000	4 000	5 000
Plus: Achat	65 000	65 000	65 000
Fret à l'achat	7 000	7 000	7 000
Douanes	1 200	1 200	1 200
	76 200	77 200	78 200
Moins: Stock de marchandises au 31 décembre 19__2	8 000	8 000	8 000
Coût des marchandises vendues	68 200	69 200	70 200
Bénéfice brut	51 800	50 800	49 800
Frais d'exploitation	35 000	35 000	35 000
Bénéfice net	16 800 $	15 800 $	14 800 $

On constate également que l'erreur dans l'évaluation des stocks affecte le profit de deux exercices, d'abord par le stock de clôture de l'année courante et ensuite, par le stock d'ouverture de l'année suivante. Toutefois, au terme de ces deux exercices, l'erreur s'annule d'elle-même, comme le montre le tableau 10-6, qui reprend les données du bénéfice net de la Papeterie Jasmin pour les années 19__1 et 19__2.

Après les écritures de clôture de l'année 19__2, le capital aura été augmenté du même montant, quelle que soit l'évaluation des stocks au 31 décembre 19__1. Le poste « Capital » sera donc à un solde conforme à la réalité. De même, le stock au 31 décembre

TABLEAU 10-6

Papeterie Jasmin
Bénéfice net de l'exercice 19__1 et 19__2
en fonction de l'évaluation du stock au 31 décembre 19__1

	3 000 $	4 000 $	5 000 $
Bénéfice net de l'année 19__1	9 000 $	10 000 $	11 000 $
Bénéfice net de l'année 19__2	16 800	15 800	14 800
Total	25 800 $	25 800 $	25 800 $

19___2 correspondra à l'évaluation effectuée à cette date et ne sera donc pas faussé par l'erreur commise en 19___1. Aucune écriture de correction ne sera donc ici nécessaire.

Toutefois, si l'erreur commise est découverte avant l'inscription des écritures de clôture du deuxième exercice, il convient de passer une écriture de correction qui serait ici:

1) si le stock au 31 décembre 19___1 était évalué à 3 000 $:

Stock de marchandises	1 000 $	
@ Capital		1 000 $

2) si le stock au 31 décembre 19___1 était évalué à 5 000 $:

Capital	1 000 $	
@ Stock de marchandises		1 000 $

Il ne reste plus maintenant qu'à examiner une dernière catégorie d'erreurs, celles dont l'effet s'accentue avec le temps.

Les erreurs dont l'effet s'accentue avec le temps

Les erreurs dont l'effet s'accentue avec le temps sont toutes reliées à la comptabilisation de l'acquisition de biens sujets à être dépréciés ainsi qu'à l'enregistrement de cette dépréciation, lors de l'inscription des écritures de régularisation. Ces erreurs, en plus de fausser les soldes du grand livre général, au moment où elles sont commises, mènent à une mauvaise estimation du coût annuel de dotation à l'amortissement. On fausse ainsi, à chaque exercice, la charge annuelle de dotation à l'amortissement, et on accumule ces erreurs au poste « Amortissement cumulé » et au compte « Capital ». Ces erreurs peuvent avoir une des causes suivantes:

1) on a considéré l'acquisition d'un actif comme le paiement d'une charge;

2) on a considéré le paiement d'une charge comme l'acquisition d'un actif;

3) on a enregistré à un mauvais compte d'actif l'acquisition d'un actif;

4) on s'est trompé lors du calcul de la dotation à l'amortissement périodique requis.

Examinons l'effet de chacune de ces erreurs de même que la manière de les corriger.

L'acquisition d'un actif considérée comme le paiement d'une charge

Si, lors de l'acquisition d'un bien sujet à dépréciation, on débite un poste de charge au lieu du poste d'actif que l'on a acquis, cette erreur produit les effets immédiats suivants:

1) une charge est surévaluée, ce qui sous-évalue le bénéfice net de la période;

2) après l'inscription des écritures de clôture, le capital sera également sous-évalué;

3) le poste d'actif est sous-évalué.

Cependant, puisqu'aucune somme n'a été portée au poste d'actif, on ne procédera pas au calcul et à l'enregistrement de la dotation à l'amortissement annuelle requise. À chaque exercice, les effets secondaires suivants se feront également sentir:

1) une charge de dotation à l'amortissement sera sous-évaluée, ce qui surévaluera le bénéfice net;

2) après l'inscription des écritures de clôture, le capital sera surévalué;

3) le poste « Amortissement cumulé » sera sous-évalué.

Cette erreur a donc un effet permanent en ce sens où tant qu'elle n'est pas corrigée, un poste d'actif sera sous-évalué. Elle produit un effet qui s'accentue avec le temps, car lors de chaque exercice, on omet d'inscrire les sommes appropriées au poste « Amortissement cumulé ». Enfin, une partie de l'effet immédiat de l'erreur s'annule avec le temps parce que la surestimation d'une charge au moment où l'erreur a été commise est compensée graduellement par la sous-estimation, à chaque exercice, de la charge de dotation à l'amortissement. Pour corriger une telle erreur, il faut:

1) inscrire à l'actif son coût d'acquisition;

2) inscrire à l'amortissement cumulé ce qui aurait dû être inscrit depuis l'acquisition de l'actif;

3) corriger au compte « Capital » tous les montants qui ont été débités et crédités par erreur lors des écritures de clôture;

4) corriger les sommes inscrites aux postes de charges en cause si les écritures de clôture des comptes de résultats de l'exercice pendant lequel l'erreur a été découverte n'ont pas été passées.

EXEMPLE D'APPLICATION

Le 31 décembre 19__4, au moment de la préparation des écritures de régularisation, on découvre que le 1er juillet 19__1, on a inscrit au poste « Frais de déplacement » l'acquisition d'un camion ayant un coût de 15 000 $, une durée de vie utile de quatre ans et une valeur résiduelle de 5 000 $.

En 19__1

1) On a sous-évalué le poste « Camion » de 15 000 $.

2) On a surévalué le poste « Frais de déplacement » de 15 000 $.

3) On a sous-évalué le poste « Dotation à l'amortissement — Camion » de l'équivalent d'une dotation à l'amortissement pour 6 mois, soit le montant suivant:

$$\frac{15\ 000\ \$ - 5\ 000\ \$}{4\ ans} \times \frac{6\ mois}{12\ mois} = 1\ 250\ \$$$

4) De ce fait, on a sous-évalué le poste « Amortissement cumulé — Camion » de 1 250 $.

5) Enfin, le bénéfice net de l'exercice 19___1 et le capital de fin d'exercice ont été sous-évalués comme suit:

Surévaluation des frais de déplacement	15 000 $
Moins: Sous-évaluation de la dotation à l'amortissement — camion	1 250 $
Sous-évaluation du bénéfice net de 19___1 et du capital au 31 décembre 19___1	13 750 $

En 19___2 et 19___3

1) On a omis pour chacun de ces exercices de comptabiliser une charge « Dotation à l'amortissement — Camion » de 2 500 $, ce qui a surévalué de ce montant le bénéfice net de chacun de ces exercices.

2) Ce faisant, on n'a pas crédité le poste « Amortissement cumulé — Camion » d'un total de 5 000 $, soit 2 500 $ en 19___2 et 2 500 $ en 19___3.

3) Enfin, parce qu'on a sous-évalué d'un total de 5 000 $ la charge « Dotation à l'amortissement — Camion » de ces deux périodes, on a ainsi corrigé en partie le solde du compte « Capital ». Après les écritures de clôture de 19___1, le capital était sous-évalué de 13 750 $; après les écritures de clôture de 19___3, il est sous-évalué de 8 750 $, comme le montre le calcul suivant:

Sous-évaluation du capital au 31 décembre 19___1	13 750 $
Moins: Sous-évaluation de la charge « Dotation à l'amortissement — Camion » des exercices 19___2 et 19___3	5 000
Sous-évaluation du capital après l'inscription des écritures de clôture de 19___3	8 750 $

En 19___4

Comme on n'a pas encore passé d'écriture de régularisation, on doit, en plus de corriger l'effet de l'erreur décrit précédemment, inscrire la dotation à l'amortissement du camion de 19___4. L'erreur ne s'est pas encore accentuée en 19___4, car on n'a pas encore passé les écritures de régularisation de cet exercice.

En somme, au 31 décembre 19___4, les soldes du grand livre général sont faussés comme suit:

1) le poste « Camion » est sous-évalué de 15 000 $;

2) le poste « Capital » est sous-évalué de 8 750 $;

3) le poste « Amortissement cumulé — Camion » est sous-évalué de 6 250 $, ce qui est la résultante de 1 250 $ en 19___1 et de 2 500 $ en 19___2 et 19___3.

Il faut donc passer l'écriture de correction suivaante :

Camion	15 000 $	
@ Amortissement cumulé		
— Camion		6 250 $
Capital		8 750 $

De plus, parmi les écritures de régularisation de 19__4, on retrouvera l'écriture suivante :

Dotation à l'amortissement		
— Camion	2 500 $	
@ Amortissement cumulé		
— Camion		2 500 $

Cet exemple illustre comment l'inscription de l'acquisition d'un actif sujet à dépréciation à un poste de charge peut fausser les soldes du grand livre général et comment on doit les corriger. Examinons maintenant la situation contraire, c'est-à-dire celle où le paiement d'une charge est considéré comme l'acquisition d'un actif.

Le paiement d'une charge considéré comme l'acquisition d'un actif

Cette situation est l'inverse de la précédente. Les mêmes comptes seront affectés. Cependant, alors que dans le cas précédent on était en présence d'une surévaluation, on sera ici en présence d'une sous-évaluation, et vice versa. Cette erreur produit donc les effets immédiats suivants :

1) une charge est sous-évaluée, ce qui survalue le bénéfice net de la période ;

2) cette surévaluation du bénéfice net survaluera le capital de fin d'exercice ;

3) le poste d'actif est survalué.

Il y aura également des effets secondaires attribuables à une surestimation de la charge de dotation à l'amortissement. En effet, parce qu'on aura inscrit une charge à un poste d'actif, on calculera pour chaque exercice une dotation à l'amortissement. Cette erreur aura donc les effets suivants :

1) une charge de dotation à l'amortissement sera survaluée et le bénéfice net, sous-évalué ;

2) cette sous-évaluation du bénéfice net sous-évaluera le capital de fin d'exercice ; on doit remarquer toutefois que cette sous-évaluation du capital corrige graduellement la surévaluation du capital causée à l'origine par l'erreur de comptabilisation.

3) le poste « Amortissement cumulé » sera survalué.

La correction de cette erreur se fera comme suit :

1) on créditera le compte d'actif qui a été débité en trop ;

2) on réduira le compte « Capital » de la surévaluation nette qui y a été portée ;

3) le poste « Amortissement cumulé » sera diminué du total de ce qui a été par erreur crédité;

4) si les écritures de clôture de l'exercice où l'erreur a été découverte n'ont pas été passées, il faudra rectifier la charge de dotation à l'amortissement de l'exercice.

EXEMPLE D'APPLICATION

Le 31 décembre 19__4, après avoir inscrit les écritures de régularisation mais avant l'inscription des écritures de clôture, on découvre que le 31 mars 19__1, une charge d'entretien du bâtiment de 5 000 $ a par erreur été portée au compte « Bâtiment », actif dont le taux annuel d'amortissement linéaire est de 4%.

Afin d'identifier l'écriture de correction qui s'impose en 19__4, examinons l'effet de cette erreur pour chacun des exercices de 19__1 à 19__4.

En 19__1

1) L'actif « Bâtiment » a été surévalué de 5 000 $.

2) La charge « Entretien — Bâtiment » a été sous-évaluée de 5 000 $.

3) On a surévalué la charge « Dotation à l'amortissement — Bâtiment » de l'équivalent d'une charge de 9 mois, soit le montant suivant:

$$5\ 000\ \$ \times 4\% \times \frac{9\ \text{mois}}{12\ \text{mois}} = 150\ \$$$

4) Le bénéfice net de l'exercice et le capital au 31 décembre 19__1 ont été surévalués comme suit:

Sous-évaluation de la charge « Entretien — Bâtiment »	5 000 $
Moins: Surévaluation de la charge « Dotation à l'amortissement — Bâtiment »	150
Surévaluation du bénéfice net de 19__1 et du capital au 31 décembre 19__1	4 850 $

En 19__2 et en 19__3

1) Parce qu'il y a 5 000 $ en trop au compte « Bâtiment », la charge « Dotation à l'amortissement — Bâtiment » de chacun de ces deux exercices a été majorée de 200 $, ce qui a sous-évalué le bénéfice net d'autant.

2) On a également crédité en trop un montant de 400 $ au poste « Amortissement cumulé — Bâtiment », c'est-à-dire 200 $ en 19__2 et 200 $ en 19__3.

3) Avec un bénéfice net sous-évalué de 200 $ par exercice, on a en partie corrigé la

surévaluation du capital telle que constatée au 31 décembre 19___1. Elle n'est plus, au 31 décembre 19___3, après le report des écritures de clôture, que de:

Surévaluation du capital au 31 décembre 19___1	4 850 $
Moins: Sous-évaluation du bénéfice net des exercices 19___2 et 19___3	400
Surévaluation du capital après l'inscription des écritures de clôture de 19___3	4 450 $

En 19___4

Comme les écritures de régularisation de 19___4 ont été passées, on a affecté 200 $ en trop à la charge « Dotation à l'amortissement — Bâtiment » et au compte « Amortissement cumulé — Bâtiment ». Les écritures de clôture n'ayant pas encore été passées, il faudra rectifier le solde de ces deux comptes.

En résumé, au 31 décembre 19___4, après avoir inscrit les écritures de régularisation, les soldes des comptes du grand livre général sont faussés comme suit:

1) le poste « Bâtiment » est surévalué de 5 000 $;

2) le poste « Capital » est surévalué de 4 450 $;

3) le poste « Dotation à l'amortissement — Bâtiment » est surévalué de 200 $;

4) le poste « Amortissement cumulé — Bâtiment » est surévalué de 750 $ comme le montre le calcul suivant:

Montant crédité en trop en 19___1	150 $
Montant crédité en trop en 19___2, 19___3 et 19___4	
200 $ × 3 ans	600
Surévaluation	750 $

L'écriture de correction suivante s'impose donc:

Capital	4 450 $	
Amortissement cumulé		
— Bâtiment	750 $	
@ Bâtiment		5 000 $
Dotation à l'amortissement		
— Bâtiment		200 $

On remarque ici qu'on n'a pas besoin d'ajouter d'écritures de régularisation puisqu'elles ont été passées et qu'elles ont fait l'objet d'une correction. Rappelons-nous qu'on corrige les soldes du grand livre général à partir de ce qu'ils sont au moment où on découvre l'erreur. Ici, l'erreur commise en 19___1 a été découverte en 19___4 après l'inscription des écritures de régularisation mais avant l'inscription des écritures de clôture.

La confusion entre un poste d'actif et un poste de charge, que nous venons d'étudier, n'est pas la seule catégorie d'erreur dont les répercussions se font sentir sur plusieurs exercices. La confusion entre deux postes d'actif peut également avoir des conséquences aussi importantes.

La confusion entre deux postes d'actif

La confusion entre deux postes d'actif aura des conséquences différentes selon:

1) qu'un poste est sujet à être déprécié et que l'autre ne l'est pas;

2) que les deux sont sujets à être dépréciés à un même taux annuel;

3) que les deux sont sujets à être dépréciés mais à des taux annuels différents.

Nous allons étudier chacune de ces situations.

Un actif est sujet à être déprécié et l'autre ne l'est pas

On est ici en présence d'une erreur qui n'a, comme effet immédiat, que la sous-évaluation d'un poste d'actif et la surévaluation d'un autre. Toutefois, parce que seulement un des deux postes d'actif est sujet à être déprécié, les postes « Dotation à l'amortissement » et « Amortissement cumulé » de l'actif sujet à être déprécié seront faussés. Après l'inscription des écritures de clôture, le poste « Capital » sera également faussé. Par exemple, dans le cas où le coût d'acquisition d'un actif sujet à être déprécié a été inscrit à un poste d'actif qui n'y est pas sujet, les postes seront faussés de la façon suivante:

1) l'actif sujet à être déprécié sera sous-évalué;

2) l'autre actif sera surévalué;

3) la charge annuelle de dotation à l'amortissement sera sous-évaluée, car le solde du compte d'actif sujet à être déprécié est sous-évalué;

4) tant que l'erreur ne sera pas découverte, le bénéfice net de chaque exercice sera surévalué d'un montant correspondant à la sous-évaluation de la dotation à l'amortissement annuelle;

5) le poste « Capital » sera surévalué d'une somme égale à la somme de la surévaluation de tous les bénéfices nets (si les écritures de clôture ont été inscrites);

6) le poste « Amortissement cumulé » sera sous-évalué d'un montant qui correspond au total des charges de dotation à l'amortissement qui n'ont pas été inscrites.

On devra donc, pour corriger les soldes du grand livre général:

1) augmenter le poste d'actif sujet à être déprécié;

2) diminuer le poste d'actif non sujet à être déprécié;

3) augmenter le poste « Amortissement cumulé »;

4) augmenter la charge de dotation à l'amortissement de l'exercice pendant lequel l'erreur a été découverte si les écritures de clôture n'ont pas été inscrites;

5) diminuer le poste « Capital ».

EXEMPLE D'APPLICATION

Le 31 décembre 19__4, après avoir inscrit les écritures de régularisation mais avant d'inscrire les écritures de clôture, on découvre que lors de l'acquisition d'un terrain et d'un bâtiment, le 30 juin 19__1, la totalité du coût d'acquisition de 150 000 $ a été par erreur débitée au poste « Terrain » alors qu'on aurait dû débiter le poste « Terrain » de 30 000 $ et le poste « Bâtiment » de 120 000 $. On apprend également que, selon le rapport d'un architecte en date du 30 juin 19__1, le bâtiment a une durée de vie utile de 25 ans et une valeur résiduelle de 20 000 $.

Pour déterminer la correction à passer en date du 31 décembre 19__4, examinons les effets de cette erreur sur chacun des exercices 19__1 à 19__4.

En 19__1

L'effet immédiat de cette erreur a été de surévaluer le poste « Terrain » de 120 000 $ et de sous-évaluer le poste « Bâtiment » de 120 000 $. Également, parce qu'un terrain ne se déprécie pas, on n'aura pas considéré une charge de dotation à l'amortissement en 19__1, pas plus que pour les autres exercices, comme nous le verrons plus loin. La charge « Dotation à l'amortissement — Bâtiment » de 19__1 a donc été sous-évaluée de:

$$\frac{120\ 000\ \$ - 20\ 000\ \$}{25\ ans} \times \frac{6\ mois}{12\ mois} = 2\ 000\ \$$$

Le bénéfice net de 19__1 a donc été surévalué de 2 000 $, de même que le capital au 31 décembre 19__1. Enfin, à la même date, le poste « Amortissement cumulé — Bâtiment » est sous-évalué de 2 000 $.

En 19__2 et en 19__3

Pour chacun de ces deux exercices, on a sous-évalué la charge « Dotation à l'amortissement — Bâtiment » de 4 000 $, ce qui signifie que:

1) le bénéfice net de chacun de ces exercices a été surévalué de 4 000 $;

2) au 31 décembre 19__3, après l'inscription des écritures de clôture, le capital est surévalué de 10 000 $ comme le montre le calcul suivant:

Surévaluation du capital en date du 31 décembre 19__1	2 000 $
Plus: Surestimation du bénéfice net de 19__1 et 19__2 4 000 $/an × 2 ans	8 000
Surévaluation du capital en date du 31 décembre 19__3	10 000 $

3) au 31 décembre 19__3, le poste « Amortissement cumulé — Bâtiment » est sous-évalué de 10 000 $, soit une somme égale au total de la charge « Dotation à l'amortissement — Bâtiment » qui n'a pas été inscrite depuis 19__1.

En 19__4

Comme les écritures de régularisation ont été passées en 19__4, cela signifie que la charge « Dotation à l'amortissement — Bâtiment » de cet exercice a été sous-évaluée de 4 000 $, ce qui a augmenté la sous-évaluation du poste « Amortissement cumulé — Bâtiment » de 10 000 $ à 14 000 $. Toutefois, parce que les écritures de clôture de 19__4 n'ont pas été passées, le poste « Capital » n'a pas été affecté en 19__4.

Cette analyse de l'impact de l'erreur commise en 19__1 sur les quatre exercices financiers en cause permet donc de conclure qu'au 31 décembre 19__4, les soldes des comptes du grand livre général sont faussés comme suit:

1) le poste « Terrain » est surévalué de 120 000 $;

2) le poste « Bâtiment » est sous-évalué de 120 000 $;

3) le poste « Dotation à l'amortissement — Bâtiment » est sous-évalué de 4 000 $;

4) le poste « Amortissement cumulé — Bâtiment » est sous-évalué de 14 000 $;

5) le poste « Capital » est surévalué de 10 000 $.

Les deux écritures de correction suivantes permettent alors de corriger ces soldes:

1) Bâtiment	120 000 $	
@ Terrain		120 000 $
2) Capital	10 000 $	
Dotation à l'amortissement — Bâtiment	4 000 $	
@ Amortissement cumulé — Bâtiment		14 000 $

Passons maintenant à l'examen du cas où une erreur résulte de la confusion entre deux postes d'actif qui se déprécient à un même rythme.

Deux postes d'actifs se déprécient à un même rythme

Si, au moment de la comptabilisation de l'acquisition d'un actif, il y a confusion avec un autre actif qui se déprécie au même rythme, les conséquences sont moins importantes que dans le cas précédent. Si les écritures de clôture de l'exercice où l'erreur a été découverte sont passées, elles se limitent à deux postes d'actif mal évalués du même montant, dont l'un est surévalué et l'autre, sous-évalué. Il en va de même pour leur poste respectif d'amortissement cumulé. Le bénéfice net et par conséquent le capital ne seront pas affectés, car le montant de la charge de dotation à l'amortissement comptabilisée sera le même que s'il n'y avait pas eu d'erreur. L'écriture de correction nécessaire se limite donc à la rectification des soldes des postes d'actif et de dotation à l'amortissement cumulé en cause. Dans le cas où les écritures de clôture n'auraient pas été passées, il faudrait toutefois s'assurer de corriger les soldes de charge de dotation à l'amortissement de l'année qui, si les écritures de régularisation sont passées, ne sont pas portés au bon poste de dotation à l'amortissement.

EXEMPLE D'APPLICATION

Le 31 décembre 19__4, après avoir inscrit les écritures de régularisation mais avant l'inscription des écritures de clôture, on découvre que le 31 octobre 19__1, le coût d'acquisition de 5 000 $ d'équipement de bureau a été porté par erreur au débit du poste « Mobilier de bureau ». Pour ces deux postes d'actif (« Équipement de bureau » et « Mobilier de bureau »), on utilise l'amortissement linéaire au taux annuel de 20%.

Examinons donc l'impact de cette erreur sur les comptes du grand livre général au 31 décembre 19__4.

1) Les soldes des postes « Équipement de bureau » et « Mobilier de bureau » sont faussés de 5 000 $. Le compte « Équipement de bureau » est sous-évalué de 5 000 $, alors que le poste « Mobilier de bureau » est surévalué de 5 000 $.

2) Leur solde respectif d'amortissement cumulé est également faussé d'un montant qui correspond à $3\frac{3}{12}$ années de dotation à l'amortissement, c'est-à-dire:

> 3 mois en 19__1
> 3 ans pour les années 19__2 à 19__4 inclusivement.

Ils sont donc faussés de:

$$5\ 000\ \$ \times 20\% \times 3\tfrac{3}{12}\ \text{ans} = 3\ 250\ \$$$

Le compte « Amortissement cumulé — Équipement de bureau » est donc sous-évalué de 3 250 $, alors que le compte « Amortissement cumulé — Mobilier de bureau » est surévalué du même montant.

3) Comme les écritures de clôture de 19__4 n'ont pas encore été passées, le compte « Dotation à l'amortissement — Équipement de bureau » est sous-évalué de 1 000 $, et le compte « Dotation à l'amortissement — Mobilier de bureau » est surévalué de 1 000 $.

Le montant des charges de dotation à l'amortissement des quatre exercices a été au total le même que s'il n'y avait pas eu d'erreur. Le seul effet dans l'état des résultats a été une erreur de classification, mais le bénéfice net n'a pas été affecté. De même, le capital n'a pas été affecté par cette erreur.

La correction qui s'impose est donc la suivante (il y a trois écritures de correction):

1) Équipement de bureau	5 000 $	
@ Mobilier de bureau		5 000 $
2) Amortissement cumulé — Mobilier de bureau	3 250 $	
@ Amortissement cumulé — Équipement de bureau		3 250 $
3) Dotation à l'amortissement — Équipement de bureau	1 000 $	
@ Dotation à l'amortissement — Mobilier de bureau		1 000 $

Il ne reste plus maintenant qu'à examiner le cas de la confusion entre deux postes d'actif représentant des biens sujets à une dotation à l'amortissement à des rythmes différents.

Deux postes d'actif se dépréciant à des rythmes différents

Lorsqu'on a comptabilisé le coût d'acquisition d'un actif sujet à dépréciation à un autre actif sujet lui aussi à dépréciation mais à un rythme différent, on a commis une erreur dont les conséquences immédiates sont une surévaluation du poste d'actif qui a été débité par erreur et une sous-évaluation du poste d'actif qui n'a pas été débité mais qui aurait dû l'être. Cette erreur de comptabilisation produira également les effets secondaires suivants.

1) Deux postes de charges de dotation à l'amortissement seront mal évalués à chaque exercice. Celui qui se rapporte au poste d'actif débité par erreur sera surévalué, et celui qui se rapporte à l'actif acquis sera sous-évalué.

2) Le bénéfice net sera sous-évalué ou surévalué selon que le poste d'actif débité par erreur représente un actif qui se déprécie à un rythme supérieur ou inférieur à l'actif qui a été acquis.

3) Les écritures de clôture de chaque exercice affecteront de même le compte « Capital ».

4) Enfin, deux postes d'amortissement cumulé seront mal évalués. Celui qui est en contrepartie du poste d'actif débité par erreur sera surévalué, et celui qui est en contrepartie du poste d'actif qui a été acquis sera sous-évalué.

La correction d'une telle erreur doit donc:

1) redresser comme il se doit les postes d'actif et d'amortissement cumulé;

2) redresser le solde du compte « Capital »;

3) si les écritures de clôture de l'exercice où l'erreur a été découverte n'ont pas été passées, il faut redresser les soldes des postes de charge de dotation à l'amortissement de cet exercice.

EXEMPLE D'APPLICATION

Le 31 décembre 19__4, après avoir passé les écritures de régularisation mais avant d'avoir passé les écritures de clôture, on découvre qu'en date du 1er juillet 19__1, le coût d'acquisition d'un camion de livraison a par erreur été débité au compte « Mobilier de bureau ». Ce camion, au coût de 14 000 $, a une durée de vie utile estimée à cinq ans et une valeur résiduelle de 2 000 $. D'autre part, on sait que la politique de l'entreprise en regard de l'amortissement du mobilier de bureau consiste à utiliser la méthode de l'amortissement linéaire au taux de 10%.

L'impact initial de cette erreur a été de surévaluer le poste « Mobilier de bureau » de 14 000 $ et de sous-évaluer d'autant le poste « Camion ».

D'autre part, parce que ces postes représentent des biens sujets à une dotation à l'amortissement, cette erreur aura des effets secondaires. En effet, on est conduit à considérer une charge annuelle de dotation à l'amortissement du mobilier de bureau de 1 400 $ (1) au lieu d'une charge annuelle de dotation à l'amortissement du camion de 2 400 $ (2).

1) Calcul de la « Dotation à l'amortissement — Mobilier de bureau »
$$14\ 000\ \$ \times 10\% = 1\ 400\ \$$$

2) Calcul de la « Dotation à l'amortissement — Camion »

$$\frac{14\ 000\ \$ - 2\ 000\ \$}{5\ \text{ans}} = 2\ 400\ \$$$

Comme l'entreprise possède ce camion depuis 3 ans et demi, l'erreur dans le calcul de la dotation à l'amortissement peut être résumée par le tableau 10-7.

TABLEAU 10-7

| Exercice | Dotation à l'amortissement | | Surévaluation du bénéfice net | Surévaluation du capital |
	Mobilier de bureau	Camion		
19__1 [1]	700 $	1 200 $	500 $	500 $
19__2	1 400	2 400	1 000 $	1 000
19__3	1 400	2 400	1 000 $	1 000
19__4 [2]	1 400	2 400	1 000 $	
	4 900 $	8 400 $	3 500 $	2 500 $

[1] L'entreprise n'a possédé le camion que pendant 6 mois en 19__1.

[2] Comme les écritures de clôture de 19__4 n'ont pas encore été passées, le capital n'a pas encore été affecté par l'erreur commise lors de l'inscription de la charge de dotation à l'amortissement pour cet exercice.

Du tableau 10-7, il ressort que:

1) le poste « Amortissement cumulé — Mobilier de bureau » est surévalué de 4 900 $;

2) le poste « Amortissement cumulé — Camion » est sous-évalué de 8 400 $;

3) le poste « Dotation à l'amortissement — Mobilier de bureau » est surévalué de 1 400 $ et le poste « Dotation à l'amortissement — Camion » est sous-évalué de 2 400 $. On doit noter que ces données correspondent aux charges de dotation à l'amortissement de 19__4, exercice pendant lequel les écritures de clôture n'ont pas été passées;

4) le capital est surévalué de 2 500 $.

Chapitre 10

On doit donc corriger l'effet de l'erreur commise le 1ᵉʳ juillet 19__1 par deux écritures de correction:

1) Camion	14 000 $	
@ Mobilier de bureau		14 000 $
2) Amortissement cumulé — Mobilier de bureau	4 900 $	
Dotation à l'amortissement — Camion	2 400 $	
Capital	2 500 $	
@ Amortissement cumulé — Camion		8 400 $
Dotation à l'amortissement — Mobilier de bureau		1 400 $

Avant de terminer l'analyse des erreurs qui affectent plusieurs exercices, il reste à examiner le cas où on s'est trompé lors du calcul de la dotation à l'amortissement périodique requis.

Erreur dans le calcul de la dotation à l'amortissement périodique requis

Si une entreprise se trompe lors de l'évaluation de la dotation à l'amortissement périodique requis, cette erreur aura des répercussions sur la charge de dotation à l'amortissement de chaque exercice, sur le bénéfice net de chaque exercice ainsi que sur les soldes des comptes « Amortissement cumulé » et « Capital ». Dans le cas du compte « Capital », c'est par le report des écritures de clôture de chaque exercice qu'on en fausse graduellement le solde. Toutefois, une telle erreur n'affecte en rien les soldes des comptes d'actif, car à l'origine, le coût d'acquisition a été bien enregistré. La correction qui s'impose alors consiste donc à:

1) rectifier le solde du compte « Amortissement cumulé »;
2) rectifier la charge de dotation à l'amortissement si les écritures de clôture de l'exercice où l'erreur a été découverte ne sont pas encore passées;
3) rectifier le solde du compte « Capital ».

EXEMPLE D'APPLICATION

Le 31 décembre 19__4, après avoir passé les écritures de régularisation mais avant d'inscrire les écritures de clôture, on découvre que depuis le 31 décembre 19__1, on a estimé à 1 000 $ par an la charge annuelle de dotation à l'amortissement du mobilier de bureau. Ce mobilier, acquis le 1ᵉʳ janvier 19__1 au coût de 10 000 $, a une durée de vie économique de 10 ans et une valeur résiduelle de 1 000 $.

Le tableau suivant montre qu'on a surévalué de 100 $ la charge de dotation à l'amortissement du mobilier de bureau de chaque exercice:

Charge estimée annuellement	1 000 $
Moins: Estimation correcte	
$\dfrac{10\ 000\ \$ - 1\ 000\ \$}{10\ \text{ans}}$	900
Surévaluation de la charge de dotation à l'amortissement	100 $

Comme on a acquis le mobilier de bureau le 1er janvier 19__1 et comme l'erreur a été découverte après l'inscription des écritures de régularisation du 31 décembre 19__4, on a surévalué quatre fois la charge de dotation à l'amortissement et ce, d'un montant de 100 $ chaque fois. Le poste « Amortissement cumulé — Mobilier de bureau » est donc surévalué de 400 $. Par contre, comme les écritures de clôture du 31 décembre 19__4 ne sont pas encore passées, le capital n'est sous-évalué que de 300 $, alors que la charge de dotation à l'amortissement du mobilier de bureau est surévaluée de 100 $. On doit donc corriger les soldes du grand livre général par l'écriture suivante:

Amortissement cumulé — Mobilier de bureau	400 $	
@ Capital		300 $
Dotation à l'amortissement — Mobilier de bureau		100 $

Avec cet exemple se terminent l'analyse des principales catégories d'erreurs et la façon d'en corriger les effets sur les soldes des comptes du grand livre général. Il nous reste maintenant à examiner comment on doit procéder au redressement des états financiers lorsque des erreurs les ont affectés.

10.5 LE REDRESSEMENT DES ÉTATS FINANCIERS

Jusqu'à maintenant, nous avons étudié la façon de corriger les soldes du grand livre général lorsqu'une erreur les a affectés. Comme les erreurs affectent également les états financiers, il faut également corriger ces derniers afin qu'ils reflètent la réalité. Toutefois, comme on se trouve ici dans une situation où des états financiers ont été remis aux utilisateurs, il n'est pas toujours possible ou pratique de reprendre tous les états financiers des années antérieures. Si on prépare de nouveau les états financiers, on doit alors tenir compte des erreurs découvertes et redresser adéquatement les états financiers. On doit noter ici que même les erreurs qui se sont annulées d'elles-mêmes doivent être prises en considération lors de ce processus de redressement, car même si elles s'annulent, elles affectent les états financiers de plusieurs exercices. On peut également choisir de ne pas présenter de nouveau les états financiers. Dès lors, il faut s'assurer que ceux de l'exercice courant sont exempts d'erreurs. Dans ce deuxième cas, la présentation du compte « Capital » pose une difficulté. En effet, si ce poste est affecté par une ou plusieurs écritures de correction, le capital de la fin de l'exercice précédent, tel qu'il est présenté au bilan, ne correspondra pas au solde du compte « Capital » tel qu'il apparaît au grand livre général après avoir été corrigé.

EXEMPLE D'APPLICATION

Le comptable de Agrex Enr. découvre en 19___2 que, lors de la préparation des écritures de régularisation du 31 décembre 19___1, les deux erreurs suivantes ont été commises:

1) on a omis de régulariser la charge de salaires pour tenir compte des salaires courus à payer de 500 $;

2) on a sous-évalué les intérêts courus à recevoir de 225 $.

Par ailleurs, on précise que le capital au 31 décembre 19___1, après le report des écritures de clôture, avait un solde de 25 000 $.

En 19___2, au moment où les erreurs ont été découvertes, les deux écritures de correction suivantes ont été passées:

Capital	500 $	
@ Salaires		500 $
Intérêts — Produits	225 $	
@ Capital		225 $

Après le report de ces écritures au grand livre général, le solde du compte « Capital » est donc passé de 25 000 $ à 24 725 $. On ne peut alors préparer directement l'état des variations de la valeur nette de l'exercice 19___2, car le solde de 24 725 $ au grand livre général ne correspond pas au solde de clôture de 25 000 $ au 31 décembre 19___1. Il faut au contraire montrer dans cet état pour quelles raisons on a fait passer le solde du compte « Capital » de 25 000 $ à 24 725 $, comme on le voit ici:

Capital au 31 décembre 19___1	25 000 $
Plus: Correction pour tenir compte de 225 $ d'intérêts courus à recevoir omis lors des écritures de régularisation du 31 décembre 19___1	225
	25 225 $
Moins: Correction pour tenir compte de l'omission de 500 $ de salaires courus à payer lors des écritures de régularisation du 31 décembre 19___1	500
Capital corrigé au 31 décembre 19___1	24 725 $

RÉSUMÉ

Les erreurs commises dans le processus d'enregistrement comptable peuvent affecter les soldes du grand livre général et le contenu des états financiers. Si ces erreurs affectent l'équilibre entre le total des débits et le total des crédits, elles seront découvertes par la balance de vérification et corrigées aussitôt. Au contraire, si ces erreurs n'affectent pas cet auto-équilibre des comptes, elles peuvent être découvertes avant ou après le report au grand livre général et avant ou après l'inscription des écritures de clôture. La correction des soldes du grand livre général, correction qu'on effectue au moyen d'une écriture de journal général, sera influencée par le moment où on découvre l'erreur et par la nature de l'erreur. Quant aux états financiers, on devra en redresser les soldes si on choisit de les présenter de nouveau.

PROBLÈMES À SOLUTION COMMENTÉE

PROBLÈME 10-A Correction des erreurs avant la clôture des comptes de résultats

Le 31 décembre 19__5, après avoir inscrit les écritures de régularisation datées du 31 décembre 19__5, mais avant d'inscrire les écritures de clôture, le comptable de Bozo Enr. découvre que plusieurs erreurs ont été commises. Il en dresse donc une liste, par ordre chronologique.

Erreurs commises en 19__3

1) Le 1er janvier 19__3, lors de l'enregistrement de l'acquisition d'un camion au coût de 12 000 $, on a par mégarde débité le poste « Frais de livraison ».

2) Le 24 mai 19__3, on a omis d'enregistrer un prélèvement sous forme de marchandises. Ces marchandises avaient un coût de 300 $ et une valeur de revente de 575 $.

3) Lors du dénombrement du 31 décembre 19__3, le stock de marchandises a été surévalué de 1 000 $.

Erreurs commises en 19__4

1) Le 30 juin 19__4, on a vendu une partie du mobilier de bureau au prix de 1 000 $. À ce moment, on a crédité le poste « Vente » de ce montant. Le mobilier de bureau ainsi vendu avait été acheté le 1er avril 19__3, au coût de 2 000 $.

2) Lors de l'inscription des écritures de régularisation du 31 décembre 19__4, on a omis d'inscrire les salaires courus à payer au montant de 350 $.

Erreurs commises en 19__5

1) Le 28 février 19__5, le propriétaire de Bozo Enr., après avoir vendu 3 000 $ son automobile personnelle, a déposé cette somme dans son entreprise. On a alors enregistré cette opération comme suit:

Caisse	3 000 $	
@ Ventes		3 000 $

2) Le 14 avril 19__5, un paiement de 380 $ de fret à l'achat a, par erreur, été débité au compte « Frais de livraison ».

Le comptable indique également que la méthode d'amortissement retenue par l'entreprise est l'amortissement linéaire, au taux de 25% pour le camion et de 10% pour le mobilier de bureau.

On demande

1) Inscrire les écritures de correction d'erreurs en date du 31 décembre 19___5.

2) Montrer, à l'aide d'un tableau approprié, l'effet de la correction de chacune des erreurs sur le bénéfice net de chaque exercice et sur le solde du compte « Capital ».

Solution commentée

1) *Écritures de correction d'erreurs*

On est ici en présence d'une situation où on découvre à un moment donné plusieurs erreurs commises à des dates fort différentes. La méthodologie à utiliser pour procéder à la correction de ces erreurs consiste:

1) à identifier correctement la nature des soldes qui apparaissent actuellement au grand livre général;

2) à corriger les erreurs une à une en commençant par les plus anciennes.

Nature du solde des comptes du grand livre général

Comme les erreurs, dont la description est donnée dans l'énoncé du problème, ont été découvertes après qu'on a passé les écritures de régularisation du 31 décembre 19___5, mais avant qu'on ait passé les écritures de clôture, les soldes des comptes du grand livre général correspondent:

1) aux comptes d'actif et de passif tels qu'ils seraient présentés au bilan du 31 décembre 19___5, si aucune écriture de correction ne les affecte;

2) aux comptes de produits et de charges de l'exercice 19___5, tels qu'ils apparaîtraient à l'état des résultats de cet exercice;

3) aux comptes d'apports et de prélèvements de l'exercice 19___5, tels qu'ils apparaîtraient à l'état des variations de la valeur nette de cet exercice;

4) au compte « Capital » du 31 décembre 19___4, soit le capital du début de l'exercice, car les écritures de clôture du 31 décembre 19___5 n'ont pas encore été inscrites aux livres.

Ce sont donc les soldes de ces comptes que l'on doit corriger.

Correction des erreurs commises en 19___3

1) On a, par erreur, débité la charge « Frais de livraison » au lieu du poste d'actif « Camion », lors de l'acquisition de ce dernier.

L'effet immédiat de cette erreur a donc été de surévaluer la charge de frais de livraison de 19___3 de 12 000 $ et de sous-évaluer le poste « Camion » d'autant.

Comme effet secondaire, on n'a pas inscrit la dotation à l'amortissement du camion, car le poste « Camion » n'a pas été débité. La sous-évaluation de la charge annuelle de dotation à l'amortissement du camion a donc été de:

$$12\ 000\ \$ \times 25\% = 3\ 000\ \$$$

Voici les effets de cette erreur sur le résultat net de chaque exercice financier.

En 19__3, le bénéfice net a été sous-évalué de 9 000 $, comme le montre le calcul suivant.

Sous-évaluation attribuable à la surévaluation de la charge de frais de livraison	12 000 $
Moins: Charge « Dotation à l'amortissement — Camion » qui n'a pas été inscrite	3 000
Sous-évaluation du bénéfice net de 19__3	9 000 $

En 19__4 et 19__5, le bénéfice net a été surévalué de 3 000 $, car pour chacun de ces exercices, on a omis la charge « Dotation à l'amortissement — Camion ».

Cela signifie donc que le capital au 31 décembre 19__4 est sous-évalué de 6 000 $, comme on le voit ici:

Sous-évaluation attribuable à la sous-évaluation du bénéfice net de l'exercice 19__3	9 000 $
Moins: Surévaluation du bénéfice net de 19__4	3 000
Sous-évaluation du capital au 31 décembre 19__4	6 000 $

Enfin, le poste « Amortissement cumulé — Camion » est sous-évalué de 9 000 $, soit un montant qui correspond à la dotation à l'amortissement de trois années.

Donc, les effets de l'erreur commise le 1er janvier 19__3 sur les soldes du grand livre général au 31 décembre 19__4 ont été:

a) une sous-évaluation du capital de 6 000 $;
b) une sous-évaluation du poste « Camion » de 12 000 $;
c) une sous-évaluation du poste « Amortissement cumulé — Camion » de 9 000 $;
d) une sous-évaluation de 3 000 $ de la charge « Dotation à l'amortissement — Camion » pour l'exercice 19__5.

On doit donc corriger cette erreur par l'écriture de correction suivante:

Camion	12 000 $	
Dotation à l'amortissement — Camion	3 000 $	
@ Amortissement cumulé — Camion		9 000 $
Capital		6 000 $

Enfin, au tableau 10-8, on note que la correction de l'erreur accroît le bénéfice net de l'exercice 19__3 de 9 000 $ et diminue celui de 19__4 et de 19__5 de 3 000 $. On y remarque également que le capital augmente de 6 000 $.

2) L'omission d'enregistrer un prélèvement sous la forme de marchandises a eu pour effet de sous-évaluer le solde du compte « Prélèvements » de l'exercice 19__3 et de surévaluer le « Coût des marchandises vendues » du même exercice et ce, du montant qui correspond au coût des marchandises qui ont été prélevées, soit 300 $.

La sous-évaluation du compte « Prélèvements » est évidente puisqu'on ne l'a pas enregistré, alors qu'on aurait dû le faire.

La surévaluation du coût des marchandises vendues résulte du fait que le 24 mai 19__3, on aurait dû passer l'écriture suivante, alors qu'on n'a rien inscrit aux livres:

Prélèvements	300 $
@ Achat	
(inventaire périodique)	
ou	
Stock de marchandises	300 $
(inventaire permanent)	

Donc, il y a eu une surévaluation du coût des marchandises vendues en 19__3, ce qui a sous-évalué le bénéfice net de 19__3,

L'erreur n'affecte toutefois pas le solde du compte « Capital » en date du 31 décembre 19__4, pas plus que les autres comptes qu'on retrouve au grand livre général du 31 décembre 19__5, car l'erreur commise a affecté deux comptes de résultats qui ont fait, le 31 décembre 19__3, l'objet d'une écriture de clôture. C'est pourquoi *aucune écriture de correction* n'est ici nécessaire. On doit toutefois noter qu'on doit rectifier le bénéfice net de 19__3 en l'augmentant de 300 $ (voir le tableau 10-8).

3) Au 31 décembre 19__3, on a surévalué le stock de marchandises de 1 000 $. Les répercussions de cette erreur ont été les suivantes:

a) en 19__3, le coût des marchandises vendues a été sous-évalué de 1 000 $, le bénéfice net a été surévalué de 1 000 $ et, après les écritures de clôture, le capital au 31 décembre 19__3 a été surévalué de 1 000 $;

b) en 19__4, comme le stock d'ouverture correspond au stock de clôture de 19__3, le coût des marchandises vendues a été surévalué de 1 000 $ et le bénéfice net a été sous-évalué d'autant. La sous-évaluation de 1 000 $ du bénéfice net de 19__4 a donc annulé la surévaluation de 1 000 $ en 19__3. Cela signifie qu'après les écritures de clôture de 19__4, le solde du poste « Capital » n'a pas été affecté par cette erreur.

L'erreur s'est donc corrigée d'elle-même et *aucune écriture de correction n'est nécessaire.* Toutefois, si on désire connaître le bénéfice net corrigé de chaque exercice, il faut diminuer de 1 000 $ celui de 19__3 et augmenter de 1 000 $ celui de 19__4. Ces deux corrections sont présentées au tableau 10-8.

Correction des erreurs commises en 19__4

1) Lors de la vente du mobilier de bureau le 30 juin 19__4, on a passé l'écriture suivante:

Caisse	1 000 $
@ Vente	1 000 $

Pour identifier les répercussions de cette erreur, il faut, dans un premier temps, identifier le gain ou la perte sur la vente du mobilier de bureau. Ce gain ou cette perte est la différence entre la valeur comptable de l'actif vendu et le prix de vente.

Coût au 1er avril 19__3   2 000 $

Moins: Dotation à l'amortissement du
       1er avril 19__3 au 30 juin 19__4
         du 1er avril 19__3 au 31 décembre 19__3

$$2\ 000\ \$ \ \times\ 10\%\ \times\ \frac{9\ \text{mois}}{12\ \text{mois}} \qquad 150\ \$$$

         du 1er janvier 19__4 au 30 juin 19__4

$$2\ 000\ \$ \ \times\ 10\%\ \times\ \frac{6\ \text{mois}}{12\ \text{mois}} \qquad 100 \qquad 250$$

Valeur comptable au 30 juin 19__4   1 750 $
Moins: Prix de vente   1 000

Perte sur vente du mobilier de bureau   750 $

Au 30 juin 19__4, au lieu de reconnaître un produit de vente de 1 000 $, on aurait dû débiter une charge de 750 $.

De plus, comme on n'a pas crédité de 2 000 $ le poste « Mobilier de bureau », on a continué à procéder à une dotation à l'amortissement après le 30 juin 19__4. Les charges de dotation à l'amortissement calculée en trop ont alors été:

$$\text{en } 19\_\_4:\ 2\ 000\ \$ \ \times\ 10\%\ \times\ \frac{6\ \text{mois}}{12\ \text{mois}} \qquad 100\ \$$$

$$\qquad\qquad\qquad\qquad\qquad\qquad\qquad\qquad\qquad\qquad 200$$

$$\text{en } 19\_\_5:\ 2\ 000\ \$ \ \times\ 10\% \qquad\qquad\qquad\qquad 300\ \$$$

Voici donc les effets de cette erreur sur le bénéfice net des exercices 19__4 et 19__5.

En 19__4

Surévaluation des ventes   1 000 $
Sous-évaluation de la charge « Perte sur
vente de mobilier de bureau »   750
                                                                  1 750 $
Moins: Dotation à l'amortissement prise
      en trop   100
Surévaluation du bénéfice net   1 650 $

En 19__5

La charge « Dotation à l'amortissement — Mobilier de bureau » étant surévaluée de 200 $, le bénéfice net est sous-évalué d'autant.

Les conséquences de l'erreur du 30 juin 19__4 sur les soldes des comptes du grand livre général au 31 décembre 19__5 ont donc été les suivantes:

   a) le poste « Mobilier de bureau » est surévalué de 2 000 $;

   b) le poste « Amortissement cumulé — Mobilier de bureau » est surévalué de 550 $, soit le total de l'amortissement calculé du 1er avril 19__3 au 31 décembre 19__5;

c) la charge « Dotation à l'amortissement — Mobilier de bureau » de 19__5 est surévaluée de 200 $, car les écritures de clôture du 31 décembre 19__5 n'ont pas encore été passées;

d) le capital au 31 décembre 19__4 est surévalué de 1 650 $, soit le montant qui correspond à la surévaluation du bénéfice net de 19__4.

On doit donc corriger cette erreur par l'écriture suivante:

Capital	1 650 $	
Amortissement cumulé — Mobilier de bureau	550 $	
@ Mobilier de bureau		2 000 $
Dotation à l'amortissement — Mobilier de bureau		200 $

Enfin, au tableau 10-8, on redresse le bénéfice net de 19__4 en le diminuant de 1 650 $ et celui de 19__5 en l'augmentant de 200 $. On y note également que le capital est diminué de 1 650 $.

2) L'omission de 350 $ de salaires courus à payer au 31 décembre 19__4 a surévalué le bénéfice net de 19__4, de même que le solde du compte « Capital » au 31 décembre 19__4. Toutefois, en 19__5, la charge de salaires a été surévaluée de 350 $ à cause de cette erreur, sous-évaluant d'autant le bénéfice net de cet exercice.

Les soldes du grand livre général, au 31 décembre 19__5, sont donc faussés comme suit:

a) le capital, qui est celui du 31 décembre 19__4, est surévalué de 350 $;

b) la charge de salaires, qui est celle de 19__5, est surévaluée de 350 $.

L'écriture de correction suivante permettra d'ajuster ces soldes:

Capital	350 $	
@ Salaires		350 $

On doit également corriger le bénéfice net des exercices 19__4 et 19__5 en diminuant de 350 $ celui de 19__4 et en augmentant de 350 $ celui de 19__5.

Correction des erreurs commises en 19__5

Avant d'analyser l'effet des erreurs commises en 19__5, on doit noter qu'elles ne peuvent avoir affecté le solde du compte « Capital », car les écritures de clôture du 31 décembre 19__5 n'ont pas été passées. Examinons les deux erreurs commises en 19__5.

1) Le 28 février, un apport de 3 000 $ a été crédité au poste « Ventes ».

Les comptes de résultats de 19__5 n'étant pas clôturés, on corrige cette erreur par l'écriture suivante:

Ventes	3 000 $	
@ Apports		3 000 $

On note également au tableau 10-8 qu'on a réduit de 3 000 $ le bénéfice net de 19__5. Cette réduction est attribuable au fait que, parce qu'on a par erreur crédité de 3 000 $ le poste « Ventes », le bénéfice net était alors surévalué de ce montant.

2) Il y a ici une confusion entre deux postes de charge, les postes « Fret à l'achat » et « Frais de livraison ». L'erreur n'a pas affecté le résultat net de 19__5, mais elle doit quand

même être corrigée par l'écriture suivante, car les écritures de clôture n'ont pas encore été passées :

Coût des marchandises vendues	380 $	
@ Frais de livraison		380 $

On remarque que, dans cette écriture, au lieu d'avoir débité le compte « Fret à l'achat », on a débité le compte « Coût des marchandises vendues ». Cela s'explique par le fait que les écritures de régularisation du 31 décembre 19__5 ont intégré au compte « Coût des marchandises vendues » tous les soldes des comptes de résultats qui le composent, y compris le compte « Fret à l'achat ».

Cette dernière écriture termine le travail de correction des erreurs. On mesure l'impact global de ce travail de correction par l'addition des différentes colonnes du tableau 10-8. On y note que le bénéfice net de 19__3 est augmenté de 8 300 $, alors que ceux de 19__4 et 19__5 diminuent respectivement de 4 000 $ et 5 450 $. Enfin, le capital au 31 décembre 19__4 augmente de 4 000 $.

2) Effet de la correction des erreurs sur le bénéfice net de chaque exercice et sur le solde du compte « Capital » en date du 31 décembre 19__4

TABLEAU 10-8

Description de l'opération où il y a eu une erreur d'enregistrement	Bénéfice net			Capital au 31 décembre 19__4
	19__3	19__4	19__5	
19__3				
1) Acquisition du camion le 1er janvier 19__3	9 000 $	(3 000 $)	(3 000 $)	6 000 $
2) Prélèvement de marchandises le 24 mai 19__3	300			
3) Surévaluation du stock de clôture de 1 000 $	(1 000)	1 000		
19__4				
1) Vente du mobilier de bureau le 30 juin 19__4		(1 650)	200	(1 650)
2) Omission des salaires courus à payer le 31 décembre 19__4		(350)	350	(350)
19__5				
1) Apport le 28 février 19__5			(3 000)	
	8 300 $	(4 000 $)	(5 450 $)	4 000 $

PROBLÈME 10-B   **Correction des soldes du grand livre général et redressement du bénéfice net et du bénéfice brut**

Le 1ᵉʳ janvier 19___1, M. Armand Brisebois a fondé un commerce de vente au détail de matériaux de construction. Comme il avait acquis quelques notions de tenue de livre et de comptabilité, il a décidé qu'il s'occuperait lui-même d'enregistrer les opérations et de préparer les états financiers de son entreprise. Après avoir enregistré les écritures de clôture de l'exercice terminé le 31 décembre 19___4, il a demandé à un expert-comptable de vérifier la qualité du travail d'enregistrement comptable qu'il avait effectué. Il lui remet donc les pièces justificatives de ses opérations ainsi que les renseignements additionnels suivants.

1) Il précise qu'il a commencé en affaires le 1ᵉʳ janvier 19___1, en faisant un apport initial de 25 000 $, et qu'il a prélevé 20 000 $ par année pour subvenir à ses besoins personnels.

2) Il fournit le sommaire suivant des résultats des quatre premiers exercices de son entreprise.

	19___1	19___2	19___3	19___4
Bénéfice brut	62 000 $	70 000 $	58 800 $	60 000 $
Bénéfice net	40 000 $	46 000 $	32 000 $	35 000 $

L'expert-comptable procède aux vérifications d'usage et découvre les fais suivants.

1) Le propriétaire a par erreur procédé à la dotation à l'amortissement du bâtiment sur une durée de 20 ans en tenant compte d'une valeur résiduelle de 5 000 $. Il aurait plutôt dû le faire sur une durée de 25 ans avec une valeur résiduelle nulle. Le bâtiment fut acquis le 1ᵉʳ janvier 19___1 au coût de 125 000 $.

2) Au cours des exercices précédents, certaines factures ont été comptabilisées comme fret à l'achat plutôt que comme fret à la vente:

19___1	1 300 $
19___2	1 800 $
19___3	700 $

3) Lorsque l'entreprise a acquis un terrain, le 16 octobre 19___2, M. Brisebois a passé l'écriture suivante:

Achats	12 400 $	
@ Caisse		12 400 $

4) M. Brisebois a omis d'enregistrer l'intérêt couru à payer sur hypothèque au 31 décembre 19___2. Cet intérêt s'élevait à 750 $.

5) À la fin de l'année 19___3, parce que son grand livre auxiliaire du compte « Clients » présentait un solde de 1 000 $ supérieur au solde du compte « Clients » au grand livre général, M. Brisebois a passé l'écriture suivante:

Clients	1 000 $	
@ Ventes		1 000 $

En réalité, un client avait retourné des marchandises. Ce retour avait donné lieu à l'émission d'une note de crédit enregistrée correctement au journal, mais non reportée au grand livre auxiliaire.

6) Lors du dénombrement du 31 décembre 19＿3, le stock de marchandises a été surévalué de 2 000 $.

7) Le 28 février 19＿4, M. Brisebois fit un apport de mobilier de bureau à son entreprise, mobilier que M. Brisebois a payé 4 000 $ en 19＿1 et dont la valeur était de 2 500 $ le 28 février 19＿4. L'écriture suivante a alors été enregistrée:

Mobilier de bureau	4 000 $	
@ Apports		4 000 $

M. Brisebois a toujours procédé à la dotation à l'amortissement du mobilier selon la méthode de l'amortissement linéaire au taux de 10%.

On demande

1) Inscrire les écritures de correction nécessaires au 31 décembre 19＿4.

2) Calculer:
   a) le bénéfice brut corrigé de 19＿1, 19＿2, 19＿3 et 19＿4;
   b) le bénéfice net corrigé de 19＿1, 19＿2, 19＿3 et 19＿4;
   c) le capital corrigé au 31 décembre 19＿4.

Solution commentée

Ici, nous devons corriger les soldes des comptes du grand livre général après que les écritures de clôture de l'exercice où les erreurs ont été découvertes ont été passées. Les comptes à corriger seront donc limités:

1) aux postes d'actif au 31 décembre 19＿4;

2) aux postes de passif au 31 décembre 19＿4;

3) au capital au 31 décembre 19＿4.

Il n'y a aucun compte de résultats à corriger, puisque les écritures de clôture de 19＿4 ont été passées.

Comme dans le problème précédent, nous allons examiner une à une chacune des erreurs que l'expert-comptable a relevées, et nous allons successivement identifier, s'il y a lieu:

1) l'écriture de correction à passer;

2) le redressement à apporter au bénéfice brut de chaque exercice;

3) le redressement à apporter au bénéfice net de chaque exercice;

4) le redressement à apporter au capital au 31 décembre 19＿4.

Le tableau 10-9 présente le sommaire des redressements nécessaires pour connaître les bénéfices bruts, les bénéfices nets et le capital corrigé. On y a inscrit les soldes avant correction et on a apporté au besoin les redressements nécessaires. Les soldes avant correction ont été fournis par M. Brisebois, sauf celui du compte « Capital » qui a été obtenu par le calcul suivant:

TABLEAU 10-9

Redressement des bénéfices bruts, des bénéfices nets et du capital au 31 décembre 19__4

	Bénéfice brut				Bénéfice net				Capital au 31 décembre 19__4
	19__1	19__2	19__3	19__4	19__1	19__2	19__3	19__4	
Solde avant correction	62 000 $	70 000 $	58 800 $	60 000 $	40 000 $	46 000 $	32 000 $	35 000 $	98 000 $
1) Estimation de la dotation à l'amortissement du bâtiment					1 000	1 000	1 000	1 000	4 000
2) Fret à l'achat considéré comme fret à la vente	1 300	1 800	700						
3) Achat d'un terrain		12 400				12 400			12 400
4) Intérêt couru à payer sur hypothèque au 31 décembre 19__2						(750)	750		
5) Surévaluation des ventes en 19__3			(1 000)				(1 000)		(1 000)
6) Surévaluation du stock de marchandises au 31 décembre 19__3			(2 000)	2 000			(2 000)	2 000	
7) Apport du mobilier de bureau le 28 février 19__4								125	(1 375)
	63 300 $	84 200 $	56 500 $	62 000 $	41 000 $	58 650 $	30 750 $	38 125 $	112 025 $

Mise de fonds initiale le 1er janvier 19__1		25 000 $
Plus: Bénéfice net des exercices:		
19__1	40 000 $	
19__2	46 000	
19__3	32 000	
19__4	35 000	153 000
		178 000 $
Moins: Prélèvements:		
20 000 $ par an × 4 ans		80 000
Solde avant correction au 31 décembre 19__4		98 000 $

Procédons maintenant à l'analyse des erreurs découvertes par l'expert-comptable.

1) M. Brisebois s'est trompé lors de l'évaluation de la charge d'amortissement. L'erreur qu'il a commise, à chaque exercice, se calcule comme suit:

Dotation à l'amortissement calculée:	$\dfrac{125\ 000\ \$ - 5\ 000\ \$}{20\ \text{ans}}$	6 000 $
Dotation à l'amortissement correcte:	$\dfrac{125\ 000\ \$}{5\ \text{ans}}$	5 000 $
Surestimation annuelle de la dotation à l'amortissement sur le bâtiment		1 000 $

Comme le bâtiment a été acquis le 1er janvier 19__1, soit depuis quatre ans, les effets de cette erreur ont été les suivants:

a) le compte « Amortissement cumulé — Bâtiment » est surévalué de 4 000 $;

b) le compte « Capital » est sous-évalué de 4 000 $, car l'erreur a eu pour effet de sous-évaluer le bénéfice net de chaque exercice et que les écritures de clôture du 31 décembre 19__4 ont été passées.

L'écriture de correction suivante s'impose donc:

Amortissement cumulé — Bâtiment	4 000 $	
@ Capital		4 000 $

Comme la charge « Dotation à l'amortissement — Bâtiment » est une charge d'exploitation, l'erreur n'a pas affecté le bénéfice brut mais seulement le bénéfice net et le capital. C'est pourquoi, au tableau 10-9, on ne redresse que le bénéfice net de chaque exercice ainsi que le capital au 31 décembre 19__4. On y augmente le bénéfice net de chaque exercice de 1 000 $ et le capital de 4 000 $.

2) Le fait d'avoir débité le fret à l'achat plutôt que le fret à la vente n'a aucune incidence sur les bénéfices nets et sur le capital. Il s'agit en effet d'une confusion entre deux comptes de charge qui ont le même impact sur le bénéfice net. Aucune écriture de correction n'est ici requise. Par contre, on devra augmenter les bénéfices bruts de 1 300 $ en 19__1, de 1 800 $ en 19__2 et de 700 $ en 19__3, car la surévaluation du fret à l'achat a conduit à une surévaluation du coût des marchandises vendues.

3) Le fait d'avoir débité le compte « Achats » au lieu du compte « Terrain » en 19___2 a eu pour effet de:

a) surévaluer le coût des marchandises vendues de 12 400 $;

b) sous-évaluer le poste « Terrain » de 12 400 $;

c) sous-évaluer le bénéfice brut et le bénéfice net de l'exercice 19___2 de 12 400 $;

d) après les écritures de clôture du 31 décembre 19___2, sous-évaluer le compte « Capital » de 12 400 $.

Par conséquent, le grand livre général doit être corrigé par l'écriture de correction suivante:

Terrain	12 400 $	
@ Capital		12 400 $

Enfin, on doit augmenter de 12 400 $ le bénéfice brut et le bénéfice net de 19___2, de même que le capital au 31 décembre 19___4.

4) L'omission d'enregistrer l'intérêt couru à payer sur hypothèque de 750 $ au 31 décembre 19___2 a produit les effets suivants:

a) la charge d'intérêt sur hypothèque de 19___2 a été sous-évaluée de 750 $ et le bénéfice net de 19___2 a été surévalué d'autant;

b) par contre, la charge d'intérêt sur hypothèque de 19___3 a été surévaluée de 750 $, ce qui a sous-évalué le bénéfice net de 19___3 du même montant.

L'erreur s'est donc corrigée d'elle-même et aucune écriture de correction n'est nécessaire.

En outre, l'erreur n'a eu aucun effet sur le bénéfice brut, car la charge d'intérêt n'entre pas dans le calcul du bénéfice brut.

On doit toutefois corriger au tableau 10-9 les bénéfices des exercices 19___2 et 19___3, par une diminution de 750 $ du bénéfice de 19___2 et par une augmentation de 750 $ de celui de 19___3.

5) On a par erreur inscrit en trop une vente à crédit de 1 000 $ en 19___3. Le bénéfice brut et le bénéfice net de 19___3 ont donc été surévalués de 1 000 $. De même, au grand livre général, le compte « Clients » et le capital sont surévalués de 1 000 $. L'écriture de correction suivante s'impose donc:

Capital	1 000 $	
@ Clients		1 000 $

On doit également, au tableau 10-9, diminuer le bénéfice brut de 19___3, le bénéfice net de 19___3 et le capital au 31 décembre 19___4 de 1 000 $.

6) La surévaluation du stock de clôture du 31 décembre 19___3 a eu les conséquences suivantes.

En 19___3

a) Le coût des marchandises vendues de l'exercice 19___3 a été sous-évalué de 2 000 $.

b) Cette sous-évaluation du coût des marchandises en 19___3 a entraîné une surévaluation du bénéfice brut et du bénéfice net de 19___3.

c) Après le report des écritures de clôture, le capital au 31 décembre 19___3 a été surévalué de 2 000 $.

En 19___4

Comme le stock d'ouverture de l'exercice 19___4 correspond au stock de clôture de l'exercice 19___3, le coût des marchandises vendues de l'exercice 19___4 a été surévalué de 2 000 $, ce qui a sous-évalué d'autant le bénéfice brut et le bénéfice net de cet exercice. Toutefois, après le report des écritures de clôture du 31 décembre 19___4, le capital à cette date n'est pas affecté par cette erreur, pas plus que les autres comptes du grand livre général. Il s'agit d'une erreur qui s'est annulée d'elle-même et *aucune écriture de correction n'est nécessaire*.

Par contre, pour connaître le bénéfice brut et le bénéfice net corrigés de ces deux exercices, il faudra les corriger en diminuant ceux de 19___3 de 2 000 $ et en augmentant ceux de 19___4 d'autant.

7) M. Brisebois a enregistré le mobilier de bureau au prix qu'il avait payé au lieu de sa valeur le 28 février 19___4. Il a, de ce fait:
a) surévalué le poste mobilier de bureau de 1 500 $;
b) surévalué le compte « Apports » et, après les écritures de clôture du 31 décembre 19___4, le compte « Capital » de 1 500 $.

En plus, comme il a procédé à la dotation à l'amortissement du mobilier de bureau au taux de 10%, il a surévalué la charge de dotation à l'amortissement du mobilier de bureau de 125 $ en 19___4, comme le montre le calcul suivant:

$$(4\ 000\ \$ - 2\ 500\ \$) \times 10\% \times \frac{10\ \text{mois}}{12\ \text{mois}} = 125\ \$$$

Au grand livre général, on retrouve, à cause de cette charge d'amortissement, une surévaluation du compte « Amortissement cumulé — Mobilier de bureau » de 125 $ et une sous-évaluation du capital de 125 $. Ce dernier compte est donc surévalué d'un montant net de:

Surévaluation attribuable à une surévaluation du mobilier de bureau	1 500 $
Moins: Dotation à l'amortissement sur le mobilier de bureau prise en trop	125 $
Surévaluation du compte « Capital »	1 375 $

L'écriture de correction suivante s'impose donc:

Amortissement cumulé — Mobilier de bureau	125 $	
Capital	1 375 $	
@ Mobilier de bureau		1 500 $

Au tableau 10-9, on doit augmenter le bénéfice net de 125 $ et diminuer le capital de 1 375 $. On n'a pas à corriger le bénéfice brut, car la charge de dotation à l'amortissement du mobilier de bureau est une charge d'exploitation.

Voilà la dernière correction à apporter. Il ne reste plus qu'à compléter le tableau 10-9, en totalisant les différentes colonnes. On y retrouve les bénéfices bruts corrigés, les bénéfices nets corrigés ainsi que le capital corrigé au 31 décembre 19___4.

QUESTIONS

Q10-1 Dans quelles circonstances est-on obligé de passer une écriture de correction d'erreurs?

Q10-2 Donner un exemple d'erreur qui ne pourrait être décelée lors de la rédaction de la balance de vérification.

Q10-3 Peut-on affirmer que la balance de vérification n'est pas un outil efficace de détection des erreurs? Expliquer

Q10-4 Nommer et décrire deux moyens de détection d'erreurs autres que la balance de vérification.

Q10-5 Dans quelle(s) circonstance(s) une entreprise peut-elle affirmer qu'aucune erreur ne s'est produite dans l'enregistrement de ses opérations?

Q10-6 Donner un exemple d'erreur qui n'affecte pas le bénéfice net.

Q10-7 Qu'est-ce qui distingue une écriture de régularisation d'une écriture de correction d'erreurs?

Q10-8 Quelles sont les erreurs susceptibles de se compenser sur une période de deux ans?

Q10-9 Est-il vrai qu'il ne faut jamais corriger une erreur dans l'évaluation du stock de marchandises si l'entreprise utilise la méthode de l'inventaire périodique?

Q10-10 Quelles sont les erreurs dont les effets s'accentuent avec le temps?

Q10-11 Doit-on nécessairement passer une écriture de correction d'erreur si le total du grand livre auxiliaire du compte « Clients » ne concorde pas avec le solde du compte « Clients » au grand livre général?

Q10-12 Quel type d'écriture de correction faut-il porter aux livres lorsqu'une erreur n'affecte que deux comptes de résultats et que les écritures de clôture ont été passées?

Q10-13 Doit-on nécessairement redresser les états financiers des années antérieures si une erreur les a affectés?

Q10-14 À quelle date doit-on inscrire, au journal général, les écritures de correction d'erreurs?

Q10-15 Une erreur affectera-t-elle toujours le contenu des états financiers? Expliquer.

Q10-16 Quel est l'objectif d'une écriture de correction d'erreur?

Q10-17 Comment expliquer que les enregistrements aux livres de la banque soient portés au compte du côté opposé à celui qu'on utilise aux registres de son client?

10-18 Quels avantages tire-t-on de la préparation d'une conciliation bancaire?

10-19 Quelles sont les principales sources d'écarts susceptibles d'expliquer la différence entre le solde à l'état de banque et le solde au compte « Caisse » du grand livre général?

EXERCICES

10-20 Au cours de l'exercice terminé le 31 décembre 19__1, le comptable de Olympic Enr. a commis les erreurs d'enregistrement suivantes:

1) une charge de salaires de 200 $ a été débitée au poste « Publicité »;

2) il a omis d'inscrire un remboursement d'emprunt de banque au montant de 1 000 $;

3) une charge d'entretien du camion au montant de 200 $ payé comptant a été enregistrée comme suit:

Fournisseurs	200 $	
@ Caisse		200 $

● Inscrire les écritures de correction qui s'imposent en présumant que les écritures de clôture du 31 décembre 19__1 ont été inscrites.

10-21 Le 31 décembre 19__5, au moment de la préparation des écritures de régularisation de Morille Enr., on découvre que le 30 avril 19__2, un camion acquis au coût de 15 000 $ a été inscrit au poste « Bâtiment ». La politique de dotation à l'amortissement de Morille Enr. consiste à utiliser la méthode de l'amortissement aux taux suivants:

Bâtiment	5%
Matériel roulant	20%
Mobilier	10%

● Inscrire au 31 décembre 19__5 les écritures de correction qui s'imposent.

10-22 M. Merlin présente un extrait partiel de la balance de vérification de son entreprise au 31 mai 19__3, date de la fin de l'exercice.

	Débit	Crédit
Caisse	12 000 $	
Clients	70 000	
Provision pour créances douteuses		1 100 $
Fournisseurs		35 000
Créances douteuses	2 100	
Capital		120 000

Il indique également qu'il a comptabilisé comme suit la radiation d'un compte « Clients » le 4 janvier 19__3 :

Clients	400 $	
@ Provision pour créances douteuses		400 $

● Établir la charge de créances douteuses de l'exercice terminé le 31 mars 19__3, sachant que la provision pour créances douteuses doit égaler 5% du compte « Clients ».

E10-23 Au cours de l'examen des registres de Bonbel Enr., on découvre que des erreurs ont été commises lors du dénombrement des articles effectué le 31 décembre 19__2 et le 31 décembre 19__3. Le stock de marchandises au 31 décembre 19__2 a été ainsi surévalué de 1 500 $ et celui du 31 décembre 19__3, sous-évalué de 1 000 $.

● Identifier l'effet de ces erreurs sur le bénéfice brut de chacune des années 19__2, 19__3, et 19__4.

E10-24 Le 1er janvier 19__7, date du début de cet exercice, on découvre que le 30 juin 19__4, M. Bazin a donné à son entreprise une automobile d'une valeur de 6 000 $ à répartir de façon linéaire sur une période de 5 ans, sans valeur résiduelle. Aucune inscription comptable n'a été portée aux livres relativement à cette opération.

● 1) Indiquer l'effet de cette erreur sur le solde du compte « Capital » en date :
  - a) du 31 décembre 19__4;
  - b) du 31 décembre 19__5;
  - c) du 31 décembre 19__6.

  2) Inscrire l'écriture propre à corriger les livres en date du 1er janvier 19__7.

E10-25 Voici quatre cas indépendants les uns des autres. On y présente un ensemble de données tirées de conciliations bancaires.

	1	2	3	4
Solde du compte « Caisse » au grand livre général avant conciliation et ajustements	DT 16 200 $	CT 200 $	DT 3 300 $	CT 200 $
Solde redressé du compte « Caisse » au grand livre général	x	CT 8 100 $	x	x
Chèques en circulation	7 300 $	x	x	300 $
Dépôts en circulation	3 500 $	0	7 200 $	900 $
Avis de débit résultant d'une opération non inscrite aux livres de l'entreprise et communiqué avec l'état de banque	1 700 $	x	0	500 $
Solde à l'état de banque	x	CT 900 $	CT 900 $	x

● Déterminer la valeur de x.

PROBLÈMES À RÉSOUDRE

10-26 Le 31 décembre 19__3, Madame Sylvie Boisvert, propriétaire d'une boutique de jouets éducatifs, demande à une amie expert-comptable de procéder à l'examen de ses registres comptables. Cet examen a mis en évidence les faits suivants.

1) Toutes les écritures de régularisation du 31 décembre 19__3 ont été passées, mais les livres n'ont pas fait l'objet d'écritures de clôture.

2) Les taux annuels de dotation à l'amortissement linéaire sont les suivants:

Bâtiment	10%
Mobilier de magasin	20%
Équipement de bureau	15%

3) Au cours de l'exercice 19__3, les erreurs suivantes ont été commises.
   a) Une machine à écrire, acquise au coût de 1 000 $, le 1er juillet 19__3, a été inscrite au compte « Bâtiment ».
   b) On n'a pas tenu compte, au 31 décembre, du fait qu'il y avait des intérêts à recevoir pour un montant de 300 $.
   c) Une erreur d'addition a entraîné une surévaluation de 2 000 $ du stock de marchandises du 31 décembre 19__3.
   d) Le 1er octobre 19__3, un achat de 500 $ de mobilier de magasin a été débité par erreur au compte « Frais de vente ».

● Inscrire au journal général les écritures de correction nécessaires au 31 décembre 19__3.

10-27 M. André Lefort, propriétaire d'un cabinet de consultation en planification familiale, fait actuellement l'objet d'une vérification fiscale. Le 31 décembre 19__4, il fournit donc aux autorités fiscales l'état des variations de la valeur nette pour les deux derniers exercices.

André Lefort
État des variations de la valeur nette
des exercices terminés les 31 décembre 19__3 et 19__4

	19__3	19__4
Capital au 1er janvier	20 000 $	26 000 $
Plus: Bénéfice net	15 000	19 000
Apports	3 000	—
	18 000	19 000
	38 000	45 000
Moins: Prélèvements	12 000	14 000
Capital au 31 décembre	26 000 $	31 000 $

Une représentante du ministère du Revenu, Madame Papin, examine donc cet état ainsi que les registres et les documents relatifs à ces deux exercices. Elle a ainsi mis en évidence les erreurs suivantes.

En 19___3

1) Au 31 décembre 19___3, M. Lefort a omis d'inscrire la dotation à l'amortissement du mobilier de bureau au montant de 500 $.

2) À la même date, les salaires courus à payer étaient surévalués de 900 $.

En 19___4

1) Le 30 juin 19___4, un apport de mobilier de bureau d'une valeur de 1 000 $ n'a pas été inscrit aux livres. D'une durée de vie économique de 10 ans, ce mobilier de bureau a une valeur résiduelle estimative nulle.

2) Au 31 décembre 19___4, on n'a pas tenu compte du fait qu'il y avait 700 $ de loyer constaté d'avance.

3) On a omis d'inscrire 4 000 $ d'honoraires à recevoir au 31 décembre 19___4.

- Dresser l'état corrigé des variations de la valeur nette pour les exercices 19___3 et 19___4.

P10-28 Madame Solange Leclerc possède depuis cinq ans une entreprise de distribution d'appareils photographiques. Bien que cette entreprise lui assure un très bon rendement du capital investi, elle n'ose retirer le salaire dont elle aurait besoin par crainte de freiner l'expansion de son entreprise. Elle offre donc à un cousin de s'associer avec elle aux conditions suivantes:

1) elle céderait 50% de son entreprise;

2) le produit de la vente devra lui être versé personnellement;

3) le prix de vente correspondra à la somme de:
   50% du capital corrigé au 31 décembre 19___5 et
   50% du bénéfice moyen corrigé des cinq dernières années.

L'examen des pièces justificatives et des registres comptables des cinq dernières années révèle les faits suivants.

1) Madame Leclerc a investi au 1er janvier 19___1 25 000 $ pour assurer le lancement de l'entreprise.

2) Selon les derniers états financiers, le capital au 31 décembre 19___5 est de 210 000 $.

3) Les salaires retirés par Madame Leclerc, au cours de cette période ont été:
   en 19___1   de 100 $ par semaine
   19___2   de 125 $ par semaine
   19___3   de 125 $ par semaine
   19___4   de 150 $ par semaine
   19___5   de 200 $ par semaine

4) Au 31 décembre 19___5, le stock de marchandises a été surévalué de 5 000 $.

5) En 19___3, Madame Leclerc a prélevé un appareil photographique dont le coût était de 800 $ et la valeur de vente 1 100 $. Ce prélèvement n'a fait l'objet d'aucune inscription aux livres.

6) Depuis son acquisition le 30 juin 19—2, on a omis d'inscrire la dotation à l'amortissement du camion de livraison. D'une durée de vie économique de 5 ans, ce camion a coûté 10 000 $ et possède une valeur résiduelle de 2 000 $.

- Déterminer le prix de vente qui serait versé à Madame Leclerc pour 50% de son entreprise.

10-29 Au 1er janvier 19—1, le capital de Monsieur Dubois s'élevait à 21 000 $. Depuis, ses opérations ont été fort profitables, comme le montre le tableau suivant:

	19—1	19—2	19—3
Bénéfice net	19 000 $	30 000 $	41 000 $
Apports	4 000	—	—
Prélèvements	10 000 $	15 000 $	25 000 $

Au cours du mois de janvier 19—4, Monsieur Dubois a demandé à un expert-comptable de vérifier ses livres dont les dernières inscriptions avaient été les écritures de clôture au 31 décembre 19—3. Voici donc les résultats de cette vérification.

1) Les salaires courus à payer au 31 décembre 19—1 ont été surévalués de 1 000 $.

2) À la même date, il y a eu une surévaluation de 1 500 $ du stock de marchandises.

3) Le 1er juillet 19—2, un achat de 10 000 $ de mobilier de bureau a été inscrit au compte « Bâtiment ».

4) On n'a pas inscrit, en date du 31 décembre 19—2, les taxes à payer au montant de 800 $.

5) Le stock de marchandises au 31 décembre 19—3 a été surévalué de 2 000 $.

6) On a omis, à la même date, d'augmenter de 1 000 $ la provision pour créances douteuses.

7) En 19—3, une charge de 400 $ de publicité a été débitée au compte « Prélèvements ».

8) Les taux annuels d'amortissement linéaire utilisés par l'entreprise sont:
   Mobilier de bureau   20%
   Bâtiment   8%

- 1) Inscrire les écritures de correction qui s'imposent en janvier 19—4.

  2) Présenter l'état redressé des variations de la valeur nette pour les exercices 19—1, 19—2 et 19—3.

10-30 Les bénéfices bruts des Marchands de la chaussure, Enr. pour les quatre dernières années ont été les suivants:

	19—2	19—3	19—4	19—5
Bénéfices bruts	295 200 $	325 000 $	283 500 $	275 000 $
% des ventes nettes	24%	25%	21%	20%

Le gérant de l'entreprise demande au contrôleur d'enquêter afin de découvrir pour quelles raisons les résultats des années 19—4 et 19—5 sont moins intéressants que ceux des deux années qui précèdent. Au cours de son expertise, le contrôleur découvre ce qui suit:

1) Des escomptes sur achat furent soustraits des achats et des stocks de marchandises:

	19___1	19___2	19___3
Soustraits des achats	8 000 $	10 000 $	22 000 $
Soustraits des stocks à la fin de l'année	1 500	2 400	1 500

Au cours des années 19___4 et 19___5, les escomptes sur achats furent considérés comme « Autres produits » à l'état des résultats.

2) Du matériel roulant acheté en 19___5, au coût de 22 000 $, fut débité au compte « Achats ».

3) En 19___2 et 19___3, la vente de matériel roulant rapporta les sommes de 15 000 $ et 20 000 $, respectivement. Le comptable enregistra alors les écritures suivantes:

19___2	Caisse	15 000 $	
	@ Achats		15 000 $
19___3	Clients	20 000 $	
	@ Achats		20 000 $

4) Deux factures de transport, datées de 19___2 et 19___3 et payées les mêmes années, furent débitées au compte « Frais de livraison ». Elles se chiffraient à 500 $ chacune et concernaient plutôt du fret à l'achat.

5) Des débours de 7 500 $ ont été encourus pour agrandir la salle de montre. Ils ont été débités au compte « Achats » lors de leur paiement en 19___4.

● 1) Rédiger un tableau, sous forme comparative, permettant de découvrir le bénéfice brut corrigé pour les années 19___2, 19___3, 19___4 et 19___5.

2) Calculer le pourcentage corrigé de bénéfice brut pour ces mêmes années.

P10-31 Le 31 décembre 19___4, après avoir inscrit les écritures de régularisation, mais avant d'inscrire les écritures de clôture, M. Dion demande à un ami d'examiner ses registres comptables des quatre derniers exercices. Il lui remet donc ces registres ainsi que les pièces justificatives des inscriptions qui y ont été passées et lui indique que les bénéfices nets des quatre dernières années ont été les suivants:

19___1	30 000 $
19___2	55 000 $
19___3	12 000 $
19___4	48 000 $

L'examen de ces registres a alors mis en évidence les erreurs suivantes.

Erreurs commises en 19___1

1) Le 1er janvier, l'achat au comptant de la propriété dans laquelle se situe le commerce a été inscrit comme suit:

Terrain	150 000 $	
@ Caisse		150 000 $

En réalité, le coût de 150 000 $ aurait dû être réparti comme suit:

Bâtiment	120 000 $
Terrain	30 000
	150 000 $

Au 1er janvier 19__1, le bâtiment avait une durée de vie économique estimée à 20 ans et une valeur résiduelle de 30 000 $.

2) La police d'assurance-incendie est payée le 1er juillet de chaque année pour une période d'un an. Depuis 19__1, ces coûts d'assurance sont les suivants:

Date de paiement	Prime payée
1er juillet 19__1	300 $
1er juillet 19__2	340 $
1er juillet 19__3	390 $
1er juillet 19__4	420 $

Le comptable de l'entreprise n'a jamais jugé bon de passer une écriture de régularisation pour cette charge d'assurances, prétextant que les montants en cause n'étaient pas suffisamment importants.

3) Le stock de marchandises au 31 décembre 19__1 a été surévalué de 5 000 $. Le comptable a découvert cette erreur au cours de l'année suivante et pour ne pas fausser les résultats des années 19__2 et des années ultérieures, il a ajouté 5 000 $ à la valeur réelle des stocks de marchandises au 31 décembre 19__2, 19__3 et 19__4.

Erreurs commises en 19__2

1) Le 30 juin 19__2, le propriétaire a fait don à son entreprise de mobilier de bureau d'une valeur de 4 000 $. On n'a jamais comptabilisé ce don.

2) On n'a pas comptabilisé les taxes courues à payer au 31 décembre 19__2 au montant de 1 000 $.

3) On a comptabilisé au compte « Frais de livraison » un montant de 500 $ représentant du « Fret à l'achat ».

Erreurs commises en 19__3

1) L'achat d'un camion de livraison le 1er juillet 19__3 a donné lieu à l'écriture suivante:

Matériel roulant	10 000 $	
@ Caisse		10 000 $

En réalité, ce débours de 10 000 $ résulte de l'achat d'un camion neuf, au coût de 16 000 $ moins la valeur d'échange accordée pour un vieux camion acheté 11 000 $ le 1er janvier 19__1.

2) On n'a pas comptabilisé au 31 décembre 19__3 la publicité payée d'avance de 3 000 $.

3) Lors de la régularisation relative aux intérêts courus à recevoir, on a sous-évalué ceux-ci de 200 $.

Erreurs commises en 19__4

1) Le 1ᵉʳ juillet 19__4, on a terminé des réparations importantes sur le bâtiment, qui ont eu pour effet d'en augmenter la durée de 10 ans et la valeur de rebut à 54 750 $. Ces réparations qui ont coûté 30 000 $ ont été débitées au compte « Entretien et réparations — Bâtiment ».

2) Une facture de 5 000 $ représentant un achat de marchandises a été enregistrée pour seulement 500 $ au journal des fournisseurs.

- Sachant que l'entreprise utilise la méthode de l'amortissement linéaire au taux de 10% pour le mobilier de bureau et de 20% pour le matériel roulant:

    1) présenter les écritures de correction nécessaires au 31 décembre 19__4;

    2) présenter un tableau qui montre les corrections à apporter au bénéfice net de chaque exercice ainsi qu'au capital tel qu'il apparaît actuellement au grand livre général.

P10-32 Le 23 février 19__6, M. Richard demande de l'aider à fixer le prix d'achat d'une entreprise qu'il se propose d'acheter. Il indique qu'il est prêt à payer le moindre de cinq fois le bénéfice net moyen des trois dernières années (19__3, 19__4 et 19__5) ou 120% du capital au 31 décembre 19__5.

M. Richard croit que cette entreprise constitue un excellent placement car, bien qu'il n'y ait eu aucun apport au cours des années 19__3, 19__4 et 19__5 et que les prélèvements se soient toujours chiffrés à 10% du capital du début de chaque exercice, les états financiers révèlent que le bénéfice net de ces trois années a été de 16 000 $ en 19__3, de 18 000 $ en 19__4 et de 25 000 $ en 19__5. Il a cependant obtenu les renseignements suivants, susceptibles de modifier les résultats montrés par les états financiers. Il demande donc de l'aider à analyser ces renseignements.

Renseignements

1) Les taux annuels de dotation à l'amortissement (méthode de l'amortissement linéaire calculé sur une base mensuelle) qui ont été utilisés par l'entreprise sont:

Bâtiment	À déterminer
Matériel roulant	20%
Mobilier	10%

2) Le capital au 31 décembre 19__2 était de 20 000 $.

3) Le 1ᵉʳ juillet 19__2, un terrain et un bâtiment ont été acquis au prix de 100 000 $. L'écriture suivante a alors été passée:

Bâtiment	100 000 $	
@ Caisse		100 000 $

D'après un expert consulté par M. Richard, 20% du prix d'achat étaient alors relatifs au terrain.

4) L'évaluation des stocks de marchandises au 31 décembre 19__2 comprenait:
   a) des marchandises inscrites aux livres à 2 000 $ alors que leur coût était de 1 000 $;
   b) des fournitures d'une valeur de 500 $.

5) Le 30 juin 19__3, l'entreprise a vendu 5 000 $ un camion qu'elle avait acquis pour 12 000 $ le 1er janvier 19__2. L'écriture suivante a alors été passée:

    Caisse   5 000 $

        @ Camion   5 000 $

6) Le 30 septembre 19__3, l'entreprise a fait l'acquisition de mobilier au coût de 4 000 $. L'écriture suivante a alors été passée:

    Achats   4 000 $

        @ Caisse   4 000 $

7) À la fin de l'année 19__3, des intérêts courus à recevoir au montant de 500 $ n'ont pas été comptabilisés.

8) À la fin de la même année, le comptable de l'entreprise s'est aperçu que du mobilier acquis le 1er janvier 19__2 au coût de 2 000 $ a été inscrit au poste « Matériel roulant ». Il n'a passé aucune écriture, sachant que ce mobilier serait vendu en 19__4.

9) Le 31 mars 19__4, l'entreprise a vendu le mobilier mentionné en 8 au prix de 500 $. L'écriture suivante a alors été passée:

    Caisse   500 $

    Amortissement cumulé —

      Matériel roulant   1 500 $

        @ Matériel roulant   2 000 $

10) Lors du dénombrement des articles effectué le 31 décembre 19__4, des marchandises évaluées à 2 500 $ ont été comptées deux fois. Comme l'erreur a été découverte après la clôture des livres, le comptable a passé l'écriture suivante en janvier 19__5.

    Achats   2 500 $

        @ Stock de marchandises   2 500 $

11) Le 30 juin 19__5, le propriétaire a prélevé, en plus des sommes indiquées précédemment, des marchandises ayant une valeur du marché de 2 000 $ (prix coûtant 1 500 $). Aucune écriture n'a été passée à ce sujet.

12) Le 31 décembre 19__5, on a omis de comptabiliser les salaires courus à payer de 450 $.

13) À la même date, la provision pour créances douteuses a été sous-estimée de 500 $.

14) En janvier 19__6, le propriétaire de l'entreprise a reçu un rapport du comptable de l'entreprise indiquant que, par erreur, il a procédé à la dotation à l'amortissement du bâtiment sur une durée de 20 ans en tenant compte d'une valeur résiduelle de 10 000 $. Il aurait plutôt dû le faire sur une durée de 25 ans avec une valeur de rebut nulle.

- Établir le prix que M. Richard est prêt à payer pour acquérir cette entreprise.

P10-33 Le 31 décembre 19__5, Madame Clémence Lavisière, experte-comptable, doit préparer les états financiers de H. Lemieux, Enr., à partir de la balance de vérification et des renseignements suivants.

H. Lemieux, Enr.
Balance de vérification régularisée
Au 31 décembre 19__5

Caisse et banque	9 900 $	
Clients	72 000	
Stock de marchandises	130 000	
Assurance constatée d'avance	700	
Mobilier de magasin	36 000	
Amortissement cumulé — Mobilier de magasin		15 600 $
Terrain et bâtiment	168 000	
Amortissement cumulé — Bâtiment		42 000
Fournisseurs		63 500
Salaires à payer		1 200
Intérêt à payer sur hypothèque au 1er janvier 19__5		1 500
Effets à payer		20 000
Hypothèque à payer — 12%		75 000
Capital		192 500
Ventes		650 000
Achats	498 000	
Publicité	5 200	
Livraison	2 600	
Salaires de magasin	80 000	
Dotation à l'amortissement — Mobilier de magasin	3 600	
Assurances	1 900	
Taxes	400	
Salaires de bureau	18 000	
Frais généraux d'administration	12 500	
Dotation à l'amortissement — Bâtiment	10 500	
Intérêts	12 000	
	1 061 300 $	1 061 300 $

Renseignements

1) H. Lemieux, Enr. est une entreprise de vente au détail de chaussures acquise par Madame Lavoie le 1er janvier 19__2. Depuis cette date, les bénéfices nets ont été:

en 19__2	20 000 $
en 19__3	17 000 $
en 19__4	12 000 $
en 19__5	à déterminer

2) Les politiques comptables de l'entreprise consistent à attribuer le coût aux stocks de marchandises selon la méthode de l'épuisement successif et de procéder à la dotation à l'amortissement des immobilisations selon la méthode linéaire aux taux annuels suivants:

Bâtiment	6,25%
Mobilier de magasin	10%

En plus de ces renseignements, Madame Lavisière a recueilli les données suivantes relativement à des erreurs commises lors de l'enregistrement des opérations depuis 19__2.

En 19__2

1) Le coût du terrain (18 000 $) a été inscrit au même compte que celui du bâtiment. La dotation à l'amortissement — Bâtiment a été calculée depuis lors à partir de ce montant total.

2) Les salaires courus à payer au 31 décembre 19__2 ont été majorés de 300 $.

3) Des rendus et rabais sur vente de 1 500 $ ont été inscrits au compte « Frais généraux d'administration ».

En 19__3

1) Les stocks de marchandises au 31 décembre 19__3 ont été sous-évalués de 3 000 $.

2) On a inscrit au compte « Mobilier de magasin » un coût de 1 200 $ de nettoyage et de peinture effectués le 30 juin.

3) Au cours de cet exercice, Mme Lavoie a prélevé des chaussures au coût de 500 $ et d'une valeur marchande de 700 $. Aucune inscription n'a été passée aux livres à cet effet.

4) On a omis de comptabiliser des intérêts courus à payer de 400 $ au 31 décembre.

En 19__4

1) Le 31 mars, on a changé du mobilier de magasin pour du mobilier plus moderne au coût de 9 000 $. Le vieux mobilier avait été payé 6 000 $, le 2 janvier 19__2. Le montant net de cette opération (8 500 $) a été débité au compte « Achats ».

2) Les stocks de marchandises au 31 décembre 19__4 ont été surévalués de 1 500 $.

En 19__5

1) Le salaire de Madame Lavoie, de 300 $ par semaine, a été inscrit au compte « Salaires de magasin ».

2) Le compte « Frais généraux d'administration » au 31 décembre 19__5 se détaille comme suit:

	Débit	Crédit	Solde
Frais divers de l'année	1 500		1 500 DT
Produit de la vente, effectuée le 2 janvier, d'un article de mobilier de magasin payé 1 000 $ le 2 janvier 19__2		300	1 200 DT
Perte d'incendie	4 000		5 200 DT
Coût de l'enregistrement de brevets et marques de commerce payé le 31 décembre	7 600		12 800 DT
Produits d'intérêts		300	12 500 DT

3) Le montant de 130 000 $ apparaissant au compte « Stocks de marchandises » au 31 décembre 19__5 correspond au stock du 31 décembre 19__4. Le comptable a négligé de tenir compte du résultat du dénombrement des articles effectué le 31 décembre 19__5, dénombrement qui révèle un stock de marchandises de 121 000 $.

- 1) Présenter sous forme de tableau le bénéfice net corrigé pour les années 19__2, 19__3, 19__4 et 19__5 et le solde du capital au 31 décembre 19__5.

  2) Présenter les écritures de correction qu'il y aurait lieu de porter aux livres le 31 décembre 19__5.

P10-34 Monsieur Damien Leblanc, marchand de gros, sollicite de son banquier une ouverture de crédit de 45 000 $ pour les besoins de son commerce. Le banquier se montre en principe favorable à l'octroi d'un tel crédit, mais il désire au préalable se renseigner sur la tendance des affaires de l'entreprise. À cette fin, il demande à Monsieur Leblanc le bilan et l'état des résultats des quatre dernières années, c'est-à-dire de 19__2 à 19__5 inclusivement. Monsieur Leblanc s'adresse donc à Madame Gravel, experte-comptable, pour la préparation de cet état.

Au cours du travail, qui comporte un examen sommaire des livres et documents comptables relatifs aux quatre exercices financiers en question, elle découvre les faits suivants.

1) Toutes les régularisations courantes ont été passées par le comptable de l'entreprise pour l'année 19__5.

2) À l'aide de la balance de vérification régularisée, elle détermine que le bénéfice net de l'exercice terminé le 31 décembre 19__5 s'établit à 24 000 $ et que le capital au 31 décembre 19__4 s'élève à 50 000 $.

3) Voici le résultat financier des opérations des exercices antérieurs:

19__2	bénéfice net	9 000 $
19__3	bénéfice net	3 000 $
19__4	perte nette	(15 000 $)

4) Les erreurs suivantes ont été commises.

En 19___2

a) Trois machines à écrire et deux pupitres, acquis au coût de 1 000 $ le 1er juillet 19___2, ont été inscrits au compte « Immeubles ».

b) Un apport de 500 $ du propriétaire, M. Leblanc, a été porté au compte « Ventes ».

c) L'examen des feuilles de dénombrement, au 31 décembre 19___2, révèle une erreur d'addition qui a entraîné une surévaluation du stock de marchandises, à cette date, de 2 000 $.

d) On n'a pas tenu compte, au 31 décembre 19___2, qu'il y avait des intérêts courus à recevoir pour un montant de 100 $.

En 19___3

On a omis les régularisations suivantes au 31 décembre 19___3:

Intérêts à recevoir	400 $
Salaires à payer	250

En 19___4

a) Le 1er avril 19___4, M. Leblanc a vendu 5 400 $ un camion acquis le 1er mars 19___2 au coût de 12 000 $. En règlement, l'acquéreur du camion a versé 3 000 $ en argent et souscrit un billet à demande pour la différence. Cette opération a donné lieu à l'écriture suivante:

Caisse	3 000 $	
Clients	2 400 $	
@ Ventes		5 400 $

En décembre 19___4, le propriétaire, Damien Leblanc, a touché personnellement la somme de 1 200 $ représentant un acompte sur ce billet et a acquitté des frais médicaux. N'ayant pas été mis au courant de ces faits, le comptable n'a rien inscrit aux livres. M. Leblanc précise qu'il lui reste encore à percevoir 1 200 $ au 31 décembre 19___5.

b) Le compte « Rendus et rabais sur achats » comprend un montant de 200 $ représentant des escomptes sur achats.

En 19___5

a) Du fret à la vente s'élevant à 275 $ a été comptabilisé dans le compte « Fret à l'achat ».

b) Le sommaire des feuilles de dénombrement au 31 décembre 19___5 se détaille comme suit:

Articles	Coût	Coût de remplacement
A	6 000 $	6 400 $
B	9 200	9 000
C	5 700	6 100
D	3 400	3 300
Divers	1 300	1 200
	25 600 $	26 000 $

C'est le montant de 25 600 $ qui apparaît dans la balance de vérification régularisée au 31 décembre 19___5.

5) Les taux annuels d'amortissement linéaire utilisés sont les suivants:

Immeuble	10%
Matériel et outillage	15%
Mobilier et agencement	20%
Camions	30%

- 1) Présenter sous forme de tableau les bénéfices nets corrigés pour les quatre années et le solde corrigé du capital après clôture au 31 décembre 19__5.

  2) Présenter les écritures de correction qu'il y aura lieu d'enregistrer aux livres de l'entreprise au 31 décembre 19__5.

P10-35 À son retour des fêtes, en janvier 19__6, M. Jules, contrôleur de la société Complexe Ltée, s'attaque résolument à la préparation des états financiers de l'exercice terminé le 31 décembre 19__5. À ce jour, ni les reports des grands livres auxiliaires pour le mois de décembre 19__5 ni les régularisations ou les corrections d'erreurs n'ont été portés aux registres de l'entreprise.

M. Jules, qui vient tout juste de recevoir l'état de banque de décembre 19__5, décide d'entreprendre son travail en commençant par la conciliation bancaire. Pour ce faire, il a rassemblé les informations suivantes.

a) Complexe utilise régulièrement deux comptes de banque. Le premier d'entre eux, le compte général, est réservé aux opérations courantes de l'entreprise, alors que le second est exclusivement dévolu au paiement des salaires du personnel de l'entreprise.

Au grand livre, le compte « Banque » général affiche un solde créditeur de 1 419,11 $ alors que le solde du compte « Salaires », lui, est nul.

b) Le journal des recettes totalise au débit du compte caisse 18 319,42 $, alors que le journal des débours laisse voir au crédit du même compte un total de 19 407,21 $.

c) Des 19 407,21 $ crédités au journal des débours, 5 641,12 $ sont le résultat d'un transfert au compte « Salaires » sur lequel on a tiré, en décembre 19__5, 5 641,12 $ de chèques de salaires.

d) Un chèque reçu d'un client régulier a été retourné par la banque avec la mention « Provision insuffisante ». Ce chèque avait été rédigé pour une somme de 914,11 $ et la banque impose à Complexe une pénalité de 4,00 $ pour avoir déposé un chèque sans provision suffisante. Complexe n'a été avisé de l'ensemble de cette opération que grâce aux documents joints avec l'état de banque de décembre 19__5.

e) Après pointage au journal des débours des chèques retournés par la banque, les chèques suivants ont été identifiés comme en circulation au 31 décembre 19__5.

Compte général		Compte salaires	
N° du chèque	Montant	N° du chèque	Montant
G-36	431,08 $	S-180	37,20 $
G-29	809,01 $	S-41	363,63 $
G-48	31,49 $	S-36	448,44 $
G-117	131,12 $		
G-321	603,09 $		

f) Un dépôt de 1 839,11 $ porté au compte général de l'entreprise est encore en circulation au 31 décembre 19__5.

g) Parmi les pièces remises avec l'état du compte général de l'entreprise, on découvre un chèque de 379,98 $ signé par la Société Com-Plex Ltée. La banque a débité le compte général de Complexe Ltée de cette somme.

h) Parmi les pièces remises avec l'état du compte salaires de l'entreprise, on découvre le chèque G-117 que la banque a tiré sur ce compte.

i) En inscrivant au journal des débours le chèque G-33 destiné à un fournisseur de Complexe, le comptable a porté 210,50 $ plutôt que les 120,50 $ qui apparaissent sur le chèque retourné par la banque.

j) L'état de compte général remis par la banque affiche un solde débiteur de 3 548,31 $, alors que celui du compte salaires affiche un solde créditeur de 718,15 $.

• Préparer l'état des conciliations bancaires nécessaires à la validation des soldes apparaissant au grand livre général tant au compte « Caisse » général qu'au compte « Salaires ». Si des redressements doivent être apportés à ces soldes, proposer les écritures nécessaires à leur réalisation.

11 | L'entreprise industrielle

11.1 LA FABRICATION, UNE NOUVELLE ACTIVITÉ DONT IL FAUDRA RENDRE COMPTE

Jusqu'à présent, dans cet ouvrage, nous avons présenté le modèle comptable et démontré son utilité en l'appliquant à l'entreprise de la forme économique la plus simple, soit l'entreprise de services. Nous avons également tenté, en reconnaissant l'importance de l'entreprise commerciale pour l'économie canadienne, de dégager les principales caractéristiques de ce secteur d'activité afin d'en comprendre les besoins d'informations précis. C'est dans cet esprit que le modèle comptable jusque-là utilisé a été élargi, afin qu'il puisse rendre compte des activités d'achat et d'entreposage qui caractérisent cette forme d'entreprise, du point de vue économique. Pour rendre compte des résultats tirés des activités d'achats, le coût des marchandises vendues fit son apparition; de même, le poste « Stock de marchandises » allait rendre compte de l'entreposage. Nous avons terminé l'étude du cycle comptable en situant nos exemples dans l'entreprise commerciale.

Toutefois, puisque l'entreprise qui fait commerce de ses biens peut tout autant fabriquer les biens qu'elle revend que les acheter d'un fournisseur qui les aura fabriqués, il devient nécessaire de s'interroger sur ce qui différenciera le modèle comptable adapté aux besoins d'information propres à l'entreprise qui fabrique et les autres modèles développés jusqu'à maintenant.

Du point de vue économique, c'est donc par la substitution de l'activité de fabrication à l'activité d'achat que se caractérise l'entreprise industrielle et, puisque c'est à l'état des résultats qu'on rend compte des activités d'achats menées par l'entreprise commerciale, c'est à l'état des résultats qu'apparaîtra d'abord la première conséquence de l'application du modèle comptable à l'entreprise industrielle. En effet, du point de vue économique, la substitution de l'activité de fabrication à l'activité d'achat engendrera, du point de vue comptable, la substitution du poste « Coût de fabrication » au poste « Achats ».

Le tableau 11-1 illustre et résume les conséquences comptables des différentes activités économiques menées par chacune des trois principales formes économiques d'entreprise.

Contrairement à l'activité d'achat, qui se limite à toutes fins utiles à la recherche du fournisseur qui propose le meilleur prix, l'activité de fabrication suppose toute une série d'opérations dont le degré de complexité variera selon le type de produits fabriqués. Néanmoins, en observant le comportement de plusieurs entreprises de fabrication, on en arrive à identifier un certain nombre d'activités types. En voici des exemples.

1) L'acquisition des matières utilisées dans le processus de fabrication: pour l'entreprise du secteur primaire, ces matières proviendront de l'extraction de ressources naturelles, alors que pour l'entreprise du secteur secondaire (entreprise de transformation), ces matières premières seront acquises d'une autre entreprise en conséquence d'une activité d'achat analogue à l'activité d'achat de l'entreprise commerciale.

2) L'utilisation de main-d'œuvre qui travaillera à la transformation de ces matières premières.

3) L'utilisation par la main-d'œuvre d'équipements et de bâtiments, souvent spécialisés, qui faciliteront le travail de transformation.

Toutes ces activités nécessaires à la fabrication d'un produit sont à l'origine de coûts importants qu'on aurait beaucoup de difficulté à contrôler si on n'en connaissait pas le détail. Or le modèle proposant la substitution du « Coût de fabrication » au compte « Achats » de l'état des résultats ne nous renseigne, par le compte « Coût de fabrication », que sur le total de ces coûts.

Pour l'industriel désireux de comprendre ces coûts, de les minimiser et de les prévoir, cette information est insuffisante. Aussi, dans le contexte de l'entreprise de fabrication, nous devrons élargir le modèle élaboré jusqu'ici, en vue de renseigner l'utilisateur à la fois sur le coût total de fabrication et sur le détail de la composition de ce coût.

TABLEAU 11-1

Entreprise de services

Activités économiques	Conséquences comptables
	État des résultats
	Produits
Rendre un service basé sur la spécialisation du personnel ou de l'équipement	Services XX Honoraires XX
	Bénéfice brut XX
	Charges
Activité de vente	Frais de vente XX
Activité d'administration	Frais d'administration XX
	Total des charges XX
	Bénéfice net XX

Entreprise commerciale

Activités économiques	Conséquences comptables
	État des résultats
	Produits
Vendre un produit physiquement identifiable	Vente XX
Acheter et entreposer ce produit	Moins: C.M.V. Stock début XX Plus: Achats XX Fret à l'achat XX Moins: Stock fin XX Rendus et rabais/achat XX → XX
	Bénéfice brut XX
	Charges
Activité de vente	Frais de vente XX
Activité d'administration	Frais d'administration XX
	Total des charges XX
	Bénéfice net XX

Entreprise industrielle

Activités économiques	Conséquences comptables
	État des résultats
	Produits
Vente d'un produit physiquement identifiable	Vente XX
Fabrication et entreposage de ce produit	Moins: C.M.V. Stock début XX Plus: Coût de fabrication XX Moins: Stock fin XX → XX
	Bénéfice brut XX
	Charges
Activité de vente	Frais de vente XX
Activité d'administration	Frais d'administration XX
	Total des charges XX
	Bénéfice net XX

11.2   LES COMPOSANTES DU COÛT DE FABRICATION

Pour renseigner sur le coût de fabrication, le comptable doit d'abord connaître les composantes de ce coût de fabrication. On ne pourra les identifier qu'après un examen sérieux du processus de fabrication propre à l'entreprise qu'on doit informer. En règle générale, voici comment peuvent se résumer les grandes catégories de coûts qui seront identifiées à la suite de cet examen du processus.

Le coût des matières premières utilisées

Le **coût des matières premières utilisées** est *le coût de tout élément qui entre dans la composition du produit à l'état fini.* Ainsi, le coût des matières premières utilisées dans la fabrication d'une chaise de bois correspondra au total des coûts du bois, de la colle, des clous et des vis, du vernis ou de la peinture utilisée.

Puisque l'activité d'achat des matières premières est analogue à l'activité d'achat de produits finis de l'entreprise commerciale, on procédera à l'évaluation du coût des matières premières utilisées de la même façon qu'on procédait à l'évaluation du coût des marchandises vendues:

1) en y ajoutant d'abord le coût des matières premières en main au début de l'exercice;

2) en y ajoutant ensuite le coût des matières premières acquises au cours de l'exercice, déduction faite toutefois des rendus et rabais et des escomptes sur achats dont on a bénéficié;

3) en totalisant les deux opérations précédentes, on obtient le coût des matières premières qui étaient disponibles à la fabrication pendant la période. On devra donc, pour établir le montant utilisé, déduire du total précédent les stocks de matières premières non encore utilisés à la fin de la période.

Le tableau 11-2 résume ce processus d'évaluation des matières premières utilisées.

TABLEAU 11-2

Calcul du coût
des matières premières utilisées

Stock de matières premières au début de l'exercice		XX
Plus: Achats de matières premières	XX	
Fret à l'achat de matières premières	XX	XX
Moins: Rendus et rabais sur achats de matières premières	XX	
Escomptes sur achats de matières premières	XX	XX
Total des matières premières disponibles à la fabrication		XX
Moins: Stock de matières premières à la fin de l'exercice		XX
Coût des matières premières utilisées		XX

Le coût de la main-d'œuvre

Dans le cadre de l'entreprise industrielle, le terme **main-d'œuvre** est utilisé pour désigner *tout employé utile à la fabrication du produit*. C'est pourquoi on associera à ce terme le cadre supérieur responsable de l'ensemble de la production de l'entreprise, la direction de l'usine et les ingénieurs travaillant à la conception et à l'amélioration des produits, tout comme les contremaîtres, les manœuvres ou encore les responsables de l'entretien de l'usine et de l'équipement.

De toutes les catégories d'employés que nous venons de présenter, une seule travaille directement à la transformation du produit. En effet, il n'y a que l'activité de manœuvre qui ait une influence directe sur les matières premières à transformer en vue d'obtenir le produit fini. Pour cette raison, c'est le manœuvre qui sera le premier affecté par une variation du niveau de production. Un accroissement de la fabrication, même modéré, entraînera presque automatiquement l'embauchage de manœuvres additionnels alors qu'à l'inverse une réduction de l'activité entraînera des licenciements.

Parce que le groupe des manœuvres est le seul à transformer le produit, parce qu'il est le premier à subir les conséquences d'une variation du niveau d'activité de l'entreprise et parce qu'il représente habituellement le groupe de beaucoup le plus important de l'usine, on le qualifiera différemment des autres groupes de main-d'œuvre en l'identifiant par l'expression *main-d'œuvre directe*. Tous les autres groupes appartiendront à ce qu'on appellera *main-d'œuvre indirecte*.

Le coût de la main-d'œuvre directe

Le **coût de la main-d'œuvre directe** correspondra aux *salaires, aux charges sociales et avantages sociaux accordés aux employés directement affectés à la transformation du produit.*

Le *salaire:* dans le cas de la main-d'œuvre directe, il pourra être compté à la pièce, à l'heure, à la semaine ou au mois.

Les *avantages sociaux* et les *charges sociales:* ils se composent des participations de l'employeur, pour son employé, aux différents régimes gouvernementaux d'assurance-chômage, d'assurance-maladie, de Commission de la santé et de la sécurité au travail, de Commission du salaire minimum et des contributions qu'il verse, au bénéfice de son employé, dans différents régimes d'épargne, d'assurance et de participation aux bénéfices. On pourra également compter sous cette rubrique la période de vacances qui fait l'objet d'une rémunération.

Le coût de la main-d'œuvre indirecte

Le **coût de la main-d'œuvre indirecte** correspondra à son tour aux *salaires, charges sociales et avantages sociaux accordés aux employés nécessaires à la fabrication, mais dont les activités ne les conduisent pas à intervenir directement sur le produit.* Ces coûts peuvent être reliés à la direction et aux cadres de l'usine, aux ingénieurs, aux contremaîtres et aux employés responsables de l'entretien de l'usine et de l'équipement.

À cause de l'absence de relations étroites entre la main-d'œuvre indirecte et le niveau d'activité de l'usine et à cause de l'importance relativement faible des sommes affectées à la main-d'œuvre indirecte, il est préférable d'associer le coût de ce genre de main-d'œuvre aux frais généraux de fabrication. Ainsi, ce coût sera généralement considéré comme la première des composantes du coût des frais généraux de fabrication.

Le coût des frais généraux de fabrication

Le **coût des frais généraux de fabrication** correspond au *coût de toutes les charges, autres que les matières premières et la main-d'œuvre directe, que l'on doit nécessairement encourir en vue de fabriquer le produit.* Voici les charges qu'on retrouve généralement.

1) Le *coût de la main-d'œuvre indirecte*, que nous avons précédemment défini.

2) Le *coût des fournitures et approvisionnements d'usine*. Il s'agit de produits qui, sans entrer directement dans la composition du produit fini, concourent indirectement à la fabrication de celui-ci. Pensons à certains petits outils comme les pinceaux qui serviraient dans un atelier d'ébénisterie à l'application du vernis ou encore les chiffons utilisés pour l'application des cires et le polissage, le papier de verre pour le sablage ou toute autre matière d'utilité analogue.

3) Les *coûts engendrés par l'utilisation des équipements, de la machinerie et de l'outillage nécessaires à la fabrication*. Parmi ces coûts, les plus significatifs sont la dotation à l'amortissement de ces équipements, machines et outils, de même que les frais reliés à l'entretien (huiles, graisses et lubrifiants de toutes sortes) et aux réparations, ainsi que les coûts de l'énergie utilisée pour les faire fonctionner. On songe ici à l'électricité, au gaz et aux carburants divers. On aura soin d'ajouter à ces coûts les frais d'assurance de tout ce matériel.

4) Les *coûts reliés à l'utilisation des bâtiments nécessaires à la fabrication*. En font partie les loyers, la dotation aux amortissements, les coûts d'entretien et de réparation, les impôts fonciers applicables à ces bâtiments, les assurances, le chauffage et l'éclairage.

Nous venons donc d'étudier toutes les composantes du coût de fabrication. Ainsi, nous pourrons rendre compte, à l'aide de notre modèle comptable, des activités de fabrication. L'accumulation des données nécessaires à la réalisation de cet objectif se fera par les comptes. Nous y parviendrons en ajoutant au plan comptable élaboré jusqu'ici de nouveaux comptes de résultats et de nouveaux comptes de valeurs.

11.3 OUVERTURE DES COMPTES PROPRES À LA FABRICATION

Les comptes de résultats

Pour rendre compte du résultat des activités de fabrication touchant les matières premières, on ouvrira généralement les comptes de résultats suivants:

« Achats de matières premières »;
« Fret à l'achat de matières premières »;
« Rendus et rabais sur achats de matières premières »;
« Escomptes sur achats de matières premières ».

Pour rendre compte de l'utilisation de la main-d'œuvre directe, on créera au grand livre général le compte « Main-d'œuvre directe ».

Pour rendre compte des frais généraux de fabrication encourus, on ouvrira les comptes suivants au grand livre général.

1) Pour la main-d'œuvre indirecte, le compte « Main-d'œuvre indirecte ».

2) Pour les fournitures et approvisionnements d'usine, le compte « Fournitures et approvisionnements d'usine ».

3) Pour l'utilisation des équipements, de l'outillage et de la machinerie, les comptes:
« Dotation à l'amortissement — Équipements, machinerie et outillage »;
« Entretien — Équipements, machinerie et outillage »;
« Réparations — Équipements, machinerie et outillage »;
« Électricité et force motrice »;
« Assurance — Équipements, machinerie et outillage ».

4) Pour l'utilisation des bâtiments, les comptes:
« Loyer — Usine »;
« Dotation à l'amortissement — Usine »;
« Entretien et réparations — Usine »;
« Électricité, éclairage et chauffage »;
« Assurances — Usine »;
« Taxes — Usine ».

Les comptes de valeurs

Pour rendre compte des éléments d'actif utilisés spécifiquement pour la fabrication, on créera au grand livre général les comptes de valeurs suivants:
« Stock de matières premières »;
« Stock de produits en cours » (pour présenter au bilan la valeur des produits non terminés à la fin d'une période);
« Stock de produits finis »;
« Stock de fournitures et approvisionnements d'usine »;
« Équipements, machinerie et outillage »;
« Amortissement cumulé — Équipement, machinerie et outillage »;
« Terrain — Usine »;
« Bâtiments — Usine »;
« Amortissement cumulé — Bâtiments — Usine ».

On doit comprendre que ces listes de nouveaux comptes de résultats et de nouveaux comptes de valeurs propres à renseigner sur l'activité de fabrication ne prétendent nullement constituer une liste exhaustive de tous les comptes potentiellement utiles à une telle fonction. Elles correspondent plutôt au résumé des principales catégories généralement créées pour satisfaire à cet objectif.

11.4 L'ENREGISTREMENT DES OPÉRATIONS PROPRES À LA FABRICATION

Au cours de l'exercice

Au cours de l'exercice, c'est grâce aux journaux auxiliaires que nous procéderons à l'enregistrement des données propres à la fabrication. Puisque l'entreprise industrielle connaît elle aussi une activité commerciale, elle utilisera des journaux auxiliaires semblables à ceux de l'entreprise commerciale. Ces journaux seront cependant élargis pour permettre l'enregistrement des opérations affectant les nouveaux comptes de résultats et les nouveaux comptes de valeurs.

Les opérations reliées aux matières premières

On inscrira l'achat de matières premières au journal des achats de l'entreprise industrielle en débitant les colonnes « Achat de matières premières » et « Fret à l'achat de matières premières » et en créditant la colonne « Fournisseurs ». Le journal des achats de l'entreprise industrielle, pour permettre l'enregistrement des achats de matières premières, devra donc se présenter comme au tableau 11-3.

TABLEAU 11-3

Entreprise industrielle
Journal des achats

Divers achats

Date	Référence	CT Fournisseurs	DT Achats de matières premières	DT Fret à l'achat de matières premières			
		XX	XX	XX			

Présentée sous forme d'écriture de journal, l'opération d'achat de matières premières se lirait comme suit:

Achat de matières premières	XX	
Fret à l'achat de matières premières	XX	
@ Fournisseurs		XX

S'il y a retour de matières premières au fournisseur, on pourra enregistrer l'opération au journal des recettes si elle donne lieu à un encaissement ou encore au journal des achats, si l'opération se solde par une réduction du compte « Fournisseurs ». Sous forme d'écriture de journal, l'opération se lirait comme suit:

Banque	XX	
ou		
Fournisseurs	XX	
@ Rendus et rabais sur achat de matières premières		XX

Lorsque le moment sera venu de régler les factures de fournisseurs, l'opération sera enregistrée au journal des débours par l'écriture:

Fournisseurs	XX	
@ Banque		XX
Escompte sur achat de matières premières		XX

On remarquera que l'enregistrement des opérations touchant les matières premières a été effectué en appliquant les principes de la méthode de l'inventaire périodique. Dans l'entreprise industrielle, les problèmes techniques que pose l'emploi de la méthode de l'inventaire permanent sont tels qu'ils ne peuvent s'étudier qu'à un stade avancé de la formation comptable, notamment dans le cadre d'un cours de comptabilité industrielle. Aussi, pour la suite de notre exposé sur l'entreprise industrielle, nous nous limiterons à l'utilisation de la méthode de l'inventaire périodique.

Les opérations touchant la main-d'œuvre

Les salaires des employés de l'entreprise continueront à être enregistrés au journal des salaires. Cependant, grâce aux colonnes qu'on y retrouvera, ce journal permettra de distinguer les salaires versés aux employés du secteur administratif de ceux des employés affectés à la fabrication. De plus, pour les salaires des employés affectés à la fabrication, le journal devra permettre la distinction entre les salaires versés à la main-d'œuvre directe et les salaires versés à la main-d'œuvre indirecte. Ainsi, dans l'entreprise industrielle, le journal des salaires pourra se présenter comme au tableau 11-4, et chaque période de paie donnerait lieu à l'enregistrement suivant, au journal des salaires:

Main-d'œuvre directe	XX	
Main-d'œuvre indirecte	XX	
Salaires de l'administration	XX	
@ Retenues salariales à payer		XX
Salaires nets à payer		XX

TABLEAU 11-4

Entreprise industrielle
Journal des salaires

Main-d'œuvre directe	Main-d'œuvre indirecte	Salaires administratifs	Retenues salariales à payer						Salaires nets à payer

Les opérations touchant les frais généraux de fabrication

L'insertion des frais généraux de fabrication dans notre modèle nécessitera la modification de plusieurs registres. Nous venons tout juste de voir que le journal des salaires doit être élargi pour faire place au compte « Main-d'œuvre indirecte ». Le journal des achats devra à son tour être élargi pour faire place à certaines charges de fabrication qui ne sont habituellement réglées qu'après facturation. Pensons plus particulièrement aux fournitures d'usine, à l'entretien et aux réparations, à l'assurance, etc. Si la fréquence des opérations affectant ces postes le justifie, de nouvelles colonnes seront créées au journal des achats, autrement, les frais de fabrication en question seront débités à la colonne « Divers » de ce registre. Le journal des débours sera lui aussi élargi pour faire place aux comptes de frais généraux de fabrication dont le règlement se fait habituellement comptant.

Ainsi, si on suppose qu'un petit atelier d'ébénisterie a encouru, au cours de son dernier mois d'exploitation, les charges de fabrication suivantes:

Électricité et chauffage — Usine	500 $
Achat de fournitures	650
Entretien et réparations — Usine	800
Loyer — Usine	1 000
Entretien et réparations — Équipement	1 400

dont seul le loyer fut payé comptant, le teneur de livres aurait dû:

1) sur réception des factures, inscrire au journal des achats les enregistrements suivants, qu'on peut résumer sous forme d'écriture de journal par:

Électricité et chauffage — Usine	500 $	
Achats de fournitures	650	
Entretien et réparations — Usine	800	
Entretien et réparations — Équipement	1 400	
@ Fournisseurs		3 350 $

2) lors du paiement du loyer, inscrire l'écriture suivante au journal des débours:

Loyer — Usine	1 000 $	
@ Caisse		1 000 $

Chaque période d'enregistrement, au cours de l'exercice, se terminera comme d'habitude par le report des données accumulées dans les journaux auxiliaires au grand livre général.

EXEMPLE D'APPLICATION

Enregistrement des opérations de l'entreprise industrielle en cours de période

L'entreprise de M. Lachaise, Le Père Lachaise Enr., est une petite entreprise qui se consacre depuis plusieurs années déjà à la fabrication d'un seul modèle de chaises de style québécois du XVIIIe siècle. L'exercice financier de cette entreprise se situe entre le 1er janvier et le 31 décembre de chaque année. Au cours des 11 premiers mois de son exercice 19__1, M. Lachaise a consigné dans les registres de son entreprise des résultats d'exploitation qui lui ont permis de dresser la balance de vérification non régularisée, au 30 novembre 19__1 (voir le tableau 11-5).

TABLEAU 11-5

Le Père Lachaise Enr.
Balance de vérification
au 30 novembre 19__1

	Débit	Crédit
Caisse	100 $	
Clients	30 000	
Provision pour mauvaises créances		1 000 $
Stocks de matières premières	10 000	
Stocks de produits en cours	15 000	
Stocks de produits finis	3 000	
Terrain et immeuble	140 000	
Amortissement cumulé — Immeuble		80 000
Mobilier de bureau	1 500	
Amortissement cumulé — Mobilier de bureau		1 000
Matériel et outillage	88 000	
Amortissement cumulé — Matériel et outillage		20 000
Emprunt de banque		14 000
Fournisseurs		11 000
Capital		115 100

Ventes		500 000
Achats de matières premières	150 000	
Fret à l'achat de matières premières	7 500	
Rendus et rabais sur achat de matières premières		2 500
Main-d'œuvre directe	110 000	
Main-d'œuvre indirecte	44 000	
Entretien et réparations — Matériel et outillage	8 500	
Fournitures d'usine	2 000	
Électricité — Usine	6 400	
Taxes — Usine	3 200	
Divers frais de fabrication	2 500	
Salaires des vendeurs	60 000	
Publicité	10 000	
Salaires de l'administration	50 000	
Taxes — Bureaux de l'administration	800	
Papeterie	500	
Électricité — Bureaux de l'administration	1 600	
	744 600 $	744 600 $

On remarquera que cette balance de vérification, en plus de présenter les comptes de résultats de l'activité commerciale de l'entreprise, présente ceux de son activité de fabrication. Voilà l'aboutissement logique de l'élargissement du modèle comptable à l'entreprise industrielle, auquel on parvient par la création de nouveaux comptes, au grand livre général, et par la création de la catégorie qui correspond à ces comptes, dans les journaux auxiliaires.

Poursuivons cet exemple par l'examen des opérations menées par Le Père Lachaise Enr. au cours du mois de décembre 19___1. Nous nous attarderons plus particulièrement aux procédés d'enregistrement que le comptable de cette entreprise utilise pour consigner ces transactions.

1) Le Père Lachaise a rempli trois commandes, au cours de ce mois:
   a) la première, de 200 chaises facturées à 100 $ chacune, a été livrée à Bo-Meubles Enr. le 10 décembre. La facture fut rédigée le même jour (facture n° 1201);
   b) la seconde, de 50 chaises à 110 $ chacune, a été livrée et facturée le 19 décembre à Joli-Meubles Enr. (facture n° 1202);
   c) la troisième, de 120 chaises à 90 $, a été livrée et facturée le 27 décembre à Bon-Meubles Enr. (facture n° 1203).

L'enregistrement de ces opérations de vente apparaît au journal des ventes de Le Père Lachaise Enr. (voir le tableau 11-6).

TABLEAU 11-6

Le Père Lachaise Enr.
Journal des ventes

Date	Nom du client	N° de facture	Clients DT	Ventes CT	Divers CT
19__1					
10-12	Bo-Meubles	1201	20 000 $	20 000 $	
19-12	Joli-Meubles	1202	5 500	5 500	
27-12	Bon-Meubles	1203	10 800	10 800	
			36 300 $	36 300 $	
			(102)	(401)	

2) Au cours du mois de décembre 19__1, Le Père Lachaise a encaissé les sommes suivantes:
   a) le 2 décembre, Déco-Meubles, qui devait au 30 novembre 15 000 $ à Le Père Lachaise Enr., a complètement payé son dû;
   b) le 10 décembre, pour combler un manque temporaire de liquidités, la banque consent une augmentation de son prêt de 15 000 $;
   c) le 31 décembre, Bon-Meubles Enr. régla son achat du 27 du même mois, bénéficiant ainsi d'un escompte de caisse de 800 $.

   Ces opérations sont consignées au journal des recettes de Le Père Lachaise Enr. (voir le tableau 11-7).

3) Pour satisfaire aux besoins de l'entreprise, plusieurs achats durent être effectués. Tous les achats de l'entreprise Le Père Lachaise Enr. se font à crédit:
   a) le 8 décembre, on acheta de Bo-Bois Enr. pour 4 000 $ de bois d'érable; on prit immédiatement livraison de ces matériaux;
   b) le 10 décembre, on acheta de Ba-Biche Enr. le matériel nécessaire à la confection du siège des chaises; la facture s'élevait à 1 100 $;
   c) le même jour, on acheta également de Quin-Cailler Enr. pour 300 $ de fournitures diverses devant servir à la fabrication et à l'entretien des ateliers;
   d) le 15 décembre, on reçut la facture couvrant le loyer de l'année pour la machine à photocopier utilisée par les services administratifs; cette facture s'élevait à 1 300 $;
   e) le 31 décembre, on reçut la facture d'électricité pour le mois (1 000 $). Selon les relevés des compteurs, 800 $ étaient applicables à la consommation de l'usine et 200 $ à la consommation de services administratifs.

   Le journal des achats reproduit ces transactions du mois de décembre (voir le tableau 11-8).

TABLEAU 11-7

Le Père Lachaise Enr.
Journal des recettes

Date	Nom du payeur	DT Banque	DT Esc./ Ventes	CT Clients	CT Divers — Nom du compte	CT Divers — Montant
19__1						
02-12	Déco-Meubles	15 000 $		15 000 $	Emprunt de banque	15 000 $
10-12	Emprunt de banque	15 000				
29-12	Bon-Meubles	10 000	800 $	10 800		
		40 000 $	800 $	25 800 $		15 000 $
		(101)	(402)	(102)		(201)

Comme on peut le constater en examinant cette dernière partie de notre exemple, c'est le journal des achats, par la création de plusieurs nouvelles colonnes propres à enregistrer les opérations de fabrication, qui sera le plus affecté par l'élargissement du modèle. En effet, la majeure partie des opérations affectant les nouveaux comptes du grand livre général y seront d'abord consignées.

4) Le Père Lachaise Enr. paie ses employés mensuellement le dernier jour de chaque mois, pour le mois qui vient de se terminer. Au cours du mois de décembre 19__1, cette entreprise employait 7 ouvriers affectés directement à la production; chacun d'eux avait droit à un salaire horaire de 7,50 $. À l'exception de l'ouvrier 1 qui n'a travaillé que 100 heures au cours du mois et de l'ouvrier 7 qui en a travaillé 235,5, tous les ouvriers ont travaillé 200 heures au cours de ce mois. L'entreprise comptait également

Le Père Lachaise Enr.
Journal des achats

TABLEAU 11-8

					Fabrication			Vente		Administration			
Date	Nom du fournisseur	Fournisseurs CT	Achats de matières premières DT	Fret à l'achat de M.P. DT	Fournitures d'usine DT	Électricité — Usine DT	Divers comptes de fabrication DT	Publicité DT	Frais de vente divers	Électricité DT	Papeterie DT	Photocopie DT	Divers comptes d'administration DT
19—1													
08-12	Bo-Bois	4 000 $	4 000 $										
10-12	Ba-Biche	1 100	1 100										
10-12	Quin-Cailler	300			300 $								
15-12	Photocopie	1 300										1 300 $	
31-12	Hydro-Québec	1 000				800 $				200 $			
		7 700 $	5 100 $		300 $	800 $				200 $		1 300 $	
		(202)	(501)		(507)	(508)				(704)		(705)	

à son service un contremaître et un chef d'atelier recevant chacun 2 000 $ par mois. De plus, au cours de ce mois, le travail d'administration a été assuré par un comptable qui recevait 2 500 $ par mois, ainsi que par une secrétaire qui recevait 1 500 $ par mois. Chacun des deux vendeurs de Le Père Lachaise Enr. gagnèrent 2 000 $ de commission pour le mois de décembre 19__1. Pour tous les employés, les retenues salariales atteignent 20% du salaire brut.

Au journal des salaires, l'enregistrement de la paie au 31 décembre 19__1 fournit les résultats présentés au tableau 11-9.

On constate dans le tableau 11-9 que l'élargissement du modèle comptable à l'entreprise industrielle a conduit à la création, au journal des salaires, des catégories « Main-d'œuvre directe » et « Main-d'œuvre indirecte », afin que le teneur de livres puisse, à partir des fiches de paie, faire la distinction entre les charges de fabrication et les charges administratives. On retrouvera le débours consécutif au salaire en examinant les opérations consignées au journal des débours.

5) Au cours du mois de décembre 19__1, Le Père Lachaise décaissa les sommes suivantes:

a) 8 000 $, le 2 décembre, en règlement à Bo-Bois Enr. d'une facture du 15 novembre 19__1 (chèque n° 1210);

b) 1 200 $, le 5 décembre, en règlement de la facture d'électricité du mois de novembre 19__1 (chèque n° 1211);

c) 17 600 $, le 31 décembre, en règlement de la paie de ce jour (chèques n°s 1212 à 1228);

d) 8 800 $ de chèques furent préparés à l'intention des gouvernements fédéral et provincial ce 31 décembre. La moitié de ces chèques (4 400 $) sert à régler les retenues sur les salaires versés aux employés ce même jour. L'autre moitié (4 400 $) représente la contribution versée par l'employeur au nom de chacun de ses employés payés ce jour. La part de l'employeur est identique à la part de l'employé (chèque n° 1229 au gouvernement provincial et n° 1230 au gouvernement fédéral).

Le journal des débours reproduit ces opérations (tableau 11-10).

Pour terminer ce travail d'enregistrement des opérations de l'entreprise industrielle, il ne reste plus qu'à reporter au grand livre général de Le Père Lachaise Enr. les informations accumulées dans les journaux auxiliaires.

Le tableau 11-11 présente le grand livre général de Le Père Lachaise Enr. au 31 décembre 19__1. L'examen de ce tableau renseignera sur le travail de report en entreprise industrielle. Mis à part le fait qu'il concerne plus de comptes, ce travail est semblable à celui que nous avons étudié au cours des chapitres précédents.

TABLEAU 11-9

Le Père Lachaise Enr.
Journal des salaires

Période de paie	Nom de l'employé	DT Main-d'œuvre directe	DT Main-d'œuvre indirecte	DT Salaires des administrateurs	DT Salaires des vendeurs	CT[1] Retenues salariales à payer	CT Salaire net à payer
Décembre 19__1	Ouvrier 1	750 $				150 $	600 $
Décembre 19__1	Ouvrier 2	1 500				300	1 200
Décembre 19__1	Ouvrier 3	1 500				300	1 200
Décembre 19__1	Ouvrier 4	1 500				300	1 200
Décembre 19__1	Ouvrier 5	1 500				300	1 200
Décembre 19__1	Ouvrier 6	1 500				300	1 200
Décembre 19__1	Ouvrier 7	1 750				350	1 400
Décembre 19__1	Contremaître		2 000 $			400	1 600
Décembre 19__1	Chef d'atelier		2 000			400	1 600
Décembre 19__1	Comptable			2 500 $		500	2 000
Décembre 19__1	Secrétaire			1 500		300	1 200
Décembre 19__1	Vendeur 1				2 000 $	400	1 600
Décembre 19__1	Vendeur 2				2 000	400	1 600
		10 000 $	4 000 $	4 000 $	4 000 $	4 400 $	17 600 $
		(504)	(505)	(701)	(601)	(204)	(203)

[1] Ceci constitue une représentation simplifiée de ce poste du véritable journal des salaires.

TABLEAU 11-10

Le Père Lachaise Enr.
Journal des débours

Date	Nom du bénéficiaire	N du chèque	CT Banque	CT Escompte sur achats	DT Fournis-seurs	DT Salaires à payer	DT Divers Nom du compte	Montant
19__1								
02-12	Bo-Bois Enr.	1210	8 000 $		8 000 $			
05-12	Hydro-Québec	1211	1 200		1 200			
31-12	Employés[1]	1211-1227	17 600			17 600 $		
31-12	Gouvernements fédéral et provincial[2]	1229 et 1230	8 800				Retenues salariales à payer	(204) 4 400 $
							Main-d'œuvre directe	(504) 2 000
							Main-d'œuvre indirecte	(505) 800

(101)	(202)	(203)		
35 600 $	9 200 $	17 600 $		

Salaires de l'administration — (701) 800

Salaires des vendeurs — (601) 800

8 800 $

---

[1] On devrait normalement y retrouver la liste des noms de tous les employés pour qui un chèque a été préparé ce jour.

[2] Cette opération n'affecte le compte « Retenues salariales à payer » que de 4 400 $, puisque c'est le montant du passif constitué au journal des salaires eu égard à cette paie du 31 décembre. La contribution de l'employeur est habituellement passée aux charges de l'exercice lorsqu'elle est décaissée. De plus, elle constitue ce qui a précédemment été appelé *avantages sociaux et charges sociales* et, puisque ces derniers font partie du coût d'un employé, ils affecteront les différents comptes de main-d'œuvre. Il a également été précisé que, dans le cas particulier de « Le Père Lachaise Enr. », la contribution de l'employeur était identique à la contribution de l'employé. C'est pourquoi aux 2 000 $ de retenues sur salaires des employés affectés directement à la fabrication correspondent 2 000 $ d'avantages sociaux et charges sociales débités du « Coût de la main-d'œuvre directe » et aux 800 $ de retenues sur salaires des cadres affectés à la production correspondent 800 $ d'avantages sociaux et charges sociales débités du « Coût de la main-d'œuvre indirecte ». Le même raisonnement s'appliquera à l'imputation des avantages sociaux et charges sociales aux comptes de salaires des administrateurs et de salaires des vendeurs. Cette dernière réflexion fait référence à la théorie présentée plus haut, selon laquelle le coût de la main-d'œuvre se mesure en fonction du salaire de l'employé et des avantages sociaux et charges sociales qui lui sont conférés par son employeur.

569

TABLEAU 11-11

Le Père Lachaise Enr.
Grand livre général

Comptes d'actif = Comptes de passif + Compte de capital + Comptes de produits − Comptes de fabrication − Comptes de frais de vente − Comptes de frais d'administration

Comptes d'actif

101 Caisse
30-11	100	31-12 J.D.	35 600
31-12 J.R.	40 000		
31-12	4 500		

102 Clients
30-11	30 000	31-12 J.R.	25 800
31-12 J.V.	36 300		
31-12	40 500		

103 Provision pour mauvaises créances
		30-11	1 000
		31-12	1 000

104 Stock de matières premières
30-11	10 000		
31-12	10 000		

105 Stocks de produits en cours
30-11	15 000		
31-12	15 000		

Comptes de passif

201 Emprunt de banque
		30-11	14 000
		31-12 J.R.	15 000
		31-12	29 000

202 Fournisseurs
		30-11	11 000
31-12 J.A.	7 700		
31-12 J.D.	9 200		25 800
		31-12	9 500

203 Salaires à payer
31-12 J.D. 17 600		31-12 J.S.	17 600
			0

204 Retenues salariales à payer
31-12 J.D. 4 400		31-12 J.S.	4 400
			0

Compte de capital

301 Capital
		30-11	115 100
		31-12	115 100

Comptes de produits

401 Ventes
		30-11	500 000
		31-12 J.V.	36 300
		31-12	536 300

402 Escompte sur vente
31-12 J.R.	800		
31-12	800		

Comptes de fabrication

501 Achats de matières premières
30-11	150 000		
31-12 J.A.	5 100		
31-12	155 100		

502 Fret à l'achat de M.P.
30-11	7 500		
31-12	7 500		

503 Rendus et rabais sur achats de matières premières
		30-11	2 500
		31-12	2 500

504 Main-d'œuvre directe
30-11	110 000		
31-12 J.S.	10 000		
31-12 J.D.	2 000		
31-12	122 000		

505 Main-d'œuvre indirecte
30-11	44 000		
31-12 J.S.	4 000		
31-12 J.D.	800		
31-12	48 800		

Comptes de frais de vente

601 Salaires des vendeurs
30-11	60 000		
31-12 J.S.	4 000		
31-12 J.D.	800		
31-12	64 800		

602 Publicité
30-11	10 000		
31-12	10 000		

Comptes de frais d'administration

701 Salaires de l'administration
30-11	50 000		
31-12 J.S.	4 000		
31-12 J.D.	800		
31-12	54 800		

702 Taxes — Bureaux de l'administration
30-11	800		
31-12	800		

703 Papeterie
30-11	500		
31-12	500		

704 Électricité — Bureaux de l'administration
30-11	1 600		
31-12 J.A.	200		
31-12	1 800		

705 Frais d'administration divers
31-12 J.A.	1 300		
31-12	1 300		

106 — Stocks de produits finis

30-11	3 000
31-12	3 000

107 — Terrain et immeuble

30-11	140 000
31-12	140 000

108 — Amortissement cum. — Immeuble

30-11	80 000
31-12	80 000

109 — Mobilier de bureau

30-11	1 500
31-12	1 500

110 — Amortissement cum. — Mobilier de bureau

30-11	1 000
31-12	1 000

111 — Matériel et outillage

30-11	88 000
31-12	88 000

112 — Amortissement cum. — Matériel et outillage

30-11	20 000
31-12	20 000

506 — Entretien et réparations — Matériel et outillage

30-11	8 500
31-12	8 500

507 — Fournitures d'usine

30-11	2 000
31-12 J.A.	300
31-12	2 300

508 — Électricité — Usine

30-11	6 400
31-12 J.A.	800
31-12	7 200

509 — Taxes — Usine

30-11	3 200
31-12	3 200

510 — Frais de fabrication divers

30-11	2 500
31-12	2 500

Afin de vérifier l'exactitude des enregistrements passés au cours de la période et afin de préparer le travail de fin d'exercice, nous terminerons notre exemple en dressant la balance de vérification non régularisée, au 31 décembre 19__1, de Le Père Lachaise Enr. (tableau 11-12).

TABLEAU 11-12

Le Père Lachaise Enr.
Balance de vérification non régularisée
au 31 décembre 19__1

	Débit	Crédit
Caisse	4 500 $	
Clients	40 500	
Provision pour mauvaises créances		1 000 $
Stock de matières premières	10 000	
Stock de produits en cours	15 000	
Stock de produits finis	3 000	
Terrain et immeuble	140 000	
Amortissement cumulé — Immeuble		80 000
Mobilier de bureau	1 500	
Amortissement cumulé — Mobilier de bureau		1 000
Matériel et outillage	88 000	
Amortissement cumulé — Matériel et outillage		20 000
Emprunt de banque		29 000
Fournisseurs		9 500
Capital		115 100
Ventes		536 300
Escompte sur ventes	800	
Achat de matières premières	155 100	
Fret à l'achat de matières premières	7 500	
Rendus et rabais sur achat de matières premières		2 500
Main-d'œuvre directe	122 000	
Main-d'œuvre indirecte	48 800	
Entretien et réparations — Matériel et outillage	8 500	
Fournitures d'usine	2 300	
Électricité — Usine	7 200	
Taxes — Usine	3 200	

Frais de fabrication divers	2 500	
Salaires des vendeurs	64 800	
Publicité	10 000	
Salaires de l'administration	54 800	
Taxes — Bureaux de l'administration	800	
Papeterie	500	
Électricité — Bureaux de l'administration	1 800	
Frais d'administration divers	1 300	
	794 400 $	794 400 $

Travail de fin d'exercice

Pour l'entreprise de services et l'entreprise commerciale ainsi que pour l'entreprise industrielle, le **travail de fin d'exercice** se distingue par *les écritures de régularisation, la préparation des états financiers et la clôture des comptes de résultats.*

Les écritures de régularisation

Objectifs particuliers des écritures de régularisation de l'entreprise industrielle

Dans l'entreprise industrielle, l'écriture de régularisation poursuivra deux objectifs. Le premier, similaire à celui de la régularisation de l'entreprise commerciale, permettra grâce à certaines estimations d'ajuster les comptes afin de satisfaire aux exigences de la périodicité. C'est d'ailleurs par des régularisations de ce premier genre qu'on pourra terminer l'enregistrement des frais généraux de fabrication grâce, par exemple, aux écritures « Dotation à l'amortissement — Usine », « Dotation à l'amortissement — Équipement » et « Dotation à l'amortissement — Matériel et outillage ». Par le second objectif, on vise à évaluer le coût de fabrication qui sera ensuite transféré au compte « Coût des produits vendus ». Le travail qui doit conduire à la satisfaction de ce second objectif marquera la différence la plus importante entre le travail de fin d'exercice en entreprise commerciale et ce même travail appliqué à l'entreprise industrielle. En effet, lorsque les ajustements réguliers de dotation aux amortissements, de frais et produits courus, de créances douteuses, de frais payés et de produits perçus d'avance seront terminés, le grand livre général présentera toute une série de comptes, parmi lesquels figureront les divers comptes ayant servi à accumuler les résultats de l'activité de fabrication. Dès lors, afin de satisfaire au second objectif que nous avons défini plus tôt comme l'évaluation du coût de fabrication, nous devrons réunir en un même endroit tous les résultats des activités de fabrication. Ce travail peut se faire de façon extra-comptable en additionnant sur une feuille de travail les résultats qu'affichent les différents comptes de fabrication. Il peut également se faire de façon comptable en rassemblant dans un compte du grand livre général, prévu à cet effet, les informations nécessaires à l'évaluation du coût de fabrication. Il va sans dire que, puisque la seconde méthode conduit à conserver dans les registres de l'entreprise les informations relatives au calcul du coût de fabrication, nous la préférerons à la première et la retiendrons dans la poursuite de notre exposé.

Lorsque le coût de fabrication sera établi correctement, il sera transféré au « Coût des produits vendus ». Le processus comptable qui nous conduira à l'évaluation du coût de fabrication et à son transfert au « Coût des produits vendus » provoquera un cheminement des données à travers les comptes qui s'apparentera de très près au cheminement physique des ressources de l'entreprise au cours du processus de fabrication. La figure 11-1 évoque ce cheminement physique.

En comptabilité, l'acquisition des ressources nécessaires à la fabrication a conduit à l'ouverture des différents comptes de valeurs et de résultats dont nous avons plus tôt étudié le cheminement. L'enregistrement de ces ressources et de ces efforts a été effectué grâce aux écritures passées au cours de la période.

FIGURE 11-1

Cheminement physique des opérations de fabrication

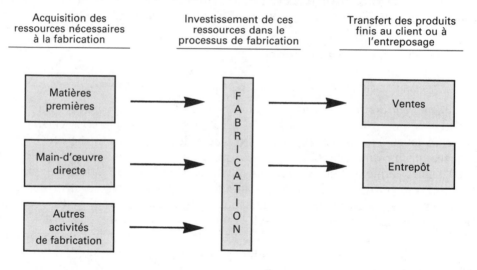

Afin de représenter de façon comptable l'investissement de ces ressources et de ces efforts dans le processus de fabrication, nous créerons au grand livre général le compte « Coût de fabrication » et nous y verserons les résultats accumulés dans les divers comptes de fabrication. Lorsque l'opération sera terminée, ces divers comptes de fabrication présenteront un solde nul, alors que le solde du compte « Coût de fabrication » correspondra au total des coûts de fabrication pour la période. Le coût de fabrication ainsi établi sera transféré au « Coût des produits vendus », pour la portion de cette fabrication vendue au cours de l'exercice. La portion non vendue devra s'inscrire au poste « Stock de produits finis ». Le tableau 11-13 illustre ce cheminement comptable.

TABLEAU 11-13

Cheminement comptable des coûts de fabrication à travers les registres, en fin de période

Acquisition des ressources nécessaires à la fabrication	Investissement de ces ressources dans le processus de fabrication	Transfert des produits finis au client et à l'entreposage

Matières premières

J.A.   XX

        XX   J.G. → **Coût de fabrication**   J.G.   XX │ XX   J.G. → **Coût des produits vendus** J.G.   XX

    0

Main-d'œuvre directe

J.S.   XX

        XX   J.G. → J.G.   XX

    0

Stock

J.S.   XX
C.D.   XX
J.A.   XX │ XX   J.G.   XX   J.G. → J.G.   XX

    0

J.S.   XX
C.D.   XX
J.A.   XX │ XX   J.G.   → J.G. XX

    0

J.S.   XX
C.D.   XX
J.A.   XX │ XX   J.G.

    0

(fabrication divers)

Le transfert des matières premières à la fabrication

C'est par une écriture de régularisation consignée au journal général de l'entreprise que nous procéderons à ce transfert. On aura soin cependant de s'assurer, lors de ce transfert, que seules les matières premières utilisées par la fabrication seront intégrées au coût de fabrication. Aussi utiliserons-nous, pour effectuer ce transfert, trois écritures de journal.

① La première servira à verser à la fabrication les matières premières en main au début de l'exercice:

Coût de fabrication	XX	
@ Stock de matières premières		XX

② La deuxième servira à verser à la fabrication les matières premières acquises au cours de l'exercice. Déduction faite toutefois des rendus et des escomptes dont on a bénéficié lors de ces achats, on obtient l'écriture suivante:

Coût de fabrication	XX	
Escomptes sur achats de matières premières	XX	
Rendus et rabais sur achats de matières premières	XX	
@ Achats de matières premières		XX

③ La troisième écriture sera utilisée pour déduire du coût de fabrication le coût des matières premières non encore utilisées en fin de période. Tout en permettant l'ajustement du coût de fabrication, cette troisième écriture permet l'inscription, au bilan de l'entreprise industrielle, du stock de matières premières à la fin de l'exercice.

Stock de matières premières	XX	
@ Coût de fabrication		XX

Le transfert de la main-d'œuvre directe à la fabrication

L'écriture de régularisation suivante, passée au journal général, suffit à clôturer le compte de résultats « Main-d'œuvre directe » et à en inscrire le coût en augmentation du coût de fabrication:

Coût de fabrication	XX	
@ Main-d'œuvre directe		XX

Le transfert des frais généraux de fabrication à la fabrication

Le transfert des frais généraux de fabrication à la fabrication se fait simplement par une écriture de journal général qui, tout en clôturant ces comptes de frais généraux de fabrication, inscrit leur solde en augmentation du coût de fabrication. L'écriture suivante illustre le procédé:

Coût de fabrication	XX
@ Main-d'œuvre indirecte	XX
Fournitures d'usine	XX
Dotation à l'amortissement — Usine	XX
Dotation à l'amortissement — Matériel et outillage	XX
Entretien — Usine	XX
Entretien — Matériel et outillage	XX
Taxes — Usine	XX
Assurances — Usine	XX
Divers frais généraux de fabrication	XX

Le transfert des stocks de produits en cours à la fabrication

Rares sont les entreprises de fabrication qui, à la fin d'un exercice, n'ont pas dans leurs ateliers une certaine quantité de produits non terminés. On appelle **produits en cours** *les produits qui sont en cours de fabrication au moment de l'arrêt des comptes.* Puisque le calcul du coût de fabrication a pour but d'établir la valeur des produits qui, au cours de la période, sont devenus disponibles pour la vente, on devra en exclure les efforts investis qui n'ont pas eu pour conséquence la fabrication d'un produit complet. Ainsi, à la fin de chaque période, on identifiera les produits non terminés, on procédera à leur évaluation en estimant les efforts qui y sont investis et on déduira la valeur de ces produits du coût de fabrication de la période. En revanche, on ajoutera à ce coût de fabrication de la période la valeur des produits en cours au début de la période puisque, théoriquement, ce sont là les premiers produits dont la fabrication a été terminée au cours de cet exercice. Le calcul du coût de fabrication est présenté au tableau 11-14.

TABLEAU 11-14

Calcul du coût
de fabrication

Stock de produits en cours au début de la période	XX
Plus: Coût des matières premières utilisées	XX
Coût de la main-d'œuvre directe	XX
Frais généraux de fabrication	XX
Coût des matières et des frais engagés	XX
Moins: Stock de produits en cours à la fin de la période	XX
Coût de fabrication	XX

Le transfert du stock de produits en cours à la fabrication nécessitera une écriture de régularisation qui, en éliminant le stock de produits en cours au début, l'inscrira en augmentation du coût de fabrication:

Coût de fabrication   XX
 @ Stock de produits en cours
  au début   XX

Une seconde écriture viendra s'ajouter; elle permettra l'inscription du stock de produits en cours à la fin au bilan de l'entreprise industrielle et elle déduira le coût de ce stock du coût de fabrication:

Stock de produits en cours à la fin   XX
 @ Coût de fabrication   XX

Le coût du stock de produits en cours

Le **coût du stock de produits en cours** correspondra à *la somme des coûts des différents efforts investis pour mener le produit au degré d'achèvement obtenu le jour du dénombrement des articles, soit le total des matières premières, de la main-d'œuvre directe et des frais généraux de fabrication.*

S'il est en général assez facile de déterminer les heures de main-d'œuvre directe et les quantités de matières premières investies à un moment donné du processus de fabrication d'un produit, il en est tout autrement des frais généraux de fabrication qui sont bien davantage attribuables à une période ou encore à la fabrication globale d'une période qu'à une unité. Songeons à la dotation aux amortissements de l'usine, aux assurances, à l'entretien de l'équipement, etc. Aussi, l'attribution au coût des produits en cours d'une quote-part de frais généraux de fabrication ne pourra-t-elle procéder que d'une estimation basée généralement sur ce que l'on connaît des frais généraux de fabrication réels de la période, du nombre de produits fabriqués au cours de cette période et du degré d'achèvement des produits qu'on doit évaluer.

Le transfert de la fabrication au coût des produits vendus

Le transfert au compte « Coût de fabrication » des matières premières utilisées, de la main-d'œuvre directe, des frais généraux de fabrication et des stocks de produits en cours permet, en soldant ce compte, d'établir pour la période le coût de fabrication des marchandises qui sont devenues disponibles à la vente.

Puisque, dans l'entreprise industrielle, la fonction fabrication se substitue à la fonction achat, le compte « Coût de fabrication » se substituera au compte « Achats » et lorsqu'on clôture le compte « Coût de fabrication », on l'inscrit au compte « Coût des produits vendus » par l'écriture de régularisation suivante:

Coût des produits vendus   XX
 @ Coût de fabrication   XX

Le coût des produits vendus de l'entreprise industrielle

Dans l'entreprise industrielle comme dans l'entreprise commerciale, le « Coût des produits vendus » ne doit afficher que le coût des produits finis vendus. On devra donc déduire du coût de fabrication le coût des produits finis en main en fin d'exercice et, par ailleurs, inscrire la valeur des produits finis en stock au début de l'exercice. Le tableau 11-15 présente le calcul du coût des produits vendus de l'entreprise industrielle.

TABLEAU 11-15

Entreprise industrielle
Coût des produits vendus

Stock de produits finis au début de la période	XX
Plus: Coût de fabrication	XX
Coût des produits disponibles à la vente	XX
Moins: Stock de produits finis à la fin de la période	XX
Coût des produits vendus	XX

L'écriture de régularisation suivante:

Coût des produits vendus	XX	
@ Stock de produits finis au début		XX
Stock de produits finis à la fin	XX	
@ Coût des produits vendus		XX

qui permet l'ajustement du compte de bilan « Stock de marchandises » permet par la même occasion l'ajustement du coût des produits vendus aux variations du stock de produits finis de la période.

EXEMPLE D'APPLICATION

Le travail de régularisation dans l'entreprise industrielle

Nous reprendrons le travail commencé plus tôt avec Le Père Lachaise Enr. pour illustrer le travail de fin d'exercice de l'entreprise industrielle. Rappelons que jusqu'à présent, nous avons enregistré aux journaux auxiliaires de cette entreprise les opérations qu'elle a faites au cours de l'exercice. Ensuite, nous avons effectué les reports des données accumulées dans ses registres au grand livre général pour conclure par la rédaction de la balance de vérification non régularisée au 31 décembre 19__1, dernier jour de l'exercice financier de Le Père Lachaise Enr.

Cette balance de vérification présentée au tableau 11-16 sert de point de départ à l'illustration du travail de fin d'exercice.

TABLEAU 11-16

Le Père Lachaise Enr.
Balance de vérification non régularisée
au 31 décembre 19__1

	Débit	Crédit
Caisse	4 500 $	
Clients	40 500	
Provision pour créances douteuses		1 000 $
Stocks de matières premières	10 000	
Stocks de produits en cours	15 000	
Stocks de produits finis	3 000	
Terrain et immeuble	140 000	
Amortissement cumulé — Immeuble		80 000
Mobilier de bureau	1 500	
Amortissement cumulé — Mobilier de bureau		1 000
Matériel et outillage	88 000	
Amortissement cumulé — Matériel et outillage		20 000
Emprunt de banque		29 000
Fournisseurs		9 500
Capital		115 100
Ventes		536 300
Escompte sur ventes	800	
Achat de matières premières	155 100	
Fret à l'achat de matières premières	7 500	
Rendus et rabais sur achat de matières premières		2 500
Main-d'œuvre directe	122 000	
Main-d'œuvre indirecte	48 800	
Entretien et réparations — Matériel et outillage	8 500	
Fournitures — Usine	2 300	
Électricité — Usine	7 200	
Taxes — Usine	3 200	
Frais de fabrication divers	2 500	
Salaires des vendeurs	64 800	
Publicité	10 000	
Salaires de l'administration	54 800	
Taxes — Bureaux de l'administration	800	

Papeterie	500	
Électricité — Bureaux de l'administration	1 800	
Frais d'administration divers	1 300	
	794 400 $	794 400 $

De plus, on a tiré les informations suivantes de l'examen annuel des comptes.

1) La provision pour créances douteuses devrait s'établir à 5% des comptes « Clients » bruts.

2) L'immeuble qui abrite l'usine et les bureaux de l'administration a coûté à l'origine 120 000 $. On compte la dotation à l'amortissement de cet immeuble à raison de 5% par année, en ligne droite; 20% de la surface de plancher de cet immeuble sont réservés à l'administration, alors que la totalité des 80% qui restent est utilisée par la production.

3) La durée de vie prévue du mobilier de bureau est de 15 ans, sans valeur de rebut. Tout le mobilier de bureau inscrit à la balance de vérification a été acquis dix ans auparavant.

4) On répartit le coût du matériel et de l'outillage à un taux de 10% selon la méthode de l'amortissement linéaire.

5) Le 31 décembre, on profita du congé des fêtes pour faire réparer les tours à bois. Le coût total de la réparation devrait atteindre 500 $, mais la facture n'a pas encore été préparée par le réparateur.

6) L'évaluation des articles inventoriés au 31 décembre 19__1 révèle:
   a) un stock de produits en cours de 11 000 $;
   b) un stock de matières premières de 12 000 $;
   c) un stock de produits finis de 8 000 $.

Travail de régularisation

① La provision pour créances douteuses, selon les informations précédentes, devrait atteindre 5% × 40 500 = 2 025 $. Or elle est actuellement inscrite à 1 000 $. Un ajustement de 1 025 $ devra donc y être apporté par l'écriture:

Créances douteuses	1 025 $	
@ Provision pour créances douteuses		1 025 $

② Puisque l'immeuble abrite à la fois les bureaux de l'administration et les services de production, la dotation à l'amortissement qui lui sera comptée sera répartie entre les frais d'administration et les frais de fabrication. On peut utiliser plusieurs bases de répartition pour atteindre cet objectif. La plus courante est sans doute celle qui repose sur le pourcentage d'occupation des espaces. Il s'agit également d'une des bases qu'on peut utiliser pour répartir entre l'administration, la vente et la fabrication certains autres frais qui leur sont communs lorsqu'un même immeuble abrite tous ces services. Les impôts fonciers, les assurances, le chauffage et le loyer sont autant d'exemples de charges qui peuvent être réparties de cette façon lorsque la facturation présentée par les fournisseurs ne prévoit pas cette répartition.

L'écriture suivante devrait être passée au journal général de Le Père Lachaise Enr. afin de régulariser le compte « Dotation à l'amortissement — Immeuble »:

Dotation à l'amortissement —		
Bureaux de l'administration	1 200 $	
Dotation à l'amortissement —		
Usine	4 800	
@ Amortissement cumulé — Immeuble		6 000 $

(120 000 $ × 5% × 20% = 1 200) $
(120 000   × 5% × 80% = 4 800)

③ Le mobilier de bureau dont le coût était à l'origine de 1 500 $ et dont la durée de vie utile était de 15 ans aura une charge de dotation à l'amortissement de 100 $ par année puisqu'il n'a aucune valeur de rebut:

Dotation à l'amortissement —		
Mobilier de bureau	100 $	
@ Amortissement cumulé —		
Mobilier de bureau		100 $

④ La dotation à l'amortissement du matériel et de l'outillage donnera lieu à l'écriture:

Dotation à l'amortissement —		
Matériel et outillage	8 800 $	
@ Amortissement cumulé —		
Matériel et outillage		8 800 $

(88 000 $ × 10%)

⑤ Puisque la facture n'a pas été reçue, la charge n'a pas été inscrite. Comme elle procède d'une estimation, c'est le passif « Frais à payer » qui en sera affecté:

Entretien et réparations —		
Matériel et outillage	500 $	
@ Frais à payer		500 $

⑥ Le cheminement des coûts de fabrication à travers les comptes commence véritablement par les ajustements à passer aux différents comptes de stocks. Ce cheminement nous conduira à l'évaluation du coût de fabrication et à son transfert au coût des produits vendus.

Pour l'entreprise Le Père Lachaise Enr., le cheminement des coûts à travers les comptes s'effectue par:

1) le transfert des matières à la fabrication:

a) pour le transfert du stock de matières premières au début de l'exercice:

⑥.1 Coût de fabrication	10 000 $	
@ Stock de matières premières		10 000 $

b) pour le transfert des matières premières achetées au cours de l'exercice:

⑥.2 Coût de fabrication	160 100 $	
Rendus et rabais sur achats de		
matières premières	2 500	
@ Fret à l'achat des matières		
premières		7 500 $
Achats de matières premières		155 100

c) pour l'inscription du stock de matières premières à la fin de l'exercice:

(6.3)   Stock de matières premières   12 000 $
             @ Coût de fabrication   12 000 $

2) le transfert de la main-d'œuvre directe au coût de fabrication:

(6.4)   Coût de fabrication   122 000 $
             @ Main-d'œuvre directe   122 000 $

3) le transfert des frais généraux de fabrication au coût global de fabrication (on prendra soin, en procédant au transfert des frais généraux de fabrication, de transférer le solde régularisé de ces comptes si, au cours du travail qui a précédé, un ou plusieurs de ces comptes ont fait l'objet d'ajustements):

(6.5)   Coût de fabrication   86 600 $
             @ Main-d'œuvre indirecte   48 800 $
               Entretien et réparations —
                  Matériel et outillage   9 000
               Fournitures d'usine   2 300
               Électricité — Usine   7 200
               Taxes — Usine   3 200
               Frais de fabrication divers   2 500
               Dotation à l'amortissement — Usine   4 800
               Dotation à l'amortissement — Matériel et
                  outillage   8 800

4) le transfert des stocks de produits en cours au coût de fabrication:

a) pour transférer à la fabrication les stocks de produits en cours au début:

(6.6)   Coût de fabrication   15 000 $
             @ Stock de produits en cours   15 000 $

b) pour inscrire le stock de produits en cours en main en fin d'exercice:

(6.7)   Stock de produits en cours   11 000 $
             @ Coût de fabrication   11 000 $

5) le transfert de la fabrication au coût des produits vendus; le compte en T suivant résume les écritures qui ont précédé et permet d'établir le coût des produits fabriqués au cours de la période (370 700 $).

Coût de fabrication

(6.1)	10 000 $		
(6.2)	160 100		
		12 000 $	(6.3)
(6.4)	122 000		
(6.5)	86 600		
(6.6)	15 500		
		11 000	(6.7)
	393 700 $	23 000 $	
	370 700 $		

TABLEAU 11-17

Le Père Lachaise Enr.
Travail de fin d'exercice
Année 19__1

Nom des comptes	Balance de vérification non régularisée	Régularisations (crédit)	Régularisations (débit)	Balance de vérification régularisée	Comptes de résultats	Comptes de valeurs
Caisse	4 500 $			4 500 $		4 500 $
Clients	40 500			40 500		40 500
Provision pour mauvaises créances	1 000 $		1 025 $ (1)	2 025 $		2 025 $
Stock de matières premières	10 000	12 000 $ (6.3)	10 000 (6.1)	12 000		12 000
Stock de produits en cours	15 000	11 000 (6.7)	15 000 (6.6)	11 000		11 000
Stock de produits finis	3 000	8 000 (6.10)	3 000 (6.9)	8 000		8 000
Terrain et immeuble	140 000			140 000		140 000
Amortissement cumulé — Immeuble	80 000		6 000 (2)	86 000		86 000
Mobilier de bureau	1 500			1 500		1 500
Amortissement cumulé — Mobilier de bureau	1 000		100 (3)	1 100		1 100
Matériel et outillage	88 000			88 000		88 000
Amortissement cumulé — Matériel et outillage	20 000		8 800 (4)	28 800		28 800
Emprunt de banque	29 000			29 000		29 000
Fournisseurs	9 500			9 500		9 500
Capital	115 100			115 100		115 100
Ventes	536 300			536 300	536 300	
Escompte sur ventes	800			800	800	
Achats de matières premières	155 100		155 100 (6.2)			
Fret à l'achat de matières premières	7 500		7 500 (6.2)			
Rendus et rabais sur achats de matières premières	2 500	2 500 (6.2)				
Main-d'œuvre directe	122 000		122 000 (6.4)			
Main-d'œuvre indirecte	48 800		48 800 (6.5)			

Compte	Sommaire (Dr)	Sommaire (Cr)	Régularisations (Dr)	Régularisations (Cr)	Coût de fabrication (Dr)	Coût de fabrication (Cr)	État des résultats (Dr)	État des résultats (Cr)	Bilan (Dr)	Bilan (Cr)
Entretien et réparations du matériel et outillage	8 500		(5) 500		(6.5) 9 000					
Fournitures d'usine	2 300				(6.5) 2 300					
Électricité — Usine	7 200				(6.5) 7 200					
Taxes — Usine	3 200				(6.5) 3 200					
Frais de fabrication divers	2 500				(6.5) 2 500					
Salaires des vendeurs	64 800						64 800			
Publicité	10 000						10 000			
Salaires de l'administration	54 800						54 800			
Taxes — Bureaux de l'administration	800						800			
Papeterie	500						500			
Électricité — Bureaux de l'administration	1 800						1 800			
Frais d'administration divers	1 300						1 300			
Créances douteuses			(1) 1 025				1 025			
Dotation à l'amortissement — Bureaux de l'administration			(2) 1 200				1 200			
Dotation à l'amortissement — Usine			(2) 4 800		(6.5) 4 800					
Dotation à l'amortissement — Mobilier de bureau			(3) 100				100			
Dotation à l'amortissement — Matériel et outillage			(4) 8 800		(6.5) 8 800					
Frais à payer				(5) 500						500
			(6.1) 10 000	(6.3) 12 000						
			(6.2) 160 100	(6.7) 11 000						
			(6.4) 122 000	(6.8) 370 700						
			(6.5) 86 600	(6.10) 8 000						
			(6.6) 15 000							
Coût de fabrication			(6.8) 370 700			365 700				
			(6.8) 3 000							
Coût des produits vendus					365 700		502 825		272 025	
	794 400$	794 400$	817 325$	817 325$	808 325$	808 325$				
Bénéfice net							33 475			33 475
							536 300$	536 300$	305 500$	305 500$
						365 700		536 300	305 500	

585

Ces 362 780 $ représentent également la valeur des produits devenus disponibles à la vente au cours de l'exercice. Nous le transférerons donc au coût des produits vendus par l'écriture suivante:

(6.8) Coût des produits vendus   370 700 $

       @ Coût de fabrication   370 700 $

6) le transfert des stocks de produits finis au coût des produits vendus:

     a) pour inscrire au coût des produits vendus le coût des produits finis en stock au début de l'exercice:

(6.9) Coût des produits vendus   3 000 $

       @ Stock de produits finis   3 000 $

     b) pour inscrire le stock de produits finis en main en fin d'exercice:

(6.10) Stock de produits finis   8 000 $

       @ Coût des produits vendus   8 000 $

Lorsqu'on a reporté au grand livre général les écritures de régularisation qu'on vient d'inscrire au journal général, on peut établir la balance de vérification régularisée de l'entreprise Le Père Lachaise Enr.

Pour donner un exemple, nous procéderons ici à ce travail de report en utilisant une feuille de travail de type chiffrier (voir le tableau 11-17).

Les états financiers de l'entreprise industrielle

Jusqu'à présent, notre travail nous a menés à la préparation de la balance de vérification régularisée, point de départ de la rédaction des états financiers. Dans une large mesure, le travail de préparation des états financiers de l'entreprise industrielle est identique au travail de préparation des états financiers de l'entreprise commerciale. Ceux-ci incluront en effet:

         un bilan;

         un état des résultats;

         un état des variations de la valeur nette;

         un état annexe, l'état du coût de fabrication.

Le bilan de l'entreprise industrielle

Le bilan de l'entreprise industrielle est similaire au bilan de l'entreprise commerciale. On y retrouvera cependant les nouveaux comptes de valeurs que nous avons dû ouvrir plus tôt pour rendre compte des ressources spécifiques utilisées par l'entreprise industrielle.

L'état des résultats de l'entreprise industrielle

L'état des résultats de l'entreprise industrielle sera lui aussi identique à l'état des résultats de l'entreprise commerciale, à une exception près toutefois. Puisque l'activité de fabrication s'est substituée à l'activité d'achat, le compte « Coût de fabrication », dans le « Coût des produits vendus », se substituera au compte « Achats ». Le détail de la composition de ce coût de fabrication fera à son tour l'objet de la préparation d'un état annexe, l'état du coût de fabrication.

L'état des variations de la valeur nette

L'état des variations de la valeur nette est pour sa part, dans l'entreprise industrielle, en tous points identique à l'état des variations de la valeur nette de l'entreprise commerciale et de l'entreprise de services.

L'état du coût de fabrication

L'objectif principal que nous poursuivons en élargissant le modèle comptable de l'entreprise industrielle est de permettre l'introduction des comptes de fabrication afin que l'industriel saisisse mieux les conséquences de son activité de fabrication. Il est donc logique de résumer, sur un état préparé à cette fin, les résultats de cette activité de fabrication.

Bien que cet état présente un intérêt certain pour l'industriel soucieux de contrôler son activité de fabrication, il ne fait pas partie des états financiers proprement dits, et les renseignements qu'il contient ne seront habituellement pas diffusés à l'extérieur de l'entreprise. Il s'agit d'abord et avant tout d'un document de gestion interne, et la loi n'oblige pas à le divulguer. Il sera présenté en trois parties.

1) L'en-tête

Puisque nous rendons compte d'une activité, l'état sera dynamique et son en-tête, en plus d'identifier l'entreprise et l'état lui-même, identifiera la période qu'il couvre.

2) Le coût des matières et des frais engagés

Cette section du document fera état de tous les efforts investis dans la fabrication. On y retrouvera:

       a) le stock des produits en cours au début de la période;
       b) le coût des matières premières utilisées;
       c) le coût de la main-d'œuvre directe;
       d) le coût des frais généraux de fabrication.

3) Le coût de fabrication

Le coût de fabrication sera par la suite obtenu en déduisant du coût des matières et des frais engagés la valeur de ces efforts investis dans la production en cours à la fin de la période. Le tableau 11-18 schématise l'état du coût de fabrication.

TABLEAU 11-18

Entreprise X
État du coût de fabrication
pour l'exercice financier 19__1

Stock de produits en cours au début	XX
Plus: Coût des matières premières utilisées	XX
Plus: Coût de la main-d'œuvre directe	XX
Plus: Coût des frais généraux de fabrication	XX
Coût de la matière et des frais engagés	XX
Moins: Stock de produits en cours à la fin	XX
Coût de fabrication	XX

EXEMPLE D'APPLICATION

Les états financiers de l'entreprise industrielle

Nous préparons ici les états financiers au 31 décembre 19__1 de l'entreprise Le Père Lachaise Enr. Les renseignements nécessaires sont tirés du chiffrier présenté au tableau 11-17 et du journal général. Ces états financiers sont présentés aux tableaux 11-19 à 11-21.

Les données nécessaires à la préparation de ces trois états (tableaux 11-19, 11-20 et 11-21) pouvaient être tirées du chiffrier que nous avions préparé. Cependant, les données nécessaires à la préparation de l'état du coût de fabrication (voir le tableau 11-22) seront recueillies dans le journal général, plus particulièrement dans l'écriture préparée justement pour présenter ensemble les informations relatives au coût de fabrication.

La présentation au chiffrier des données nécessaires à la préparation de l'état du coût de fabrication est cependant possible en modifiant quelque peu la logique de notre travail de régularisation. Nous présenterons un peu plus loin les modifications à apporter à cette démarche afin de rendre la technique du chiffrier applicable à la rédaction de l'état du coût de fabrication.

TABLEAU 11-19

Le Père Lachaise Enr.
Bilan
au 31 décembre 19__1

Actif

Actif à court terme

Caisse		4 500 $
Clients	40 500 $	
Moins: Provision pour créances douteuses	2 025	38 475
Stock de matières premières		12 000
Stock de produits en cours		11 000
Stock de produits finis		8 000
Total de l'actif à court terme		73 975

Immobilisations

	Coût	Amortissement Cumulé	Net
Terrain et immeuble	140 000 $	86 000 $	54 000 $
Mobilier de bureau	1 500	1 100	400
Matériel et outillage	88 000	28 800	59 200
Total des immobilisations			113 600
Total de l'actif			187 575 $

Passif et capital

Passif à court terme

Emprunt de banque	29 000 $
Fournisseurs	9 500
Frais à payer	500
Total du passif à court terme	39 000
Capital M. Lachaise	148 575
Total du passif et du capital	187 575 $

TABLEAU 11-20

Le Père Lachaise Enr.
État des résultats
pour l'exercice terminé le 31 décembre 19__1

Chiffre d'affaires brut		536 300 $
Moins: Escomptes sur ventes		800
Chiffre d'affaires net		535 500
Coût des produits vendus:		
Stock de produits finis au 01-01-19__1	3 000 $	
Coût de fabrication	370 700	
Coût des marchandises disponibles à la vente	373 700	
Moins: Stock de produits finis au 31-12-19__1	8 000	365 700
Bénéfice brut		169 800
Frais de vente		
Salaires des vendeurs	64 800	
Publicité	10 000	74 800
Frais d'administration		
Salaires de l'administration	54 800	
Taxes — Bureaux de l'administration	800	
Papeterie	500	
Électricité — Bureaux de l'administration	1 800	
Créances douteuses	1 025	
Dotation à l'amortissement — Bureaux de l'administration	1 200	
Dotation à l'amortissement — Mobilier de bureau	100	
Frais d'administration divers	1 300	61 525
Bénéfice net		33 475 $

TABLEAU 11-21

Le Père Lachaise Enr.
**État des variations de
la valeur nette**
pour l'exercice terminé le 31 décembre 19__1

Capital M. Lachaise au 1er janvier 19__1	115 100 $
Plus: Bénéfice net	33 475
Capital M. Lachaise au 31 décembre 19__1	148 575 $

TABLEAU 11-22

Le Père Lachaise Inc.
État du coût de fabrication
pour l'exercice terminé le 31 décembre 19__1

Stock de produits en cours au 01-01-19__1		15 000 $
Plus: Coût des matières premières utilisées:		
Stock de matières premières au 01-01-19__1	10 000 $	
Achats	155 100	
Fret à l'achat	7 500	
	172 600	
Moins: Rendus et rabais sur achats de matières premières	2 500	
	170 100	
Stocks de matières premières au 31-12-19__1	12 000	158 100
Main-d'œuvre directe		122 000
Frais généraux de fabrication		
Main-d'œuvre indirecte	48 800	
Entretien et réparations — Matériel et outillage	9 000	
Fournitures d'usine	2 300	
Électricité d'usine	7 200	
Taxes d'usine	3 200	
Dotation à l'amortissement — Usine	4 800	
Dotation à l'amortissement — Matériel et outillage	8 800	
Divers frais de fabrication	2 500	86 600
Coût des matières et des frais engagés		381 700
Moins: Stock de produits en cours au 31-12-19__1		11 000
Coût de fabrication		370 700 $

Les écritures de clôture

Avec les écritures de clôture permettant de verser au capital le bénéfice net de la période, on boucle le cycle comptable.

EXEMPLE D'APPLICATION

Les écritures de clôture de l'entreprise industrielle

Lorsque le cheminement des coûts de fabrication à travers les comptes de l'entreprise industrielle est terminé, les résultats de l'activité de fabrication ont été éliminés. Seuls subsistent les résultats de l'activité commerciale.

Les résultats de Le Père Lachaise Enr. seront éliminés par les écritures suivantes:

Ventes	536 300 $	
@ Sommaire des résultats		536 300 $
Sommaire des résultats	502 825	
@ Escomptes sur ventes		800
Salaires des vendeurs		64 800
Publicité		10 000
Salaires de l'administration		54 800
Taxes — Bureaux de l'administration		800
Papeterie		500
Électricité — Bureaux de l'administration		1 800
Créances douteuses		1 025
Dotation à l'amortissement — Bureau de l'administration		1 200
Dotation à l'amortissement — Mobilier de bureau		100
Frais d'administration divers		1 300
Coût des produits vendus		365 700
Sommaire des résultats	33 475 $	
@ Capital		33 475 $

Le chiffrier de l'entreprise industrielle et l'état du coût de fabrication

En poursuivant la logique que nous avons élaborée pour présenter le travail de fin d'exercice de l'entreprise industrielle, nous avons dû, en ajustant nos différents comptes, procéder à une clôture partielle de nos comptes de résultats. En effet, l'ajustement à porter aux différents comptes de stocks a conduit au cheminement des coûts à travers les comptes. Ce cheminement a conduit à la clôture des comptes de fabrication et à leur transfert, d'abord au coût de fabrication, et ensuite au coût des produits vendus. La clôture des comptes de fabrication lors du travail de régularisation élimine du chiffrier les données nécessaires à la rédaction de l'état du coût de fabrication. Dans une certaine mesure, c'est tout à fait normal, puisque l'état du coût de fabrication ne fait pas partie des états financiers proprement dits; il n'est qu'un document de support servant à expliquer un poste en particulier dans les états financiers. Cependant, à partir du moment où le travail de fin d'exercice conduit systématiquement à la rédaction de cet état du coût de fabrication, il devient avantageux de pouvoir compter sur la technique du chiffrier pour faciliter cette tâche. Le chiffrier devrait donc permettre d'isoler les comptes de l'état des résultats, du bilan et de l'état du coût de fabrication. Ainsi, lorsque le chiffrier est terminé, le travail de préparation des états financiers de l'entreprise industrielle, y compris le travail de rédaction de l'état du coût de fabrication, ne devient qu'un simple exercice de transcription. Pour ce faire, il est nécessaire que la balance de vérification régularisée présentée au chiffrier affiche aussi les soldes des comptes de fabrication. Pour atteindre un tel résultat, les écritures de régularisation conduisant au cheminement des coûts à travers les comptes devront être éliminées du chiffrier. On continuera toutefois à les présenter au journal général et à les reporter au grand livre général. Ces écritures qui correspondent au bloc n° 6 d'écritures de journal dans l'exemple de Le Père Lachaise Enr. seront remplacées au chiffrier et *uniquement au chiffrier* par des écritures visant uniquement l'ajustement des stocks et ce, pour les matières premières ainsi que pour les produits en cours et les produits finis. En aucun cas, ces écritures de chiffrier ne se substitueront dans les journaux aux écritures de régularisation proprement dites. Ce ne sont d'ailleurs que des écritures extra-comptables qui apparaîtront seulement au chiffrier. Elles ne concernent que la technique du chiffrier et permettent d'accélérer le travail de préparation des états financiers. Tel est d'ailleurs le but du chiffrier.

1) Pour ajuster les stocks de matières premières, on devra inscrire l'écriture suivante au chiffrier:

Stock de matières premières à la fin (bilan)	XX	
@ Stock de matières premières à la fin		
(coût de fabrication)		XX

Lorsque cette écriture est passée au chiffrier, la balance de vérification régularisée de celui-ci devrait afficher trois soldes de comptes « Stock de matières premières »:

a) un solde débiteur au compte « Stock de matières premières au début » qui devra être porté au chiffrier à la colonne « Débit » du coût de fabrication; il constitue le premier élément du coût des matières premières utilisées;

b) un solde débiteur au compte « Stock de matières premières à la fin » (bilan); ce solde sera porté au débit des colonnes de bilan du chiffrier;

c) un solde créditeur au compte « Stock de matières premières à la fin » (état de fabrication), qui s'inscrira au crédit des colonnes de coût de fabrication et réduira ainsi le coût des matières premières utilisées.

2) Pour ajuster les stocks de produits en cours on passera au chiffrier l'écriture:

Stock de produits en cours à la fin (bilan)	XX	
@ Stock de produits en cours à la fin		
(état du coût de fabrication)		XX

À la suite de cette opération, la balance de vérification régularisée du chiffrier présentera trois soldes au compte « Stock de produits en cours »:

a) un solde débiteur au « Stock de produits en cours au début »; ce dernier devra apparaître au débit des colonnes de coût de fabrication;

b) un solde débiteur au « Stock de produits en cours à la fin » (bilan) qui devra apparaître au débit des colonnes de bilan;

c) un solde créditeur au « Stock de produits en cours » (état de fabrication) qui apparaîtra au crédit des colonnes du coût de fabrication.

3) Pour ajuster les stocks de produits finis, on passera au chiffrier l'écriture:

Stock de produits finis à la fin (bilan)	XX	
@ Stock de produits finis à la fin		
(état des résultats)		XX

TABLEAU 11-23

Le Père Lachaise Enr.
Travail de fin d'exercice 19__1

Nom des comptes	Balance de vérification non régularisée	Régularisations	Balance de vérification régularisée	Comptes du coût de fabrication	Comptes de résultats	Comptes de bilan
Caisse	4 500 $		4 500 $			4 500 $
Clients	40 500		40 500			40 500
Provision pour mauvaises créances	1 000 $	① 1 025 $	2 025 $			2 025 $
Stock de matières premières	10 000		10 000	10 000 $		
Stock de produits en cours	15 000		15 000	15 000		
Stock de produits finis	3 000		3 000		3 000 $	
Terrain et immeuble	140 000		140 000			140 000
Amortissement cumulé — Immeuble	80 000	② 6 000	86 000			86 000
Mobilier de bureau	1 500		1 500			1 500
Amortissement cumulé — Mobilier de bureau	1 000	③ 100	1 100			1 100
Matériel et outillage	88 000		88 000			88 000
Amortissement cumulé — Matériel et outillage	20 000	④ 8 800	28 800			28 800
Emprunt de banque	29 000		29 000			29 000
Fournisseurs	9 500		9 500			9 500
Capital	115 100		115 100			115 100
Ventes	536 300		536 300		536 300 $	
Escomptes sur ventes	800		800		800	
Achats de matières premières	155 100		155 100	155 100		
Fret à l'achat de matières premières	7 500		7 500	7 500		
Rendus et rabais sur achats — Matières premières	2 500		2 500	2 500 $		
Main-d'œuvre directe	122 000		122 000	122 000		
Main-d'œuvre indirecte	48 800		48 800	48 800		

Chiffrier (colonnes : BV = Balance de vérification · Rég. = Régularisations · B.V.R. = Balance de vérification régularisée · C.F. = Coût de fabrication · E.R. = État des résultats · Bilan) — Dt = Débit, Ct = Crédit. Les chiffres encerclés sont les renvois de régularisation.

Compte	BV Dt	BV Ct	Rég. Dt	Rég. Ct	B.V.R. Dt	B.V.R. Ct	C.F. Dt	C.F. Ct	E.R. Dt	E.R. Ct	Bilan Dt	Bilan Ct
Entretien et réparations — Matériel et outillage	8 500		(5) 500 $		9 000		9 000					
Fournitures d'usine	2 300				2 300		2 300					
Électricité — Usine	7 200				7 200		7 200					
Taxes — Usine	3 200				3 200		3 200					
Frais de fabrication divers	2 500				2 500		2 500					
Salaires des vendeurs	64 800				64 800				64 800			
Publicité	10 000				10 000				10 000			
Salaires de l'administration	54 800				54 800				54 800			
Taxes — Bureaux de l'administration	800				800				800			
Papeterie	500				500				500			
Électricité — Bureaux de l'administration	1 800				1 800				1 800			
Frais d'administration divers	1 300				1 300				1 300			
Créances douteuses			(1) 1 025		1 025				1 025			
Dotation à l'amortissement — Bureaux de l'administration			(2) 1 200		1 200				1 200			
Dotation à l'amortissement — Usine			(2) 4 800		4 800		4 800					
Dotation à l'amortissement — Mobilier de bureau			(3) 100		100				100			
Dotation à l'amortissement — Matériel et outillage			(4) 8 800		8 800		8 800					
Frais à payer				(5) 500		500						500
Stock de matières premières à la fin (bilan)			(C1) 12 000		12 000						12 000	
Stock de matières premières à la fin (coût de fabrication)				(C1) 12 000		12 000		12 000				
Stock de produits en cours à la fin (bilan)			(C2) 11 000		11 000						11 000	
Stock de produits en cours à la fin (coût de fabrication)				(C2) 11 000		11 000		11 000				
Stock de produits finis à la fin (bilan)			(C3) 8 000		8 000						8 000	
Stock de produits finis à la fin (état des résultats)				(C3) 8 000		8 000				8 000		
(sous-totaux)								25 500	140 125			272 075
Coût de fabrication								370 700	370 700			
Bénéfice net									33 475			33 475
	794 400$	794 400$	47 425$	47 425$	841 825$	841 825$	396 200$	396 200$	544 300$	544 300$	305 500$	305 500$

Ici encore, la balance de vérification régularisée du chiffrier laissera paraître trois comptes de stock de matières premières:

a) un compte débiteur de « Stock de produits finis au début » qui s'inscrira en augmentation du « Coût des produits vendus »;

b) un compte débiteur de « Stock de produits finis à la fin » qui s'inscrira au bilan;

c) un compte créditeur de « Stock de produits finis à la fin » qui s'inscrira en diminution du « Coût des produits vendus ».

EXEMPLE D'APPLICATION

Le chiffrier de l'entreprise industrielle et l'état du coût de fabrication

On préparera ici le chiffrier de l'entreprise Le Père Lachaise Enr. Pour ce faire, on commence par placer la balance de vérification non régularisée, puis on reporte sur le chiffrier les écritures de régularisation de Le Père Lachaise Enr. Celles-ci correspondent aux écritures ① à ⑤ inclusivement (voir l'exemple d'application qui s'intitule « Le travail de régularisation dans l'entreprise industrielle »). On exclut du travail de report au chiffrier les écriture n° 6 (voir ce même exemple d'application) qui conduisent au cheminement des coûts à travers les comptes. On leur substitue *sur le chiffrier uniquement* les écritures permettant l'ajustement aux différents comptes de stock.

Les stocks de fin d'exercice de Le Père Lachaise Enr. se présentent comme suit:

Stock de matières premières	12 000 $
Stock de produits en cours	11 000 $
Stock de produits finis	8 000 $

Par conséquent, les écritures suivantes seront inscrites au chiffrier:

C_1^* Stock de matières premières à la fin (bilan)　　12 000 $
　　　@ Stock de matières premières à la fin
　　　　(coût de fabrication)　　　　　　　　　　　　　　　　12 000 $

C_2^* Stock de produits en cours à la fin (bilan)　　11 000 $
　　　@ Stock de produits en cours à la fin
　　　　(coût de fabrication)　　　　　　　　　　　　　　　　11 000 $

C_3^* Stock de produits finis à la fin (bilan)　　8 000 $
　　　@ Stock de produits finis à la fin
　　　　(état des résultats)　　　　　　　　　　　　　　　　8 000 $

Le tableau 11-23 présente le chiffrier ainsi préparé de Le Père Lachaise Enr.

---

*: écriture extra comptable.
C: écriture de chiffrier.

RÉSUMÉ

C'est l'activité de fabrication qui caractérise et distingue l'entreprise industrielle des deux autres formes économiques d'entreprises (entreprise de services et entreprise commerciale).

Afin de décrire cette nouvelle activité, le comptable élargira le modèle de base en y insérant les catégories nécessaires à l'accumulation des coûts consécutifs à la conduite de cette nouvelle activité. C'est ainsi que l'on verra notamment apparaître les comptes de matières premières, de main-d'œuvre directe et de frais généraux de fabrication.

C'est en fin de période, lorsqu'on rédigera l'état du coût de fabrication, que l'on rassemblera les données ainsi accumulées et que l'on arrivera à mesurer les résultats obtenus du processus de fabrication. Enfin, on inscrira ces résultats au coût des produits vendus, à l'état des résultats de l'entreprise industrielle.

PROBLÈMES À SOLUTION COMMENTÉE

PROBLÈME 11-A L'enregistrement des opérations en cours d'exercice

M. Carignan est luthier. Depuis quelques années déjà, il s'est spécialisé dans la fabrication d'altos de très grande qualité. Ce produit a d'ailleurs valu à M. Carignan une notoriété internationale. Ses ateliers comptent actuellement quatre employés; deux sont maîtres luthiers et deux sont apprentis. M. Carignan veille à la qualité et à l'amélioration du produit et son frère s'occupe de l'aspect administratif de l'entreprise.

Les activités du mois de décembre 19__2 sont particulièrement représentatives des activités habituelles de l'entreprise. En voici la description.

01-12 Orchambeau Musique prend livraison de deux violons qui lui sont facturés 1 500 $ chacun.
Orchambeau Musique paie le même jour les deux instruments et bénéficie ainsi d'un escompte de caisse de 200 $.

02-12 Afin d'améliorer l'image de marque de son entreprise, M. Carignan achète un violon considéré comme pièce de collection. Cet achat réglé le même jour entraîna un débours de 35 000 $.
L'Orchestre symphonique de Montréal passe une commande pour 20 violons.

03-12 Jour de paie; les employés sont payés mensuellement. Les deux maîtres luthiers ont droit à 3 000 $ chacun; on retiendra sur cette somme 750 $ à titre de retenues salariales. Les deux apprentis reçoivent 1 050 $ chacun, et on retient 300 $ à titre de retenues salariales. De plus, un employé à temps partiel travaille à l'entretien de l'atelier; on lui verse habituellement 400 $ par mois et on ne retient rien de sa paie. Le frère de M. Carignan reçoit 2 500 $ par mois et doit verser 700 $ en retenues salariales. La paie du 3 décembre règle le travail effectué en novembre 19__2.

04-12 M. Carignan reçoit un collectionneur de New-York. La facture du repas qu'il lui a offert atteint 180 $.

05-12 Le collectionneur achète 2 violons au prix de 1 800 $ chacun. Les conditions de crédit sont net 60 jours.

08-12 M. Carignan se réapprovisionne en bois de qualité. Le coût de l'achat effectué ce jour atteint 3 500 $.

09-12 M. Carignan livre à l'Orchestre symphonique de Montréal 5 des 20 violons commandés le 2 décembre. La facture atteint 6 500 $.

10-12 On reçoit un chèque de 3 600 $ du collectionneur de New-York.

11-12 On reçoit une colle spéciale essentielle à la fabrication des violons, on l'avait commandée en novembre et la facture qu'on reçoit ce jour s'élève à 190 $.

12-12 Achat de papier de verre, de chiffons à polir et d'huile pour l'entretien des tours à bois et des ponceuses. Total: 135 $.

15-12 On règle la facture du 12.

16-12 On achète de la papeterie pour le bureau au coût de 200 $.

17-12 On paie le loyer du mois de décembre, 450 $.

18-12 On reçoit un chèque de 3 000 $ de l'Orchestre symphonique de Montréal.

19-12 On doit retourner au fournisseur la colle spéciale reçue le 11.

22-12 Un passant achète et paie comptant un violon de 1 700 $.

23-12 On achète du vernis et de la teinture pour les violons. L'achat s'élève au total à 430 $.

24-12 On ferme la boutique pour le congé des fêtes de Noël.

On demande

Enregistrer sous forme d'écritures de journal général chacune des opérations décrites plus haut en prenant soin d'indiquer dans quel journal auxiliaire il faudrait les enregistrer si on utilisait les journaux auxiliaires.

Solution commentée

19—1

01-12 La livraison scelle la vente, l'inscription de l'opération qui se ferait au journal des ventes est ici représentée sous forme d'écriture de journal général par:

Clients	3 000 $	
@ Ventes		3 000 $

01-12 L'encaissement s'inscrit au journal des recettes; elle est représentée sous forme d'écriture de journal général par:

Caisse	2 800 $	
Escompte sur ventes	200 $	
@ Clients		3 000 $

02-12 Une pièce de collection peut être considérée à juste titre comme placement. Puisque l'opération a donné lieu à un débours, elle serait enregistrée au journal des débours.

Placement	35 000 $	
@ Caisse		35 000 $

03-12 La paie s'enregistre au journal des salaires et, puisqu'il y a trois catégories de main-d'œuvre, le salaire brut sera ventilé au journal des salaires entre chacune de ces trois catégories:

Main-d'œuvre directe	8 100 $	
Main-d'œuvre indirecte	400 $	
Salaires de l'administration	2 500 $	
@ Retenues salariales à payer		2 800 $
Salaires nets à payer		8 200 $

La main-d'œuvre directe inclut les maîtres luthier et les apprentis, qui participent tous directement à la fabrication du produit.

Quant au débours consécutif à la paie, il devrait être enregistré le même jour au journal des débours par:

Salaires nets à payer	8 200 $	
@ Caisse		8 200 $

04-12 Le débours s'enregistre au journal des débours:

Frais de représentation	180 $	
@ Caisse		180 $

05-12 La vente s'enregistre au journal des ventes:

Clients	3 600 $	
@ Ventes		3 600 $

08-12 L'achat de matières premières s'enregistre au journal des achats:

Achats de matières premières	3 500 $	
@ Fournisseurs		3 500 $

09-12 Au journal des ventes:

Clients	6 500 $	
@ Ventes		6 500 $

10-12 Au journal des recettes:

Caisse	3 600 $	
@ Clients		3 600 $

11-12 Au journal des achats:

Achats de matières premières	190 $	
@ Fournisseurs		190 $

12-12 Au journal des achats:

Fournitures d'usine	135 $	
@ Fournisseurs		135 $

15-12 Au journal des débours:

Fournisseurs	135 $	
@ Caisse		135 $

16-12 Au journal des achats:

Papeterie	200 $	
@ Fournisseurs		200 $

17-12 Au journal des débours:

Loyer	450 $	
@ Caisse		450 $

18-12 Au journal des recettes:

Caisse	3 000 $	
@ Clients		3 000 $

19-12 Au journal des achats:

Fournisseurs	190 $	
@ Rendus et rabais sur achats		190 $

22-12 Au journal des ventes:

Ventes au comptant	1 700 $	
@ Ventes		1 700 $

Au journal des recettes:

Caisse	1 700 $	
@ Ventes au comptant		1 700 $

23-12 Au journal des achats:

Achats de matières premières	430 $	
@ Fournisseurs		430 $

PROBLÈME 11-B   Le travail de fin d'exercice dans l'entreprise industrielle

L'entreprise de M. Dussac, « Dussac Enr. », s'est spécialisée dans la fabrication d'un petit sac à main actuellement très populaire. Au 31 décembre 19＿1, date de l'exercice financier de Dussac Enr., le teneur de livres de l'entreprise termine la balance de vérification préliminaire dressée à cette date (voir la page suivante).

Le teneur de livre ajoute les renseignements suivants:

1) Une provision pour créances douteuses de 1 000 $ serait suffisante au 31 décembre 19＿1.

2) La dotation à l'amortissement du matériel et de l'outillage, de même que celle du mobilier de bureau, sont comptés à 10% de leur coût. Il n'y eut au cours de 19＿1 ni acquisition, ni vente de matériel et outillage ou de mobilier de bureau.

3) Il y avait au 31 décembre 200 $ d'intérêts courus sur l'emprunt de banque.

4) Tous les employés furent payés le 31 décembre pour la période terminée le 31 décembre. On régla le même jour les retenues salariales (part de l'employé et part de l'employeur) relatives à cette dernière paie.

5) Les assurances et les taxes sont payées au début de l'année pour la période allant du 1er janvier au 31 décembre.

Dussac Enr.
Balance de vérification préliminaire
au 31 décembre 19__1

	Débits	Crédits
Caisse	1 200 $	
Clients	18 000	
Provision pour créances douteuses		600 $
Stock de produits en cours au 01-01-19__1	1 300	
Stock de produits finis au 01-01-19__1	4 600	
Stock de matières premières au 01-01-19__1	2 800	
Matériel et outillage	6 000	
Amortissement cumulé — Matériel et outillage		4 200
Mobilier de bureau	2 400	
Amortissement cumulé — Mobilier de bureau		1 100
Emprunt de banque		8 000
Fournisseurs		3 000
Capital — M. Dussac		9 600
Ventes		270 000
Escompte sur ventes	4 500	
Rendus et rabais sur ventes	700	
Achats de matières premières	43 000	
Fournitures d'usine	7 800	
Main-d'œuvre directe	67 500	
Main-d'œuvre indirecte	17 800	
Loyer	12 000	
Assurances et taxes	4 000	
Entretien et réparations de l'équipement	2 600	
Électricité et chauffage	8 000	
Salaires et commissions des vendeurs	50 000	
Salaires de l'administration	35 000	
Frais de fabrication divers	1 200	
Frais d'administration divers	1 600	
Publicité	4 000	
Intérêts — Charges	500	
	296 500 $	296 500 $

601

6) Il ne procède jamais à la ventilation entre les comptes de fabrication et les comptes d'administration des frais relatifs au bâtiment. Lorsqu'il paie le loyer, l'assurance et les taxes, ainsi que l'électricité et le chauffage, il enregistre tout dans un seul compte de loyer, d'assurances et taxes et d'électricité et chauffage. L'administration occupe 20% de la surface de plancher du local et l'usine en occupe 80%. Les frais relatifs au bâtiment sont encourus proportionnellement à la surface de plancher occupée par chacun des services.

7) L'inventaire du 31 décembre 19___1 a révélé ce qui suit:
   a) la valeur des stocks de matières premières est de 1 700 $;
   b) la valeur des produits en cours au 31 décembre 19___1 atteignait 1 700 $;
   c) la valeur des produits finis est de 5 000 $.

8) L'entreprise a fabriqué 8 020 sacs à main au cours de l'exercice 19___1.

On demande

1) À l'aide des données fournies, préparer le travail de fin d'exercice, soit:
   a) les écritures de régularisation;
   b) les états financiers, y compris l'état du coût de fabrication;
   c) les écritures de clôture.

2) Établir le coût unitaire de fabrication du sac à main produit par l'entreprise Dussac.

Solution commentée

1a) Le travail de régularisation

1) La provision pour créances douteuses qui apparaît actuellement à 600 $ doit être augmentée de 400 $.

   (1) Créances douteuses   400 $
        @ Provision pour créances
            douteuses   400 $

2) Puisqu'il n'y a eu, au cours de la période, aucune opération affectant les postes « Matériel et outillage » et « Mobilier de bureau », la dotation à l'amortissement sera comptée directement à partir du solde des comptes présentés à la balance de vérification préliminaire.

   Pour le matériel et outillage, l'enregistrement de la charge devient:

   (2.1) Dotation à l'amortissement — Matériel
        et outillage   600 $
        @ Amortissement cumulé —
            Matériel et outillage   600 $

   (6 000 × 10%)

   Pour le mobilier de bureau, l'enregistrement de la charge devient:

   (2.2) Dotation à l'amortissement — Mobilier
        de bureau   240 $
        @ Amortissement cumulé —
            Mobilier de bureau   240 $

   (2 400 × 10%)

3) L'intérêt couru s'inscrira en augmentation de la charge d'intérêt pour la période par l'écriture:

$\circled{3}$ Intérêts — Charges   200 $
    @ Intérêts à payer   200 $

4) Puisque toutes les charges relatives aux salaires furent réglées le dernier jour de l'exercice financier, aucun ajustement n'est requis.

5) La cinquième donnée indique à son tour qu'aucun ajustement ne doit être passé aux comptes d'assurances et de taxes, puisque la période couverte par ces comptes correspond à l'exercice financier de Dussac Enr.

6) L'établissement du coût de fabrication exige qu'on identifie la partie des charges reliées à l'exploitation du bâtiment qui sont imputables à la fabrication et qu'on les distingue de celles qui sont imputables aux fonctions de vente et d'administration. Puisque ce travail n'a pas été accompli en cours d'exercice par le teneur de livres, nous y suppléerons par une écriture de régularisation qui séparera en leurs deux composantes (administration et fabrication) les comptes de charges reliés à l'immeuble. Dans le cas qui nous occupe, nous devrons traiter les comptes:

Loyer	12 000
Assurances et taxes	4 000
Électricité et chauffage	8 000

Nous devons les répartir entre l'administration et la fabrication, en respectant les données du cas, soit à partir du taux d'occupation de la surface de plancher par chacun de ces services. En réduisant de 80% les soldes actuellement présentés à la balance de vérification par l'écriture:

$\circled{6}$ Loyer — Usine   9 600 $
Assurances et taxes — Usine   3 200
Électricité et chauffage — Usine   6 400
    @ Loyer   9 600 $
         Assurances et taxes   3 200
         Électricité et chauffage   6 400

(80% $\times$ 12 000 = 9 600)
(80% $\times$ 4 000 = 3 200)
(80% $\times$ 8 000 = 6 400)

il subsistera à la balance de vérification un solde aux comptes « Loyer », « Assurances et taxes » et « Électricité et chauffage » qui correspondra au montant de la charge imputable aux services administratifs. On retrouvera aux comptes « Loyer — Usine », « Assurances et taxes — Usine » ainsi qu'« Électricité et chauffage — Usine » le montant de la charge imputable aux services de fabrication.

7) Le cheminement des coûts de fabrication à travers les comptes commence par les ajustements à passer aux différents comptes de stocks.

7.1) L'ajustement au compte « Stock de matières premières » passe par l'attribution au coût de fabrication des matières premières utilisées au cours de la période. On y ajoutera d'abord les matières premières dont on disposait au début de la période, puis on y ajoutera celles qu'on a acquises au cours de la période. De cette façon, on déterminera le coût des matières premières disponibles à la fabrication. Nous terminerons l'évaluation du coût des matières premières utilisées en déduisant du total précédent le stock de matières premières en main en fin d'exercice.

	Coût de fabrication	2 800 $	
	@ Stock de matières		
	premières		2 800 $
(7.1)	Coût de fabrication	43 000 $	
	@ Achats de matières		
	premières		43 000 $
	Stock de matières premières	1 700 $	
	@ Coût de fabrication		1 700 $

7.2) La régularisation touchant les stocks de produits en cours permet d'ajouter à la fabrication la valeur des stocks au début de l'exercice et de retirer celle des stocks à la fin, dans le but de présenter un coût de fabrication qui correspond uniquement au coût des produits terminés au cours de l'exercice.

	Coût de fabrication	1 300 $	
(7.2)	@ Stock de produits en cours		1 300 $
	Stock de produits en cours	1 700 $	
	@ Coût de fabrication		1 700 $

7.3 L'inscription des stocks de produits finis impose le transfert du coût de fabrication au coût des produits vendus. Pour cette raison, il est nécessaire de connaître avec précision le solde de chacun des comptes de fabrication, soit le solde régularisé de ces comptes. Aussi, l'inscription du stock de produits finis devrait-elle demeurer la dernière régularisation de l'entreprise industrielle.

La démarche que nous adopterons afin d'aboutir à l'inscription du stock de produits finis en fin d'exercice nous conduira à terminer l'évaluation du coût de fabrication de Dussac Enr., puis à transférer au coût des produits vendus le stock de produits finis au début ainsi que de la fabrication de la période. Enfin, nous procéderons au retrait du « Coût des produits vendus » de la valeur des stocks de produits finis en main en fin d'exercice.

	Coût de fabrication	116 700 $	
	@ Fournitures d'usine		7 800 $
	Main-d'œuvre directe		67 500
	Main-d'œuvre indirecte		17 800
	Loyer — Usine		9 600
	Assurances et taxes —		
(7.3)	Usine		3 200
	Électricité et chauffage —		
	Usine		6 400
	Frais de fabrication divers		1 200
	Entretien et réparations		
	de l'équipement		2 600
	Dotation à l'amortissement —		
	Matériel et outillage		600

Puisque ces 116 700 $ s'ajoutent aux ajustements déjà passés au coût de fabrication lors des transferts de matières premières et de produits en cours, le coût de fabrication à transférer au coût des produits vendus atteint donc 160 400 $. Le compte en T présenté au tableau 11-24 résume la situation.

TABLEAU 11-24

	Compte « Coût de fabrication »	
Stocks de matières premières au 01-01-19__1	2 800 $	
Achats de matières premières	43 000	
Stock de matières premières au 31-12-19__1		1 700 $
Stocks de produits en cours au 01-01-19__1	1 300	
Stocks de produits en cours au 31-12-19__1		1 700
Fournitures d'usine	7 800	
Main-d'œuvre directe	67 500	
Main-d'œuvre indirecte	17 800	
Loyer — Usine	9 600	
Assurances et taxes — Usine	3 200	
Électricité et chauffage — Usine	6 400	
Frais de fabrication divers	1 200	
Entretien et réparations de l'équipement	2 600	
Dotation à l'amortissement — Matériel et outillage	600	
Montant à transférer au « Coût des produits vendus »	160 400 $	

L'écriture de régularisation ⑦ se complète par:

⑺.⒋	Coût des produits vendus	4 600 $	
	@ Stock de produits finis		4 600 $
⑺.⒌	Coût des produits vendus	160 400 $	
	@ Coût de fabrication		160 400 $
⑺.⒍	Stock de produits finis	5 000 $	
	@ Coût des produits vendus		5 000 $

Ces dernières écritures concluent notre travail de régularisation à reporter aux registres de Dussac Enr.

b) Les états financiers et l'état du coût de fabrication

C'est en utilisant le chiffrier présenté au tableau 11-25 que nous nous faciliterons la tâche de rédaction des états financiers. On remarquera que, sur ce chiffrier, nous avons substitué les écritures de régularisation conduisant au cheminement des coûts à travers les comptes par les écritures de chiffrier suivantes.

TABLEAU 11-25

Dussac Enr.
Travail de fin d'exercice
Chiffrier 31 décembre 19__1

Nom des comptes	Balance de vérification préliminaire	Régularisations	Balance de vérification régularisée	État du coût de fabrication	État des résultats	Bilan
Caisse	1 200		1 200			1 200
Clients	18 000		18 000			18 000
Provision pour créances douteuses	600	(1) 400	1 000			1 000
Stock de produits en cours au 01-01-19__1	1 300		1 300	1 300		
Stock de produits finis au 01-01-19__1	4 600		4 600		4 600	
Stock de matières premières au 01-01-19__1	2 800		2 800	2 800		
Matériel et outillage	6 000		6 000			6 000
Amortissement cumulé — Matériel et outillage	4 200	(2.1) 600	4 800			4 800
Mobilier de bureau	2 400		2 400			2 400
Amortissement cumulé — Mobilier de bureau	1 100	240	1 340			1 340
Emprunt de banque	8 000		8 000			8 000
Fournisseurs	3 000		3 000			3 000
Capital — M. Dussac	9 600		9 600			9 600
Ventes	270 000		270 000		270 000	
Escomptes sur ventes	4 500		4 500		4 500	
Rendus et rabais sur ventes	700		700		700	
Achats de matières premières	43 000		43 000	43 000		
Fournitures d'usine	7 800		7 800	7 800		
Main-d'œuvre directe	67 500		67 500	67 500		
Main-d'œuvre indirecte	17 800		17 800	17 800		

Compte	Bal. de vérif. Débit	Bal. de vérif. Crédit	Régularisations Débit	Régularisations Crédit	Solde régularisé Débit	Solde régularisé Crédit	Coût de fabrication Débit	Coût de fabrication Crédit	État des résultats Débit	État des résultats Crédit	Bilan Débit	Bilan Crédit
Loyer	12 000			(6) 9 600	2 400				2 400			
Assurances et taxes	4 000			(6) 3 200	800				800			
Entretien et réparations de l'équipement	2 600				2 600				2 600			
Électricité et chauffage	8 000			(6) 6 400	1 600				1 600			
Salaires et commissions des vendeurs	50 000				50 000				50 000			
Salaires de l'administration	35 000				35 000				35 000			
Frais de fabrication divers	1 200				1 200		1 200					
Frais d'administration divers	1 600				1 600				1 600			
Publicité	4 000				4 000				4 000			
Intérêts — Charges	500		(3) 200		700				700			
Créances douteuses			(1) 400		400				400			
Dotation à l'amortissement — Matériel et outillage			(2.1) 600		600		600					
Dotation à l'amortissement — Mobilier de bureau			240		240				240			
Intérêts courus à payer				(3) 200		200						200
Loyer — Usine			(6) 9 600		9 600		9 600					
Assurances et taxes — Usine			(6) 3 200		3 200		3 200					
Électricité et chauffage — Usine			(6) 6 400		6 400		6 400					
Stock de matières premières (bilan)			C₁ 1 700		1 700						1 700	
Stock de matières premières (coût de fabrication)				C₁ 1 700		1 700		1 700				
Stock de produits en cours (bilan)			C₂ 1 700		1 700						1 700	
Stock de produits en cours (coût de fabrication)				C₂ 1 700		1 700		1 700				
Stock de produits finis (bilan)			C₃ 5 000		5 000						5 000	
Stock de produits finis (état des résultats)				C₃ 5 000		5 000				5 000		
	296 500	296 500	29 040	29 040	306 340	306 340		3 400	106 540			27 940
Coût de fabrication								160 400	160 400			
							163 800	163 800	266 940			
Bénéfice net									8 060			8 060
									275 000	275 000	36 000	36 000

(C₁) Stock de matières premières (bilan)	1 700 $	
@ Stock de matières premières (coût de fabrication)		1 700 $
(C₂) Stock de produits en cours (bilan)	1 700 $	
@ Stock de produits en cours (coût de fabrication)		1 700 $
(C₃) Stock de produits finis (bilan)	5 000 $	
@ Stock de produits finis (coût de fabrication)		5 000 $

En nous référant au chiffrier que nous venons de bâtir, il devient facile de préparer les états financiers de Dussac Enr. (voir les tableaux 11-26 à 11-29).

TABLEAU 11-26

Dussac Enr.
Bilan
au 31 décembre 19__1
Actif

Actif à court terme		
Caisse		1 200 $
Clients	18 000 $	
Moins: Provision pour créances douteuses	1 000	17 000
Stock de produits en cours		1 700
Stock de produits finis		5 000
Stock de matières premières		1 700
Total de l'actif à court terme		26 600
Immobilisations		
Matériel et outillage	6 000	
Moins: Amortissement cumulé — Matériel et outillage	4 800	1 200
Mobilier de bureau	2 400	
Moins: Amortissement cumulé — Mobilier de bureau	1 340 $	1 060
Total des immobilisations		2 260
Total de l'actif		28 860

Passif

Passif à court terme		
Emprunt de banque		8 000
Intérêts à payer		200
Fournisseurs		3 000
Total du passif		11 200

Capital

Capital — M. Dussac		17 660
Total du passif et du capital		28 860 $

TABLEAU 11-27

Dussac Enr.
État des variations de la valeur nette
pour l'exercice terminé le 31 décembre 19__1

Capital — M. Dussac au 1er janvier 19__1	9 600 $
Plus: Bénéfice net	8 060
Capital — M. Dussac au 31 décembre 19__1	17 660 $

TABLEAU 11-28

Dussac Enr.
État des résultats
pour l'exercice terminé le 31 décembre 19__1

Produits

Chiffres d'affaires brut		270 000 $
Moins: Escomptes sur ventes	4 500 $	
Rendus et rabais sur ventes	700	5 200
Chiffre d'affaires net		264 800

Charges

Coût des produits vendus		
Stock de produits finis au 1er janvier 19__1	4 600	
Coût de fabrication	160 400	
Produits disponibles à la vente	165 000	
Moins: Stock de produits finis au 31 décembre 19__1	5 000	160 000
Bénéfice brut		104 800
Frais généraux de vente et d'administration		
Loyer	2 400	
Assurances et taxes	800	
Électricité et chauffage	1 600	
Salaires et commissions des vendeurs	50 000	
Salaires de l'administration	35 000	
Publicité	4 000	
Intérêts	700	
Créances douteuses	400	
Dotation à l'amortissement — Mobilier de bureau	240	
Frais d'administration divers	1 600	96 740
Bénéfice net		8 060 $

TABLEAU 11-29

Dussac Enr.
État du coût de fabrication
pour l'exercice terminé le 31 décembre 19__1

Stock de produits en cours au 1er janvier 19__1		1 300 $
Coût des matières premières utilisées		
Stock de matières premières au 1er janvier 19__1	2 800 $	
Achats de matières premières	43 000	
	45 800	
Moins: Stock de matières premières au 31 décembre 19__1	1 700	44 100
Main-d'œuvre directe		67 500
Frais généraux de fabrication		
Main-d'œuvre indirecte	17 800	
Fournitures d'usine	7 800	
Entretien et réparations de l'équipement	2 600	
Frais de fabrication divers	1 200	
Dotation à l'amortissement du matériel et outillage	600	
Loyer — Usine	9 600	
Assurances et taxes — Usine	3 200	
Électricité et chauffage — Usine	6 400	
Total des frais généraux de fabrication		49 200
Coût des matières et des frais engagés		162 100
Moins: Stock de produits en cours au 31 décembre 19__1		1 700
Coût de fabrication		160 400 $

---

c) Les écritures de clôture

Les écritures de clôture conduisent à virer, au capital de M. Dussac, le résultat net de la période.

Ventes	270 000 $	
@ Sommaire des résultats		270 000$
Sommaire des résultats	261 940 $	
@ Coût des produits vendus		160 000 $
Loyer		2 400
Assurances et taxes		800
Électricité et chauffage		1 600
Salaires et commissions des vendeurs		50 000
Salaires des administrateurs		35 000
Publicité		4 000
Intérêts — Charges		700
Créances douteuses		400

Dotation à l'amortissement — Mobilier de bureau	240
Frais d'administration divers	1600
Escomptes sur ventes	4 500
Rendus et rabais sur ventes	700
Sommaire des résultats 8 060	
@ Capital — M. Dussac	8 060

2) Le coût unitaire de fabrication s'obtient par le rapport:

$$\frac{\text{Coût de fabrication}}{\text{Nombre d'unités fabriquées}}$$

Dans le cas qui nous occupe, le coût global de fabrication est de 160 400 $, le nombre d'unités fabriquées est de 8 020, pour un coût unitaire de fabrication de: $\frac{160\ 400\ \$}{8\ 020\ \text{unités}} = 20\ \$$.

QUESTIONS

11-1 Qu'est-ce qui distingue l'entreprise industrielle des deux autres formes économiques d'entreprise?

11-2 Qu'entend-on par *matières premières*?

11-3 Comment établit-on le coût des matières premières utilisées?

11-4 Qu'entend-on par *main-d'œuvre directe*?

11-5 Pourquoi établit-on une distinction entre les diverses catégories de main-d'œuvre?

11-6 Quels groupes d'employés appartiennent à la catégorie de la main-d'œuvre indirecte?

11-7 Comment mesure-t-on le coût d'un employé?

11-8 Qu'entend-on généralement par *charges sociales*?

11-9 Quelles sont les grandes catégories de frais généraux de fabrication?

1-10 Quels sont les deux objectifs du travail de régularisation de l'entreprise industrielle?

1-11 Qu'entend-on par *stock de produits en cours*?

1-12 Comment procède-t-on à l'évaluation des stocks de produits en cours?

Q11-13 Quel document comptable, dans l'entreprise industrielle, servira à informer l'administrateur sur le coût de fabrication?

Q11-14 Comment établit-on, pour une période donnée, le coût unitaire de fabrication?

Q11-15 Pourquoi ne reporte-t-on pas sur le chiffrier de l'entreprise industrielle les écritures de régularisation conduisant au cheminement des coûts à travers les comptes de fabrication?

EXERCICES

E11-16 Voici une liste partielle des comptes de résultats utilisés par l'entreprise Fabrix Enr., fabricant de chaloupes de la région de Québec.

	État des résultats	État du coût de fabrication	État des variations de la valeur nette
Vente de chaloupes			
Rendus et rabais sur achats			
Fret à l'achat			
Dotation à l'amortissement du mobilier de bureau			
Dotation à l'amortissement des camions de livraison			
Taxes — Usine			
Électricité — Usine			
Salaires des vendeurs			
Salaires des contremaîtres			
Main-d'œuvre directe			
Achats			
Fournitures d'usine			
Papeterie			
Publicité			
Escomptes sur achats			
Dotation à l'amortissement — Équipement			
Assurances — Usine			
Prélèvements			

- Indiquer, en cochant la colonne appropriée, à quel état sera inscrit le solde de chacun des comptes décrits.

E11-17 Au cours de l'exercice 19__2, Comptabli Enr., fabricant de registres comptables, a effectué pour un montant brut de 647 000 $ des achats sur lesquels elle bénéficia de 14 000 $

d'escomptes et de 6 000 $ de rabais. Au dernier jour de son exercice 19__2, Comptabli comptait dans ses entrepôts 28 000 $ de stock de produits en cours, 31 000 $ de stock de matières premières et 65 000 $ de stock de produits finis. À la fin de l'exercice précédent, le bilan de Comptabli présentait un solde de 20 000 $ au compte « Stock de produits en cours », de 16 000 $ au compte « Stock de matières premières » et de 37 000 $ au compte « Stock de produits finis ».

- 1) Établir le coût des matières premières utilisées par Comptabli Enr., au cours de son exercice 19__2.

- 2) Transférer, en passant l'écriture de journal appropriée, le coût des matières premières utilisées par Comptabli au coût de fabrication.

-18 Chez Sprie Enr., les stocks de produits en cours au 1er janvier 19__2 s'établissent à 4 000 $, alors qu'ils seront de 7 000 $ au 31 décembre de la même année. Le coût des matières premières utilisées pour cette année 19__2 atteint 164 000 $ et le coût de la main-d'œuvre directe, 233 000 $. Pour leur part, les frais généraux de fabrication se composent de la dotation aux amortissements de l'usine et de l'équipement qui totalise 18 000 $, du coût de la main-d'œuvre indirecte qui atteint 38 000 $ et du coût des fournitures d'usine qui s'élève à 26 000 $.

- 1) Donner la ou les écritures de régularisation nécessaires pour transférer au coût de fabrication les frais de fabrication encourus par Sprie Enr. au cours de son exercice 19__2.

- 2) Fournir l'écriture de régularisation nécessaire pour transférer le coût de fabrication au coût des produits vendus.

1-19 L'entreprise Jasmin Enr., producteur de parfum, n'utilise qu'un seul bâtiment pour la production et les services administratifs. En cours d'exercice, lorsqu'il enregistre les charges afférentes à l'immeuble, le teneur de livres de Jasmin Enr. ne distingue pas la partie de ces charges imputable à la fabrication de la partie imputable aux services administratifs. À la fin de 19__3, les postes de charges relatifs à l'immeuble présentent les soldes suivants:

« Taxes — Immeuble »	5 800 $
« Assurances — Immeuble »	3 400 $
« Entretien et réparations »	6 000 $
« Éclairage et chauffage »	5 600 $

L'immeuble en question fut achevé en 19__1 au coût de 600 000 $ et son coût est réparti suivant la méthode linéaire au taux de 5%. Cet immeuble a une surface de 10 000 m²; les services administratifs occupent 1 000 m² et la production, 9 000 m².

- En supposant que les frais relatifs à l'immeuble sont directement proportionnels à la surface de cet immeuble:

  1) procéder, à l'aide des écritures appropriées, à la répartition de ces frais entre les services administratifs et la fabrication;

  2) enregistrer la charge « Dotation à l'amortissement — Immeuble » de Jasmin Enr. pour son exercice financier 19__3.

E11-20 L'entreprise Jobi Enr. possédait les stocks suivants:

	Au 1ᵉʳ janvier 19__2	Au 31 décembre 19__2
Produits finis	10 000 $	7 000 $
Matières premières	8 000 $	9 000 $
Produits en cours	4 000 $	5 000 $

Au cours de son exercice 19__2, Jobi acheta 85 000 $ de matières premières et encourut 30 000 $ de coût de main-d'œuvre directe de même que 16 000 $ de frais généraux de fabrication.

• Établir le coût des produits vendus de Jobi Enr. pour son exercice 19__2.

PROBLÈMES À RÉSOUDRE

P11-21 L'entreprise de M. Gouret fabrique en grande quantité des bâtons de hockey de qualité supérieure. Au cours du mois d'octobre 19__2, elle a mené les opérations suivantes:

01-10 Achat de 14 000 $ de bois devant servir à la fabrication des bâtons. Les conditions de cet achat sont 2%, 10 jours, net 30 jours.
Le même jour, l'entreprise achète une machine pour planer le bois. Cette machine sera payée en trois versements égaux de 15 000 $. Le premier versement sera effectué le 15 octobre 19__2.

02-10 Elle encaisse 500 $ que lui devait le Club optimiste local.

03-10 Elle vend: 3 000 $ de bâtons à Omi-Sport;
2 000 $ de bâtons à Novo-Sport;
4 000 $ de bâtons à Moni-Sport.

04-10 Elle paie aux vendeurs les charges qu'ils ont encourues au cours du mois de septembre 19__2. Total: 2 300 $.

05-10 Elle achète de la fibre de verre qui entre dans la composition de ses bâtons. Cet achat de 1 400 $ est payé comptant.

08-10 Elle vend aux magasins Rascal 11 000 $ de bâtons; les conditions de crédit sont 1%, 10 jours, net 30 jours.

09-10 Rascal règle la facture du 8 octobre.

10-10 Elle achète des lubrifiants et des fournitures d'entretien pour l'usine. Cet achat, payé comptant, atteint 300 $.

11-10 Elle règle l'achat de matières premières du 1ᵉʳ octobre.

12-10 Elle paie les employés pour la période de deux semaines ouvrables allant du 1ᵉʳ au 12 octobre:

a) 4 employés sont affectés directement à la production; ils ont droit chacun à 375 $ par semaine;
b) 1 contremaître les supervise; il reçoit 400 $ par semaine;
c) 1 teneur de livres reçoit 400 $ par semaine;

d) chacun des deux vendeurs a droit à un salaire de 200 $ par semaine plus une commission égale à 1% de son chiffre de ventes brutes;

e) les retenues salariales atteignent, pour chaque employé, 30% du salaire brut.

15-10 Omi-Sport règle la facture du 3 octobre et achète pour 6 000 $ de bâtons.
Le premier versement sur l'achat de la machine du 1er octobre est effectué ce jour.

16-10 L'entreprise achète du papier de verre devant servir au polissage des bâtons. L'achat atteint 100 $ et doit être réglé d'ici 30 jours.

17-10 Elle achète du matériel publicitaire pour les vendeurs; le coût de cet achat est de 1 000 $ et devra être réglé d'ici 60 jours.

18-10 Elle vend aux magasins « Pneus du Québec » 14 000 $ de bâtons; les conditions de crédit sont 1%, 10 jours, net 30 jours.

19-10 Elle achète de la peinture utilisée pour peindre des bâtons; la facture atteint 300 $ et est réglée le jour même.

20-10 Elle reçoit la facture de l'entreprise chargée de l'entretien de son équipement. Cette facture de 200 $ représente le coût de l'entretien de cet équipement pour le mois de septembre 19__2.

23-10 Elle achète 5 000 $ de bois devant servir à la fabrication des bâtons et 500 $ de colle réservée au même usage. Les conditions de crédit de cet achat sont net 30 jours.

24-10 Elle achète pour 800 $ de fournitures de bureau.

25-10 Elle paie le loyer du mois d'octobre pour la photocopieuse (200 $).

26-10 Elle fait don aux Chevaliers de Colomb de 50 bâtons de hockey d'une valeur globale de 300 $.

27-10 Elle paie de nouveau ses employés.

● Enregistrer sous forme d'écritures de journal chacune des opérations menées par l'entreprise Gouret Enr. au cours du mois d'octobre 19__2. On aura soin d'indiquer en regard de chaque écriture le nom du registre auxiliaire où l'écriture devrait être passée.

-22 Voici la balance de vérification au 01-01-19__1 de l'entreprise de M. Tonneau, Tonneau Enr., qui fabrique des barils de bois de différentes dimensions.

	Débits	Crédits
Caisse	5 000 $	
Clients	18 500	
Provision pour créances douteuses		600 $
Stock de matières premières au 01-01-19__2	1 400	
Stocks de produits en cours au 01-01-19__2	1 800	
Stocks de produits finis au 01-01-19__2	2 300	
Immeuble	80 000	
Amortissement cumulé — Immeuble		47 000
Matériel roulant	11 000	
Amortissement cumulé — Matériel roulant		3 500
Machinerie et outillage	6 000	

Amortissement cumulé — Machinerie et outillage	3 900
Mobilier de bureau	5 000
Amortissement cumulé — Mobilier de bureau	1 000
Fournisseurs	9 000
Capital — M. Tonneau	10 600
Ventes	290 000
Rendus et rabais sur ventes	5 000
Achats de matières premières	100 000
Escomptes sur achats de matières premières	1 000
Fret à l'achat de matières premières	500
Main-d'œuvre directe	55 000
Main-d'œuvre indirecte	15 000
Fournitures d'usine	6 000
Entretien et réparations de l'équipement	1 800
Taxes — Immeuble	4 500
Entretien et réparations de l'immeuble	2 000
Électricité, chauffage et force motrice	5 500
Téléphone	300
Salaires du vendeur	17 000
Frais de vente divers	3 000
Frais d'administration divers	5 000
Salaires de l'administration	15 000

Pour la colonne débit et crédit :

Débit	Crédit
	3 900
5 000	
	1 000
	9 000
	10 600
	290 000
5 000	
100 000	
	1 000
500	
55 000	
15 000	
6 000	
1 800	
4 500	
2 000	
5 500	
300	
17 000	
3 000	
5 000	
15 000	
366 600 $	**366 600 $**

Les journaux auxiliaires de l'entreprise de M. Tonneau présentent les enregistrements des opérations des trois premières semaines d'octobre 19__1.

Journal général

Date	Écriture	Débit	Crédit

Journal des ventes

| Date | Nom du client | N° de facture | Débit | | Ventes |
			Clients	Ventes au comptant	
01-10	M. Groleau	901	160 $		160 $
06-10	M. Blouin	902	640		640
07-10	M. Boivin	903	1 000		1 000
14-10	Les Artistes d'antan	904	7 500		7 500
16-10	Bo-Bois Enr.	905	4 000		4 000
20-10	Légo Enr.	906	3 000		3 000
21-10	Les Artisans Enr.	907	2 500		2 500

Journal des achats

Date	Nom du fournisseur	Conditions de crédit	CT Fournisseurs	Achat de matières premières	Fret à l'achat	Fournitures d'usine	Entretien et réparations de l'équipement	Électricité, chauffage et force motrice	Divers Nom du compte	Divers Montant
Oct.										
01	Gros Bois Enr.	2%/10, N/30	1 400 $	1 400 $						
02	Quin-Cailler Enr.	N/30	200			200 $				
08	Papeterie Jacques Enr.	N/30	50						Frais d'administration	50 $
10	Ferronnerie Enr.	N/30	600	550	50 $					
14	Rascal Enr.	N/30	1 450	1 450						
15	Les Publications A.B.C. Enr.	N/30	300						Frais de vente	300
16	Gros Bois Enr.	N/30	2 600	2 600						
18	Mécano Enr.	N/30	600				600 $			
21	Hydro-Québec	N/30	700					700 $		

Journal des recettes

Date	Nom du payeur	DT Banque	DT Escompte sur ventes	CT Clients	CT Ventes au comptant	CT Divers Nom du compte	Montant
Oct.							
01	M. Roy	1 400 $	100 $	1 500 $			
02	M. Rancourt	500		500			
03	Les Artisans de Joliette Enr.	1 600		1 600			
08	Banque Populaire	10 000				Emprunt de banque	10 000 $
21	Gros Bois Enr.	2 600		2 600			

Journal des débours

Date	Nom du bénéficiaire	CT Banque	CT Escomptes sur achats	DT Fournis- seurs	DT Salaires à payer	DT Divers Nom du compte	Montant
01	Banque Populaire	4 000 $				Emprunt de banque	4 000 $
02	Quin-Cailler Enr.	600		600 $			
08	Ferronnerie Enr.	1 300		1 300			
10	Mécano Enr.	800		800			
12	Hydro-Québec	900		900			
14	Gros Bois Enr.	4 000		4 000			
21	Rascal Enr.	1 100		1 100			

Journal des salaires

Date	Nom de l'employé	DT Main-d'œuvre directe	DT Main-d'œuvre indirecte	DT Salaires des vendeurs	DT Salaires de l'administration	CT Retenues salariales à payer		CT Salaires nets à payer
						Féd.	Prov.	

Au cours de la dernière semaine du mois d'octobre 19___1, l'entreprise Tonneau Enr. a mené les opérations suivantes.

24-10 Elle vend à la Ferme St-Julien 8 de ses plus gros modèles de barils au prix de 200 $ chacun, à payer d'ici 30 jours.

Elle achète de Rascal Enr. l'enduit spécial qui lui sert à sceller le bois de ses barils. La facture, qui atteint 300 $, porte la mention suivante: 1%, 10 jours, net 30 jours.

Elle achète des fournitures d'entretien pour l'immeuble (300 $). Soulignons que l'immeuble est utilisé à 90% par la fabrication.

25-10 Elle rembourse à un vendeur ses charges de la semaine précédente (80 $).

Elle paie Gros Bois Enr., facture du 1er octobre 19___1. Elle paie Quin-Cailler Enr., facture du 2 octobre 19___1. Elle paie la Papeterie Jacques Enr., facture du 8 octobre 19___1.

26-10 Elle vend comptant 3 barils à un particulier du nom de L. St-Jean. La facture s'élève à 450 $.

Elle achète comptant pour 80 $ de timbres qui seront utilisés pour une campagne de publicité par la poste.

Elle achète de Gros-Fer Enr. le fer nécessaire à la fabrication des barils. L'achat s'élève à 400 $ et doit être réglé d'ici 30 jours.

27-10 Elle vend 5 barils de 100 $ chacun aux Artisans de Joliette Enr. aux conditions 2%/10, N/30.

Elle reçoit une facture de téléphone de 75 $.

Elle achète de Rascal Enr., les abrasifs nécessaires à la finition des barils. L'achat s'élève à 200 $ et les conditions de crédit sont net 30 jours.

28-10 Elle paie ses employés pour le mois d'octobre. Les fiches de paie se lisent comme suit:

Nom de l'employé	Tâche	Salaire brut	Retenues		Salaire net
			Fédérales	Provinciales	
T. Carignan	Manœuvre	1 200	120	120	960
L. Beauséjour	Manœuvre	1 300	130	130	1 040
M. Martin	Manœuvre	800	80	80	640
D. Laroche	Chef d'atelier	1 400	140	140	1 120
C. Lupien	Entretien	200			200
L. Martel	Secrétaire	1 000	100	100	800
P. Nantel	Vendeur	1 200	120	120	960

● 1) Inscrire les opérations de Tonneau Enr. pour la dernière semaine du mois d'octobre 19___2 en se servant des registres qui sont fournis à cet effet.

2) Dresser la balance de vérification préliminaire de Tonneau Enr. au 31 octobre 19___2.

1-23 M. Talon fournit à son comptable la balance de vérification de son entreprise Bon Soulier Enr., au 31 décembre 19__1.

Bon Soulier Enr.
Balance de vérification partiellement régularisée
au 31 décembre 19__1

	Débits	Crédits
Caisse	5 000 $	
Clients	17 000	
Assurances constatées d'avance	800	
Taxes constatées d'avance	700	
Dépôt à terme	3 500	
Stock de produits en cours au 01-01-19__1	14 000	
Stock de matières premières au 01-01-19__1	12 500	
Stock de produits finis au 01-01-19__1	35 000	
Bâtiment	175 000	
Amortissement cumulé — Bâtiment		55 000 $
Matériel et outillage	145 000	
Amortissement cumulé — Matériel et outillage		25 000
Matériel roulant	35 000	
Amortissement cumulé — Matériel roulant		12 000
Mobilier de bureau	27 000	
Amortissement cumulé — Mobilier de bureau		10 000
Fournisseurs		37 000
Emprunt de banque		65 000
Hypothèque à payer échéant le 31-12-19__3		225 000
Capital — M. Talon		100 000
Ventes		675 700
Escomptes sur ventes	11 000	
Rendus et rabais sur vente	2 500	
Achats de matières premières	130 000	
Fret à l'achat de matières premières	2 000	
Escomptes sur achats de matières premières		1 300
Rendus et rabais sur achats de matières premières		4 000
Salaires des manœuvres	167 200	
Salaires des contremaîtres	32 500	
Salaire du directeur d'usine	27 500	

Salaire de l'ingénieur	34 000
Salaires des réparateurs de machinerie	48 200
Salaires de l'administration	52 800
Salaires des vendeurs	42 500
Assurances — Usine	12 000
Taxes — Usine	10 500
Électricité et chauffage — Usine	10 000
Publicité	27 000
Frais de fabrication divers	10 800
Frais d'administration divers	4 300
Intérêts — Charges	27 000
Dotation à l'amortissement — Bâtiment	17 500
Dotation à l'amortissement — Matériel et outillage	23 000
Dotation à l'amortissement — Matériel roulant	10 500
Assurances	4 500
Taxes	12 000
Dotation à l'amortissement — Mobilier de bureau	7 500
Électricité, chauffage	11 900
	1 210 000 $ 1 210 000 $

M. Talon donne les renseignements suivants à son comptable:

1) toutes les automobiles sont utilisées par les vendeurs;

2) les stocks à la fin de l'exercice (31-12-19___1) sont les suivants:

Stock de produits en cours	17 500
Stock de matières premières	12 800
Stock de produits finis	50 000

- Dresser l'état du coût de fabrication, l'état des résultats, l'état des variations de la valeur nette pour la période se terminant le 31 décembre 19___1 et le bilan à cette même date.

P11-24 L'entreprise Bo Pin Enr. est spécialisée dans la transformation du bois à l'état brut en matériaux de construction. Son comptable, M. É. Pinette, n'a pas une formation très poussée. Il n'est donc pas en mesure de dresser les états financiers de l'entreprise. Il fait appel à son meilleur ami, M. Pépin, pour l'aider à dresser les états financiers de Bo Pin Enr. au 31 décembre 19___2.

Il lui transmet la balance de vérification régularisée au 31 décembre 19___2.

Bo Pin Enr.
Balance de vérification partiellement régularisée
au 31 décembre 19__2

	Débit	Crédit
Banque	10 500 $	
Clients	48 000	
Frais constatés d'avance	7 500	
Stock de produits en cours au 01-01-19__2	12 500	
Stock de bois à l'état brut au 01-01-19__2	25 000	
Stock de produits finis au 01-01-19__2	50 000	
Terrain	15 000	
Bâtiments	300 000	
Amortissement cumulé — Bâtiments		130 000 $
Matériel et outillage	150 000	
Amortissement cumulé — Matériel et outillage		45 000
Camions	100 000	
Amortissement cumulé — Camions		60 000
Mobilier de bureau	25 000	
Amortissement cumulé — Mobilier de bureau		12 500
Emprunt de banque		100 000
Fournisseurs		63 000
Hypothèque à payer, 10%, échéant le 30-06-19__5		120 000
Capital — M. Bo Pin		73 000
Prélèvements — M. Bo Pin	25 000	
Apports — M. Bo Pin		11 000
Ventes		750 000
Escomptes sur ventes	15 000	
Rendus et rabais sur ventes	30 000	
Achats de bois à l'état brut	200 000	
Fret à l'achat de bois	16 000	
Escompte sur achat de bois		5 000
Rendus et rabais sur achat de bois		10 000
Rétribution de la main-d'œuvre	65 000	
Rétribution des contremaîtres	18 000	
Entretiens et réparations — Machinerie	35 000	
Assurances et taxes — Bâtiments	15 000	

Fournitures d'usine	5 000
Électricité et chauffage — Bâtiments	12 000
Frais divers	15 000
Commissions des vendeurs	15 000
Salaires des vendeurs	31 000
Frais de représentation et de publicité	27 000
Intérêts — Charges	22 000
Dotation à l'amortissement — Bâtiments	30 000
Dotation à l'amortissement — Matériel et outillage	25 000
Dotation à l'amortissement — Camions	30 000
Dotation à l'amortissement — Mobilier de bureau	5 000
	1 379 500 $ 1 379 500 $

Lors d'une réunion avec le propriétaire de l'entreprise, M. Pépin rassemble les informations supplémentaires suivantes.

1) L'inventaire du 31-12-19__2 révèle que le montant investi dans les stocks à cette date se répartit comme suit:

Stock de produits à moitié terminés	25 500 $
Stock de bois à l'état brut	55 000
Stock de matériaux de construction	68 000

2) 80% des bâtiments abritent la machinerie nécessaire à la transformation du bois et les 20% qui restent sont réservés à l'administration. La politique de l'entreprise consiste à répartir tous les coûts liés aux bâtiments selon le pourcentage d'utilisation de l'espace.

3) Un des 10 camions que l'entreprise possède est utilisé à la fabrication pour transporter le bois à l'état brut d'un bâtiment à l'autre à cause de la distance qui sépare ces bâtiments. Les autres sont utilisés par le service des ventes.

4) Les frais divers comprennent 5 000 $ de frais relatifs à la fabrication, le reste étant des frais divers de vente et d'administration.

5) La main-d'œuvre travaille dans une proportion de 90% directement à la production.

• Dresser les états financiers de Bo Pin Enr. en y incluant l'état du coût de fabrication pour l'exercice terminé le 31-12-19__2.

P11-25 F. Potvin est potier et céramiste; il exerce son métier depuis plus de 10 ans et possède maintenant des ateliers très modernes qui emploient près de 30 personnes. L'exercice financier de l'entreprise de M. Potvin se termine le 30 juin de chaque année. Au 30 juin 19__3, le grand livre général de l'entreprise de M. Potvin, Potvin Enr., présentait avant régularisations les soldes suivants.

Potvin Enr.
Balance de vérification non régularisée
au 30 juin 19__3

	Débit	Crédit
Caisse	8 400 $	
Clients	227 800	
Provision pour créances douteuses		4 600 $
Stocks de produits en cours au 01-07-19__2	27 000	
Stocks de matières premières au 01-07-19__2	19 500	
Stocks de produis finis au 01-07-19__2	61 000	
Bâtiment — Usine	150 000	
Amortissement cumulé — Bâtiment — Usine		70 000
Camions de livraison	14 500	
Amortissement cumulé — Camions de livraison		6 000
Équipement	46 800	
Amortissement cumulé — Équipement		34 300
Fournisseurs		65 000
Emprunt de banque		28 000
Capital — M. Potvin		196 000
Ventes		1 365 000
Rendus et rabais sur ventes	14 600	
Achats de matières premières	394 800	
Main-d'œuvre directe	495 600	
Main-d'œuvre indirecte	75 400	
Fournitures d'usine	26 500	
Taxes — Usine	14 500	
Électricité, chauffage et force motrice — Usine	33 000	
Entretien et réparations — Équipement	15 800	
Assurances — Usine	7 500	
Entretien — Bâtiment — Usine	3 700	
Loyer — Bâtiment de l'administration	12 000	
Salaires de l'administration	25 000	
Salaires et commission des vendeurs	65 000	
Frais de bureau	14 600	
Entretien — Bâtiment de l'administration	3 500	
Électricité — Bâtiment de l'administration	2 800	
Frais de vente et d'administration divers	9 600	
	1 768 900 $	1 768 900 $

1) Au 30 juin 19__3, une provision pour créances douteuses de 5 000 $ serait suffisante.

2) L'inventaire révèle:
   a) un stock de produits en cours au 30 juin 19__3 de 31 000 $;
   b) un stock de matières premières au 30 juin 19__3 de 27 600 $;
   c) un stock de produits finis au 30 juin 19__3 de 57 000 $.

3) La dotation à l'amortissement du bâtiment de l'usine est comptée annuellement à raison de 10% de sa valeur d'acquisition.

4) La dotation à l'amortissement des camions et de l'équipement est comptée à 20% de sa valeur d'acquisition.

5) Il y a 2 000 $ d'intérêts courus sur l'emprunt de banque au 30 juin 19__3.

6) Les salaires courus à payer au 30 juin 19__3 atteignent 23 000 $ et se décomposent comme suit:

$$17 000 \$ \text{ pour la main-d'œuvre directe;}$$
$$1 000 \$ \text{ pour la main-d'œuvre indirecte;}$$
$$500 \$ \text{ pour les administrateurs;}$$
$$4 500 \$ \text{ pour les vendeurs.}$$

7) Le montant de 14 500 $ présenté au compte « Taxes — Usine » comprend 2 000 $ de taxes payées d'avance.

- 1) Fournir les écritures nécessaires pour régulariser les registres de Potvin Enr. au 30 juin 19__3.

  2) Préparer la balance de vérification régularisée de Potvin Enr. au 30 juin 19__3.

  3) Rédiger les états financiers, y compris l'état du coût de fabrication de Potvin Enr., au 30 juin 19__3.

  4) Passer les écritures nécessaires pour clôturer les registres de Potvin Enr. au 30 juin 19__3.

P11-26 M. Alberto est un fabricant de chandelles. L'exercice financier de son entreprise Les Chandelles Alberto Enr. se termine le 31 octobre de chaque année. Au 31 octobre 19__4, M. Alberto nous fournit la balance de vérification non régularisée suivante.

Les Chandelles Alberto Enr.
Balance de vérification
au 31 octobre 19__4

	Débit	Crédit
Caisse	12 000 $	
Clients	342 600	
Provision pour créances douteuses		4 975 $
Stock de produits en cours au 01-11-19__3	38 000	
Stock de matières premières au 01-11-19__3	43 000	

Stock de produits finis au 01-11-19__3	50 000	
Bâtiment — Usine	95 000	
Amortissement cumulé — Usine		28 000
Matériel roulant	20 000	
Amortissement cumulé — Matériel roulant		9 525
Équipement	115 000	
Amortissement cumulé — Équipement		57 000
Fournisseurs		185 000
Emprunt de banque		100 000
Hypothèque à payer — 12%		50 000
Capital — M. Alberto		100 000
Ventes		583 500
Rendus et rabais sur ventes	3 500	
Escomptes sur ventes	14 500	
Achats de matières premières	115 000	
Escompte sur achats de matières premières		2 000
Fret à l'achat de matières premières	11 000	
Main-d'œuvre directe	78 500	
Main-d'œuvre indirecte	28 900	
Fournitures d'usine	15 600	
Taxes — Usine	22 000	
Électricité et autres forces motrices	7 500	
Entretien et réparations — Équipement	4 800	
Entretien et réparations — Camion de livraison	3 500	
Assurances — Usine	9 800	
Entretien — Bâtiment usine	7 700	
Loyer — Bâtiment de l'administration et mobilier	5 600	
Mauvaises créances	3 000	
Frais de bureau	5 500	
Salaire des vendeurs	32 000	
Prélèvements — M. Alberto	20 000	
Chauffage et électricité — Administration	12 000	
Frais de vente et d'administration	4 000	
	1 120 000 $	1 120 000 $

M. Alberto nous fournit les renseignements suivants.

1) Une provision pour créances douteuses égale à 2% du solde des comptes « Clients » au 31 octobre 19__4 est satisfaisante.

2) Après l'inventaire, on a déterminé les stocks suivants:

Stock de produits en cours au 31 octobre 19__4	45 000 $
Stock de matières premières au 31 octobre 19__4	50 000
Stock de produits finis au 31 octobre 19__4	55 000
Stock de fournitures au 31 octobre 19__4	5 400

3) La dotation à l'amortissement du bâtiment est de 10% par année du coût d'origine, celle du matériel roulant est au taux de 30% par année et celle de l'équipement est au taux de 20% par année.

4) Il y a 5 000 $ d'intérêts courus à payer sur l'emprunt de banque, au 31 octobre 19__4.

5) Le taux d'intérêt est fixé à 12% sur l'hypothèque et aucun intérêt n'a été payé pour la période de 12 mois se terminant le 31 octobre 19__4.

6) En septembre 19__4, l'entreprise a reçu 5 000 $ d'avance d'un client pour une commande qui ne sera remplie qu'en janvier 19__5. Aucune écriture n'a été passée aux livres pour comptabiliser cette transaction.

7) La charge « Taxes — Usine » comprend 4 500 $ de taxes constatées d'avance.

8) Les salaires courus à payer au 31 octobre totalisent 22 000 $ et sont répartis comme suit:

Main-d'œuvre directe	8 000 $
Main-d'œuvre indirecte	4 000
Salaires des vendeurs	10 000

9) Des factures de 800 $ concernant les frais de bureau ont été reçues le 31 octobre 19__4 mais n'ont pas été enregistrées.

- 1) Fournir les écritures nécessaires pour régulariser les registres de Les Chandelles Alberto Enr. au 31 octobre 19__4.

  2) Préparer la balance de vérification régularisée de Les Chandelles Alberto Enr. au 31 octobre 19__4.

  3) Rédiger les états financiers, y compris l'état du coût global de fabrication, de Les Chandelles Alberto Enr. au 31 octobre 19__4.

  4) Passer les écritures nécessaires pour clôturer les registres de Les Chandelles Alberto Enr. au 31 octobre 19__4.

P11-27 M. Charbonneau, manufacturier, a vendu au cours de 19__2 30 000 articles à 8 $ chacun, réalisant ainsi un bénéfice brut de 58 000 $.

D'autre part, il a fabriqué au cours de la même année 30 000 articles dont le coût unitaire de fabrication se chiffrait à 6,00 $.

Les stocks au 31 décembre 19__2 se présentaient ainsi:

Matières premières	à déterminer
Produits en cours	7 600 $
Produits finis	2 000 articles

Le grand livre général contenait entre autres, au 31 décembre 19___2, les soldes suivants:

Publicité	1 500 $
Douanes et fret à l'achat	1 000
Téléphone et télécommunications	350
Main-d'œuvre directe	96 000
Frais de déplacement	2 000
Salaires des vendeurs	12 760
Main-d'œuvre indirecte	12 000
Frais de livraison	1 375
Permis de vente	200
Stock de produits en cours au 1er janvier 19___2	3 600
Entretien de l'usine	3 600
Frais de banque	80
Réparations de l'outillage	3 900
Produits de loyer	3 300
Assurance — Usine	1 200
Impôts fonciers — Usine	900
Achats de matières premières	71 000
Stock de matières premières au 1er janvier 19___2	8 000
Fournitures d'usine	2 400

- 1) Présenter l'état du coût de fabrication de l'entreprise de M. Charbonneau pour l'année 19___2.

  2) Déterminer le coût unitaire de fabrication pour 19___1.

11-28 La liste de comptes suivante est une partie de la balance de vérification tirée des livres de l'entreprise Laurent Bouvier au 31 janvier 19___2, un mois après le début des activités de l'année 19___2.

Stock de matières premières 1er janvier 19___2	5 000 $
Achats de matières premières	30 000
Ventes	58 500
Fret à l'achat	3 000
Main-d'œuvre indirecte	2 100
Escomptes sur achats	200
Salaires des vendeurs	3 260
Loyer	600
Stock de produits finis au 1er janvier 19___2	8 500
Rendus et rabais sur achats	1 300
Publicité	700
Stock de produits en cours 1er janvier 19___2	5 300
Main-d'œuvre directe	12 750
Fournitures diverses — Usine	710
Assurances	300
Rendus et rabais sur ventes	5 000
Salaires de bureau	1 000
Papeterie et impression	200
Intérêts — Produits	250

De plus, on dispose des renseignements suivants.

1) Au 31 janvier 19__2, il reste en stock 350 articles terminés.

2) La valeur du stock de produits en cours au 31 janvier 19__2 s'établit comme suit:

Matières premières	600 unités à 5 $/unité
Main-d'œuvre directe	1 000 h à 2 $/h
Frais généraux de fabrication	25% du coût de la main-d'œuvre directe s'appliquant aux produits en cours

3) Les charges de loyer et d'assurances se répartissent ainsi pour le mois de janvier:

	Usine	Administration	Ventes
Loyer	10/12	1/12	1/12
Assurances	4/6	1/6	1/6

4) Le prix de vente s'est maintenu à 25 $ l'article durant tout le mois.

5) Les articles terminés en stock au 31 décembre 19__1 et au 31 janvier 19__2 provenaient tous de la fabrication du mois terminé à cette date.

6) On a fabriqué 2 065 articles pendant le mois de janvier.

7) Le coût du stock de matières premières en main au 31 janvier est de 3 000 $.

- 1) Présenter l'état du coût de fabrication pour le mois de janvier 19__2.

  2) Présenter l'état des résultats pour le mois de janvier 19__2.

  3) Calculer le coût unitaire de fabrication de décembre 19__1.

P11-29 L'entreprise Alpha, Ltée vend les produits Alpha et Bêta. Elle fabrique le produit Alpha en utilisant une technologie pour laquelle elle doit payer des redevances égales à $ 1 par unité dont la fabrication est terminée. Elle ne fabrique pas le produit Bêta, mais le vend en réalisant une marge de bénéfice brut de 25%.

Les informations relatives à l'exploitation de l'entreprise Alpha au cours de l'année 19__1 sont présentées dans une balance de vérification partiellement régularisée.

Alpha, Ltée
Balance de vérification partiellement régularisée
au 31 décembre 19__1

	Débit	Crédit
Caisse	10 000 $	
Clients	23 175	
Fournisseurs		18 975 $
Effets à recevoir	5 000	
Achat de matières premières (Produit Alpha)	?	
Achat du produit Bêta	?	
Main-d'œuvre directe	20 000	
Main-d'œuvre indirecte	10 875	

Salaires de bureau	9 000	
Commission des vendeurs	20 000	
Redevances	?	
Éclairage	200	
Immeuble	40 000	
Amortissement cumulé — Immeuble		5 000
Matériel et outillage	45 000	
Amortissement cumulé — Matériel et outillage		13 000
Mobilier et agencements	5 000	
Amortissement cumulé — Mobilier et agencements		2 000
Matériel roulant	10 000	
Amortissement cumulé — Matériel roulant		4 000
Chauffage	1 500	
Téléphone	300	
Créances douteuses	1 200	
Provision pour créances douteuses		1 500
Stock de matières premières	4 000	
Stock de produits en cours	5 000	
Stock de produits finis (Produit Alpha)	8 500	
Stock de marchandises (Produit Bêta)	7 500	
Taxes à payer		1 500
Capital		96 900
Ventes		200 000
Rendus et rabais sur achats de matières premières		2 700
Force motrice	5 000	
Fournitures de bureau	1 000	
Fournitures d'usine	825	
Entretien et réparations — Matériel et outillage	1 500	
Entretien et réparations — Matériel roulant	1 000	
Entretien — Immeuble	1 500	
Assurance-incendie — Bâtiment	500	
Impôts fonciers	2 500	
Terrain	5 000	
Essence	1 500	
Assurances — Matériel roulant	500	
Autres produits		1 500

Autres renseignements

1) Au cours de l'année 19 __ 1, l'entreprise Alpha, Ltée a fabriqué 10 000 unités du produit Alpha. Toutefois, à cause d'une baisse de la demande, elle n'a pu en vendre que 9 000, ce qui lui laisse 1 500 unités en stock à la fin de l'année. M. Alpha, propriétaire de l'entreprise Alpha, indique que le bénéfice brut réalisé à la vente du produit Alpha a été en 19 __ 1 de 35%, alors que le bénéfice brut global a été pour la même période de 33,5%.

2) Le teneur de livres a correctement passé les écritures de régularisation. Il n'a toutefois pas passé d'écritures relatives aux stocks de marchandises et à l'amortissement des immobilisations. Il présente à cet effet les renseignements suivants.

Stock au 31 décembre 19 __ 1

Matières premières	5 000
Produits en cours	8 000
Produits finis (Produit Alpha)	?
Produits finis (Produit Bêta)	?

Taux annuel de dotation à l'amortissement[1]

Immeuble	5%
Matériel et outillage	10%
Mobilier et agencements	10%
Matériel roulant	20%

• Présenter l'état du coût de fabrication de la compagnie Alpha, Ltée pour l'exercice financier terminé le 31 décembre 19 __ 1.

---

[1] Le teneur de livres indique qu'en 19 __ 1, les coûts reliés à l'utilisation des immobilisations se sont répartis comme suit entre la fabrication et les ventes et l'administration.

	Fabrication	Ventes et administration
Immeuble	75%	25%
Matériel et outillage	100%	—
Mobilier et agencements	10%	90%
Matériel roulant[2]	50%	50%

[2] La politique de l'entreprise consiste à répartir également le coût d'acquisition du matériel roulant entre la fabrication ainsi que les ventes et l'administration. Pour les autres frais inhérents à l'utilisation du matériel roulant, la base de répartition est la distance parcourue. En 19 __ 1, la distance parcourue a été de 40 000 km, dont 24 000 km attribuables à la fabrication.

12 | La comptabilité de caisse: adaptation du modèle comptable à la petite entreprise

12.1 COMPTABILITÉ DE CAISSE OU COMPTABILITÉ D'EXERCICE?

La comptabilité d'exercice: pour satisfaire aux conventions comptables

La convention de l'indépendance des exercices, définie au chapitre 2 de cet ouvrage, nous a conduit à découper la vie utile de l'entreprise en périodes d'égale longueur, puis à inscrire, à l'intérieur de ces périodes, les produits et charges y afférents. Ce sont les conventions de la réalisation du rapprochement des produits et des charges qui précisèrent par la suite la signification des expressions « produits » et « charges ». En associant le moment de la reconnaissance du produit au moment où nous avons peu d'incertitude quant aux sommes d'argent que produira l'opération, la convention de la réalisation situe le moment de la réalisation au jour de la facturation, pour la très grande majorité des entreprises. Cette interprétation accordée à la convention de réalisation rend le produit indépendant de son encaissement et conduit à enregistrer ce produit, la plupart du temps, avant le moment de cet encaissement.

La convention de la réalisation, de même que l'importance pour l'administrateur de contrôler le crédit consenti à ses clients, amènent à utiliser le journal des ventes (qui permet l'enregistrement du produit même si celui-ci n'est pas encaissé) et le grand livre auxiliaire du compte « Clients » (qui permet d'exercer un contrôle sur les sommes à recevoir des clients).

Puisque la convention du rapprochement des produits et des charges définit la charge comme le coût utilisé pour gagner un produit, elle dissocie la notion de charge du débours qui en est la conséquence. En dissociant la charge du débours, on accorde aux opérations d'achats à crédit les mêmes possibilités qu'aux achats payés comptant d'être imputées à un exercice. C'est pour nous permettre de prendre en considération, lors de la préparation des états financiers, les achats effectués à crédit que fut créé le journal des achats. Le grand livre auxiliaire du compte « Fournisseurs », qui est étroitement relié au journal des achats, doit permettre d'accroître l'efficacité de la gestion et du contrôle des comptes « Fournisseurs ».

En somme, les conventions de la réalisation et du rapprochement des produits et des charges ne font que reconnaître l'importance, pour la situation financière d'une entreprise, des opérations que cette entreprise effectue à crédit. C'est en cherchant à satisfaire à ces conventions que nous avons élaboré le type de comptabilité que nous avons étudié jusqu'à présent et qu'on caractérise souvent par l'expression « comptabilité d'exercice ». On définit la **comptabilité d'exercice** comme *un ensemble de procédés d'enregistrement comptable qui permettent l'établissement de la situation financière d'une entreprise et la mesure de ses résultats d'exploitation en tenant compte des opérations que cette entreprise a conclues à crédit.*

La réalisation des objectifs poursuivis par la comptabilité d'exercice nécessite l'utilisation de l'ensemble des registres comptables que nous connaissons à présent et qui se compose des éléments suivants:

1) le journal des ventes;
2) le journal des achats;
3) le journal des débours;
4) le journal des recettes;
5) le journal des salaires;
6) le journal général;
7) le grand livre général;
8) le grand livre auxiliaire du compte « Clients »;
9) le grand livre auxiliaire du compte « Fournisseurs ».

Cet ensemble de registres constitue la base et, en quelque sorte, le minimum de tout système comptable bâti en vue de l'accumulation des données nécessaires à la préparation d'états financiers satisfaisant aux préceptes de la comptabilité d'exercice. Comme nous l'avons vu, ces préceptes sont eux-mêmes dérivés des conventions comptables.

La comptabilité de caisse, une technique d'enregistrement mieux adaptée à la petite entreprise

Le système de comptabilité d'exercice, dont nous venons d'énumérer les composantes, requiert une certaine expérience de la part de celui qui l'utilise et exige qu'on y consacre un certain temps. Souvent, dans la petite entreprise, le temps et l'expérience en question font défaut. Heureusement, dans ces petites entreprises, le nombre d'opérations est assez limité, et le contrôle de celles-ci est plus facile à exercer. Aussi, ces entreprises pourront-elles se permettre d'alléger leur système comptable. C'est le système de comptabilité de caisse qu'on utilise le plus souvent pour réduire le travail comptable dans la petite entreprise. La fréquence d'utilisation de ce système, de même que sa pertinence pour la petite entreprise, en font un sujet d'étude privilégié.

Au cours de ce chapitre, nous tenterons d'abord de comprendre les mécanismes d'enregistrement des données en système de comptabilité de caisse. C'est par analogie avec les mécanismes d'enregistrement utilisés en comptabilité d'exercice que nous comptons y parvenir. Ensuite, nous verrons comment, à l'aide des ajustements appropriés, nous réussirons à rendre les résultats, tirés d'une comptabilité de caisse, propres à la préparation d'états financiers satisfaisant aux exigences des conventions comptables.

12.2 LE FONCTIONNEMENT DU SYSTÈME DE COMPTABILITÉ DE CAISSE

Les registres de comptabilité de caisse

La comptabilité de caisse part du principe selon lequel la très grande majorité des opérations menées par une entreprise auront un impact sur l'encaisse. Par conséquent, il suffit d'attendre le moment où l'opération provoquera un débours ou produira une recette pour l'enregistrer. Ainsi, le système peut conduire à l'enregistrement de la très grande majorité des opérations presque uniquement grâce au maintien d'un journal des recettes et d'un journal des débours. Quelquefois, selon la dimension de l'entreprise et le nombre d'opérations qu'elle effectue, ce système sera complété par un grand livre général. Contrairement au grand livre général, qui devient facultatif en comptabilité de caisse puisqu'on peut y substituer une version modifiée de la technique du chiffrier (nous le verrons plus loin dans ce chapitre), le journal général, lui, subsistera. Ce dernier sera d'autant plus important que le produit qu'on tire des registres établis en fonction de la comptabilité de caisse s'éloigne davantage du produit fini, soit les états financiers, que ne le faisait le produit tiré d'une comptabilité établie en fonction d'une comptabilité d'exercice. Par conséquent, le nombre d'ajustements qu'on devra apporter à la balance de vérification préliminaire, issue de la comptabilité de caisse, sera plus important qu'en comptabilité d'exercice. Il est donc tout naturel que le registre qui contient ces ajustements voit son importance s'accroître.

Pour leur part, les journaux des ventes et des achats disparaîtront, puisque les opérations d'achats et de ventes seront consignées aux registres des débours et des recettes uniquement lorsque les opérations qu'on consignait habituellement dans les registres des ventes et des achats auront donné lieu à un mouvement monétaire (recette ou débours). La disparition de ces deux registres entraînera habituellement la disparition des registres auxiliaires qui les accompagnaient, soit les registres auxiliaires du compte « Fournisseurs » et du compte « Clients ».

La perte de ces grands livres auxiliaires ne réduit pas pour autant la nécessité de connaître les sommes dues aux fournisseurs ainsi que les sommes dues par les clients. Cependant, puisque la comptabilité de caisse ne s'applique qu'à la petite entreprise où il n'y a que peu d'opérations au cours d'un exercice, les comptes « Fournisseurs » et les comptes « Clients » seront peu nombreux. Il sera donc possible de contrôler les comptes en se contentant de conserver dans une chemise réservée à cet effet les factures de fournisseurs non encore payées et de conserver dans une autre chemise les copies de factures adressées à des clients et que ceux-ci n'ont pas encore payées. En fin de période, on pourra facilement établir le solde du compte « Fournisseurs » en faisant le total des factures impayées à cette date et contenues dans la chemise utilisée pour le classement de ces factures. On procédera de la même façon pour établir le solde du compte « Clients ».

Afin de continuer à bénéficier le plus possible des escomptes de caisse consentis par les fournisseurs, on aura soin de classer les factures, dans les dossiers des « Fournisseurs », selon leur date d'échéance. En somme, le système de comptabilité de caisse fonctionnera avec:

1) le journal des recettes;
2) le journal des débours;
3) le journal général;
4) le grand livre général (au besoin).

L'enregistrement des opérations: comparaison entre les méthodes de comptabilité de caisse et de comptabilité d'exercice

Afin de bien saisir les mécanismes d'enregistrement en comptabilité de caisse, nous les présenterons en les comparant aux mécanismes employés en comptabilité d'exercice et ce, pour la plupart des grandes catégories d'opérations que peut effectuer une entreprise.

L'enregistrement des ventes

En comptabilité d'exercice

Si la vente s'effectue à crédit, elle s'enregistre le jour même où la facture est émise au client, dans le journal des ventes, par l'écriture:

Clients	XX	
@ Ventes		XX

Le montant inscrit au débit du compte « Clients » est ensuite reporté au débit du compte de ce client au grand livre auxiliaire du compte « Clients ». Lors de l'encaissement de ce compte, l'inscription:

```
Caisse                               XX
    @ Clients                             XX
```

est portée au journal des recettes, et le crédit au compte « Clients » est reporté au grand livre auxiliaire du compte « Clients ».

Si le client bénéficie d'un escompte sur vente, on devrait faire l'inscription suivante au journal des recettes:

```
Caisse                               XX
Escompte sur ventes                  XX
    @ Clients                             XX
```

Enfin, s'il s'agit d'une vente au comptant, il est probable que la vente s'enregistre directement au journal des recettes par l'écriture:

```
Caisse                               XX
    @ Ventes                              XX
```

ou encore, selon la méthode du double pointage, l'opération s'enregistre simultanément au journal des ventes et au journal des recettes.

Au journal des ventes:

```
Ventes au comptant                   XX
    @ Ventes                              XX
```

Au journal des recettes:

```
Caisse                               XX
    @ Ventes au comptant                  XX
```

En comptabilité de caisse

En comptabilité de caisse, puisque nous n'enregistrons que les opérations qui donnent lieu à un déplacement d'argent, si une vente s'effectue à crédit, elle ne sera enregistrée que le jour de l'encaissement de cette vente. Par conséquent, au jour de la facturation, il n'y a aucun enregistrement à passer aux livres de l'entreprise, alors qu'au jour du recouvrement du crédit consenti au client, l'inscription suivante est présentée au journal des recettes:

```
Caisse                               XX
    @ Ventes                              XX
```

Le journal des recettes devra bien entendu être aménagé de telle façon qu'on y retrouve une catégorie réservée à l'enregistrement des ventes.

Enfin, si la vente se fait au comptant, l'inscription de la vente en comptabilité de caisse est identique à l'inscription de cette vente en comptabilité d'exercice. Il faut cependant excepter le fait que l'absence du journal des ventes en comptabilité de caisse rend inapplicable la méthode du double pointage.

L'enregistrement des achats

À cause des délais parfois importants qui se produisent entre le moment où une marchandise est reçue en entrepôt et le moment du paiement de ces marchandises, il est impossible, en comptabilité de caisse, d'enregistrer les déplacements de marchandises selon la méthode de l'inventaire permanent. On se rappelle en effet que le but de ce prodécé d'enregistrement des mouvements de marchandises est de permettre à tout moment de connaître le niveau des stocks uniquement en consultant les registres comptables. Puisqu'en comptabilité de caisse, seules les opérations qui ont un impact sur l'encaisse sont enregistrées, l'arrivée d'un stock en entrepôt ne donne lieu à aucune écriture, à moins que ce stock ne soit payé comptant. Par conséquent, si ce stock n'est pas payé comptant, il fausse dès son arrivée les résultats fournis par des registres maintenus selon la méthode de l'inventaire permanent. En effet, l'arrivée de ce stock ne serait reconnue que le jour de son paiement, ce qui pourrait nous situer plusieurs jours après son arrivée en entrepôt, voire même plusieurs jours après la vente de ce stock.

Par conséquent, en ce qui concerne l'enregistrement des achats, nous comparerons la comptabilité de caisse et la comptabilité d'exercice en nous en tenant à la méthode de l'inventaire périodique.

En comptabilité d'exercice

En comptabilité d'exercice, l'arrivée du stock en entrepôt, qui s'accompagne habituellement de la facture du fournisseur, s'effectuera à partir de cette facture enregistrée au journal des achats par l'écriture:

| Achats | XX | |
| @ Fournisseurs | | XX |

Lors du règlement de l'achat, si l'achat a été effectué à crédit, on passera au journal des débours l'écriture suivante:

| Fournisseurs | XX | |
| @ Caisse | | XX |

À cette occasion, de même que lors de l'achat de ces marchandises à crédit, une inscription au montant de l'engagement pris sera portée au grand livre auxiliaire du compte « Fournisseurs ».

Si l'achat est payé comptant, c'est au journal des débours que l'opération sera consignée par:

| Achats | XX | |
| @ Caisse | | XX |

En comptabilité de caisse

En comptabilité de caisse, la première et dernière inscription relative aux achats se fera le jour du paiement de cet achat par une écriture au journal des débours:

| Achats | XX | |
| @ Caisse | | XX |

Il n'y a pas de journal des achats ni de grand livre auxiliaire du compte « Fournisseurs », si bien qu'au jour de la réception de la marchandise et de la facture, aucune inscription n'est portée aux registres de l'entreprise. Par ailleurs, si l'achat se fait au comptant, l'enregistrement en comptabilité de caisse est identique à l'enregistrement de cet achat en comptabilité d'exercice.

L'enregistrement des salaires

Dans plusieurs petites entreprises où ne travaillent que les propriétaires, il ne se pose pas de problème d'enregistrement des salaires. Les sommes retirées par les propriétaires sont considérées comme des prélèvements et s'enregistrent en comptabilité de caisse comme en comptabilité d'exercice au journal des débours, au moment où elles sont prélevées, par l'écriture :

Prélèvements	XX	
@ Caisse		XX

Néanmoins, lorsque le propriétaire n'est pas seul à faire fonctionner son entreprise, le problème de l'enregistrement des salaires subsiste.

En comptabilité d'exercice

En comptabilité d'exercice, l'enregistrement du salaire passe d'abord par le journal auxiliaire réservé à cet effet. C'est ainsi que, dès la fin d'une période de paie, on passe l'écriture au journal des salaires :

Salaires	XX	
@ Retenues salariales à payer		XX
Salaires à payer		XX

L'opération se terminera, au moment de la distribution des chèques de paie, par un enregistrement au journal des débours :

Salaires à payer	XX	
@ Caisse		XX

Lorsque les remises seront effectuées aux organismes auxquels les retenues salariales doivent être envoyées, l'enregistrement a lieu au journal des débours :

Retenues salariales à payer	XX	
Charges sociales	XX	
@ Caisse		XX

En comptabilité de caisse

En comptabilité de caisse, le salaire s'enregistre lorsqu'il est payé. Cet enregistrement se passe au journal des débours par l'inscription :

Salaires	XX	
@ Caisse		XX

On doit noter que le débit au compte « Salaires », dans ces circonstances, ne correspond pas à la charge de salaires de la période (salaire brut) mais bien au montant du salaire net à payer. Cela va de soi, puisque c'est le salaire net que l'on paie et que c'est le débours qu'on enregistre ici.

Plus tard, lorsque sera venu le moment de régler les retenues salariales à payer, on complétera l'enregistrement de la charge de salaires en débitant, au journal des débours, le poste « Salaires » du montant des retenues effectuées sur le salaire des employés et maintenant payées. La participation de l'employeur s'inscrira comme au préalable au compte « Charges sociales ».

EXEMPLE D'APPLICATION

L'enregistrement des salaires en comptabilité de caisse

L'entreprise Abé paie ses employés tous les mois le dernier jour de chaque mois. Le 30 novembre 19__1, elle a à son service 2 employés qu'elle paie chacun 2 000 $ par mois. Les retenues salariales à payer sur les salaires pour chacun des employés atteignent 30% de leur salaire brut respectif. La participation de l'employeur aux régimes d'avantages sociaux lui coûte 10% du salaire brut de chaque employé. Les retenues salariales (part de l'employé et part de l'employeur) sont réglées le 15 du mois qui suit celui où la paie a été versée.

En comptabilité de caisse, les étapes suivantes seront franchies pour aboutir à l'enregistrement complet de la paie du 30 novembre 19__1.

1) D'abord, on doit calculer la paie. Il s'agit à ce moment d'établir le montant des retenues salariales sur le salaire de chaque employé afin d'évaluer le montant du salaire net à verser (voir le tableau 12-1).

TABLEAU 12-1

Entreprise Abé
Calcul du salaire à verser le 30 novembre 19__1

Montant brut (2 000 × 2)	4 000 $
Moins: Retenues salariales à payer (participation de l'employé) 30% (2 000 × 2)	1 200
Salaire net à verser	2 800 $
Participation de l'employeur aux régimes d'avantages sociaux 10% (2 000 × 2)	400 $

Puisque l'État oblige toute entreprise qui embauche du personnel à maintenir un livre des salaires[1], on pourra, en comptabilité de caisse, s'aider de ce livre pour calculer le montant du salaire net à payer.

---

[1] Ce livre est construit sur le modèle du journal des salaires, mais il n'est pas intégré au cycle comptable.

2) Lorsque le montant des salaires à verser est établi, les chèques sont préparés et enregistrés aux registres des débours le 30 novembre 19__1:

Salaires	2 800 $	
@ Caisse		2 800 $

3) Le 15 décembre, le versement aux différents organismes des retenues salariales et de la participation de l'employeur aux régimes d'avantages sociaux amènera au journal des débours l'écriture:

Salaires	1 200 $	
Charges sociales	400	
@ Caisse		1 600 $

Au 15 décembre, la charge de salaire ainsi enregistrée atteint 4 000 $, montant identique à ce qu'il aurait été en comptabilité d'exercice. Il n'y a donc pas de différence entre les deux systèmes comptables sous cet aspect. La véritable différence entre les systèmes vient de ce qu'entre le 30 novembre et le 15 décembre, il existe réellement un passif de « Retenues salariales à payer » de 1 200 $ et de « Charges sociales » de 400 $ que l'un des deux systèmes (la comptabilité de caisse) ne reconnaît pas.

L'enregistrement des charges diverses

En comptabilité d'exercice

En principe, à l'exclusion de certaines charges qui, de par leur nature, sont pratiquement toujours payées comptant (comme les loyers, les frais de poste), toutes les charges assumées par une entreprise sont accompagnées d'une facture et s'enregistrent d'abord au journal des achats en débitant le poste approprié et en créditant le compte « Fournisseurs ». Par exemple, la charge d'électricité qui est justifiée par la facture d'électricité s'inscrit, sur réception de cette facture, au journal des achats par:

Électricité	XX	
@ Fournisseurs		XX

Lors du règlement de la facture, on passera au journal des débours:

Fournisseurs	XX	
@ Caisse		XX

En comptabilité de caisse

En comptabilité de caisse, on attendra le moment du règlement de la facture pour procéder à l'enregistrement de la charge. Ainsi, aucune écriture ne serait passée, dans l'exemple précédent, lors de la réception de la facture d'électricité. Cette charge ne sera enregistrée qu'au journal des débours, lors de son paiement, par l'écriture:

Électricité	XX	
@ Caisse		XX

L'enregistrement de l'acquisition d'éléments d'actif

L'enregistrement de l'acquisition d'éléments d'actif est analogue à l'enregistrement de la charge. En effet, si cet actif est payé comptant, le traitement en comptabilité d'exercice est identique au traitement de l'opération en comptabilité de caisse.

En comptabilité d'exercice, si l'actif n'est payé qu'au terme des conditions de crédit accordées par le fournisseur, l'acquisition de l'actif est enregistrée au journal des achats, alors qu'en comptabilité de caisse, on ne procédera à son enregistrement qu'au moment du règlement de la facture.

En comptabilité de caisse comme en comptabilité d'exercice, si on doit emprunter à plus long terme pour acquérir l'actif, le produit de l'emprunt s'inscrira au journal des recettes et le débours consécutif à l'acquisition de l'actif s'inscrira au journal des débours.

EXEMPLE D'APPLICATION

L'entreprise Cédé acquiert un immeuble au prix de 200 000 $. Pour procéder à l'acquisition de cet immeuble, l'entreprise doit emprunter 150 000 $ sur hypothèque. Le remboursement de cette hypothèque s'effectuera à raison de versements de 25 000 $ par an; ce montant correspond aux intérêts et au capital à verser annuellement sur cette hypothèque. Pour la première année, 10 000 $ de ces 25 000 $ réduiront le capital emprunté, et 15 000 $ régleront les intérêts de la période.

On enregistrera, en appliquant les principes de comptabilité de caisse et de comptabilité d'exercice:

1) l'opération d'emprunt;

2) l'opération d'acquisition de l'immeuble;

3) l'opération de remboursement de l'emprunt et de paiement des intérêts.

1) L'opération d'emprunt

En comptabilité d'exercice comme en comptabilité de caisse, l'opération d'emprunt s'enregistre au journal des recettes par l'écriture:

Caisse	150 000 $	
@ Hypothèque à payer		150 000 $

2) L'opération d'acquisition de l'immeuble

En comptabilité d'exercice comme en comptabilité de caisse, puisque l'opération donne lieu à un déplacement d'argent, elle s'enregistre au journal des débours:

Immeuble	200 000 $	
@ Caisse		200 000 $

3) L'opération de remboursement de l'emprunt et de paiement des intérêts

Puisque cette opération ne s'accompagne pas d'une facture, en comptabilité de caisse comme en comptabilité d'exercice, elle s'inscrira au journal des débours, au moment du paiement, par l'écriture :

Intérêts	15 000 $	
Hypothèque à payer	10 000	
@ Caisse		25 000 $

L'analyse des mécanismes d'enregistrement appliqués en comptabilité de caisse se termine par cette dernière écriture.

On doit reconnaître que l'absence du journal des ventes et du journal des achats, des grands livres auxiliaires des comptes « Clients » et des comptes « Fournisseurs », de même que l'élimination du grand livre général, réduisent considérablement la quantité et la complexité du travail d'enregistrement. Malgré tout, la comptabilité de caisse permet d'enregistrer le résultat ultime de chacune des opérations effectuées par l'entreprise. Cependant, comme elle ne permet pas de reconnaître les conséquences des opérations à crédit, elle provoque un retard important dans l'enregistrement du résultat d'une opération. De même, la comptabilité de caisse cache les engagements pris par l'entreprise à l'égard de ses fournisseurs et les sommes qui lui sont dues par ses clients. Par exemple, un achat effectué le 15 janvier 19__1 et payé le 20 février 19__1 ne sera enregistré que le 20 février 19__1. Entre le 15 janvier et le 20 février, les registres ne permettent pas de connaître l'achat et la dette contractée à l'égard du fournisseur ce 15 janvier 19__1. Il devient donc évident que le mécanisme de la comptabilité de caisse ne peut produire les mêmes résultats que le mécanisme de la comptabilité d'exercice. Aussi, nous nous interrogeons sur l'information fournie par la comptabilité de caisse.

12.3 L'INFORMATION FOURNIE PAR LA COMPTABILITÉ DE CAISSE

L'état des recettes et débours

La comptabilité de caisse, on s'en doute, produit une liste complète des opérations qui ont fait varier l'encaisse au cours d'une période. Ces résultats ne sont pas sans intérêt; d'une part, l'encaisse est sans aucun doute la ressource la plus importante de l'entreprise. En effet, c'est cette encaisse qui permettra de remplir les obligations à l'égard des fournisseurs et, par conséquent, de se procurer les biens et services nécessaires à l'exploitation. D'autre part, comme nous le verrons plus loin, il nous sera possible à l'aide des ajustements appropriés de rendre les résultats tirés de la comptabilité de caisse utiles pour préparer les états financiers.

Les recettes

La liste des opérations qui ont fait varier l'encaisse présentera en détail les causes d'entrées d'argent de même que les causes de sorties d'argent. Pour une période donnée, elles proviennent généralement des sources suivantes.

Les produits encaissés par l'entreprise. On songe entre autres aux encaissements sur ventes, sur honoraires, sur loyers ou encore sur intérets.

Bien que les registres de comptabilité de caisse ne nous permettent pas d'établir cette distinction, il est clair que les sommes qu'on encaisse sur les produits au cours d'une période peuvent tout aussi bien provenir de produits gagnés au cours de périodes précédentes que de produits gagnés au cours de la période en cause ou encore de produits qui seront gagnés au cours de périodes ultérieures.

Par exemple, une vente qui serait effectuée le 15 décembre 19__1 dans une entreprise dont la fin d'exercice est le 31 décembre et qui ne serait encaissée que le 5 février 19__2 constituerait en vertu du concept de réalisation un produit pour l'exercice 19__1 et une recette pour l'exercice 19__2.

Par ailleurs, une vente effectuée le 10 février 19__2 et encaissée le 15 mars 19__2 sera un produit et une recette pour l'exercice 19__2.

Enfin, un loyer qui serait encaissé le 27 décembre 19__2 pour le mois de janvier 19__3 dans une entreprise dont la date de fin d'exercice est le 31 décembre est une recette pour l'exercice 19__2, alors que le produit ne sera gagné qu'en janvier 19__3.

L'encaissement du produit de la vente de certains éléments d'actif qui n'étaient pas voués, au moment de leur acquisition, à la revente. Il pourrait s'agir des immeubles, du matériel roulant, des placements ou encore de certains éléments d'actif incorporel, comme les brevets. Dans ce cas comme dans le cas précédent, la recette ne sera pas nécessairement encaissée au cours de la période où la vente s'est effectuée.

Les remboursements effectués par les fournisseurs à la suite d'un retour de marchandises ou encore à la suite de rabais accordés sur des marchandises déjà payées.

L'encaissement de différentes formes d'emprunts contractés auprès de banques, de particuliers, de sociétés d'assurance ou de sociétés financières.

Les sommes d'argent apportées à l'entreprise par le propriétaire.

Les débours

Les sorties d'argent sont nommées « débours » et sont causées, pour une période donnée, par les éléments suivants.

Les charges payées par l'entreprise au cours de cette période. Il peut s'agir de débours sur achats de marchandises ou encore de débours reliés à différentes charges administratives comme les salaires, la papeterie, les loyers, le téléphone, ou encore de débours reliés à certains frais de vente comme les commissions, la publicité, les frais de déplacement et de représentation. Les charges payées au cours d'un exercice peuvent, à l'instar des produits encaissés au cours d'un exercice, appartenir à un exercice précédent, à l'exercice en question ou encore à un exercice ultérieur.

Par exemple, un achat de marchandises effectué le 3 décembre 19__1 et payé le 15 janvier 19__2 par une entreprise dont l'exercice financier se termine le 31 décembre appartiendra aux achats à imputer au coût des marchandises vendues de l'exercice 19__1, alors que le débours appartiendra à l'exercice 19__2.

Si la même entreprise avait acheté ces marchandises le 15 janvier 19__2 et les avait payées le 1er mars 19__2, l'achat et le débours appartiendraient au même exercice financier.

Enfin, pour illustrer le cas où un débours a précédé une charge, nous nous situerons dans la même entreprise et nous supposerons qu'en décembre 19__2, on a payé une police d'assurance couvrant la période du 1er janvier 19__3 au 31 décembre 19__3. Le débours appartient à l'exercice 19__2, alors que la charge, en vertu de l'application de la convention du rapprochement des produits et des charges, appartient à l'exercice 19__3.

Les débours consécutifs à l'acquisition de certains éléments d'actif qui ne seront pas utilisés en vue de la revente. Nous faisons ici allusion aux immeubles, au matériel roulant, aux placements ou encore à certains éléments d'actif incorporel comme les brevets et l'achalandage. Dans ce cas comme dans le cas précédent, rien n'indique que le débours sera enregistré au cours de la période où l'achat s'est conclu.

Les remboursements de marchandises retournées par des clients qui avaient déjà payé leur compte.

Les remboursements d'emprunts.

Les prélèvements effectués par le propriétaire.

La présentation de l'état des recettes et débours

Les renseignements sur les sources de recettes et les causes de débours peuvent être facilement extraits, en fin de période, du journal des recettes et du journal des débours de l'entreprise qui maintient une comptabilité de caisse. Il sera ensuite possible de regrouper ces renseignements en un tout cohérent en les rassemblant dans un état des recettes et des débours. Cet état servira à juger dans quelle mesure les opérations de la période ont affecté la quantité d'argent dont dispose l'entreprise.

Idéalement, l'état des recettes et débours devrait présenter les renseignements de la façon suivante.

En premier lieu, *l'en-tête* de cet état, qui doit indiquer le nom de l'état de même que celui de l'entreprise sur laquelle il renseigne, ainsi que l'étendue de la période qu'il couvre.

Les *recettes* apparaîtront ensuite. Elles seront présentées en deux temps; dans un premier temps, on présentera les recettes consécutives à des opérations commerciales qui sont du ressort de l'exploitation courante (ventes, honoraires, loyers) alors que, dans un second temps, apparaîtront les autres causes de recettes (les emprunts, les ventes d'immobilisations).

Les *débours* seront présentés de la même façon que les recettes, en deux temps: d'abord les débours consécutifs aux opérations commerciales courantes (achats, salaires, électricité, etc.), et ensuite les autres causes de débours (remboursements d'emprunts, achats d'éléments d'actif immobilisés, etc.).

Le tableau 12-2 présente schématiquement un état des recettes et débours.

TABLEAU 12-2

Entreprise X Enr.
État des recettes et débours
pour l'exercice terminé le 31 décembre 19__1

Recettes

Recettes d'exploitation		
Ventes		XX
Service		XX
		XX
Autres recettes		
Vente de placement	XX	
Vente de matériel roulant	XX	
Emprunt de banque	XX	
Emprunt hypothécaire	XX	
Apports — M. X	XX	
Intérêts	XX	
Total des autres recettes		XX
Total des recettes		XX

Débours

Débours d'exploitation		
Achats de marchandises		XX
Salaires		XX
Commissions		XX
Électricité		XX
Téléphone		XX
Loyers		XX
Entretien et réparations de l'équipement		XX
Assurances		XX
Total des débours d'exploitation		XX
Autres débours		
Achat de mobilier de bureau	XX	
Remboursement d'emprunt de banque	XX	
Prélèvements — M. X	XX	
Intérêts	XX	
Total des autres débours		XX
Total des débours		XX
Excédent des recettes sur les débours		XX

L'insuffisance de l'information fournie par la comptabilité de caisse

Bien que l'état des recettes et débours soit un document très utile à la compréhension et au contrôle des mouvements de trésorerie, il ne suffit pas à lui seul pour nous permettre de juger de la situation financière d'une entreprise à une date donnée. En effet, on ignore tous des biens dont dispose l'entreprise à cette date donnée et des engagements (dettes) de l'entreprise à l'égard de ses bailleurs de fonds. Seul un bilan présenté en bonne et due forme pourrait renseigner sur cette situation. De même, on ne connaît que les produits et charges qui ont donné lieu à des déplacements d'argent au cours de la période. Ceux-ci peuvent autant appartenir à des exercices antérieurs (comme les ventes effectuées au cours de l'exercice précédent mais encaissées au cours de l'exercice actuel, ou encore les charges assumées au cours de l'exercice précédent mais encaissées au cours de l'exercice actuel) qu'à l'exercice en cours (comme les ventes réalisées et encaissées au cours de l'exercice actuel, de même que les charges assumées et décaissées au cours de l'exercice actuel), ou encore à des exercices ultérieurs (comme un loyer ou une vente encaissé pendant l'exercice en cours mais réalisé au cours de l'exercice subséquent, et une charge payée pendant l'exercice en cours et encourue au cours de l'exercice suivant).

C'est donc l'impact des opérations à crédit, la plupart du temps considérable, sur la situation financière et sur les résultats d'exploitation de toute entreprise qui rend les résultats tirés d'une comptabilité de caisse insuffisants pour juger de la bonne marche d'une entreprise. De là provient l'importance de transposer les résultats tirés de la comptabilité de caisse en résultats de comptabilité d'exercice. C'est lors du travail de fin d'exercice que cette transposition sera effectuée.

12.4   LA COMPTABILITÉ DE CAISSE ET LE TRAVAIL DE FIN D'EXERCICE

La balance de vérification préliminaire préparée à partir des résultats de comptabilité de caisse

Comme nous l'avons vu jusqu'à présent, la caractéristique principale qui distingue la comptabilité de caisse de la comptabilité d'exercice tient au traitement qu'on accorde aux opérations à crédit. Il faudra donc, pour pouvoir transformer les résultats de comptabilité de caisse en résultats de comptabilité d'exercice, être en mesure de retrouver facilement les conséquences des opérations à crédit non enregistrées. Pour cette raison, il est nécessaire que l'entreprise qui applique cette méthode de comptabilisation soit relativement petite ou encore qu'elle n'effectue que peu de ces opérations.

Si l'entreprise n'utilise pas de grand livre général, le bilan du dernier exercice financier, parce qu'il correpond aux soldes d'ouverture des comptes d'une entreprise au premier jour de l'exercice financier ultérieur, constituera le point de départ du processus de transformation. Par contre, si l'entreprise utilise un grand livre général, les totaux du journal des recettes et du journal des débours auront été reportés au grand livre général, au cours de l'exercice. Notre point de départ sera donc la balance de vérification préliminaire préparée à la date de fin d'exercice. Pour la suite de cet exposé, nous posons l'hypothèse que l'entreprise n'utilise pas de grand livre général. Selon cette hypothèse, on doit pallier l'absence de grand livre général par une version modifiée de la technique du chiffrier. En vue d'obtenir la balance de vérification non régularisée préparée à partir d'une comptabilité de caisse, nous reporterons à ce chiffrier les totaux tirés des journaux de recettes et de débours.

EXEMPLE D'APPLICATION

M. Jobin est propriétaire d'un « dépanneur » au centre-ville de Rimouski. Bien que la majorité des ventes se fassent au comptant, M. Jobin accepte de faire crédit à un certain nombre de ses bons clients. Le bilan du magasin de M. Jobin préparé par son comptable au 31 décembre 19＿1 est présenté au tableau 12-3.

On tire les renseignements suivants du registre des recettes et du registre des débours tenus par M. Jobin.

Recettes de l'exercice terminé le 31 décembre 19＿2.

Ventes encaissées	250 000 $
Vente d'une automobile	1 000
Apports — M. Jobin	5 000
Emprunt de banque	11 000
Intérêts sur dépôts en banque	1 000
Total des recettes	268 000 $

Débours de l'exercice terminé le 31 décembre 19＿2

Achats décaissés	160 000 $
Salaires et charges sociales	24 000
Loyers	11 000
Assurances	3 000
Taxes	4 000
Téléphone	1 000
Électricité et chauffage	3 000
Remboursement d'emprunt de banque	14 000
Prélèvements — M. Jobin	30 000
Achat d'une caisse enregistreuse (mobilier et étalages)	2 000
Intérêts demandés par la banque	3 000
Total des débours	255 000 $

Le bilan ainsi que la liste des recettes et des débours sont ensuite placés côte à côte sur le chiffrier (voir le tableau 12-4).

En additionnant sur le chiffrier le résultat des opérations enregistrées à partir de la comptabilité de caisse (liste des recettes et débours) et la situation initiale affichée au bilan, on obtient la balance de vérification préliminaire issue d'une comptabilité maintenue à partir de la comptabilité de caisse.

TABLEAU 12-3

Dépanneur M. Jobin
Bilan
au 31 décembre 19__1
Actif

À court terme

Caisse		4 000 $
Clients	6 000 $	
Moins: Provision pour créances douteuses	1 000	5 000
Stock de marchandises		27 000
Loyer constaté d'avance		1 000
Total de l'actif à court terme		37 000

Immobilisations

Améliorations des locaux	12 000	
Moins: Amortissement cumulé — Améliorations des locaux	7 000	5 000
Matériel roulant	8 000	
Moins: Amortissement cumulé — Matériel roulant	6 000	2 000
Mobilier et étalages	9 000	
Moins: Amortissement cumulé — Mobilier et étalages	4 000	5 000
Total des immobilisations		12 000
Total de l'actif		49 000 $

Passif et capital

À court terme

Emprunt de banque	10 000 $
Fournisseurs	7 000
Intérêts à payer	1 000
Total du passif à court terme	18 000
Capital — M. Jobin	31 000
Total du passif et du capital	49 000 $

Bien que cette balance de vérification issue d'une comptabilité de caisse s'éloigne davantage du produit qu'on veut atteindre (les états financiers) que ne le fait la balance de vérification préparée à partir de la comptabilité d'exercice, elle constitue néanmoins un point de départ valable. Ce point de départ est différent du point de départ que constituait la balance de vérification préparée à partir de la comptabilité d'exercice. Par conséquent, en comptabilité de caisse, le travail de régularisation, qui constitue le trait d'union entre la balance de vérification préliminaire et les états financiers, sera quelque peu différent du travail qu'on exécutait à partir d'une balance de vérification issue d'une comptabilité d'exercice.

TABLEAU 12-4

Dépanneur M. Jobin
Chiffrier
au 31-12-19__2

	Bilan au 31 décembre 19__1	Report des journaux de recettes et de débours		Balance de vérification non régularisée (comptabilité de caisse)
Caisse	4 000	268 000	255 000	17 000
Clients	6 000			6 000
Provision pour créances douteuses	1 000			1 000
Stock de marchandises	27 000			27 000
Loyer constaté d'avance	1 000			1 000
Améliorations des locaux	12 000			12 000
Amortissement cumulé — Améliorations des locaux	7 000			7 000
Matériel roulant	8 000			8 000
Amortissement cumulé — Matériel roulant	6 000			6 000
Mobilier et étalages	9 000	2 000		11 000
Amortissement cumulé — Mobilier et étalages	4 000			4 000
Emprunt de banque	10 000	14 000	11 000	7 000
Fournisseurs	7 000			7 000
Intérêts à payer	1 000			1 000
Capital — M. Jobin	31 000			31 000
Ventes			250 000	250 000
Vente d'automobile			1 000	1 000
Apport — M. Jobin			5 000	5 000
Intérêts sur dépôt en banque			1 000	1 000
Achats		160 000		160 000
Salaires et charges sociales		24 000		24 000
Loyers		11 000		11 000

Assurances			3 000		3 000
Taxes			4 000		4 000
Téléphone			1 000		1 000
Électricité et chauffage			3 000		3 000
Prélèvement — M. Jobin			30 000		30 000
Intérêts			3 000		3 000
	67 000	67 000	523 000	523 000	321 000	321 000

Le travail de régularisation en comptabilité de caisse

Ce travail de régularisation auquel conduit la comptabilité de caisse ressemble néanmoins au travail de régularisation avec lequel nous nous sommes familiarisés au cours des chapitres précédents. De fait, il débouchera lui aussi sur des écritures d'ajustement qui seront consignées aux registres. On effectuera également ce travail en examinant chacun des postes de la balance de vérification préliminaire. Encore ici, on se demandera si le résultat qui apparaît à la balance de vérification préliminaire correspond à la réalité physique des postes qui y sont décrits. Si la réponse à la question précédente est oui, aucun ajustement ne doit être passé. Par contre, si la réponse est non, on doit identifier les causes de différences entre le résultat tiré du système comptable et la réalité des faits. On passera ensuite l'ajustement requis.

Dans la petite entreprise qui utilise un grand livre général, ces ajustements seront consignés au journal, puis reportés au grand livre général en vue de la préparation de la balance de vérification régularisée qui, cette fois, en comptabilité de caisse comme en comptabilité d'exercice, devrait être la même.

Dans la petite entreprise qui n'utilise pas de grand livre général, le chiffrier tient lieu de grand livre général, et les inscriptions qui y sont faites seront expliquées par les écritures qu'on consignera au journal général, qui doit être maintenu à cette fin.

L'exemple d'application suivant nous permettra d'expliquer le travail de régularisation applicable en comptabilité de caisse.

EXEMPLE D'APPLICATION

Nous poursuivrons dans cet exemple le travail de fin d'exercice entrepris au dépanneur de M. Jobin. Jusqu'à présent, le travail effectué chez M. Jobin a permis d'établir la balance de vérification préliminaire (voir le tableau 12-4).

Examinons maintenant chacun des postes de cette balance de vérification en nous demandant si le résultat qu'elle affiche correspond à celui qu'on peut observer réellement.

Caisse

En comptabilité de caisse comme en comptabilité d'exercice, les recettes et débours sont enregistrés dès qu'ils surviennent. Par conséquent, le montant qui apparaît en fin d'exercice au poste « Banque » devrait sauf erreur correspondre aux sommes disponibles.

Stock de marchandises

Le stock de marchandises qui est présenté à la balance de vérification préliminaire de M. Jobin correspond aux stocks du début de l'exercice. En comptabilité de caisse comme en comptabilité d'exercice, l'utilisation de la méthode de l'inventaire périodique aboutit à ce même résultat.

Le travail de régularisation, grâce à l'utilisation du compte « Coût des marchandises vendues », permet de procéder à l'ajustement nécessaire. Si on suppose que le stock du dépanneur de M. Jobin atteint 34 000 $ au 31 décembre 19__2, l'ajustement pourra s'effectuer:

1) en versant au « Coût des marchandises vendues » le stock du début de la période par l'écriture suivante:

① Coût des marchandises vendues   27 000 $
    @ Stock   27 000 $

2) en déduisant de ce coût des marchandises vendues le coût du stock dont on dispose au 31 décembre 19__2 par l'écriture suivante:

② Stock   34 000 $
    @ Coût des marchandises vendues   34 000 $

Clients

Le compte « Clients » présenté à la balance de vérification de M. Jobin correspond au compte « Clients » de la fin de l'exercice précédent. En effet, puisque M. Jobin utilise une comptabilité de caisse au cours de l'exercice 19__2, on n'a pas tenu compte des opérations effectuées à crédit, et on n'a donc fait aucune inscription au poste « Clients ».

Dans l'entreprise de M. Jobin, après avoir effectué le décompte des factures impayées à la fin de l'exercice 19__2, on établit à 8 000 $ le solde du compte « Clients » au 31 décembre 19__2.

Avant de procéder à l'ajustement nécessaire à la correction des résultats, il faut réfléchir aux causes de l'écart entre le montant réel et le montant qui apparaît aux livres.

1) Le compte « Clients » du début de l'exercice
   a) En comptabilité d'exercice, le compte « Clients » du début de la période est effacé pendant la période, puisqu'en principe, il est encaissé pendant cette période. Chez M. Jobin, au cours de l'exercice 19__2, on aurait sans doute effacé le compte « Clients » du début de la période, en débitant le compte « Caisse » de 6 000 $ et en créditant le compte « Clients » de 6 000 $ et ce, au journal des recettes.
   b) En comptabilité de caisse, l'encaissement du compte « Clients » s'inscrit aussi au journal des recettes, mais puisqu'on ne tient aucun compte du crédit

consenti par l'entreprise, c'est le compte « Ventes » et non le compte « Clients » qui sera crédité lors de l'encaissement du compte « Clients » du début de l'exercice. Étant donné que la vente ainsi créditée appartient à l'exercice précédent, l'ajustement au compte « Clients » passera par un ajustement au compte « Ventes ».

Chez M. Jobin, on ajustera le compte « Clients » du début de la période par l'écriture:

③ Ventes   6 000 $
     @ Clients   6 000 $

2) Le second élément de différence provient des ventes faites à crédit au cours de la période mais qui ne seront encaissées qu'au cours de la période subséquente. En comptabilité d'exercice, ces ventes seraient enregistrées dès le moment de la facturation, alors qu'en comptabilité de caisse elles ne le seront que lors de leur encaissement. Puisque selon les termes de la convention de réalisation, ces ventes appartiennent à l'exercice où la facturation a eu lieu, les ventes du dépanneur Jobin enregistrées en comptabilité de caisse sont sous-évaluées des ventes non encore encaissées au 31 décembre 19__2.

Par conséquent, on ajustera le compte « Clients » en corrigeant le compte « Ventes » par l'écriture:

④ Clients   8 000 $
     @ Ventes   8 000 $

Ainsi, au 31 décembre 19__2, la balance de vérification du dépanneur de M. Jobin affiche un solde de 8 000 $ au compte « Clients ».

Provision pour créances douteuses

En comptabilité de caisse comme en comptabilité d'exercice, on attend généralement le moment du travail de régularisation pour procéder à l'appréciation et à l'ajustement du poste « Provision pour créances douteuses ». Cependant, le solde qui apparaît à la balance de vérification préliminaire pourrait être différent selon qu'on utilise le système de comptabilité de caisse ou le système de comptabilité d'exercice. Cette différence est susceptible d'être créée par le traitement différent qui serait accordé, selon l'un ou l'autre des modes de comptabilisation, à la perte d'une créance en cours d'exercice. Cette perte qui, en comptabilité d'exercice, serait reconnue aux registres dès sa matérialisation, ne pourrait pas l'être en comptabilité de caisse, puisque celle-ci ne laisse place qu'aux opérations qui ont un impact sur l'encaisse.

En admettant que le dépanneur de M. Jobin ait perdu 1 000 $ de sommes à recevoir de clients au cours de la période, et que ces 1 000 $ aient été à recevoir au début de la période, la première écriture de régularisation affectant la provision pour créances douteuses devrait permettre de reconnaître ce fait.

Par cette écriture, on augmentera le montant des ventes, puisque celles-ci ont été réduites de la totalité des sommes à recevoir au début de l'exercice (on posait à ce moment l'hypothèse qu'elles avaient été entièrement encaissées) et on réduira ensuite la provision qui avait été constituée afin de parer à une telle éventualité.

⑤ Provision pour créances douteuses   1 000 $
     @ Ventes   1 000 $

En supposant de plus que la provision de fin d'exercice 19__2 doit s'établir à 1 500 $, on sera amené à passer l'écriture de régularisation habituelle:

⑥ Créances douteuses   1 500 $
    @ Provision pour créances douteuses   1 500 $

(Provision au 1ᵉʳ janvier	1 000 $
Moins: Perte d'un compte « Clients »	(1 000)
	0
Provision requise	1 500
Ajustement	1 500 $)

Loyer constaté d'avance

En comptabilité d'exercice, le poste « Loyer constatée d'avance » aurait sans doute fait l'objet d'une écriture de contrepassation au début de la période 19__2, et la charge aurait ainsi été imputée à l'exercice 19__2. En comptabilité de caisse, seuls les coûts qui ont donné lieu à un débours sont imputés à l'exercice. Puisque le loyer constaté d'avance a été déboursé en 19__1, sans ajustement, il ne sera jamais imputé à l'exercice 19__2, sous-évaluant ainsi la charge de loyer de l'exercice 19__2. L'ajustement nécessaire sera:

⑦ Loyer   1 000 $
    @ Loyer constaté d'avance   1 000 $

C'est en examinant les opérations inscrites au poste « Loyer » que l'on pourra évaluer le loyer constaté d'avance au 31 décembre 19__2. Une fois établi, le montant de ce loyer constaté d'avance sera inscrit par un débit au poste « Loyer constaté d'avance » et un crédit au poste « Loyer ». Sans ce crédit au poste « Loyer », le montant du loyer constaté d'avance aurait été imputé en trop aux charges de l'exercice 19__2 (on posera l'hypothèse qu'il n'y a pas de loyer constaté d'avance chez M. Jobin au 31 décembre 19__2).

Au cours du travail de régularisation des résultats tirés de la comptabilité de caisse, on traitera de la même façon tout autre poste de frais constatés d'avance du début et de la fin de l'exercice.

Améliorations des locaux

Les renseignements dont on dispose sur les activités du dépanneur de M. Jobin nous indiquent qu'aucune opération n'a affecté ce poste au cours de l'exercice. Il n'y a donc pas lieu de procéder à quelque ajustement que ce soit.

Amortissement cumulé — Améliorations des locaux

Pour toute immobilisation, en comptabilité d'exercice comme en comptabilité de caisse, on attendra généralement le travail de régularisation pour procéder à l'ajustement des amortissements cumulés.

L'entreprise de M. Jobin procède à la dotation à l'amortissement sur ses améliorations de locaux à raison de 10% par année. La charge de l'année 19__2 sera donc enregistrée par l'écriture:

⑧ Dotation à l'amortissement   1 200 $
  @ Amortissement cumulé —
    Améliorations des locaux   1 200 $

Matériel roulant

Au cours de 19__2, il y a eu une opération qui touchait le matériel roulant. Cette opération du dépanneur Jobin a donné lieu à l'écriture suivante:

  Caisse   1 000 $
   @ Vente d'automobile   1 000 $

Lors de l'enregistrement, on n'a pris en considération que l'effet de cette opération sur l'encaisse.

En comptabilité d'exercice, l'actif vendu ainsi que l'amortissement cumulé y afférent auraient été effacés; le mouvement d'encaisse, ainsi que le profit ou la perte, auraient été reconnus.

Dans ce cas-ci, l'ajustement conduira à remplacer le crédit au compte « Vente d'automobile » par une affectation aux postes qui auraient dû être affectés par cette opération et qui ne l'ont pas été.

Si on suppose que le coût de la voiture vendue a été de 3 000 $ et que l'amortissement cumulé au jour de la vente, le 1er janvier 19__2, totalisait 2 500 $, l'écriture d'ajustement serait la suivante:

⑨ Vente d'automobile   1 000 $
 Amortissement cumulé — Matériel roulant   2 500
  @ Matériel roulant   3 000 $
  Profit sur vente de matériel roulant   500

Amortissement cumulé — Matériel roulant

La dotation à l'amortissement du matériel roulant du dépanneur Jobin est calculée en ligne droite au taux annuel de 20%. Pour l'exercice 19__2, cela nous conduit à une charge de:

Coût aux livres du matériel roulant	8 000 $
Moins: Ajustement précédent ⑨	(3 000)
	5 000
Taux annuel	20%
Dotation à l'amortissement	1 000 $

qui sera enregistrée par l'écriture:

⑩ Amortissements   1 000 $
  @ Amortissement cumulé — Matériel
    roulant   1 000 $

Mobilier et étalages

La seule opération qui a affecté ce poste au cours de la période a donné lieu à un débours. Elle a donc été correctement enregistrée. Aucun ajustement n'est requis.

Amortissement cumulé — Mobilier et étalages

Nous supposerons qu'une charge de 1 000 $ sera prise à titre de dotation à l'amortissement du mobilier et des étalages de l'entreprise Jobin. On l'enregistre par l'écriture:

(11) Dotation à l'amortissement   1 000 $
         @ Amortissement cumulé — Mobilier
           et étalages   1 000 $

Emprunt de banque

L'augmentation ou la diminution de l'emprunt de banque donne toujours lieu à une variation d'encaisse.

Les mouvements de l'emprunt de banque sont donc enregistrés de façon appropriée par la comptabilité de caisse, et le solde que la balance de vérification préliminaire affiche à ce poste correspond à l'emprunt véritable. Aucun ajustement n'est requis.

Fournisseurs

La balance de vérification du dépanneur de M. Jobin affiche au 31 décembre 19__2 le compte « Fournisseurs » présent au bilan du 31 décembre 19__1. Or, l'examen des factures impayées au 31 décembre 19__2 révèle la présence de 10 000 $ de comptes « Fournisseurs ». Si les registres avaient été tenus en comptabilité d'exercice, la balance de vérification présenterait au compte « Fournisseurs » un solde de 10 000 $. Ce solde correspond par ailleurs au montant qui devrait apparaître à la balance de vérification régularisée. Pourquoi n'en est-il pas ainsi en comptabilité de caisse?

1) Le compte « Fournisseurs » du début de l'exercice

En comptabilité d'exercice, ce compte aurait disparu à la suite du paiement des fournisseurs. En comptabilité de caisse, le paiement des fournisseurs a été passé au compte « Achats », qui est donc surévalué du montant inscrit au compte « Fournisseurs » du début. On corrigera la situation en passant l'écriture:

(12) Fournisseurs   7 000 $
       @ Achats   7 000 $

2) Le compte « Fournisseurs » à la fin de l'exercice

Ce compte constitue le second élément de différence entre le montant paraissant au compte « Fournisseurs » en comptabilité de caisse et le montant qui devrait paraître à la balance de vérification régularisée. Cette source de différence provient du fait qu'en comptabilité de caisse, on ne reconnaît pas la dette contractée lors de l'achat, pas plus qu'on ne reconnaîtra cet achat à ce moment. On attendra le paiement de l'achat pour l'imputer à la période. Ce procédé conduit à une sous-évaluation des engagements à l'égard des fournisseurs, de même qu'à une sous-évaluation des achats à imputer à la période. On corrigera cette sous-évaluation par l'écriture :

(13) Achats   10 000 $

       @ Fournisseurs   10 000 $

Jusqu'à présent, nous avons considéré dans le traitement du compte « Fournisseurs » que la totalité des factures impayées au début de l'exercice était nécessairement payée pendant l'exercice. Ainsi, on pouvait créditer le compte « Achats » de la totalité du compte « Fournisseurs » présent au début de l'exercice. Que se passerait-il si, au cours de l'exercice en question, on ne réglait pas totalement ce que l'on devait aux fournisseurs au début de l'exercice ? C'est très simple : le crédit au compte « Achats », au moment de la première écriture d'ajustement du compte « Fournisseurs », provoquerait une sous-évaluation du compte « Achats ». Heureusement, puisque le compte n'a pas été réglé au cours de l'exercice, il sera compté dans l'évaluation du compte « Fournisseurs » de fin d'exercice. Ainsi, lors de la seconde écriture d'ajustement du compte « Fournisseurs », il sera débité en trop au compte « Achats ». Il est débité en trop puisqu'il s'agit d'un achat effectué au cours d'un exercice précédent. Ce faisant, on annule la sous-évaluation qu'engendrait le crédit en trop passé lors de la première écriture d'ajustement.

Cette réflexion s'applique également, mais à l'inverse, au traitement de l'ajustement à porter au compte « Clients », lorsque certains comptes « Clients » du début de la période sont encore à recevoir à la fin de la période.

Intérêts à payer

Encore ici, c'est l'absence d'écritures de contrepassation qui permet de présenter un solde à ce poste dans la balance de vérification. Le paiement de cet intérêt couru a sans doute été porté au début du compte « Intérêts — Charges », surévaluant d'autant la charge d'intérêt de la période. La situation se corrigera en passant l'écriture :

(14) Intérêts à payer   1 000 $

       @ Intérêts — Charges   1 000 $

Si on suppose que l'intérêt couru à payer s'établit à 500 $ au 31 décembre 19__2, on l'inscrira grâce à l'écriture de régularisation habituelle :

(15) Intérêt — Charges   500 $

       @ Intérêts à payer   500 $

Capital — M. Jobin

Le capital présenté à la balance de vérification préliminaire correspond au capital du début de la période, et il ne sera affecté qu'au moment de passer les écritures de clôture.

Ventes

En comptabilité de caisse, le montant qui paraît au solde de tout compte de produits ne correspond qu'aux encaissements causés par ces produits. Il pourra donc correspondre au total :

a) des sommes à recevoir sur ces produits en début de période. Il s'agit autant des sommes qui étaient à recevoir des clients au début que des loyers à recevoir, des intérêts ou de toute autre forme de produit à recevoir au début de la période et normalement encaissable pendant la période;

b) des sommes encaissées sur les produits gagnés pendant l'année;

c) des sommes encaissées sur les produits qui ne seront gagnés qu'au cours d'exercices ultérieurs. Il peut s'agir de ventes perçues d'avance, de loyers, d'intérêts ou de tout autre produit perçu d'avance.

Ainsi, pour établir le montant du produit qui devrait paraître à la balance de vérification régularisée, à partir des recettes fournies par la comptabilité de caisse, il faudra appliquer le raisonnement suivant:

Recettes de la période	XX
Moins: Sommes à recevoir au début de la période	XX
Moins: Sommes perçues d'avance à la fin de la période	XX
	XX

Ce raisonnement visant à établir le montant du produit de la période est incomplet, puisqu'il ne prend pas en considération le produit gagné pendant la période et à recevoir à la fin de la période ni le produit perçu d'avance au cours d'un exercice précédent mais applicable à l'exercice actuel. Le tableau 12-5 présente le raisonnement complet.

Si on applique ce raisonnement au dépanneur de M. Jobin, on peut établir ses produits tirés de ventes à:

Recettes sur ventes	250 000 $
Moins: Compte « Clients » au 1er janvier 19__2	
(6 000 $ − 1 000 $ de comptes perdus)	5 000
	245 000
Plus: Compte « Clients » au 31 décembre 19__2	8 000
Produits	253 000 $

TABLEAU 12-5

Transposition des recettes en produits

Recettes de la période		XX
Moins: Sommes à recevoir au début de la période	XX	
Sommes perçues d'avance à la fin de la période	XX	XX
		XX
Plus: Sommes à recevoir à la fin de la période	XX	
Sommes perçues d'avance au début de la période	XX	XX
Produits de la période		XX

Ces différences entre les produits et les recettes devraient déboucher sur un ajustement des ventes. L'ajustement nécessaire qui correspond au total de la différence entre le solde du compte « Clients » au début et à la fin de l'exercice et du compte « Clients » perdu a été passé lors de l'ajustement du compte « Clients » et du compte « Provision pour créances douteuses ». Il n'y a donc aucune écriture supplémentaire à passer pour procéder à la transposition des ventes établies en comptabilité de caisse en ventes établies en comptabilité d'exercice.

Apports

Les seuls apports dont l'entreprise de M. Jobin a bénéficié ont été faits en argent. Aussi les apports enregistrés en comptabilité de caisse correspondent-ils aux apports véritables.

Par contre, si l'apport avait été effectué sous forme de biens, le travail de régularisation aurait conduit à l'enregistrement intégral de l'apport.

Intérêts — Produits

Le raisonnement nécessaire à la transposition des recettes d'intérêts en produits d'intérêts est le même que celui qui a mené à la transposition des « Recettes — Ventes » en « Produits — Ventes ».

En supposant que les documents fournis par la banque du dépanneur de M. Jobin font état d'un montant d'intérêt à recevoir de 1 000 $ au 31 décembre 19__2, les « Intérêts — Produits » s'établiraient à:

Recettes d'intérêts	1 000 $
Plus: Intérêts à recevoir au 31 décembre 19__2	1 000
	2 000 $

Dans ce cas l'écriture:

(16) Intérêts à recevoir	1 000 $	
@ Intérêts — Produits		1 000 $

serait nécessaire à la transposition des recettes d'intérêts en produits d'intérêts, ainsi qu'à l'ajustement du compte « Intérêts — produits » devant paraître à la balance de vérification régularisée.

Achats

Le solde du compte « Achats » et le solde de tous les autres comptes de charges, apparaissant à la balance de vérification préliminaire d'une entreprise qui maintient ses registres sur une base de caisse, comprennent:

a) les sommes à payer au début de l'exercice et payées au cours de l'exercice; il peut s'agir des fournisseurs, d'intérêts à payer, de loyers à payer, de taxes à payer et de tous autres frais à payer au début de l'exercice;

b) les sommes payées sur les achats et les charges encourues au cours de la période;

c) les sommes payées au cours de l'exercice sur des achats ou des charges imputables à des exercices ultérieurs.

Aussi, la transformation nécessaire (puisque c'est la charge qui doit apparaître aux états financiers) du débours en charge devra procéder du raisonnement suivant:

Débours de la période	XX
Moins: Sommes à payer au début de l'exercice	XX
Moins: Sommes perçues d'avance en fin d'exercice	XX
	XX

Ce raisonnement devra être complété afin de prendre en considération l'effet qu'ont sur la charge de l'exercice les charges facturées mais non payées ainsi que les charges payées au cours d'exercices antérieurs au bénéfice de l'exercice actuel. Le tableau 12-6 présente le raisonnement complet.

TABLEAU 12-6

Transposition du débours en charge

Débours de la période		XX
Moins: Sommes à payer au début de la période	XX	
Sommes constatées d'avance à la fin de la période	XX	XX
		XX
Plus: Sommes à payer à la fin de la période	XX	
Sommes constatées d'avance au début de la période	XX	XX
Charge de la période		XX

Ce raisonnement appliqué à l'entreprise de M. Jobin permettrait d'évaluer la charge d'achat à:

Débours sur achats	160 000 $
Moins: Comptes « Fournisseurs » au 1er janvier 19__2	7 000
	153 000
Plus: Comptes « Fournisseurs » au 31 décembre 19__2	10 000
Charge d'achats	163 000 $

La différence entre la charge d'achats et le débours d'achats correspond ici à la variation du compte « Fournisseurs » pour la période. L'ajustement nécessaire à la reconnaissance de cette variation a déjà été effectuée lors de l'ajustement du compte « Fournisseurs ».

Lorsqu'on a correctement établi la charge d'achats, on complète le travail de régularisation en imputant cette charge au coût des marchandises vendues par l'écriture:

⑰ Coût des marchandises vendues	163 000 $	
@ Achats		163 000 $

Salaires et charges sociales

La régularisation des salaires et charges sociales procède du même raisonnement que celui que nous avons appliqué à la régularisation des achats.

On supposera que le dépanneur de M. Jobin n'avait rien à payer à ce titre au début de l'exercice, alors qu'à la fin de l'exercice, seules les retenues salariales (part de l'employeur et part de l'employé) n'étaient pas réglées.

Au 31 décembre 19__2, il y a par hypothèse 500 $ de retenues salariales prélevées sur les salaires des employés, qu'on doit remettre aux différents gouvernements. Le dépanneur de M. Jobin devra ajouter 500 $ à ces 500 $, à titre de contribution de l'employeur aux différents régimes de charges sociales.

En comptabilité d'exercice, le passif de 500 $ sur retenues salariales prélevées sur les salaires des employés aurait été inscrit grâce au report, au grand livre général, des inscriptions au journal des salaires. En comptabilité de caisse, l'absence de grand livre général conduit à ne reconnaître comme charge que le salaire payé. L'inscription de la charge de salaire sera complétée lorsque nous additionnerons à cette charge les retenues salariales prélevées sur le salaire des employés au moment où elles seront payées. Par conséquent, l'absence à la balance de vérification du dépanneur Jobin de la retenue salariale à payer (part de l'employé) provoque en même temps une sous-évaluation de la charge de salaires. On régularisera à l'aide de l'écriture suivante:

⑱ Salaires et charges sociales   500 $
      @ Retenues salariales à payer   500 $

Quant à la participation de l'employeur (courue à payer) en fin d'exercice, elle est inscrite en comptabilité de caisse comme en comptabilité d'exercice par une régularisation. On imputera ici cette charge au compte « Salaires et charges sociales ».

⑲ Salaires et charges sociales   500 $
      @ Frais à payer   500 $

Loyers

L'évaluation de la charge de loyer conduit au même raisonnement que celui que nous avons appliqué à l'évaluation des achats. Puisqu'il y avait un loyer constaté d'avance au début de l'exercice, la charge de loyer sera supérieure de 1 000 $ au débours de loyer. L'ajustement nécessaire à la régularisation de ce compte a cependant été passé lors du traitement du loyer payé d'avance.

Puisque, chez M. Jobin, il n'y a pas de loyer constaté d'avance au 31 décembre 19__2, ni de loyer à payer au 31 décembre 19__1 et au 31 décembre 19__2, il n'y a pas d'autre ajustement à passer.

Assurances, taxes, téléphone, électricité et chauffage

Afin de simplifier l'exposé, nous supposerons que, dans l'entreprise de M. Jobin, les débours relatifs à ces charges correspondent aux charges véritables de la période. Ceci suppose qu'il n'y avait, sur ces charges, ni sommes à payer ni sommes constatées d'avance au début non plus qu'à la fin de l'exercice 19__2. Autrement, le raisonnement applicable à l'évaluation de ces charges et à leur régularisation aurait été similaire à celui appliqué aux achats.

Prélèvements

À condition qu'il n'y ait pas d'autres formes de prélèvements que des prélèvements d'argent, il n'y a aucune écriture d'ajustement à passer. Puisque ces opérations ont donné lieu à un déplacement d'argent, la comptabilité de caisse assure l'enregistrement approprié.

Intérêts — Charges

Selon les hypothèses posées lors de l'étude des intérêts courus à payer, la charge d'intérêts pour l'exercice devient:

Débours d'intérêts en 19__2	3 000 $
Moins: Intérêts à payer au 1er janvier 19__1	1 000
	2 000
Plus: Intérêts à payer au 31 décembre 19__2	500
Charge d'intérêts en 19__2	2 500 $

En comptabilité de caisse, en incorporant à la charge d'intérêts de la période les intérêts à payer au début de cette période, on surévalue cette charge. La régularisation nécessaire au redressement de cette situation a cependant été passée lors du redressement des intérêts courus à payer. D'autre part, en excluant de cette charge les intérêts à payer en fin de période, nous la sous-évaluerions d'autant. La régularisation nécessaire à la reconnaissance de ce fait a elle aussi été passée lors du redressement des intérêts courus à payer.

Ainsi se termine le processus d'ajustement des comptes maintenus, au cours d'une période, en comptabilité de caisse. Ces ajustements doivent maintenant être portés au grand livre général de l'entreprise, ou encore au chiffrier qui en tient lieu, afin de dégager la balance de vérification régularisée qui aidera à la rédaction des états financiers.

Ces états financiers pourront maintenant, grâce aux ajustements que nous avons apportés à nos résultats préliminaires, être présentés en conformité avec les exigences des conventions comptables. Nous pensons plus particulièrement ici à la convention du rapprochement des revenus et des charges, puisque c'est celle qui est davantage mise en cause par la comptabilisation en comptabilité de caisse.

Le tableau 12-7, afin de clarifier l'exposé, fournit de façon plus synthétique la liste des ajustements que nous avons dû passer aux registres du dépanneur Jobin.

TABLEAU 12-7

Dépanneur M. Jobin
Écritures de régularisation

①	Coût des marchandises vendues	27 000 $	
	@ Stock		27 000 $

(2) Stock   34 000 $
      @ Coût des marchandises vendues   34 000 $

(3) Ventes   6 000 $
      @ Clients   6 000 $

(4) Clients   8 000 $
      @ Ventes   8 000 $

(5) Provision pour créances douteuses   1 000 $
      @ Ventes   1 000 $

(6) Créances douteuses   1 500 $
      @ Provision pour créances
         douteuses   1 500 $

(7) Loyers   1 000 $
      @ Loyer constaté d'avance   1 000 $

(8) Dotation à l'amortissement   1 200 $
      @ Amortissement cumulé —
         Améliorations des locaux   1 200 $

(9) Vente d'automobile   1 000 $
  Amortissement cumulé — Matériel
  roulant   2 500
      @ Matériel roulant   3 000 $
      Profit sur vente de matériel
      roulant   500

(10) Dotation à l'amortissement   1 000 $
      @ Amortissement cumulé —
         Matériel roulant   1 000 $

(11) Dotation à l'amortissement   1 000 $
      @ Amortissement cumulé —
         Mobilier et étalage   1 000 $

(12) Fournisseurs   7 000 $
      @ Achats   7 000 $

(13) Achats   10 000 $
      @ Fournisseurs   10 000 $

(14) Intérêts à payer   1 000 $
      @ Intérêts — Charges   1 000 $

(15) Intérêts — Charges   500 $
      @ Intérêts à payer   500 $

(16) Intérêts à recevoir   1 000 $
      @ Intérêts — Produits   1 000 $

(17) Coût des marchandises vendues   163 000 $
      @ Achats   163 000 $

(18) Salaires et charges sociales   500 $
      @ Retenues salariales à payer   500 $

(19) Salaires et charges sociales   500 $
      @ Frais à payer   500 $

TABLEAU 12-8

Dépanneur M. Jobin
Chiffrier
au 31 décembre 19__2

Nom des comptes	Balance de vérification non régularisée (comptabilité de caisse)	Régularisations (débit)	Régularisations (crédit)	État des résultats	Variation de la valeur nette	Bilan
Caisse	17 000 $					17 000 $
Clients	6 000	(4) 8 000 $	(3) 6 000 $			8 000
Provision pour créances douteuses	1 000 $	(5) 1 000	(6) 1 500			1 500 $
Stock de marchandises	27 000	(2) 34 000	(1) 27 000			34 000
Loyer constaté d'avance	1 000		(7) 1 000			
Améliorations des locaux	12 000					12 000
Amortissement cumulé — Améliorations des locaux	7 000		(8) 1 200			8 200
Matériel roulant	8 000					5 000
Amortissement cumulé — Matériel roulant	6 000	(9) 2 500	(9) 3 000			4 500
Mobilier et étalages	11 000		(10) 1 000			11 000
Amortissement cumulé — Mobilier et étalages	4 000		(11) 1 000			5 000
Emprunt de banque	7 000					7 000
Fournisseurs	7 000	(12) 7 000	(13) 10 000			10 000
Intérêts à payer	1 000	(14) 1 000				
Capital — M. Jobin	31 000					31 000
Ventes	250 000	(3) 6 000	(5) 1 000	253 000 $		
Vente d'automobile	1 000	(9) 1 000	(4) 8 000			

Compte	Balance de vérification Dt	Balance de vérification Ct	Régularisations Dt	Régularisations Ct	État des résultats Dt	État des résultats Ct	Bilan Dt	Bilan Ct
Apport — M. Jobin		5 000						5 000 $
Intérêts sur dépôt en banque		1 000		(16) 1 000		2 000		
Achats	160 000		(13) 10 000	(16) 1 000 — (12) 7 000 — (17) 163 000				
Salaires et charges sociales	24 000		(18) 500 — (19) 500		25 000 $			
Loyers	11 000		(7) 1 000		12 000			
Assurances	3 000				3 000			
Taxes	4 000				4 000			
Téléphone	1 000				1 000			
Électricité et chauffage	3 000				3 000			
Prélèvement — M. Jobin	30 000						30 000 $	
Intérêts — Charges	3 000		(15) 500	(14) 1 000	2 500			
Coût des marchandises vendues			(1) 27 000 — (17) 163 000	(2) 34 000	156 000			
Dotation aux amortissements			(8) 1 200 — (10) 1 000 — (11) 1 000		3 200			
Profit sur vente de matériel roulant				(7) 500		500		
Créances douteuses			(6) 1 500		1 500			
Intérêts à recevoir			(16) 1 000				1 000	
Retenues salariales à payer				(18) 500				500
Frais à payer				(19) 500 — (15) 500				1 000
	321 000$	321 000$	268 700$	268 700$	211 200	255 500	30 000	88 000
Bénéfice net					44 300			44 300
					255 500$	255 500$	30 000	49 300
Valeur nette							19 300	19 300
							49 300$	88 000$

Le tableau 12-8 présente le chiffrier qui en découle. Dans ce chiffrier, on utilisera comme point de départ la balance de vérification non régularisée, préparée en comptabilité de caisse, qui apparaît au tableau 12-4. Les tableaux 12-9, 12-10 et 12-11 présentent les états financiers qui en sont issus.

TABLEAU 12-9

Dépanneur M. Jobin
Bilan
au 31 décembre 19__2

Actif

À court terme

Caisse		17 000 $
Clients	8 000 $	
Moins: Provision pour créances douteuses	1 500	6 500
Stock de marchandises		34 000
Intérêts à recevoir		1 000
Total de l'actif à court terme		58 500

Immobilisations

	Coût	Amortis-sement cumulé	Immobi-lisations nettes	
Améliorations des locaux	12 000 $	8 200 $	3 800	
Matériel roulant	5 000	4 500	500	
Mobilier et étalages	11 000	5 000	6 000	
Total des immobilisations				10 300
Total de l'actif				68 800 $

Passif et capital

À court terme

Emprunt de banque	7 000 $
Fournisseurs	10 000
Retenues salariales à payer	500
Frais à payer	1 000
Total du passif à court terme	18 500
Capital M. Jobin	50 300
Total du passif et du capital	68 800 $

TABLEAU 12-10

Dépanneur M. Jobin
État des résultats
pour l'exercice terminé le 31 décembre 19__2

Chiffre d'affaires		253 000 $
Moins: Coûts des marchandises vendues		156 000
Bénéfice brut		97 000
Charges		
Salaires et charges sociales	25 000 $	
Loyers	12 000	
Assurances	3 000	
Taxes	4 000	
Téléphone	1 000	
Électricité et chauffage	3 000	
Dotation aux amortissements	3 200	
Créances douteuses	1 500	52 700
Bénéfice net d'exploitation		44 300
Autres produits		
Intérêts — Produits	2 000	
Profit sur vente de matériel roulant	500	
	2 500	
Autres charges		
Intérêts — Charges	(2 500)	0
Bénéfice net		44 300 $

TABLEAU 12-11

Dépanneur M. Jobin
État des variations de la valeur nette
pour l'exercice terminé le 31 décembre 19__2

Capital M. Jobin au 1er janvier 19__2	31 000 $
Plus: Apports	5 000
Bénéfice net	44 300
	80 300
Moins: Prélèvements	30 000
Capital M. Jobin au 31 décembre 19__2	50 300 $

RÉSUMÉ

Les registres utilisés en comptabilité d'exercice ont été prévus pour l'accumulation des données en vue de la présentation d'états financiers satisfaisant aux conventions comptables. Par conséquent, ils font place à la fois aux opérations menées au comptant et aux opérations menées à crédit. Cette façon de procéder impose le maintien d'un nombre minimum de registres dont la manipulation peut être coûteuse et difficile pour une petite entreprise.

Heureusement, il arrive souvent que, dans ces petites entreprises, le nombre et l'importance des opérations à crédit soient suffisamment limités pour que, dans les registres, on puisse réduire les contrôles qu'on exerce sur ces opérations.

En n'enregistrant que les opérations qui ont donné lieu à un mouvement monétaire, on est tout de même conduit à enregistrer la très grande majorité des transactions menées par ces entreprises. Cependant, on évite le travail inhérent au journal des ventes, au journal des achats ainsi que le travail inhérent au maintien des grands livres auxiliaires qui leur sont associés. C'est ainsi qu'on fait de la comptabilité de caisse. En appliquant à la situation de départ de l'entreprise (bilan d'ouverture) les résultats tirés de la comptabilité de caisse au cours d'une période, il est possible de dresser une balance de vérification préliminaire. Cette balance de vérification préliminaire, issue de la comptabilité de caisse, constitue une base de départ valable pour la construction éventuelle des états financiers. Cependant, comme elle est issue de procédés comptables différents des procédés appliqués en comptabilité d'exercice, le travail de régularisation qui y sera appliqué sera quelque peu modifié. Les modifications les plus importantes concerneront les mécanismes de transposition des recettes en produits et des débours en charges.

Lorsque le travail d'ajustement sera terminé, la balance de vérification régularisée dont on disposera devra permettre la préparation d'états financiers identiques à ceux qu'on aurait tirés d'une comptabilité d'exercice.

PROBLÈMES À SOLUTION COMMENTÉE

PROBLÈME 12-A   L'enregistrement des opérations en comptabilité de caisse

M. Berger possède depuis quelques années déjà un commerce de petis animaux domestiques en banlieue de Québec. Son entreprise, qu'il a nommé l'Animalerie Berger, réalise habituellement un chiffre d'affaires annuel de l'ordre de 150 000 $. La très grande majorité des ventes du commerce de M. Berger se font au comptant, et il règle ses fournisseurs quelques jours seulement après que ceux-ci l'aient facturé. Par conséquent, son comptable considère qu'une comptabilité de caisse conviendrait aux besoins de l'Animalerie Berger. M. Berger, qui effectue lui-même sa tenue de livres, n'utilise qu'un journal auxiliaire des débours et un journal auxiliaire des recettes. Son comptable utilise de plus un journal général, afin d'y consigner les ajustements de fin de période.

L'exercice financier de l'Animalerie se termine le 31 décembre de chaque année.

Voici les opérations menées par l'entreprise de M. Berger au cours de la première semaine de juillet 19__1.

N° de l'information	Date	Description
1	01-07	Achat chez Ka-Niche Enr. de 6 bergers allemands. L'achat facturé le même jour s'élève à 600 $. M. Berger a dû également verser ce même jour, à un transporteur qui s'est chargé de la livraison de ces chiens, la somme de 50 $.
2	01-07	Paiement à Quennel, Ltée des 800 $ de nourriture pour animaux achetée le 20 juin 19__1. Cette nourriture était achetée en vue d'être revendue.
3	01-07	Le ruban de la caisse enregistreuse de l'entreprise Berger affiche un total de 1 090 $ pour cette journée du 1er juillet 19__1.
4	02-07	Le centre de recherche Ixe, Ltée achète deux des singes de l'Animalerie. M. Berger fait parvenir à ce centre une facture de 743 $, plus 9% de taxe de vente.
5	02-07	Paiement du salaire de l'employé occasionnel de l'entreprise pour la semaine terminée le 29 juin 19__1. Le salaire brut s'élève à 200 $, et les retenues salariales atteignent 50 $.
6	02-07	Les ventes de la journée, selon le ruban de caisse, atteignent 545 $.
7	03-07	M. Berger reçoit de la commission scolaire Sainte-Anne un chèque de 218 $, pour régler un achat de souris blanches effectué en mai 19__1. La facture de 218 $ comprenait 9% de taxe de vente provinciale.
8	03-07	M. Berger achète à crédit de la papeterie ainsi que diverses fournitures de bureau. L'achat atteint 170 $.
9	03-07	M. Berger paie le loyer du mois de juillet 19__1: 300 $.
10	03-07	Le ruban de la caisse enregistreuse atteint 810 $ pour la journée du 3 juillet 19__1.
11	04-07	L'Animalerie de M. Berger paie à « Les étalages Mercier Inc. » l'achat d'un comptoir acquis le 25 juin 19__1. Le coût de cet achat était de 500 $.
12	04-07	Paiement de 300 $ des 600 $ de l'achat effectué chez Ka-Niche Enr. le 1er juillet 19__1.
13	04-07	Le ruban de caisse indique 500 $ pour la journée du 4 juillet.
14	05-07	M. Berger reçoit d'Hydro-Québec une facture de 180 $ couvrant la consommation électrique de son entreprise pour les mois de mai et juin 19__1.
15	05-07	Le centre de recherche Ixe paie son achat du 2 juillet et achète ce même jour, à crédit, 200 $ de nourriture.

16	05-07	Achat des Éditions du Renouveau Zoologique de 200 $ de livres sur la vie animale. Cet achat est réglé pour 100 $ au comptant, le reste devant être payé à l'intérieur d'une période de 30 jours.
17	05-07	Les ventes, toujours selon le ruban de caisse, atteignent 327 $ pour la journée.
18	06-07	M. Berger dut faire venir le réparateur de la caisse enregistreuse; la réparation payée ce même jour a entraîné un débours de 80 $.
19	06-07	Il n'y a eu aucune vente ce 6 juillet 19___1.

On demande

1) Indiquer comment, dans les registres de l'entreprise de M. Berger, on doit tenir compte de chacune des informations que ce dernier vient de communiquer.

2) Construire les registres de l'Animalerie Berger et inscrire, s'il y a lieu, les opérations de la première semaine du mois de juillet 19___1.

3) Préparer l'état des recettes et débours pour la première semaine du mois de juillet 19___1.

Solution commentée

1) *Traitement de l'information*

N° de
l'information

1	M. Berger maintient une comptabilité de caisse. Par conséquent, seules les opérations ayant donné lieu à un déplacement monétaire seront enregistrées. L'achat du 1er juillet n'étant pas payé, il ne sera pas consigné aux registres. Par contre, le fret qui a donné lieu à un débours de 50 $ s'inscrira au journal des débours par un débit de 50 $ au compte « Fret à l'achat ». Puisqu'il s'agit d'une inscription au journal des débours, il va de soi que le crédit se portera au compte « Caisse ».
2	Puisqu'en comptabilité de caisse, l'achat ne s'enregistre que lors du paiement, c'est le jour de ce paiement, le 1er juillet, qu'il s'inscrira par un débit au compte « Achats ». Ce débit sera de 800 $.
3	Dans ce genre d'entreprise (vente au détail), le ruban de la caisse enregistreuse indique le total des sommes perçues au cours de la journée. Ces sommes correspondent habituellement au total de la vente encaissée et de la taxe de vente perçue au nom du gouvernement. Aussi, on doit distinguer parmi les recettes de la journée la partie « vente » de la partie « taxe de vente ». Puisqu'au Québec la taxe de vente s'établit à 9%, en supposant que toutes les ventes de l'Animalerie Berger sont taxables, le total des recettes de la journée correspond aux ventes plus 9% de celles-ci. Dans le cas qui nous occupe, 1 000 $ s'inscriront au journal des recettes au crédit de la colonne ventes, alors que 90 $ s'inscriront au crédit de la colonne « Taxe de vente perçue ».

4   La vente n'ayant donné lieu à aucun encaissement, elle ne sera pas consignée aux registres de l'Animalerie Berger.

5   Seul le montant décaissé ce jour s'inscrira au journal des débours par un crédit à la colonne « Salaires ».

6   Le raisonnement applicable ici est identique au raisonnement que nous avons formulé en 3. L'opération s'inscrirait au journal des recettes par un débit au compte « Caisse » de 545 $ et des crédits aux comptes « Ventes » et « Taxe de vente perçue » de 500 $ et de 45 $ respectivement.

7   La vente s'inscrivant lors de l'encaissement, la réception du chèque le 3 juillet s'enregistrera au journal des recettes par un débit au compte « Caisse » de 218 $ et par des crédits aux comptes « Ventes » et « Taxe de vente perçue » de 200 $ et 18 $.

8   Cet achat de fournitures de bureau n'ayant donné lieu à aucun débours, il n'amènera aucune inscription aux registres.

9   Le paiement du loyer s'inscrira au journal des débours par un débit au compte « Loyer » et un crédit au compte « Caisse ».

10   Cette information débouche sur une inscription au registre des recettes débitant la caisse de 810 $ et créditant respectivement les comptes « Ventes » et « Taxe de vente perçue » de 743 $ et de 67 $.

11   Ce débours s'inscrit au journal des débours par un débit au compte « Mobilier et agencement » et un crédit au compte « Caisse ».

12   Puisque c'est lors du paiement que l'achat s'enregistre, nous inscrirons le 4 juillet un débit de 300 $ au poste « Achats » et un crédit de 300 $ au poste « Caisse ».

13   Le journal des recettes recevra une inscription de 500 $ au débit du poste « Caisse », de 459 $ au crédit du poste « Ventes » et de 41 $ au crédit du poste « Taxe de vente perçue ».

14   La réception de la facture n'a pas entraîné de débours; par conséquent, aucune inscription n'est requise.

15   Le règlement de l'achat du 2 juillet sera consigné au journal des recettes; 810 $ seront débités à la caisse, 743 $, crédités aux ventes et 67 $, à la taxe de vente perçue. On ne tiendra pas compte de la vente de nourriture tant qu'elle ne sera pas encaissée.

16   La portion de l'achat payé comptant sera enregistrée au journal des débours par un débit au compte « Achats » et par un crédit au compte « Caisse ». On ne tiendra pas compte de la portion non payée tant qu'elle ne sera pas payée.

17   L'enregistrement est porté au journal des recettes. On débite la caisse (327 $), on crédite les ventes (300 $) et on crédite la taxe de vente perçue (27 $).

18   L'enregistrement est porté au journal des débours. On y débitera le poste « Entretien et réparations » et on y créditera le poste « Caisse ».

2) *Registres de l'Animalerie Berger*

Les registres que nous préparerons à l'intention de l'Animalerie Berger seront fort simples. En effet, puisqu'en dehors des débours sur achats, il y a peu de débours de nature répétitive, nous ne créerons à ce registre que très peu de catégories. Les catégories « Achats », « Fret à l'achat », « Entretien et réparations », « Salaires » et « Divers » suffisent.

Les informations 1, 2, 5, 9, 11, 12, 16 et 18, parce que ce sont les seules qui décrivent des débours, y seront portées de la façon indiquée au tableau 11-12.

TABLEAU 12-12

Animalerie Berger
Journal des débours

Date 19__1	Nom du bénéficiaire	Référence	CT Caisse	DT Achats	DT Fret à l'achat	DT Salaires	DT Entretien et réparations	DT Divers Nom du compte	Montant
01-07	Transporteur	1	50		50				
01-07	Quennel, Ltée	2	800	800					
02-07	Employé	5	150			150			
02-07	Locateur	9	300					Loyer	300
02-07	Les étalages Mercier Inc.	11	500					Mobilier et agence-ment	500
04-07	Ka-Niche Enr.	12	300	300					
05-07	Renouveau Zoologique	16	100	100					
06-07	Réparateur	18	80				80		
			2 280	1 200	50	150	80		800

Il y a également peu d'opérations répétitives à l'origine des recettes; c'est pourquoi un journal des recettes prévoyant une colonne « Caisse », une colonne « Ventes », une colonne « Taxe de vente perçue » et une colonne « Divers » suffirait. On y consignera les informations de la façon indiquée au tableau 12-13.

TABLEAU 12-13

Animalerie Berger
Journal des recettes

Date 19__1	Nom du payeur	Référence	DT Caisse	CT Ventes	CT Taxe de vente perçue	CT Divers — Nom du compte	CT Divers — Montant
01-07	Divers clients	3	1 090	1 000	90		
02-07	Divers clients	6	545	500	45		
03-07	Commission scolaire Sainte-Anne	7	218	200	18		
03-07	Divers clients	10	810	743	67		
04-07	Divers clients	13	500	459	41		
05-07	Centre de Recherche Ixe	14	810	743	67		
05-07	Divers clients	17	327	300	27		
			4 300	3 945	355		

3) L'état des recettes et débours

L'état des recettes et débours est tout simplement tiré des informations que nous fournissent les journaux de recettes et débours.

Animalerie Berger
État des recettes et débours
pour la période du 1er au 7 juillet 19__1

Recettes

D'exploitation
Ventes	3 945 $
Perception de la taxe de vente	355
	4 300

Débours

D'exploitation		
Achats	1 200 $	
Fret à l'achat	50	
Salaires	150	
Entretien et réparations	80	
Loyer	300	
	1 780	
Autres débours		
Achat de mobilier et agencement	500	2 280
Excédent des recettes sur les débours		2 020 $

PROBLÈME 12-B La comptabilité de caisse et le travail de fin d'exercice

Lucie Roy est pharmacienne. Elle possède une pharmacie nouveau genre où elle ne vend que des produits pharmaceutiques et de l'herboristerie. Son commerce, la pharmacie Roy Enr., dont l'exercice financier se termine le 28 février de chaque année, réalise un chiffre d'affaires annuel d'environ 250 000 $.

Le bilan de la pharmacie Roy se présentait comme suit au 28 février 19__0.

Pharmacie Roy
Bilan
au 28 février 19__0

Actif

Actif à court terme		
Caisse		3 500 $
Clients	2 400 $	
Moins: Provision pour créances douteuses	400	2 000
Stocks de marchandises		14 000
Frais constatés d'avance		800
Total de l'actif disponible et réalisable à court terme		20 300
Immobilisations		
Mobilier et agencements	24 000 $	
Moins: Amortissement cumulé — Mobilier et agencement	4 000	20 000
Matériel roulant	9 000	
Moins: Amortissement cumulé — Matériel roulant	6 000	3 000
Total des immobilisations		23 000
Total de l'actif		43 300 $

Passif

Passif à court terme	
Emprunt de banque	8 000 $
Fournisseurs	5 000
Frais à payer	250
Taxe de vente à payer	1 000
Total du passif à court terme	14 250
Capital — Lucie Roy	29 050
Total du passif et du capital	43 300 $

L'état des recettes et débours qu'on a extrait des registres de comptabilité de caisse se présente comme suit au 28 février 19__1.

Pharmacie Roy
État des recettes et débours
du 1er mars 19__0 au 28 février 19__1

Recettes	
Ventes	240 000 $
Taxe de vente perçue	8 000
Total des recettes	248 000
Débours	
Salaires et charges sociales	32 200
Achats	130 000
Fret à l'achat	2 500
Loyers	12 000
Éclairage et chauffage	8 500
Téléphone	1 200
Taxes municipales	800
Assurances	2 300
Entretien et réparations du local et de l'équipement	500
Entretien et réparations du camion	700
Essence	2 000
Taxe de vente payée	7 000
Publicité	2 300
Remboursement d'emprunt	5 000
Intérêts	2 000
Prélèvements	35 000
	244 000
Excédent des recettes sur les débours	4 000 $

De plus, en examinant les différentes pièces justificatives disponibles au 28 février 19___1, on constate les faits suivants.

1) Les comptes « Clients » à cette date atteignent 3 000 $ dont 200 $ concernent la facturation de la taxe de vente. La provision pour créances douteuses s'appliquant à ces comptes devrait s'élever à 500 $. Des 400 $ de comptes sur lesquels nous avions pris une provision pour créances douteuses au 28 février 19___0, 350 $ sont devenus irrécupérables au cours de 19___1 et doivent être effacés des livres. Il n'y avait pas de taxe de vente à percevoir sur les comptes « Clients » du début de la période.

2) La marchandise en stock au 28 février 19___1 est évaluée à 16 000 $.

3) Les frais constatés d'avance au début de l'exercice se composent de 400 $ de taxes municipales constatées d'avance et de 400 $ d'assurances constatées d'avance. Au 28 février 19___1, il y a 500 $ de taxes constatées d'avance, 400 $ d'assurances constatées d'avance et 300 $ de publicité constatée d'avance.

4) La dotation à l'amortissement du mobilier et de l'agencement doit être comptée à 2 400 $ pour l'exercice, alors que celle du matériel roulant doit l'être pour 2 000 $.

5) Les comptes « Fournisseurs » s'élèvent à 9 000 $ au 28 février 19___1.

6) Les frais à payer au 28 février 19___0 ne concernent que les retenues salariales et les avantages sociaux reliés aux salaires. Cette même dette, au 28 février 19___1, atteint 800 $. Il y a de plus, aux dossiers de la pharmacie Roy, une facture impayée de 400 $ couvrant la charge d'électricité du mois de janvier 19___1. Il n'y a pas d'autres frais courus à cette date.

7) La taxe de vente à payer à cette date s'élève à 2 200 $.

On demande

Passer, au journal général de la pharmacie Roy, toutes les écritures nécessaires à la régularisation des registres afin d'en tirer une balance de vérification régularisée au 28 février 19___1.

Solution commentée

Le point de départ de cette solution est la balance de vérification préliminaire qu'on peut préparer en juxtaposant le bilan d'ouverture et l'état des recettes et débours de la période (voir le chiffrier du tableau 12-14).

On poursuit la solution en examinant chacun des postes pour les ajuster à leur réalité physique.

Caisse

Aucun ajustement.

Clients

Des 2 400 $ de comptes « Clients » au début de la période, 2 050 $ ont été perçus et inscrits aux ventes de l'exercice alors que 350 $ ont été perdus. La régularisation ① permet d'ajuster les registres en conséquence.

①Ventes 2 050 $
  Provision pour créances douteuses 350
    @ Clients 2 400 $

Il y a de plus 3 000 $ de comptes « Clients » provenant de ventes et de taxe de vente à recevoir non enregistrées en fin de période et une provision pour créances douteuses de 500 $ est nécessaire à cette date. Les ajustements ② et ③ permettent l'inscription de ces faits.

②Clients 3 000 $
    @ Ventes 2 800 $
     Taxe de vente à payer 200

③Créances douteuses 450 $
    @ Provision pour créances douteuses 450

  (Provision au début de la période 400 $
  Moins: Comptes perdus (350)

                                    50
  Provision requise 500
  Ajustement (450 $)

Stock de marchandises

Les stocks du début, qui sont vendus, doivent être versés au coût des marchandises vendues. Par la même occasion, on enregistre les stocks au 28 février 19__1.

④Coût des marchandises vendues 14 000 $
    @ Stock 14 000 $
  Stocks 16 000 $
    @ Coût des marchandises vendues 16 000 $

Frais payés d'avance

On corrigera la différence entre les frais constatés d'avance au début de la période et les frais constatés d'avance à la fin en corrigeant les charges auxquelles ils font référence. Ce faisant, nous transformerons le débours en charge d'exercice.

⑤Frais constatés d'avance
  (1 200 − 800) 400 $
    @ Taxes municipales
     (500 − 400) 100 $
    Assurances
     (400 − 400) 0
    Publicité
     (0 − 300) 300

Mobilier et agencement

Il n'y a eu aucune opération affectant le mobilier et agencement au cours de la période. Aucun ajustement n'est nécessaire pour ce poste.

Amortissement cumulé — Mobilier et agencement

Ce poste est ajusté d'un montant équivalent à la charge de l'exercice par:

⑥ Dotation à l'amortissement   2 400 $
    @ Amortissement cumulé —
        Mobilier et agencement   2 400 $

Matériel roulant

Aucun ajustement n'est nécessaire, car aucune opération touchant ce poste n'a eu lieu au cours de la période.

Amortissement cumulé — Matériel roulant

Ce poste est ajusté par un montant équivalent à la charge de l'exercice par:

⑦ Dotation à l'amortissement   2 000 $
    @ Amortissement cumulé —
        Matériel roulant   2 000 $

Emprunt de banque

Aucun ajustement n'est nécessaire. Ce poste est présenté à la balance de vérification préliminaire au montant auquel il doit apparaître aux états financiers.

Fournisseurs

Le montant de 5 000 $ apparaissant au compte au début de la période a été payé au cours de la période et a été imputé au compte « Achats » de cette période. En revanche, le compte « Fournisseurs » en fin de période provient d'achats effectués au cours de cette période mais non enregistrés. Nous corrigerons par l'écriture ⑧ :

Fournisseurs   5 000 $
    @ Achats   5 000 $
⑧ Achats   9 000 $
    @ Fournisseurs   9 000 $

Frais à payer

En appliquant les procédés de la comptabilité de caisse, les frais à payer au début de la période ont été injustement imputés au compte « Salaires et charges sociales » de l'exercice 19__1; on corrigera par l'écriture:

⑨ Frais à payer   250 $
    @ Salaires et charges sociales   250 $

En revanche, les frais à payer de fin de période devraient être associés aux charges de l'exercice auxquelles ils font référence:

⑩ Salaires et charges sociales   800 $
   Éclairage et chauffage   400
    @ Frais à payer   1 200 $

Taxe de vente à payer

Le solde régularisé de ce compte, en fin de période, s'établit comme suit:

Taxe de vente à payer au 1er mars 19__1	1 000 $
Plus: Sommes perçues au cours de l'exercice	8 000
Sommes à percevoir sur ventes non enregistrées (comptes « Clients » au 28-02-19__1)	200
	9 200 $
Moins: Sommes remboursées au cours de l'exercice	(7 000)
Solde régularisé au 28 février 19__1	2 200
Solde à la balance de vérification préliminaire	2 000
Différence	200 $

L'ajustement ② , en inscrivant la taxe due sur les ventes non enregistrées, a permis de régulariser la situation.

Capital

Le capital sera ajusté par l'écriture de clôture.

Ventes

La transformation des recettes en produits s'est opérée lors des ajustements du compte « Clients » (ajustements ① et ②).

Salaires et charges sociales

La transformation de ce débours en charge s'est effectuée lors de l'ajustement des frais à payer (ajustements ⑨ et ⑩).

Achats

La transformation de ce débours en charge s'est effectuée lors de l'ajustement du compte « Fournisseurs » (ajustement ⑧). Il ne nous reste plus qu'à passer au coût des marchandises vendues le nouveau solde de ce poste:

Solde à la balance de vérification préliminaire (débours)	130 000 $
Moins: Fournisseurs au 1er mars 19__1	5 000
Plus: Fournisseurs au 28 février 19__1	9 000
Charge de l'exercice	134 000 $

⑪ Coût des marchandises vendues	134 000 $	
@ Achats		134 000 $

Fret à l'achat

Le fret à l'achat est versé au coût des marchandises vendues:

⑫ Coût des marchandises vendues	2 500 $	
@ Fret à l'achat		2 500 $

TABLEAU 12-14

Pharmacie Roy
Travail de fin d'exercice
28 février 19__1

Compte	Bilan d'ouverture		Recettes et débours		Balance de vérification préliminaire		Régularisations		Balance de vérification régularisée	
	Dt	Ct			Dt	Ct	Dt	Ct	Dt	Ct
Caisse	3 500		248 000	244 000	7 500				7 500	
Clients	2 400				2 400		3 000 ①	2 400 ②	3 000	
Provision pour créances douteuses		400				400	350 ③	450 ③		500
Stock de marchandises	14 000				14 000		16 000 ④	14 000 ④	16 000	
Frais constatés d'avance	800				800		400 ⑤		1 200	
Mobilier et agencement	24 000				24 000				24 000	
Amortissement cumulé — Mobilier et agencement		4 000				4 000		2 400 ⑥		6 400
Matériel roulant	9 000				9 000				9 000	
Amortissement cumulé — Matériel roulant		6 000				6 000		2 000 ⑦		8 000
Emprunt de banque		8 000	5 000			3 000				3 000
Fournisseurs		5 000				5 000	5 000 ⑧	9 000 ⑧		9 000
Frais à payer		250				250	250 ⑨	1 200 ⑩		1 200
Taxe de vente à payer		1 000	7 000	8 000		2 000		200 ②		2 200
Capital		29 050				29 050				29 050
Ventes				240 000		240 000	2 050 ①	2 800 ②		240 750

Compte	53 700	53 700	492 000	492 000	289 700	289 700	192 600	192 600	300 100	300 100
Salaires et charges sociales			32 200		32 200		(10) 800	(9) 250	32 750	
Achats			130 000		130 000		(8) 9 000	(8) 5 000	134 000	
Fret à l'achat			2 500		2 500			(11) 134 000		
Loyers			12 000		12 000		(12) 2 500		12 000	
Éclairage et chauffage			8 500		8 500		(10) 400		8 900	
Téléphone			1 200		1 200				1 200	
Taxes municipales			800		800			(5) 100	700	
Assurances			2 300		2 300				2 300	
Entretien et réparations — Local et équipement			500		500				500	
Entretien et réparations — Camion			700		700				700	
Essence			2 000		2 000				2 000	
Publicité			2 300		2 300			(5) 300	2 000	
Intérêts			2 000		2 000				2 000	
Prélèvements			35 000		35 000				35 000	
Créances douteuses					(3) 450			(4) 450	450	
Coût des marchandises vendues					(4) 14 000 · (12) 2 500 · (11) 134 000 · (6) 2 400 · (7) 2 000		(4) 16 000		134 500	
Dotation aux amortissements									4 400	
	53 700	53 700	492 000	492 000	289 700	289 700	192 600	192 600	300 100	300 100

Loyers

La charge de loyer correspond au débours de la période; par conséquent, aucun ajustement n'est nécessaire.

Téléphone

Dans ce cas comme dans le cas précédent, la charge correspond au débours; aucun ajustement n'est nécessaire.

Taxes, assurances et publicité

La transformation de ces débours en charges s'est effectuée par l'écriture ⑤.

Entretien et réparations du local et de l'équipement, entretien et réparations du camion, essence, intérêts et prélèvements

Les débours correspondent aux charges concernées ainsi qu'aux prélèvements. Aucun ajustement n'est nécessaire.

Le report de ces ajustements sur le chiffrier permettra la rédaction de la balance de vérification régularisée (voir le tableau 12-14).

QUESTIONS

Q12-1 Qu'entend-on par *comptabilité d'exercice*?

Q12-2 Quelles sont les principales conventions comptables à l'origine de la comptabilité d'exercice?

Q12-3 Pourquoi ces conventions sont-elles à l'origine de la comptabilité d'exercice?

Q12-4 Quels sont les registres comptables minimums nécessaires au maintien d'une comptabilité d'exercice?

Q12-5 Quels sont les registres comptables les plus couramment utilisés en comptabilité de caisse?

Q12-6 Pourquoi la méthode de l'inventaire permanent est-elle inapplicable en comptabilité de caisse?

Q12-7 À quel moment les ventes seront-elles enregistrées en comptabilité de caisse?

Q12-8 À quel moment l'achat sera-t-il enregistré en comptabilité de caisse?

Q12-9 Quelle est l'utilité du journal des salaires pour une entreprise qui maintient ses registres en comptabilité de caisse?

12-10 Quelles sont les principales faiblesses du système de comptabilité de caisse?

12-11 Comment se présente l'information que nous fournit la comptabilité de caisse?

12-12 Est-il possible que les recettes ou les débours d'un exercice donné ne correspondent pas aux produits ou aux charges de ce même exercice?

12-13 Comment peut-on procéder à un travail de régularisation en l'absence du grand livre général?

12-14 En quoi le solde aux livres du compte « Caisse », en fin d'exercice, est-il différent selon que l'on utilise la comptabilité de caisse ou la comptabilité d'exercice?

12-15 Comment transforme-t-on les recettes en produits?

12-16 Comment transforme-t-on les débours en charges?

12-17 Quelles sont les principales caractéristiques de l'entreprise à laquelle s'adapte convenablement le système de comptabilité de caisse?

12-18 Comment peut-on pallier, en comptabilité de caisse, l'absence des grands livres auxiliaires du compte « Clients » et du compte « Fournisseurs »?

12-19 Pourquoi le travail de fin d'exercice, en comptabilité de caisse, est-il plus important que le travail de fin d'exercice en comptabilité d'exercice?

12-20 Quels sont les principaux avantages de la comptabilité de caisse?

EXERCICES

12-21 Le 24 février 19__1, le commerce de M. Bozet, encadreur professionnel, a perçu les sommes suivantes:

1) 95 $ résultant d'une vente au comptant effectué le même jour à Décoro, Ltée;

2) 860 $ résultant d'une vente à crédit effectuée le 16 janvier 19__1 aux magasins Le Châtelet, Ltée;

3) 200 $ en paiement d'une sous-location d'une partie de l'immeuble qu'occupe le commerce de M. Bozet;

4) 60 $ d'intérêts sur un dépôt à terme;

5) 1 000 $ résultant d'un emprunt effectué à la banque.

- En utilisant le journal des recettes qui suit, enregistrer selon les principes de la comptabilité de caisse les recettes du 24 janvier 19__1 du commerce de M. Bozet.

Commerce de M. Bozet
Journal des recettes

Date	Explications	DT Caisse	CT Ventes	CT Divers	
				Nom du compte	Montant

E12-22 Les chèques suivants ont été préparés par l'Hôtel Villejoy Enr. au cours de la journée du 15 janvier 19__2.

1) 830 $ en paiement de la facture d'électricité couvrant la consommation des mois de novembre et décembre 19__1.

2) 2 400 $ en paiement du salaire des 8 employés au service de l'hôtel. Chacun a droit à un salaire brut de 400 $ par semaine et à un salaire net de 300 $ par semaine.

3) 1 600 $ en paiement des retenues salariales sur les salaires des employés en décembre 19__1.

4) 700 $ à la plomberie P.B., Ltée, pour une réparation effectuée le 3 janvier 19__2.

5) 145 $ à la buanderie Gisèle, Ltée pour le nettoyage des serviettes utilisées par les clients de l'hôtel au cours de la première semaine de janvier 19__2.

• Si on suppose que l'exercice financier de l'Hôtel Villejoy Enr. se termine le 31 décembre de chaque année, enregistrer au journal des débours fourni à cette fin les débours de l'Hôtel Villejoy Enr. pour la journée du 15 janvier 19__2, en tenant compte des principes de la comptabilité de caisse.

Hôtel Villejoy Enr.
Journal des débours

Date	Nom du bénéficiaire	CT Banque	DT Achats	DT Divers Nom du compte	Montant

12-23 Au 31 décembre 19___1, le bilan de Doublevé Enr. présentait un solde de 12 600 $ au compte « Clients » ainsi que de 620 $ à la provision pour créances douteuses. Au cours de l'année 19___2, Doublevé Enr. a encaissé 96 800 $ sur ventes au comptant et à crédit et le décompte des factures que ses clients n'ont pas encore payées au 31 décembre 19___2 atteint 8 000 $. On prévoit que 5% de ces 8 000 $ seront irrécupérables.

- Sachant que 1 000 $ des 12 600 $ de comptes « Clients » au 31 décembre 19___1 ont été perdus au cours de l'exercice 19___2, déterminer selon les principes de la comptabilité d'exercice le montant des ventes de l'exercice 19___2.

12-24 Chez Sigi Enr., le coût des marchandises vendues de l'exercice 19___2 atteint 132 000 $. Au 31 décembre 19___2, date de fin d'exercice, le bilan de l'entreprise Sigi Enr. présente au compte « Stock de marchandises » un solde de 10 000 $, ainsi qu'un solde de 14 000 $ au compte « Fournisseurs ». Le bilan de l'exercice précédent présentait un solde de 11 000 $ au compte « Stock de marchandises » et de 8 000 $ au compte « Fournisseurs ».

- Établir le montant des débours sur achats effectués par Sigi Enr. au cours de l'exercice 19___2.

E12-25 Voici une liste de 8 opérations effectuées par Bobinex Enr. (marchand de jouets) au cours de la journée du 20 avril 19—2.

1) Achat à crédit chez Jojo, Ltée de 800 $ de jouets destinés à la revente.

2) Réception de la facture d'électricité du mois de mars 19—2.

3) Paiement comptant d'un achat de jouets effectué le même jour. La facture s'élève à 760 $.

4) Vente à crédit d'un coffre à jouets pour 200 $, plus 18 $ de taxe.

5) Encaissement d'un chèque de 340 $ en règlement d'une vente à crédit effectuée le 10 mars 19—2.

6) Paiement de commissions au vendeur: 200 $ moins 50 $ de retenues salariales.

7) Encaissement de 109 $ provenant d'une vente au comptant de 100 $, plus 9 $ de taxe de vente.

8) Bobinex passe une commande d'une valeur globale de 1 200 $ à un artisan local qui fabrique des chevaux de bois.

- En utilisant la grille de réponses fournie à cette fin, indiquer pour chacune des opérations décrites:

  1) si une écriture doit être passée pour tenir compte de cette opération:
     a) en comptabilité de caisse;
     b) en comptabilité d'exercice;

  2) s'il y a lieu, dans quel journal cette écriture doit être reportée.

Grille de réponses

N° de la transaction	Comptabilité de caisse		Comptabilité d'exercice		Journal					
	oui	non	oui	non	des achats	des ventes	des dé-bours	des re-cettes	des salai-res	général
1										
2										
3										
4										
5										
6										
7										
8										

PROBLÈMES À RÉSOUDRE

12-26 D. Morin possède, depuis quelques années déjà, une salle de billard. En plus des produits qu'il tire de la location de ses tables, D. Morin tire quelques produits de l'activité de restauration connexe à son activité de location.

Au cours de la semaine terminée le samedi 13 février 19___1, l'entreprise D. Morin a mené les opérations suivantes.

Le dimanche 7 février

1) 130 heures de location de tables à 4 $/h.

2) Vente de nourriture et boissons: 275 $.
   Tous les clients de ce 7 février ont payé leur facture comptant.

3) Paiement comptant à un employé qui ne travaille que le dimanche afin de répondre aux besoins de la clientèle, habituellement plus importante au cours de cette journée. D. Morin lui verse 70 $ à même les recettes de la journée. Il ne retient rien sur le salaire de cet employé.

Le lundi 8 février

1) Paiement d'un achat de cigarettes effectué le 20 janvier 19___1 (350 $).

2) Paiement du loyer du mois de février 19___1 (1 400 $).

3) Loyer des tables pour la journée: 260 $ (comptant).

4) Vente de nourriture: 130 $ (comptant).

Le mardi 9 février

1) Réception d'une facture de 240 $ de l'entreprise chargée de l'entretien du local. Cette facture couvre la période du 1er au 30 janvier 19___1.

2) D. Morin prélève 300 $ à même les recettes de la journée.

3) Les recettes de la journée se présentent comme suit:

Loyer des tables	210 $
Vente de nourriture	140 $

Le mercredi 10 février

1) Un client à qui la salle a l'habitude de faire crédit règle la somme qu'il devait au 31 décembre 19___1, soit 200 $. De ces 200 $, 100 $ sont applicables au loyer des tables et 100 $ sont applicables à la vente de nourriture.

2) Paiement des retenues effectuées sur le salaire des employés au cours du mois de janvier 19___1 (200 $). À ces 200 $ s'ajoute la participation de l'employeur aux différents régimes d'avantages sociaux. Celle-ci s'élève à 150 $.

3) Le 10 février, la salle encaisse 320 $ de la location des tables et 172 $ de la vente de produits alimentaires.

Le jeudi 11 février

1) Réception d'une commande de nourriture. Ces marchandises sont accompagnées de la facture, qui s'élève à 600 $.

2) Remplacement du tapis de 6 tables au coût total de 850 $. La moitié de la somme est payée comptant : le reste sera payé dans 30 jours.

3) Le salon a été loué pendant toute la journée aux membres du Club des Loups. La facture s'élève à 300 $ pour le loyer des tables et à 200 $ pour les produits alimentaires ; 10 % de la facture a été réglé ce jour, le solde devant être payé dans 30 jours.

Le vendredi 12 février

1) Paiement du salaire de deux employés, pour la période du samedi 6 février au vendredi 12 février ; chacun d'eux a droit à 250 $, sur lesquels sont retenus 50 $.

2) Les recettes de la journée atteignent 900 $, dont 600 $ proviennent du loyer des tables et 300 $ de la vente de produits alimentaires.

Le samedi 13 février

Encaissement de 500 $ sur le loyer des tables et de 320 $ sur la vente de nourriture.

• En supposant que l'exercice financier de la salle D. Morin se termine le 31 décembre de chaque année :

1) procéder à l'enregistrement de chacune des opérations précédemment décrites en supposant l'utilisation d'une comptabilité d'exercice ;

2) procéder à l'enregistrement de chacune des opérations précédemment décrites en supposant l'utilisation d'une comptabilité de caisse ;

3) expliquer pourquoi les enregistrements passés à la question 1 sont différents des enregistrements passés à la question 2.

P12-27 Carole Legault possède une biscuiterie dont la majorité des ventes se font au comptant. Pour cette raison, elle a décidé de maintenir ses registres en comptabilité de caisse. Ses registres se composent d'un journal des recettes, d'un journal des débours et d'un journal général dans lequel son comptable passe annuellement les ajustements nécessaires à la préparation des états financiers.

Le journal des recettes de la Biscuiterie Carole se présente comme suit :

Biscuiterie Carole
Journal des recettes

Date	Explications	DT Caisse	CT Ventes de biscuits	CT Ventes d'autres produits	CT Taxe de vente perçue	CT Divers	
						Nom du compte	Montant

Le journal des débours de la biscuiterie Carole se présente à son tour comme suit.

Biscuiterie Carole
Journal des débours

Date	Explications	CT Caisse	CT Escomptes sur achats	DT Achats de biscuits	DT Achats d'autres produits	DT Salaires	DT Entretien du local	DT Divers	
								Nom du compte	Montant

L'exercice financier de la biscuiterie Carole se termine le 30 juin de chaque année.

Au cours de la semaine terminée le samedi 10 juin 19＿1, la biscuiterie Carole a mené les opérations suivantes.

Lundi 5 juin

1) Achat chez Bons Biscuits, Ltée de 300 $ de biscuits. La facture porte la mention 2%/10 jours, net/30 jours.

2) Paiement de la facture d'essence pour le camion de livraison: 80 $.

3) Paiement du laveur de vitrine: 40 $.

4) Recettes sur ventes de biscuits: 180 $.

5) Recettes sur ventes d'autres produits: 65 $, dont 5 $ sur perception de la taxe de vente.

Mardi 6 juin

1) Paiement du loyer des mois de juin et juillet 19＿1, à raison de 400 $ par mois.

2) Vente à la cantine Monjoy d'un lot de biscuits brisés. La facture de 160 $ devra être réglée dans 30 jours.

3) Versement d'un dépôt de 100 $ sur l'achat de produits non alimentaires importés.

4) Recettes sur ventes de biscuits: 260 $.

5) Recettes sur ventes d'autres produits: 151 $, dont 11 $ sur perception de la taxe de vente.

Mercredi 7 juin

1) Paiement à Luda, Ltée d'un achat de biscuits effectué le 2 mai: 287 $.

2) Paiement de la facture d'électricité du mois de mai 19＿1: 50 $.

3) Réception d'une facture pour la réparation du système de climatisation: 148 $.

4) Recettes sur ventes de biscuits: 235 $.

Jeudi 8 juin

1) Paiement du salaire du commis pour la période comprise entre le jeudi 1er juin et le mercredi 7 juin 19＿1. Le salaire brut de cet employé est de 300 $, sur lequel 60 $ sont retenus.

2) Versement au gouvernement provincial de la taxe de vente perçue au cours des mois d'avril et mai 19＿1: 360 $.

3) Recettes sur ventes de biscuits: 188 $.

4) Recettes sur ventes de produits non alimentaires: 86 $ dont 6 $ de taxe de vente perçue.

Vendredi 9 juin

1) Achat de 480 $ de produits non alimentaires; la moitié de l'achat est comptant, le reste payable dans 30 jours.

2) Prélèvement de 300 $ effectué par Carole Legault.

3) Paiement de l'achat du 5 juin 19__1.

4) Réception d'un chèque de la cantine Monjoy en règlement de la facture du 6 juin 19__1.

5) Recettes sur ventes de biscuits: 358 $.

6) Recettes sur ventes d'autres produits: 109 $, dont 9 $ de taxe de vente.

7) Recettes sur la vente de vieux comptoirs: 135 $.

Samedi 10 juin

1) Achat de quelques affiches devant servir à la décoration du magasin. L'achat payé comptant entraîne un débours de 270 $.

2) Paiement d'une facture datée du 4 juin pour la réparation de la camionnette utilisée par la Biscuiterie Carole: 80 $.

3) Paiement comptant d'un achat d'un lot de biscuits spéciaux: 600 $.

4) Recettes sur ventes de biscuits: 296 $.

5) Recettes sur ventes de produits non alimentaires: 54 $ dont 4 $ de taxe de vente.

- 1) Inscrire dans les registres de la Biscuiterie Carole les opérations de la semaine terminée le samedi 10 juin 19__1.

  2) Préparer l'état des recettes et débours de la biscuiterie pour la semaine terminée le samedi 10 juin 19__1.

P12-28 Pierre Dubois exploite un immeuble à logements multiples. Son immeuble compte 50 logements, et l'exercice financier de son entreprise se termine le 28 février. À son bilan du 28 février 19__1 paraissait un poste de loyer perçu d'avance de 2 400 $. Ce poste se composait du loyer des mois de mars et avril 19__1 qu'un locataire avait payé au 15 janvier 19__1 (1 200 $), ainsi que du loyer du mois de mars 19__1 que deux autres locataires avaient payé au 29 janvier 19__1 (1 200 $). Le premier de ces loyers était de 400 $, le second de 800 $. Au bilan de cette même date paraissait un loyer à recevoir pour les mois de décembre 19__0, de janvier et de février 19__1, qu'un locataire refusait de payer sous prétexte que sa cause avait été portée devant la Régie du Logement et que le jugement n'était pas rendu. Le loyer demandé à ce locataire est de 550 $ par mois. Le jugement fut rendu en juin 19__1 et a donné tort au locataire, qui a dû payer à cette date tous ses arrérages de loyer.

Entre le 1er mars 19__1 et le 28 février 19__2, les registres de Pierre Dubois, maintenus en comptabilité de caisse, indiquent qu'il a perçu 28 000 $ de loyer.

De plus, M. Dubois indique qu'au 28 février 19__2, les locataires des logements 37 et 42 n'ont pas encore versé leur loyer du mois de février 19__2. Le logement 37 est loué à raison de 560 $ par mois alors que le logement 42 est loué à raison de 700 $ par mois.

En contrepartie, le locataire du logement 26, devant s'absenter pour 6 mois, a payé le 1er décembre 19___1 son loyer du mois de décembre 19___1 ainsi que celui des mois de janvier à mai 19___2 inclusivement, pour une somme totale de 3 700 $ (600 $ par mois pour les mois de décembre à avril inclusivement et 700 $ pour le mois de mai 19___2).

- Établir le produit de loyer que Pierre Dubois a gagné au cours de son exercice terminé le 28 février 19___2. Fournir tous les calculs à l'appui.

12-29 Jacques Berthiaume exploite une librairie dont l'exercice financier se termine le 31 décembre. À cause de ses connaissances limitées en comptabilité, Jacques préfère maintenir ses registres comptables en comptabilité de caisse. C'est son comptable qui, en fin d'exercice, effectue les transformations nécessaires à la préparation des états financiers. En ce moment, le comptable tente d'établir la charge d'assurances pour l'exercice financier terminé le 31 décembre 19___2, et il éprouve certaines difficultés.

Le registre des débours pour l'exercice terminé le 31 décembre 19___2 indique un débours d'assurances de 3 850 $. En revanche, le registre des recettes indique qu'une remise de 175 $ fut effectuée par le courtier sur une prime payée en trop en 19___2 par la librairie Berthiaume. Au 31 décembre 19___1, la balance de vérification régularisée de la librairie Berthiaume affichait parmi les postes de frais payés d'avance un poste d'assurances constatées d'avance de 1 120 $. Ce solde correspondait à la valeur de la couverture qui restait à recevoir sur une police d'assurance-responsabilité de 3 000 $ d'une durée de 3 ans, acquise le 1er janvier 19___0. Les 120 $ qui restaient correspondaient à la valeur du service à recevoir sur une autre police, acquise le 1er avril 19___1, au coût de 480 $ et couvrant une période de douze mois.

Au 31 décembre 19___1, on comptait également parmi les frais courus à payer une facture du courtier d'assurance faisant référence à un ajustement de prime pour une police échue le 30 novembre 19___1. Cet ajustement totalisait 260 $.

Au 31 décembre 19___2, on avait renouvelé la police d'assurance-responsabilité pour une période d'un an à compter du premier janvier 19___3. La facture de 1 400 $, reçue du courtier le 29 décembre 19___2, fut réglée le jour même.

Ce même jour, le 29 décembre 19___2, la librairie reçut également d'un autre courtier une facture de 600 $ pour une police d'assurance couvrant la période du 1er décembre 19___2 au 30 novembre 19___3. Cette facture n'était pas encore payée au 31 décembre 19___2.

- Établir la charge d'assurance devant être imputée à l'exercice 19___2 de la librairie Berthiaume. Fournir tous les calculs à l'appui.

12-30 Monsieur Paul Lemieux, commerçant, fait appel aux services d'un comptable pour l'aider à préparer les états financiers de son entreprise au 31 décembre 19___1. Il lui demande de déterminer le montant des postes suivants qui devront paraître à son état des résultats

1) Ventes
2) Bénéfice brut
3) Assurances
4) Fournitures
5) Chauffage
6) Produits de loyers

À la suite des questions du comptable, il lui fournit les renseignements suivants relatifs aux postes précédents.

1) Recettes

Clients	100 000 $
Locataires	11 450

2) Débours

Achats	70 000
Fret à l'achat	5 000
Assurances	1 300
Fournitures	800
Chauffage	1 000

3) Le montant du compte « Clients » figurant dans la balance de vérification est:

au 31 décembre 19__0	7 000 $
au 31 décembre 19__1	5 000

Le comptable remarque qu'on a compté, en totalisant les comptes « Clients », des comptes à solde créditeur de 500 $ au 31 décembre 19__0 et de 1 500 $ au 31 décembre 19__1. Monsieur Lemieux lui dit que ces sommes représentent des acomptes reçus avant la fin d'année pour des ventes effectuées au cours de l'année suivante.

4) Les feuilles d'inventaire révèlent les faits suivants:

	31 décembre 19__0	31 décembre 19__1
Stock de marchandises	15 000 $	14 200 $
Stock de fournitures	100	125
Stock d'huile à chauffage	200	215

5) Les factures à payer s'analysent comme suit:

	31 décembre 19__0	31 décembre 19__1
Achats	3 000 $	3 700 $
Assurances	—	75
Fournitures	80	—
Chauffage	120	140

6) Une partie du bâtiment est louée à deux locataires:

Locataire A: 450 $ par mois jusqu'au 30 avril 19__1;
470 $ par mois à partir du 1er mai 19__1.

Locataire B: 480 $ par mois jusqu'au 30 avril 19__1;
500 $ par mois à partir du 1er mai 19__1.

Au 31 décembre 19__0, le locataire A avait payé le loyer du mois de janvier 19__1, et le locataire B n'avait pas encore acquitté le loyer de décembre 19__0.

Au 31 décembre 19__1, le locataire A avait payé le loyer de janvier et février 19__2, et le locataire B n'avait pas encore acquitté le loyer de novembre et décembre 19__1.

- Répondre à M. Lemieux.

12-31 R. Nantel, propriétaire d'un magasin de crème glacée, Le Glacier Enr., a de la difficulté à comprendre pourquoi son bénéfice net ne se traduit pas par une augmentation équivalente de son encaisse.

Afin d'obtenir une réponse à cette question, il présente à un de ses amis, étudiant en comptabilité, l'état des résultats du plus récent exercice financier de son entreprise.

Le Glacier Enr.
État des résultats
pour l'exercice terminé le 31 décembre 19__5

Ventes		325 000 $
Coût des marchandises vendues		
Stock au 1er janvier 19__5	8 000 $	
Achats	223 500	
Stock au 31 décembre 19__5	(7 500)	224 000
Bénéfice brut		101 000
Frais généraux de vente et d'administration		60 000
Bénéfice net		41 000 $

De plus il informe son ami que:

1) le compte « Clients » de « Le Glacier Enr. » s'élevait à 7 800 $ au 1er janvier 19__5 et à 8 200 $ au 31 décembre 19__5; aucune créance n'a été perdue au cours de l'exercice 19__5;

2) le compte « Fournisseurs », qui ne concerne que des achats de marchandises en vue de la revente, atteignait 14 000 $ au début de l'exercice 19__5 et 16 800 $ à la fin de ce même exercice;

3) les frais courus à payer au 1er janvier 19__5 s'élevaient à 2 600 $, alors qu'ils étaient à 1 760 $ au 31 décembre 19__5;

4) les frais payés d'avance étaient à 870 $ au début de 19__5 et à 980 $ à la fin de 19__5.

● Indiquer à M. Nantel dans quelle mesure ses opérations de produits et charges ont affecté son encaisse au cours de l'exercice terminé le 31 décembre 19__5.

12-32 Électromag Enr. est spécialisé dans la vente au détail de téléviseurs, de chaînes stéréo et d'équipement électronique en tous genres. Le propriétaire, Mme F. Nitro, s'occupe elle-même du petit magasin qu'elle a aménagé il y a déjà cinq ans.

Mme Nitro tient la comptabilité de son entreprise en comptabilité de caisse. Elle utilise un journal des recettes et un journal des débours pour enregistrer les transactions effectuées. L'exercice financier d'Électromag Enr. se termine le 31 décembre de chaque année.

Le 15 janvier, Mme Nitro demande à son comptable de préparer ses états financiers de l'exercice 19__5 selon les exigences de la saine pratique comptable. Pour ce faire, elle lui fournit les documents suivants.

Électromag Enr.
Bilan
au 31 décembre 19__4

Actif

À court terme			
Encaisse		5 000 $	
Clients		10 000	
Stock de marchandises		50 000	
Taxes payées d'avance		1 000	66 000 $
Immobilisations			
Terrain		10 000	
Immeuble	70 000 $		
Moins: Amortissement cumulé	11 200	58 800	
Mobilier et agencement	8 000		
Moins: Amortissement cumulé	4 800	3 200	
Camions de livraison	7 560		
Moins: Amortissement cumulé	7 560	0	72 000
			138 000 $

Passif

À court terme			
Emprunt de banque		40 000 $	
Fournisseurs		5 000	
Portion de l'hypothèque à court terme		5 000	
Taxe de vente à payer		1 600	51 600 $
À long terme			
Hypothèque		50 000	
Moins: Portion à court terme		5 000	45 000
			96 600

Capital

Capital — F. Nitro au 31 décembre 19__4	41 400
	138 000 $

Électromag Enr.
État des recettes et débours
pour l'exercice terminé le 31 décembre 19__5

Recettes		
Ventes[1]	211 000 $	
Emprunt de banque[2]	15 000	226 000 $
Débours		
Achats	70 000 $	
Fret à l'achat	2 000	
Remboursement de clients	1 080	
Achat d'un camion[3]	10 800	
Assurances[4]	750	
Taxes	1 800	
Électricité	500	
Chauffage	600	
Remise des taxes de vente	16 100	
Salaire de Mme F. Nitro	15 000	
Emprunt de banque[2]	20 000	
Versement annuel sur hypothèque	5 000	
Intérêts	10 750	
Salaire du livreur	7 000	161 380 $
Excédent des recettes sur les débours		64 620 $

[1] Ce montant comprend aussi la taxe de vente perçue au cours de l'exercice. Celle-ci est calculée à 9% et s'applique à tous les articles vendus par Électromag.

[2] On a remboursé une partie de l'emprunt de banque le 1er février 19__5. On a emprunté de nouveau le 1er août 19__5.

[3] Ce camion a été acheté le 1er janvier 19__5.

[4] Cette police payée le 1er janvier couvre une période de 3 ans à compter de cette date.

Voici des renseignements supplémentaires recueillis par le comptable de Mme Nitro.

1) Les factures de clients impayées se chiffrent à 15 000 $ au 31 décembre 19__5.

2) La taxe de vente perçue est remise au gouvernement le 15 du mois suivant celui de la vente.

3) Les factures d'achat impayées étaient de 8 000 $ au 31 décembre 19__5.

4) Le dénombrement des articles effectué en date du 31 décembre 19__5 a permis d'évaluer à 45 000 $ les stocks de marchandises.

5) L'hypothèque est remboursable en tranches de 5 000 $ par an payables le 1er janvier de chaque année. Elle porte intérêt au taux annuel de 15%.

6) L'emprunt de banque porte intérêt au taux annuel de 16%.

7) On paie les taxes le 1er septembre de chaque année. La facture de taxes couvre la période du 1er septembre au 31 août.

8) Les taux annuels de dotation aux amortissements sont (amortissement linéaire):

Immeuble	4%
Mobilier et agencement	15%
Camion de livraison	30%

9) Le 3 novembre, Mme F. Nitro a apporté chez elle une chaîne stéréo ayant coûté 500 $.

• 1) Présenter, avec explications à l'appui, toutes les écritures nécessaires à la régularisation des comptes de Électromag Enr. au 31 décembre 19—5.

2) Dresser, en bonne et due forme, les états financiers de l'exercice 19—5 de Électromag Enr.

P12-33 M. Élie exploite depuis quelques années une entreprise effectuant des travaux d'électricité pour les résidences privées. Parallèlement, M. Élie exploite une petite boutique d'appareillage électrique et de fournitures domestiques diverses.

Étant donné ses besoins limités d'informations financières, il se contente de tenir une comptabilité de caisse. À la fin de l'exercice financier, le 31 décembre, son comptable passe les écritures de régularisation nécessaires à la préparation des états financiers et dresse ces états. Le 5 février 19—10, le comptable dispose à cette fin des documents suivants.

M. Élie, entrepreneur électricien
État des recettes et débours
pour l'exercice terminé le 31 décembre 19—9

Recettes		
Vente de fournitures et d'appareillage électrique		
(y compris la taxe de vente)		27 000 $
Service		30 000
		57 000
Débours		
Achats		25 000
Fret à l'achat		500
Remise de taxe de vente		1 950
Chauffage		600
Électricité		250
Entretien et réparations du camion		200
Remboursement de l'emprunt[1]		5 000
Loyer du local[2]		8 450
Intérêts et frais de banque		4 067
		46 017
Excédent des recettes sur les débours		10 983

[1] Ce remboursement a eu lieu le 30 juin 19—9.

[2] Le local est loué 650 $ par mois. M. Élie a payé en décembre le loyer du mois de janvier 19—10.

L'état de banque du mois de décembre 19—9, parvenu à l'entreprise en janvier 19—10, contient certains renseignements que l'on ignorait avant d'avoir reçu cet état de banque, notamment, deux avis de débit.

Notes de débit

1) La banque a débité au compte de M. Élie un montant de 15 $ comme frais de banque pour le mois.

2) Un chèque de 500 $ a été retourné le 31 décembre avec comme mention: « Provision insuffisante ». Ce chèque réglait une vente de fournitures de l'exercice.

Autres renseignements

1) Le 1er janvier 19__6, M. Élie a renouvelé son bail pour une période de 5 ans.

2) Le solde en caisse au 31 décembre 19__8 était de 1 400 $.

3) Au 31 décembre 19__8, le compte « Fournisseurs » s'élevait à 2 000 $.

4) Au 1er janvier 19__9, on avait 100 $ de taxe de vente à remettre au gouvernement.

5) Le 1er janvier 19__9, les clients devaient 4 000 $ à M. Élie. M. Élie ne fait aucun crédit sur les ventes de fournitures.

6) L'emprunt de banque atteint 25 000 $ au 31-12-19__9. Il porte intérêt au taux de 16%. Il y a 333 $ d'intérêts à payer au 31 décembre 19__9.

7) Le compte « Fournisseurs » s'élevait à 7 000 $ au 31 décembre 19__9.

8) Le compte « Clients » était à 5 000 $ au 31 décembre 19__9.

9) Au 1er janvier 19__9, le stock était de 5 000 $ et, au 31 décembre de la même année, il était de 10 000 $.

10) On remet les taxes de vente perçues au gouvernement le 15 du mois suivant la vente.

11) Le 5 février 19__9, M. Élie a perçu d'un client 250 $ et a conservé pour lui la somme reçue. Aucune écriture n'a été passée. Il s'agissait d'une réparation à domicile.

Immobilisations

1) L'entreprise dispose d'un camion de service acquis le 30 juin 19__6 pour 10 000 $.

2) Le 1er janvier 19__6, on a apporté pour 5 000 $ d'améliorations au local occupé par la boutique.

3) Toutes les immobilisations sont amorties selon la méthode de l'amortissement linéaire.

4) Le coût du camion est réparti sur une base de 10 ans, et celui des améliorations des locaux, sur la durée du bail.

• 1) Présenter toutes les écritures nécessaires à la régularisation des registres de l'entreprise de M. Élie au 31 décembre 19__9.

2) Préparer l'état des résultats de l'entreprise Élie pour son exercice financier terminé le 31 décembre 19__9.

P12-34 Voici les totaux extraits des registres des recettes et débours de la boutique de tissus La Fine Couture Enr. pour son exercice terminé le 30 novembre 19___2.

La Fine Couture Enr.
Livre de caisse
au 30 novembre 19___2

	Débits	Crédits
Totaux de caisse	174 250 $	184 910 $
Emprunt de banque	8 000	6 000
Ventes		168 250
Salaires et charges sociales	8 160	
Fret à l'achat	4 610	
Intérêt	530	
Assurances	850	
Publicité	140	
Charges de bureau	750	
Éclairage, chauffage, eau, etc.	360	
Taxes	530	
Achats	147 700	
Prélèvements	4 800	
Réparations et entretien	480	
Loyer	8 000	
	359 160 $	359 160 $

De plus, on trouve les renseignements suivants en consultant les registres et pièces mis à la disposition du comptable par le propriétaire de la boutique. En plus des journaux de recettes et de débours, le comptable utilise un grand livre général et un journal général.

1) L'actif et le passif au 30 novembre 19___1 se présentaient comme suit:

Argent en caisse et en banque	9 000 $	
Clients	15 500	
Stock de marchandises	27 000	
Mobilier et installations (net)	3 700	
Améliorations des locaux (net)	6 350	
Placement	250	
Emprunt de banque à payer		6 000 $
Fournisseurs		29 000
Frais à payer		1 300
	61 800	36 300
Capital		25 500
	61 800 $	61 800 $

2) Outre l'emprunt de banque, le passif de La Fine Couture Enr. au 30 novembre 19___1 et au 30 novembre 19___2 se détaille comme suit:

	30 novembre 19___1	30 novembre 19___2
Fournisseurs	29 000 $	18 300 $
Frais de transport à payer	450	240
Salaires à payer	500	300
Taxes à payer	100	150
Charges du bureau à payer	60	—
Éclairage à payer	40	60
Intérêts à payer	50	100
Assurances à payer	100	50
Retenues d'impôt à la source	—	90

3) Le compte « Clients », au 30 novembre 19___2, s'établissait à 12 000 $, et aucune provision pour créances douteuses n'est nécessaire.

4) Le stock de marchandises au 30 novembre 19___2 s'élevait à 32 000 $.

5) Les immobilisations apparaissent à la valeur aux livres nette; on devra pourvoir à une dotation à l'amortissement de 20% sur le mobilier et de 10% sur l'amélioration des locaux, calculée sur le solde dégressif.

1) Présenter, en bonne et due forme, l'état des résultats de La Fine Couture Enr. pour son exercice terminé le 30 novembre 19___2 de même que le bilan à cette même date.

2) Présenter, sans explications, toutes les écritures nécessaires à la régularisation des comptes de la boutique de tissus La Fine Couture Enr. au 30 novembre 19___2.

Index

Les chiffres en caractères gras renvoient à la définition.